HISTORIA
DEL TEATRO LÍRICO

RENÉ DUMESNIL

HISTORIA
DEL TEATRO LÍRICO

Traducción castellana
y Apéndice por
ROSENDO LLATES

VERGARA EDITORIAL
BARCELONA

Título original: HISTOIRE ILLUSTRÉE DU THÈATRE LYRIQUE

Copyright by Editions d'Histoire et d'Art, París

© VERGARA EDITORIAL, S. A. 1957

Propiedad literaria reservada · Impreso en España

ARTES GRÁFICAS RAFAEL SALVÁ — CASANOVA, 140 — BARCELONA

Capítulo primero

LOS ORÍGENES

Es un error bastante difundido el de buscar las fuentes de nuestro arte lírico en la antigüedad grecorromana : el teatro latino, imitado del teatro griego, murió sin descendencia a raíz de la propagación del cristianismo. Pero, así como el politeísmo había engendrado formas dramáticas que entraban en las manifestaciones rituales — las dionisias, por ejemplo —, del mismo modo fue de la liturgia cristiana, casi por completo ignorante de sus predecesores grecolatinos, de donde surgió el teatro moderno, que, en sus orígenes, adoptó también la forma de un «drama litúrgico cantado».

Con la publicación, en 599, del *Sacramentario,* san Gregorio el Grande había reformado la liturgia. Pocos años antes, fundaba en Roma una escuela de cantores cuyos discípulos enviados por toda la cristiandad unificaron los cantos de la Iglesia imponiendo por todas partes el «gregoriano», desde entonces fijado *ne varietur.* Sin embargo, no hay coacción espiritual que pueda oponerse a la evolución de un arte. Al lado de una tradición inmutable, por lo menos en apariencia, las tendencias peculiares de cada grupo étnico, reflejando costumbres y aspiraciones ancestrales, se revelaron más vigorosas, sin duda, por haber estado largo tiempo comprimidas. Precisamente en el siglo ix nacen los «tropos», de los que saldrán a la vez la renovación de la música y los primeros balbuceos del teatro cristiano.

Los tropos, primitivamente, no fueron más que un procedimiento mnemotécnico inventado por un monje de Jumièges, cerca de Rouen. A fin de recordar con menor esfuerzo las largas vocalizaciones de los *alleluia,* imaginó poner palabras bajo las notas cantadas. Uno de los monjes de la abadía, huyendo de los normandos que devastaban Neustria, escapó hasta Saint-Gall. Llevaba consigo un antifonario con ese sistema de notación. En Saint Gall, un benedictino, llamado Nokter, que también buscaba un sistema para aliviar su memoria, se entusiasmó ante el procedimiento y compuso numerosos tropos, perfeccionando la invención de los monjes de Neustria. Poco a poco los tropos llegaron a separarse de la melodía, de la cual no eran más que un accesorio. La barrera opuesta por san Gregorio a la diversidad de cantos litúrgicos no había sido rota : había sido contorneada.

La abadía de Saint-Gall, a las orillas del lago de Constanza, irradiaba sobre toda la Europa benedictina ; Jacques Chailley nos muestra las consecuencias inmediatas de la moda introducida por Nokter el tartamudo : un estilo nuevo, silábico, simétrico, gracias al cual la versificación rítmica y rimada del latín eclesiástico se generaliza y se extiende en seguida incluso fuera de la Iglesia ; este estilo da origen a la canción popular, a la poesía lírica y al teatro religioso[1].

Es a fines del siglo X, cuando hallamos la primera mención de un drama litúrgico cantado, en la *Regularis concordia* — la regla unificada — que san Ethelwold escribió para los monjes ingleses ; el santo propone como ejemplo lo que hacen los monjes de Saint-Bavon y de la abadía de Fleury (Saint-Benoît-sur-Loire): «Para celebrar en esta fiesta el descendimiento de nuestro Salvador al Sepulcro y fortificar la fe del vulgo ignorante y de los neófitos, imitando la loable costumbre de ciertos religiosos, hemos decidido seguirla. En una parte del altar donde habrá un espacio hueco, que se disponga una imitación del Sepulcro y se tienda un velo a todo su alrededor. Que dos diáconos lleguen portando la Cruz, la envuelvan en un sudario, y después se la lleven cantando unas antífonas, hasta alcanzar el lugar del Sepulcro, y allí depositen la Cruz, como si fuese el cuerpo de Nuestro Señor, al que enterrasen. La Santa Cruz sea guardada en este sitio hasta la noche de la Resurrección.

»En el santo día de Pascua, antes de Maitines, los sacristanes quitarán la Cruz de allí para colocarla en lugar adecuado. Mientras se recita la tercera lección, se visten cuatro monjes, uno de los cuales, revestido de alba, entra como abstraído, se acerca en secreto al Sepulcro, y allí, teniendo en la mano una palma, se sienta silencioso. Al tercer responso, entran los tres restantes, envueltos en sus dalmáticas, llevando el incensario y acercándose paso a paso hacia el Sepulcro, a la manera de los que buscan algo ; ya que todo eso se hace para representar al Ángel sentado a la vera del Sepulcro y a las Mujeres que venían a ungir el cuerpo de Jesús. Entretanto el que está sentado habrá visto avanzar a los que parece que van perdidos y buscando y entonará con voz dulce y queda el *Quem queritis* (¿A quién buscáis?) ; después de cantado esto hasta el final, los tres responden al unísono : *Jesum Nazarenum,* y el otro les replica : «No está

[1]. JACQUES CHAILLEY. *Histoire musicale du Moyen Age* (Paris, Presses universitaires de France 1950, pp. 65 y ss.).

aquí, ha resucitado de entre los muertos. Id y anunciad que ha resucitado».

«Dicho esto, el que se halla sentado les recita, como para llamarles de nuevo, la antífona : «Venid y ved el sitio», y, diciendo esto, se levanta, y, alzando el velo, les enseña aquel sitio, privado de la Cruz y donde no quedan más que los lienzos con los cuales se había envuelto. Los restantes, habiéndolo visto, depositan en el mismo Sepulcro los incensarios que han traído, toman el sudario, lo extienden de cara al clero para mostrar que el Señor ha resucitado, ya que no se halla envuelto en el lienzo, y cantan la antífona : «El Señor ha resucitado del Sepulcro», mientras colocan el sudario sobre el altar. Una vez terminada la antífona, el abad, regocijándose del triunfo de Nuestro Rey, que, habiendo vencido a la muerte, resucita, entona el himno *Te Deum laudamus* y, desde que ha principiado, todas las campanas suenan a la vez [1].»

Gustave Cohen, que traduce ese texto y lo cita, añade que en lo descrito no falta ninguno de los requisitos que exige el teatro. Una sala : la nave o el coro ; actores : los monjes ; indumentaria : vestiduras u ornamentos sagrados que disfrazan a los hombres de mujeres ; la mímica que subraya y traduce las palabras todavía en latín ; la música de los tropos, o prosas, o adiciones a la liturgia del tiempo pascual ; la decoración : instalación del Sepulcro en el altar ; simbolismo de la cruz desnuda sin que aún un Dios crucificado sangre en ella. «Luego», añade Gustave Cohen, «¿cómo no llamar espectadores a los que, apasionados en ese fin de la Pasión, siguen ansiosos la marcha procesional de las tres Marías camino del Sepulcro? He aquí el público de ese primer drama, que lo vive y lo siente.»

Tanto, que los imagineros reproducen ingenuamente esos episodios con un realismo que no da lugar a dudas acerca de la fuerte impresión recibida. En los bajorrelieves del XI, en Beaucaire, las tres Marías yendo a casa del mercader de perfumes (*Et quum transisset sabbatum, Maria Magdalene, et Maria Jacobi et Salome emerunt aromata, ut venientes ungerent Jesum*, Marcos, XVI, I, en el evangelio del domingo de Pascua) son representadas por monjes barbudos. Es la reproducción fiel de la escena que el benedictino inglés Ethelwold había visto en la abadía románica de Fleury, en Saint-Benoît-sur-Loire [2].

Paralelamente, se irá cumpliendo una evolución de la música. El tropo se convierte en algo tan tradicional como la más oficial de las antífonas gregorianas. Lo que se practica con motivo de la fiesta de la Resurrección

[1]. El texto original ha sido publicado por E. K. CHAMBERS, *The medioeval stage*, Oxford, Clarendon Press, 1903, t. II, pp. 308-309. La cita reproducida se ha sacado del libro de GUSTAVE COHEN, *La vie littéraire en France au Moyen Age*, Paris, Tallandier, 1949, pp. 20-22. (Cf. también: G. COHEN, *Le Théâtre en France au Moyen Age*, Paris, Rieder, 1928, t. I., p. 10.)
[2]. El teatro debía renacer por fuerza bajo formas diversas: en Bizancio se *centoniza*, es decir, se aprovechan versos de los trágicos griegos para componer el drama de la *Christos Paschon*. (Véase VENEZIA COTTAS, *Le Théâtre à Byzance*, Paris, Geuthner, 1931). Pero en Francia nace el drama musical.

se imita pronto con ocasión de la Natividad ; el *Quem quaeritis in sepulchro*? se convertirá por simple cambio de dos palabras en : *Quem quaeritis in praesepe*? La tumba se substituye por el pesebre ; la pregunta ya no se dirige a las tres Marías, sino a los pastores, a los Reyes Magos. Los dos ángeles que guardan el sepulcro son reemplazados por José y María guardando a Jesús. Los papeles se han cambiado : a una decoración fúnebre sucede un alegre decorado. La escenificación se complica ; aparecen el buey y la mula, y, naturalmente, los Reyes van escoltados por servidores que llevan los presentes simbólicos : oro, incienso y mirra. Los pastores traen alguna oveja o algún cabrito. Y todo un pueblo de artesanos se añade a ellos, el pueblo de la gente humilde que todavía esculpen hoy en día los «santoniers» [1] de Aubagne, ya que los «santones», los «santitos» de Provenza, son imágenes fieles de los actores y espectadores del drama del Nacimiento tal como se interpretaba y se cantaba en el siglo XII, tal como todavía se canta y se interpreta en Baux, cerca de Arles, donde la costumbre ha perdurado más de ocho siglos. *Puer natus est nobis hodie...* Hoy un niño nos ha nacido, y este Niño será nuestro Salvador. El Hijo de Dios se ha hecho igual a nuestros infantes para acercarse más a nosotros, y nosotros nos acercamos a Él en este día de Navidad. Nuestros cantos jubilosos celebran su venida sobre la tierra. Al *Alleluia* y *Gloria* se añaden otros cantos ; el drama se desarrolla ; los textos sagrados proporcionan la trama. Se muestra a Herodes y su furor ante el anuncio de la llegada al mundo del Rey de Reyes ; se ven ángeles bajados del cielo para velar sobre el niño y acunarle mientras María reposa

La costumbre sobrevivió, incluso en aquellos países más tarde afectados por la Reforma : el *Oratorio de Navidad* de Juan-Sebastián Bach es testimonio de pervivencia dentro de la Alemania luterana. En Leipzig, efectivamente, todavía en el siglo XVIII, dos personajes disfrazados, representando a José y a María, se colocaban cerca del pesebre mientras el coro de alumnos de la *Thomasschule* figuraba el de los ángeles y cantaba el *Gloria,* junto con diversos corales. La ceremonia se llamaba el *Kindelwiegen,* o sea el «acunamiento del niño», y la pastoral (*Sinfonía*) del *Oratorio de Navidad* era un preludio al coral, en el que al tema de los ángeles responde el de los pastores.

Llega el momento en que se varía el asunto ; la historia sagrada proporciona siempre lo esencial, y se encuentran en el Calendario — conmemoración de la vida de Jesús ; conmemoración de los santos ; divisiones del año litúrgico — pretextos para renovar los argumentos. Esos dramas en latín continúan hasta el fin de la Edad Media, y consisten siempre en una paráfrasis más o menos hábil de las Escrituras. Pero su estructura

[1]. Imagineros populares, que fabrican «santones», como en Provenza llaman a las figurillas del Nacimiento. *(N. del T.)*

es comparable a la de la ópera, tal como será ésta más tarde : las arias se intercalan entre los recitativos y los coros. Pronto dos acontecimientos marcan, sin embargo, una nueva orientación teatral : la lengua vulgar, que se introduce tímidamente en los textos, y, por otra parte, los trozos «hablados» que van substituyendo progresivamente al canto.

Y es que, sin dejar de inspirarse en las Escrituras, el drama ya no se incorpora estrictamente, como en su origen, a los oficios religiosos. Es un drama «semilitúrgico». Por lo tanto, no será representado dentro de la iglesia, sino bajo el porche o delante del portal. Necesitará asimismo una escenificación, decorados, indumentaria cada vez más complicada. Así, alrededor del 1140, en Beauvais, los escolares representan un *Daniel,* cuya estructura es parecida a la de una ópera moderna. El prólogo presenta a los autores, jóvenes estudiantes :

> *In Belvaco est inventus*
> *Et invenit hoc juventus.*

Las entradas de los personajes las anuncia y comenta el coro, que canta unos «conductos» (composiciones libres a varias voces, nota contra nota, cantando juntas el mismo texto, sílaba por sílaba) ; esos coros alternan con arias ; los figurantes evolucionan según ritmos determinados, a la manera de un ballet ; en fin, la puesta en escena, el decorado, los leones en el foso, la mano misteriosa que traza las fatídicas palabras *Mane, Thecel, Phares,* todo ya nos anticipa la ópera, tal como aparecerá en los comienzos del siglo XVII.

En otras partes, principalmente en el Norte, se representan los «Milagros». La leyenda de san Nicolás sirve de tema a la invención dramática. Hay tendencia a alejarse cada vez más de las Escrituras, y la inventiva de los autores toma libre curso. El teatro se aproxima a una forma no tan rigurosa que recuerda la improvisación.

Ya la lengua popular se había insinuado, tímidamente podríamos decir, en el *Jeu de Daniel,* donde las palabras *«Daniel vien al Roi»,* se repiten en forma de estribillo. En el *Sponsus* (*El Esposo,* drama de las Vírgenes prudentes y las Vírgenes locas), cuyo anónimo autor debe ser del Haut-Angoumois — país de lengua de oil —, la mitad de los noventa y cinco versos que forman el texto del manuscrito está en lengua vulgar. Nada nos permite distinguir a qué razones obedece el uso de cada idioma ; así es que las Vírgenes, prudentes o locas, y Cristo alternan el latín y el vulgar, mientras que el arcángel Gabriel y los mercaderes se expresan únicamente en vulgar. El drama se inspira directamente en el Evangelio (Mateo, XXV, 1-13) y el diálogo reproduce el texto de la parábola. Las Vírgenes locas, las *Fatuae* que han dejado derramar el aceite de sus lámparas no pueden ablandar a los mercaderes, ni a los ancianos, ni al Esposo (que proporciona el título de la pieza). A cada negativa, ellas entonan una queja, una melopea desesperada :

> «Las! chétives, las! malheurées, trop y avons dormi!»

que repite las palabras de los que las rechazan «Las! malheurées, trop y avez dormi!» Finalmente las Vírgenes locas son precipitadas en el infierno, «quizás ya, como dice Gustave Cohen, representado por unas fauces abiertas y amenazadoras. El infierno entra en escena. El teatro francés está a punto de nacer [1].»

El empleo de la lengua vulgar se generaliza inmediatamente. Al apartarse de la liturgia era preciso, en efecto, que el drama fuese comprendido por los espectadores. Mientras el texto cantado fue litúrgico, todo el mundo se hallaba en el caso de conocer o por lo menos adivinar la significación. Pero la música no desaparece del teatro medieval junto con el latín. Incluso en Le jeu d'Adam, que se ha juzgado a menudo como la primera obra del teatro francés moderno — entendiéndolo en el sentido de teatro solamente hablado —, el texto se halla «relleno de música», según expresión de Jacques Chailley, y si se ha pretendido lo contrario es que el manuscrito sólo nos da el incipit de los fragmentos musicales. Le jeu d'Adam, por su mezcla de las dos lenguas, se aproxima a las «epístolas rellenas» ; pero en todas esas obras subsiste el latín, principalmente en las didascalias o acotaciones escénicas.

¿Qué instrumentos se escuchaban? A partir del siglo XII, progresa la técnica de los organeros ; el hidraulo ha desaparecido casi por completo ; grandes órganos neumáticos se instalan en las iglesias. Al lado de los instrumentos fijos, se usan los portátiles, «positivos», nombrados así porque se ponen cómodamente en el suelo o bien sobre una mesa. En un curioso pasaje de la novela provenzal Flamenca, del siglo XIII, se enumeran los instrumentos a la sazón en uso. Se trata, es cierto, de una fiesta celebrada en un castillo, en Bourbon-l'Archambault, cuyo señor acaba de casarse con la hija del rey de Namur, Flamenca, de Flandes, que da su título a la obra ; mas no importa el argumento ; por lo que se refiere a los instrumentistas, nos dice lo siguiente : «El uno suena la viola o la flauta, el otro el pífano ; el uno giga (especie de viola antigua), otro la rota (instrumento de cuerdas punteadas, pariente de la cítara)... el uno tañe la museta (gaita), el otro la chirimía, el uno la mandora (mandolina primitiva), el otro acuerda el psalterio con el monocordio [2].»

---

[1]. G. COHEN: La Vie littéraire en France au Moyen Age, p. 62. ALFRED JEANROY: La Littérature de langue française des origines à Ronsard. (En Histoire des Lettres, Société de l'Histoire nationale, Plon-Nourrit 1921, p. 339.)

[2]. Trad. Paul Meyer. Citado por G. COHEN, loc. cit., p. 156.

A esos instrumentos hay que añadir la *trompeta,* la *corneta,* el *sacabuche,* antepasado del trombón de varas ; y, en cuanto a la percusión, los tambores, tamboriles y castañuelas.

En los dramas semilitúrgicos, si la música subsiste aún, el texto hablado, en cambio, va siendo poco a poco la parte esencial, hasta el punto de no indicar el manuscrito lo que deben cantar los coros y solistas ni lo que tocan los instrumentos. Ante el lirismo del *Miracle de Théophile,* de Rutebeuf, se adivina la importancia de la parte musical, y lo mismo sucede en el siglo xiv con los *Miracles de Notre-Dame* ; pero, por muy necesaria que continúe siendo en el espectáculo, ya no ocupa sino un lugar secundario — el de un decorado sonoro —. A veces, sin embargo, las arias y los motetes son muy hermosos ; los *silete,* invitando al público a guardar silencio para escuchar el drama, están escritos a dos voces. En la *Passion de Semur,* lo cantan de esta forma dos ángeles, hincándose de rodillas :

> *Silete, silete, silentium habeatis*
> *et per Dei Filium pacem faciatis.*

En otras ocasiones, la música llena las «pausas», como en los modernos melodramas. En fin, en la *Passion* de Arnoul Greban, parece indudable que algunos pasajes debían ser cantados, y probablemente a varias voces ; así la famosa *Chanson des Damnés,* cuyo texto es, por otra parte, bien explícito ;

> «*Sathan tu feras la tenure*
> *Et j'asserrai la contre-sus.*
> *Belzebuth dira le dessus*
> *Avec Berich à haute-double*
> *Et Cerberus fera un trouble*
> *Continué Dieu sait comment* [1].»

(Satán, tú harás el tenor, y yo afirmaré el bajo ; Belzebú dirá la voz superior, con Berico doblando en lo alto ; Cerbero hará un triple, seguido Dios sabe cómo).

Aquí se encuentran todos los elementos del motete : y Lucifer reparte a cada cual su papel dentro de la polifonía. Se ve claro que Greban, organista de Notre-Dame, dirigía el coro. Los cantos litúrgicos figuran también a lo largo del misterio, que termina con el *Te Deum.*

Andando el tiempo, el drama semilitúrgico se transformó a veces en una verdadera comedia lírica ; así lo vemos en *Le miracle de saint Nico-*

[1]. JACQUES CHAILLEY, *loc. cit.,* pp. 297-298.

las. Un judío confía su tesoro a la custodia del santo, durante un viaje. A su regreso, el tesoro ha desaparecido : el judío injuria al santo, hasta el momento en que el milagro se produce, cuando el santo obliga a los ladrones a soltar prenda. Los dos monólogos son dignos de Plauto, y J. Combarieu considera la música de una precisión perfecta en la notación del sentimiento. Así, la exclamación del judío, cuando descubre el robo (*Vah! perii!*), se expresa con una larga serie de «breves» descendentes, pintando a las mil maravillas el desmoronamiento del personaje.

Si la mayor parte de los *Jeux* y los *miracles* se desarrollan en los umbrales de las iglesias, persisten, con todo, ciertas tradiciones según las cuales se representan escenas teatrales dentro de los templos : un texto descubierto por Deschamps de Pas en la biblioteca municipal de Lille nos entera de una singular fundación instituida en el siglo XVI por testamento de un canónigo de Tournai y arcediano de Brujas, Pierre Cotrel, en el que se dispone que, diez días antes de Navidad, en el coro de la catedral de Tournai, descienda una paloma del cielo, mientras dos personas jóvenes representan la escena de la Anunciación.

J. Combarieu cree que esa fundación perpetuaba una costumbre mucho más antigua ; posiblemente data del siglo XII.

A comienzos del XIII, el arzobispo de Sens, Pierre de Corbeil, «purifica» la *Fête de l'Ane*. Esta fiesta singular, que subsistió hasta el XVI, se ve atestiguada por dos manuscritos, que precisan su ritual. Uno, de Beauvais, se encuentra en el British Museum ; el otro, de Sens, compuesto de 33 folios de pergamino y escrito en los primeros años del siglo XIII, se halla editado. En ellos se pueden leer tropos y fragmentos extralitúrgicos ; algunos de ellos se anticipan notablemente a su época, hasta el punto de que se les podría creer compuestos en el siglo XVIII, si la escritura y la notación no certificasen su origen [1].

Para comprender bien esa mezcla de lo sagrado y lo profano que hoy nos parece tan extraña, e incluso chocante, es preciso recordar lo que fue el templo en la Edad Media : casa del Señor y sitio de oración, es cierto ; pero también casa de todos y lugar de reunión, como antes lo habían sido el teatro y el foro. El respeto debido al templo del Señor no impide una familiaridad muy sencilla ; y las costumbres del tiempo poseen una libertad atestiguada por la desenvoltura de las canciones que, a no tardar, se introducirán, con el desarrollo de la polifonía, dentro del oficio divino y darán su título a las misas (Misa de *l'Homme armé*, Misa *Le Bien que j'ay,* etc.).

Esa tendencia a tratar de una manera cada vez más familiar los dramas sacros fomenta el auge del teatro profano a partir del siglo XIII.

---

[1]. Edición crítica publicada por el abate Villetard (París, Alph. Picard, 1908). (CF. COMBARIEU, *Histoire de la Musique,* París, Armand Colin, 1924, 4.ª ed., tomo II, pp. 305-306.)

Mas solamente la elección del asunto marca esta evolución; la estructura continúa igual a la de los dramas semilitúrgicos. Sin embargo, aparece un nuevo género: la «pastoral», comedia musical, pieza en coplas en la que figuran canciones, cuyo «timbre» (cuando no las palabras) es de todos conocido. La pastoral, cuyo ejemplo más famoso es el *Jeu de Robin et Marion,* de Adam de la Halle (o de la Hale, apodado «el Jorobado de Arrás»), en realidad consiste sólo en una canción animada con gestos, representada, cuyas coplas se han convertido en diálogo, y cuyos estribillos cambian sucesivamente. La pastoral o pastorela fue, ciertamente, en sus orígenes, una canción, una suerte de égloga narrando los amores de un pastor y una pastora; en ocasiones al pastor le reemplaza un caballero. A veces la pastora es prudente, fiel a sus amores; en otras, liviana, y a menudo su enamorado es el trovador, el juglar mismo. Tema con mil variantes, pero un solo argumento.

Adam de la Halle, nacido hacia 1240, en Arrás, y muerto en 1287, en Nápoles, fue uno de los muchos troveros de Artois (sólo en Arrás, a fines del siglo XIII, se contaban 182 de ellos). La gran boga de los «puys», concursos de poesía que organizaba la Cofradía de la «carité des Ardents», les atraía de todas partes [1]. Adam de la Halle debutó allí con un golpe maestro: el *Jeu de la Feuillée,* que le proporcionó un éxito y atrajo hacia sí la atención de Roberto II, conde de Artois. Le acompañó cuando el tío del conde, Carlos de Anjou, rey de las Dos Sicilias y hermano de san Luis, llamó a éste a Nápoles después de la matanza de las Vísperas Sicilianas; allí el Jorobado (que, por otra parte, no era contrahecho: *«on m'apelle Possu, mais je ne le suis mie»,* ha escrito), durante las fiestas de Navidad de 1283, hizo representar una pieza bien distinta del *Jeu de la Feuillée*: el *Jeu de Robin et Marion. La Feuillée* es casi exclusivamente literario; la música sólo tiene cabida en los instantes en que los personajes cantan algún estribillo. En *Robin,* al contrario, no se cuentan menos de treinta y dos melodías, sacadas, eso sí, de canciones cuyos «timbres», entonces conocidos de todo el mundo, no siempre parecen concordar con los sentimientos expresados por el texto. Pretender hacer del *Jeu de Robin et Marion* la primera ópera cómica francesa y el antecedente de un género que Italia iba a reanudar en el siglo XVIII sería excesivo. Pero, dentro de la historia del arte lírico, ese *jeu* no deja de ocupar un lugar de mucha importancia, puesto que es análogo a lo que, en el siglo XVIII, será la «comedia en *vaudeville*», con sus coplas cantadas sobre canciones populares. Además, el *Jeu de Robin* atestigua netamente la

---

[1]. «Esa cofradía, de una importancia social considerable, conmemoraba el milagro de la Santa Candela que, a principios del siglo XII, había curado a la ciudad del terrible «mal des Ardents» gracias a la intervención de la Virgen, que se había aparecido a dos juglares, Itier y Norman». (J. CHAILLEY, *loc. cit.,* 203.)

El «mal des Ardents», que hizo terribles estragos en la Edad Media, es el ergotismo gangrenoso, debido a la repetida absorción de harinas que contengan centeno enfermo de cornezuelo (en castellano, «centeno atizonado»).

evolución del teatro hacia el realismo : ya no se trata de un episodio de
la historia sagrada, de alguna leyenda injertada sobre un texto religioso ;
no son siquiera los amores quintaesenciados del señor y la dama, lo que
inspira al autor del *Jeu de Robin* ; Adam de la Halle hace de su obra
una «sátira del amor cortés», y con gran crudeza, por cierto.

Podemos decir con Jacques Chailley que, en conclusión, sería pueril
«figurarse el *Jeu de Robin* como brotado de la presciencia de un genio,
quinientos años antes de la feria de Saint-Laurent, con vistas a proporcionar un modelo a sus lejanos imitadores». Pero Adam, transponiendo
al *jeu* la canción pastoral, a la que conserva sus dos elementos esenciales : copla (que transforma en diálogo *hablado*) y estribillo (que es una
citación musical), sigue lo que será el plan de Jean-Jacques Rousseau en
La Davin du Village, donde el aria de Colette : *J'ai perdu mon serviteur,*
— *J'ai perdu tout mon bonheur,* responde exactamente a la canción de
Marion : *Robin m'aime, Robin m'a* ; *Robin m'a demandée et il m'aura* ;
donde el divertimiento campestre que termina la pastoral de Adam se
parece en todo a las estrofas de Jean-Jacques : *Allons danser sous les
ormeaux, —Animez-vous, jeunes fillettes.*

La parte concedida a la música se irá reduciendo sin cesar, en las
obras dramáticas ; el autor se contenta con dejar a la elección de los intérpretes, cuando las situaciones lo exigen o cuando le place, la canción que
deben ejecutar. El teatro evoluciona hacia aquellas formas, que serán las
de la tragedia y la comedia clásicas. Muchas piezas se hallan totalmente
desprovistas de música. Con todo, aun en el siglo XVI, hallamos una supervivencia del teatro medieval en el *Abraham sacrifiant* de Théodore de
Bèze, tragedia en versos franceses, representada en Lausana hacia el año
1552. La pieza es un sermón : exhorta a los espectadores al sacrificio de
todo lo que les ata al mundo ; a que rompan los lazos con la familia y
a que se entreguen del todo al Dios verdadero. Las alusiones al Papado
son claras. El calvinista acérrimo que fue Théodore de Bèze expresa sin
ambages sus sentimientos ; eso no impide, sin embargo, que componga
coros de pastores y les confíe el cometido de ir comentando la acción con
sus cantos. Ello no es sorprendente por parte del poeta que terminó la
traducción de los Salmos iniciada por Clément Marot. Por otro lado, es
sabido el empeño de la Iglesia reformada, para constituir su liturgia a
base de conceder un amplio lugar al coral. No se conserva la música de
los coros de *Abraham sacrifiant.* Todo nos hace creer que debía ser
análoga a la que compusieron Goudimel, Claude Le Jeune, Loys Bourgeois y Philibert Jambe de Fer para el *Psautier huguenot.*

Idéntica supervivencia en el teatro católico hallamos en Margarita
de Angulema, reina de Navarra, que ha dejado cuatro comedias piadosas,
cuatro piezas profanas y dos comedias místicas. Pierre Jourda ha puesto

El «*Jeu de Robin et Marion*».

(Manuscrito del siglo XIII)

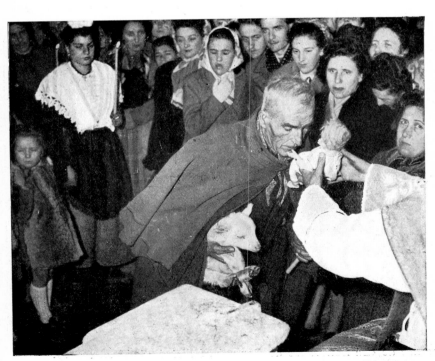

La fiesta de Nochebuena en Baux.

Entrada de Enrique II en Rouen en 1550; el carro de la Religión.
(Grabado del siglo XVI)

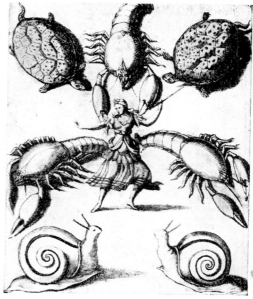

Dos escenas de «La Délivrance de Renaud», ballet de Guédron (1617).
(Grabados del libreto)

en claro lo que Margarita saca de los misterios medievales y las representaciones de la Santa Infancia [1] : les debe algunos conmovedores episodios (en *la Nativité, les Trois Rois, les Innocents* y *le Désert;* sigue exactamente a la tradición, a la vez que imprime al drama una sobriedad ya clásica. Titulando a sus piezas «comedias», marca su propósito de reducir lo maravilloso a sus límites indispensables. Mas hay que reconocer que estas comedias son menos dramáticas que líricas : en ellas hay monólogos, cánticos, himnos ; y Pierre Jourda tiene sin duda razón al creer que el *Gloire soit au Dieu des Dieux* de los ángeles, en *la Nativité* «reclama el canto, y debió resonar en lo más alto de las naves góticas», lo mismo que el final del *Désert* podría acompañar muy bien tal o cual página de Bach o de Haendel. Es sensible que no subsista nada de la música bajo la cual fueron cantados. No sabemos asimismo si los coros de Jodelle fueron cantados. Con todo, hay que hacer notar la importancia que los músicos tienen dentro del humanismo, y el lirismo de los amigos de Ronsard no se concibe sin relación estrecha con la música. Las relaciones de Jodelle con un poeta y músico alemán, Paul Schede, dice Melissus, erudito bibliotecario de la Palatina de Heidelberg, eran amistosas, ya que Schede, durante sus dos estancias en París, convivió con Ronsard y Jodelle y tradujo los versos de éste. Jodelle, ligado a su vez con Goudimel y Lassus, no debió escribir ciertamente coros sin pensar en ponerles música [2].

Este brillante período de la historia del arte ve, sin embargo, consumarse la ruptura de la unión, tan completa durante la Edad Media, entre la poesía y la música en el drama. Nuevos tiempos van a producir nuevos géneros, pero pronto va a manifestarse una necesidad de síntesis : medio siglo después, en Roma y en Florencia nacerán el oratorio y la ópera.

1. PIERRE JOURDA: *Une Princesse de la Renaissance: Marguerite d'Angoulème, reine de Navarre.* París, Desclée et de Brouwer, 1932, Colección *Temps et Visages,* pp. 136 y sig.
2. Cf. PIERRE DE NOLHAC: *Ronsard et l'Humanisme.* París, Champion, pp. 223 y sig. (Bibliothèque de l'École des Hautes-Études).

CAPÍTULO II

EL BALLET DE CORTE
EL ARTE LÍRICO DEL RENACIMIENTO

El drama religioso, a través de cinco siglos, produjo una forma de teatro puramente lírica (ya que era enteramente cantado). La escenificación, decorado, trajes, la parte atribuida a los coros y a la música instrumental, lo acercaban singularmente a nuestra ópera; dicho drama religioso desapareció aproximadamente a mediados del siglo XVI, originando diversas manifestaciones (no muy distintas entre sí), a tenor de las costumbres locales. Mas en todas partes se fue acentuando el carácter profano de las obras, tanto, que el drama terminó por perder su carácter religioso; y las licencias que se tomaron los autores e intérpretes movieron las autoridades eclesiásicas a prohibir toda representación de este género. Hasta entonces, el teatro lírico había sido siempre un arte esencialmente popular: venía obligado a ello por su origen. Nacido en la Iglesia, era cual una forma concreta, materializada, de la liturgia que une, dentro de la plegaria y sin distinción de castas, la comunión de todos los fieles. La comunidad cristiana tomaba parte en ella, toda entera, como antes, en Grecia, la ciudad. Pero ya nada queda de lo religioso, en las pastorales; y el amor, un elemento profano, substituye por completo la inspiración de los primeros dramas, los milagros y los misterios. Los progresos de la polifonía y al propio tiempo las complicaciones contrapuntísticas del estilo vocal también son causa de un alejamiento del pueblo y convierten el arte del sonido en algo privativo de la gente letrada; de algunos especialistas iniciados. Aquí radicará una de las causas — la principal —, entre las que provocaron, hacia el 1600, la «revolución» de los humanistas italianos, y que hubo de engendrar dos nuevas formas del drama lírico: el oratorio y la ópera. Pero esta circunstancia alejará más aún el drama cantado de sus fuentes populares, y lo convertirá en arte aristocrático, como en el caso del ballet de Corte, cuya evolución, en Francia, da como resultado una nueva forma lírica.

Es curiosa e importantísima esa coincidencia de elementos y hechos de órdenes muy distintos, convergiendo hacia una nueva forma de teatro. Trataremos más adelante de las *sacre rappresentazioni* romanas y las primeras óperas florentinas. Conviene, sin embargo, notar como las representaciones sacras del Oratorio se relacionan estrechamente con el drama litúrgico por razón de su carácter religioso, mientras que tanto las primeras óperas como los ballets de Corte no tienen nada de común con él, antes bien, se aproximan a la pastoral.

Tan extendido se hallaba el gusto por la danza, que la misma Iglesia había conocido danzas sagradas ; hoy continúan en España, con el rito mozárabe. El pueblo, en la Edad Media, cantaba *carolas* (canciones danzadas) y se deleitaba en toda ocasión con ellas ; igualmente los caballeros y nobles damas, ya sea alrededor de las hogueras de San Juan, ya sea en los castillos. Pero, si bien es cierto que no puede existir ballet sin danza, la danza, sola, no hace un ballet : precisa un orden, una sucesión, es necesario que el ballet sea compuesto, como una comedia o drama, alrededor de una idea directriz. La danza popular se ha hecho para el placer individual de los que en ella actúan ; el ballet se produce ante un público que admira : es espectáculo y recreo para los que lo animan o contemplan. Unos y otros le piden un placer estético, nacido de las figuras dibujadas durante el curso de las evoluciones de los bailarines, las cuales, a su vez, son regidas por el desarrollo de la acción. Tal es, a lo menos, el ballet de Corte ; y si hoy en día conocemos ballets que pueden calificarse de danza pura, y solamente formados por una variada serie de pasos, en la que alternan danzas lentas y danzas vivas, solos y conjuntos, el ballet cortesano, al contrario, no se concibe sin argumento ; mejor dicho, argumentos, ya que no es cosa nada sencilla, un ballet en la corte de Borgoña, de Francia o de Milán. Una de las descripciones más antiguas que se tiene de ellos es la que nos ha dejado Olivier de la Marche, que asistió a las fiestas de las bodas entre Carlos el Temerario y Margarita de York, en Brujas, en julio de 1468. El espectáculo duró varios días, y comenzó por una representación del combate de Hércules y Teseo ; luego los doce trabajos del héroe. En fin, «el último día, viose entrar en la sala una ballena de sesenta pies de largo, escoltada por dos grandes gigantes. Su cuerpo era de tal grosor que un hombre a caballo se hubiera podido ocultar dentro. La ballena movía la cabeza y las aletas ; sus ojos eran dos grandes espejos ; abrió las fauces y se vieron salir sirenas que cantaron maravillosamente, junto con doce caballeros marinos que bailaron y combatieron los unos contra los otros, hasta que los gigantes los obligaron a regresar dentro de la ballena» [1]. Como se ve : el ballet constituye un espectáculo completo y ya semejante a la ópera. Máquinas, decorados, trajes, puesta en escena, se encuentran en él. Mímica y danza se juntan a los cantos y a la música. Esas largas representaciones se ofrecen a los invitados de un festín, como intermedios, de donde los nombres de entremeses (*entremets,* en Francia, *intermezzi,* en Italia), que se les da.

En 1489, Juan-Galeazzo Sforza, duque de Milán, se casa con la hija del duque de Calabria, Isabel, y en Lombardía se despliega el mismo fasto que en Flandes ; los mismos entremeses en una vasta sala, dominada por una galería donde se sitúan los músicos, mientras que, alrededor de la mesa, evolucionan Jasón y los Argonautas, portadores del Vellocino de oro, seguidos de Mercurio, el cual trae para los esposos la pingüe ternera robada de la grey de Apolo. Danzan unos bailarines, Diana se presenta con sus ninfas, las cuales traen, a su vez, un ciervo que, lo mismo que antes la ternera, es ofrendado a la desposada. Ahora llega el turno de Orfeo, al son de flautas y liras ; llora por Eurídice ; y los pájaros, ante su canto, van acudiendo. Orfeo, a su vez, los ofrece. Entran diversas deidades : Iris, con pavos reales ; Hebe, con frutas ; Tritones, Atalanta, Teseo, las Gracias, representando la fe conyugal ; después, finalmente, Sátiros, formando el cortejo de Baco... Ballet monstruo, compuesto de más de quince episodios, y en el que figuran más de cien, entre cantantes y danzarines.

Fiestas de la misma importancia se celebran en la corte de los Valois, donde los *entremets* acompañan a las comidas de etiqueta. Signo de la época : la Mitología exclusivamente proporciona el argumento. El Renacimiento, el humanismo, marcan el retorno a la antigüedad, así como el abandono de la inspiración bíblica. El espectáculo desborda del palacio y y se extiende a la calle : en Florencia, Lorenzo de Médicis figura en primera fila del cortejo que recorre la ciudad, representando la Edad de oro. Siguen a la comitiva carros historiando varios episodios de la Roma antigua. El mismo Lorenzo ha escrito las poesías de los coros cantados a cuatro y ocho voces, puesto que nos hallamos en los tiempos en que los discípulos de Okeghem, de Obrecht y Dufay formaban escuela en Italia y llevaban a su apogeo el arte polifónico.

Esta preferencia por los espectáculos al aire libre, «ballets líricos», como los llama J. Combarieu, se manifiesta igualmente en Francia : «Para recibir a Luis XI en París, habían instalado en la fuente del Ponceau tres bellas muchachas «en el papel de sirenas», cantando pastorales y pequeños motetes, mientras muchos músicos, tañendo instrumentos graves, sonaban gran melodía». En realidad, se trata de un esbozo de ballet, ya que «los

---

[1]. Olivier de La Marche, edición Beaune et d'Aurbemont, t. III, p. 197. (Citado por J. Combarieu, *Histoire de la Musique,* t. I, p. 629. Paris, Armand Colin.)

actores se despojan del carácter que tienen en la vida real para crear un personaje y seguir un tema mitológico».

Un opúsculo impreso en Rouen contiene, además del detalle del espectáculo ofrecido a Catalina de Médicis y Enrique II con motivo de su entrada en la ciudad, el fragmento de música, puesto en solfa para cuatro voces femeninas, y cantado por los personajes del cortejo alegórico. Lo mismo en Lyón (1564) con ocasión de la visita de Carlos IX. Pero, a despecho de esas tentativas, el ballet jamás será un arte popular.

En Inglaterra, las *masks* obtienen igual éxito. La palabra designa el ballet acompañado de canto y con gran aparato escénico, y, desde 1501, cuando las bodas del príncipe Arturo, primogénito de Enrique VII, con Catalina de Aragón se representan espectáculos de danza, mezclados con escenas mímicas y habladas, pero en las cuales la música figura como elemento principal. Los soberanos, por su parte, son buenos músicos y se complacen tocando la viola y el virginal. Voces e instrumentos acompañan a bailarines y pantomimos. Las *masks* continuarán en boga dentro de las cortes de Jaime I y Carlos I. Su asunto es generalmente alegórico y mitológico, y las poesías se deben a los autores más célebres. Trataremos de ellas más lejos.

Es clásico — mas los ejemplos que acabamos de citar prueban que no es exacto del todo — considerar *Circé ou le Ballet Comique de la Reine,* como el antepasado de la ópera francesa. Baldassarino Belgiojoso, piamontés de origen, cuyo nombre, afrancesado, es Beaujoyeux, escribió el libreto de la obra y ordenó las danzas. La música tuvo como autores a Lambert de Beaulieu y a Jacques Salmon, *chantres* de la Capilla real. La ejecución de esa obra enorme duró de las diez de la noche a las tres de la madrugada, desarrollándose con un inaudito lujo en el decorado ; máquinas que representaban monstruos, en medio de figurantes vestidos con rica indumentaria. Se estrenó en 1581, para solemnizar las bodas del duque de Joyeuse, mariscal de Francia, con Margarita de Lorena, hermana de la reina, y es la primera obra del género en la que se respeta — no obstante su diversidad — la unidad de acción. Hasta entonces, las entradas se sucedían sin relación entre sí ; pero en ese ballet las rige un argumento. Con todo, *Circé* presenta un defecto que pesará gravemente sobre el ballet de Corte : grandes personajes, príncipes, la propia reina Luisa, desempeñan los papeles esenciales. De ahí la necesidad en que se ve el libretista de concentrar sobre los ilustres actores todo el interés del ballet ; y, en cuanto al músico, el cuidado de no confiarles sino arias que sean capaces de cantar, cuando creen poseer algo de voz. Hay que procurar, de toda forma, que sean ellos los que brillen con más fuerza.

La resonancia del Ballet de la Reina fue inmensa : prolongó por cien años la popularidad del género. Se comprende la viva impresión que guar-

daron los asistentes, cuando se lee su descripción en el libreto publicado
en 1582 por Robert Ballard. El prefacio nos entera de las intenciones de
Beaujoyeux :

«En cuanto al Ballet, aunque sea una invención moderna (o por lo
menos repetida tan lejos de la antigüedad que se la pueda nombrar tal),
consistiendo a la verdad sólo en mezclas geométricas de diversas personas
danzando a la vez dentro de una diversa armonía de varios instrumentos,
yo os confieso que, representado sólo con miras a la impresión, hubiera
tenido mucha novedad y poca belleza ; mientras que recitar una simple
comedia no hubiera resultado nada excelente. Por eso me ha parecido que
no resultaría inconveniente mezclar ambas cosas y diversificar la música
por medio de la poesía ; y entrelazar la poesía con la música, y confun-
dirlas lo más a menudo, así como la antigüedad no recitaba sus versos sin
música y Orfeo no tañía sin versos. Yo he dado, no obstante, el primer
título y honor a la danza, y el segundo a la substancia, que inscribo Cómica, más por la bella tranquilidad y feliz conclusión en que termina que
por la condición de los personajes, casi todos dioses y diosas, u otras
personas heroicas. De este modo he animado y hecho hablar al Ballet,
y cantar y resonar la Comedia : y, habiéndole añadido cantidad de raras
y ricas representaciones y adornos, puedo proclamar haber dado contento,
dentro de un cuerpo bien proporcionado, a los ojos, los oídos y el entendimiento» [2].

Toda insistencia acerca de la importancia de ese prefacio es poca ;
en él se define exactamente el programa que se esforzarán en llenar los
creadores de la ópera : contentar los ojos y los oídos y también el entendimiento, cuando sea posible, que no será siempre.

Otro punto digno de nota : en 1581, en Francia, se ignora, naturalmente, todo lo referente al objeto ordinario de las reuniones que celebra
la *camerata* florentina, y que conducirán a la creación de la ópera, con la
Dafne de Peri, en 1587. Pero el objeto perseguido por los humanistas franceses e italianos es el mismo : consiste — y lo creen firmemente — en un
retorno a la antigüedad, y eso es lo que hace decir a Beaujoyeux, a fin de
apoyarse sobre un ejemplo célebre, que Orfeo no «tañía» jamás sin versos.
Con el *Ballet de la Reine,* nos encontramos ante el primer ensayo de aquella síntesis lírica y dramática que había realizado la antigüedad, que asimismo había sido alcanzada por la Edad Media, y que la ópera del
siglo XVII debía intentar de nuevo.

Pero las cosas se habían complicado : la música ya no era la monodia
de las edades primeras ; las lenguas derivadas del latín ya no guardaban
la *cantidad* silábica (sucesión de breves y largas, regulando la métrica e
imponiendo, a la vez, su ritmo al compositor). Todos los intentos de Baïf

[1]. **Biblioteca Nacional (París), L n²⁷, 10.436.**

y sus compañeros de la Academia de poesía para medir los versos a la antigua estaban condenados de antemano, ya que procedían contra el genio de la lengua. El verso francés, nacido de los tropos, secuencias y poemas litúrgicos, es esencialmente silábico y rimado.

Los instrumentos empleados por el *Ballet de la Reine* eran el órgano, el laúd, el oboe, la lira (*lira da braccio,* violín de siete cuerdas, *lira di gamba,* de 12 cuerdas, *crohiviola di lira,* de 24 cuerdas, equivalente al contrabajo), el *sacabuche* (trombón o trompeta baja), el cornete (pequeño cuerno) y el tambor [1]. La música, dice Combarieu, no carece de valor, aunque no sea francamente dramática. Acierta a dar con una especie de solemne grandeza : el estilo es severo (consonancias puras). La influencia del canto llano se percibe apenas, y se deja ya notar el sentimiento de la tonalidad, si bien la escritura no es lo suficientemente acabada para que se pueda emitir un juicio firme.

Nos hallamos, por otra parte, dentro de una época de transición : el estilo polifónico domina continuamente ; pronto va a desaparecer, con la popularidad de las obras italianas introducidas en Francia por Mazarino. El ballet, desde el punto de vista musical, no es todavía más que una adaptación, ajustada a nuevos fines, de piezas, cuya forma se asemeja estrechamente a los *airs de cour* para música vocal ; en cuanto a las entradas del ballet, se gobiernan por las danzas.

El compositor que influye persistentemente hasta los primeros años del siglo XVII es Pierre Guédron, que sucedió a Claude Le Jeune en el cargo de *«Maître des enfants et compositeur de la musique de la Chambre»* en 1601. Sus obras, a pesar de la solemnidad que ostentan, parecen muchas veces «arreglos», cuyas partes se diría que son como añadidas a la melodía principal, a la que no dejan de comunicar cierta pesadez. Pero sus arias poseen gracia, claridad, distinción, y se observa en ellas una perfecta adaptación de la música a la letra. Tiene la preocupación de la originalidad rítmica, y se preocupa menos de la prosodia del texto cantado que de un dibujo melódico sugeridor de imágenes sonoras en cierto modo complementarias de las palabras. Las repeticiones son raras ; posee el sentido dramático y no emplea sino reflexivamente las vocalizaciones. En sus ballets : *Alcine* (1610), *Les Argonautes* (1614), *Le Triomphe de Minerve* (1615), *Délivrance de Renaud* (1617), *Roland* (1618) y *Tancrède* (1619), se puede observar la influencia florentina de Caccini y Rinuccini, los cuales vivieron en la corte de Francia de 1601 a 1605. Es, en definitiva, uno de los creadores del estilo lírico francés.

Las mismas cualidades se hallan en su yerno Antoine Boësset, señor de Villedieu, que, en 1613, le sucedió en el cargo. Comparando la factura de ambos músicos, salta a la vista su parecido, de momento ; un examen

---

[1]. J. COMBARIEU: *Histoire de la Musique,* t. I, p. 644.

más atento nos hace, empero, constatar, principalmente en los *récits* de Boësset (que no son de ningún modo recitativos, en el sentido que luego se dará a la palabra), el carácter esencialmente lírico de la melodía. Su prosodia es también muy distinta ; se adapta más al texto, evita el alargado, salvo en el instante en el que una vocalización puede expresar un estado de ánimo. Los aires de Boësset fueron opuestos a las arias italianas y pasaron como representativos de la mejor música vocal francesa. Finalmente, él es el primero que aplica el sistema del bajo continuo.

Más lejos, hallaremos a su hijo, Jean-Baptiste Boësset, menos importante, la actividad del cual fue, sin embargo, considerable en tiempos de Lully. Los compositores de este período escriben todos para el ballet ; es usual, además, la colaboración, y los instrumentistas suelen ser al propio tiempo los autores de las partituras ejecutadas por ellos. El género evoluciona, al propio tiempo que las formas se van fijando : el ballet se adapta a las circunstancias que han ocasionado su nacimiento. Hay ballets melodramáticos, como la *Alcine* de Guédron ; ballets con diversas entradas, como *les Nègres, les Bohemiens, les Paysans, les Grenouilles,* en los que domina el elemento bufo ; el *Ballet des Fées de la Forest Saint-Germain,* bailado en 1625, el *Ballet de la Douarière de Billebault,* el año siguiente. El ballet es ya una verdadera ópera. El coro, que primitivamente sería de obertura, se ve sustituido por una «sinfonía», «obertura a la francesa», que empieza por un movimiento lento, de carácter patético, seguido de un movimiento vivo, generalmente en estilo fugado, y luego un final que casi siempre reemprende el primer movimiento. Siguen inmediatamente las «entradas» ; a veces llegan a ser treinta, todas ellas de estilo y movimiento diversos, sobre aires de danza, o «sinfonías» acompañando las pantomimas no danzadas. Sólo a partir del *Ballet de la Reine* las entradas guardan una relación entre sí. El final se denominaba «gran ballet» ; él solo forma un conjunto de danzas en las que toman parte el rey y los magnates. Casi siempre aparecen bajo máscara, por lo menos originariamente. El uso de máscara se perpetúa en Italia como en Inglaterra.

Por todas partes los trajes eran suntuosos ; los asuntos mitológicos justificaban una gran diversidad en la indumentaria, y era preciso que los dioses y diosas apareciesen en medio de las nubes, de arcos iris, gracias a máquinas ingeniosas. El ballet se ejecutaba sobre un entarimado rodeado de balcones ; en el fondo de la sala, una amplia entrada permitía el paso de las máquinas. Las figuras ejecutadas por los grupos de bailarines eran geométricas, y, por los grabados del tiempo, notamos que las evoluciones se parecían a las que vemos hoy día en las cabalgatas militares. De vez en cuando, intervenían pasos en los que se lucía el virtuosismo de algún solista. Al comienzo de cada entrada, o incluso a media acción, los *récits* exponían lo que el público debía saber para enterarse del sentido de las alegorías representadas por la danza.

Así, evolucionando, el ballet cortesano llegó a ser una tragedia lírica, en el preciso momento en que los músicos italianos aceleran la transformación de un género que, por otro camino, se iba cumpliendo en Francia. El P. Mersenne, amigo de Descartes, precisa ya en 1636, en su *Harmonie universelle,* lo que en aquel momento separaba aún el estilo italiano del francés : «Los italianos — escribe — observan en sus recitativos muchas cosas de las cuales los nuestros se ven privados, porque representan tanto como pueden las pasiones y las afecciones del alma, y del espíritu, con una tan extraña violencia, que se juraría que los mueven las mismas afecciones que representan cantando ; mientras que nuestros franceses se contentan con halagar el oído, y usan una perpetua dulzura en sus cantos, que les quita energía.» En otros términos, los músicos franceses, instruidos por el ejemplo de sus cofrades italianos, se aplicarán a dar más verdad y, por tanto, más variedad al discurso musical ; la melodía ganará en expresión y será más simple, más humana. No tendrán únicamente por objeto representar sobre la escena ya pastores bucólicos, ya amables deidades mitológicas, llegadas al teatro para adular a los reyes.

Las adulaciones, es cierto, no dejarán de producirse, tan directas, en la corte de Luis XIV, igual que en la de Enrique II. Y Lully será maestro en el arte de hacer brillar con el más vivo fulgor al Rey-Sol. Mas algunos héroes de tragedia, fuera de los ballets, se verán realmente luchando con el hado, y la música encontrará los acentos adecuados para expresar la turbación de sus almas. Se dará también a menudo el caso de que se combinen ambas formas, cuando el argumento se preste, y aparecerá sobre la escena la «ópera-ballet». Durará hasta a fines del siglo XVIII.

CAPÍTULO III

EL HUMANISMO FLORENTINO
NACIMIENTO DE LA ÓPERA Y DEL ORATORIO

Ordinariamente la evolución de los géneros y los estilos se opera con lentitud ; y, si bien es cierto que se ve más o menos acelerada por artistas de genio con lo que aportan a ella de nuevo y original, precisa de algún tiempo para que las ideas nuevas se difundan, germinen y den fruto. Mas en Florencia, en los últimos años del siglo XVI, ocurrieron las cosas de muy distinto modo ; se operó una evolución por la voluntad concertada de algunos hombres : poetas, sabios, músicos. Son como unos conjurados que se preparan a derribar a un tirano. Deciden la muerte de aquél ; quieren que, en su lugar, reine un sucesor que han escogido, porque les traerá de nuevo la Edad de oro, al devolver la poesía y la música a las fuentes puras del arte antiguo. Se alimentan de ilusiones — hoy lo sabemos de cierto —, pero su empresa es noble. Se dan cuenta, antes que sus contemporáneos, de que las viejas formas están gastadas, que el respeto de las tradiciones no conduce sino a la reiteración de viejas fórmulas, y que la letra de pretendidas leyes rectoras del arte ha muerto ya a todo espíritu. Tal vez no comprendan que esas formas caducas están a punto de transformarse por sí mismas ; que ya, insensiblemente, las escalas diatónicas se van reduciendo a los tonos mayor y menor y que la gama de do ha conquistado a la música. Son hombres del Renacimiento, humanistas ebrios por los recientes descubrimientos de olvidados tesoros. Sienten la maravilla de tantas riquezas por tanto tiempo nubladas. Sueñan en lo que debió ser el teatro en aquellos tiempos en que los coros de Esquilo, Sófocles y Eurípides «cantaban» las estrofas y antistrofas, mientras evolucionaban sobre la escena. Sueñan — como Wagner dos siglos y medio más tarde — un arte completo, una síntesis operada en el drama ; y su sueño, como el de Beaujoyeux, quería en el *Ballet de la Reine* «contentar, mediante un cuerpo bien proporcionado, ojos, oídos y entendimiento».

Pero los oídos de un hombre del siglo XVII son más exigentes que los de los contemporáneos de Pericles : la polifonía ha nacido, y ha progresado. Demasiado, piensan, puesto que se ha vuelto pesante, y sus complicaciones la convierten en una especie de monstruo que devora su propia substancia. El oído no puede percibir a la vez tantas notas superpuestas y tantas palabras, enmarañadas de forma que no se entienden. El esfuerzo de los innovadores quiere provocar una vuelta a la simplicidad, sin la cual no existe verdadera grandeza. La lira y la flauta rústica bastaron a los antiguos. ¿No será acaso sencillo, sin privarse de los nuevos recursos instrumentales, aligerar ese fárrago de notas enzarzadas unas con otras y dejar que suene el verso dentro de la plenitud y desnudez de la forma ?

Son una docena, y se reúnen en casa de uno de ellos, Giovanni Bardi, de la casa de los condes de Vernio. Se llaman Vincenzo Galilei — cuyo hijo, Galileo Galilei, será el ilustre matemático y astrónomo — ; Ottavio Rinuccini, poeta ; Girolamo Mei, teorizante de la música ; Jacopo Peri, cantante y compositor ; Pietro Strozzi, compositor ; Emilio dei Cavalieri, organista, intendente de la música en la corte de Fernando I ; Giulio Caccini, profesor y notable instrumentista de todos los instrumentos.

A todos les molesta el abuso del contrapunto. Es fácil imaginarse el tema de sus conversaciones : lo mismo que Hans Sachs dice a Beckmesser en *Los Maestros Cantores*. La *Dafne* de Peri, representada en 1594 en el palacio Corsi, ha nacido de esas discusiones apasionadas sobre la necesidad de volver a dar a la música una libertad perdida bajo complicaciones escolásticas. El poema de Ottavio Rinuccini era muy simple. La música, por desgracia, no se conserva ; sólo sabemos que está escrita en aquel *stilo rappresentativo* o *stilo recitativo* que ligaba íntimamente la melodía con las palabras, y calcaba la declamación lírica sobre la frase hablada. El mismo compositor escribió la primera ópera que nos ha llegado — una *Euridice,* sobre un poema de Rinuccini. La obra fue estrenada en Florencia, en el palacio Pitti, en 1600, durante las fiestas de las bodas de María de Médicis y Enrique IV rey de Francia, celebradas el 16 de diciembre, y el éxito fue inmenso. Esa *Euridice* felizmente fue impresa ; la Tragedia canta el prólogo ; los personajes son, además de Orfeo y Eurídice, los pastores Tirsi, Aminto, Arcetro y las Ninfas. Alternan con los coros, que ocupan mucho lugar, algunos solos y dos tríos. El libreto es pomposo ; la música, sumaria ; algunos intermedios sinfónicos dividen la acción, que se termina con un *ballo* danzado y cantado, a cinco y tres voces. Debajo la melodía, un bajo cifrado emplea hasta la saciedad, como dice Combarieu, aquella cadencia en la que el cuarto grado se retarda sobre el tercero, y el conjunto es de una gran monotonía. Pero el canto de Orfeo en los Infiernos, *Funeste piagge,* es emocionante : hizo derramar lágrimas a los concurrentes.

Caccini también compuso una *Euridice* sobre el mismo asunto, y su obra adolece del mismo defecto : la monotonía. Pero, al contrario de Peri, Caccini es aficionado a los adornos vocales. Algunos días después de su *Euridice,* dio *Il Rapimiento di Cefalo,* sobre un poema de Chiabrera, con música de igual estilo que su obra anterior.

Lo mejor de la ópera florentina en sus comienzos se debe a Peri, mucho más original que Caccini. Pero Caccini escribió un prefacio para su *Euridice,* publicada en 1600 ; el año siguiente, en un aviso *ai lettori,* precisaba, al principio de *Le Nuove Musiche,* la doctrina de los reformadores : «En la época en que florecía la eminente compañía del ilustrísimo Signor Giovanni Bardi dei Conti di Vernio, puedo decir yo, que la frecuenté, que aprendí entre sus doctas disputas más de lo que se aprende en treinta años de estudiar el contrapunto ; ya que aquellos tan ilustrados varones me han incitado siempre (y convencido con razones luminosas) a desdeñar aquella suerte de música, que, al no dejar que se entiendan bien las palabras, estropea la idea y los versos, alargando o acortando a cada punto las sílabas para conformarse con el contrapunto, destrucción de la poesía...» En 1608, en el prefacio de *Dafne,* Marco da Gagliano elogiará los méritos del nuevo género : «Verdadero espectáculo de príncipes, más delicioso que cualquier otro, porque en él se reúnen todos los más nobles deleites ; invención y distribución del argumento, ideas, estilo, suavidad de rimas, arte en la música ; los conciertos de voces e instrumentos, la delicadeza en el canto, la ligereza en las danzas y los movimientos ; y también puede decirse que la pintura juega en él un papel importante, con la perspectiva y vestuario ; de forma que, a la vez que la inteligencia, se halagan, juntos, los más nobles sentimientos por medio de las artes más agradables que jamás haya inventado el humano ingenio». Comentando esas declaraciones, Combarieu subraya que esa «conquista» de la *camerata* florentina no se ha obtenido sin pérdidas. Las ganancias son poca cosa, y se reducen al empleo — no a la invención — del recitativo, y al encumbramiento del *bel canto* (nada sorprendente, puesto que todos eran cantantes). Han traído una distensión, después de obras excesivamente recargadas de contrapunto. Mas esas «conquistas» marcan un retroceso, ya que han abolido casi del todo los progresos lentamente realizados desde la invención del *organum* en la Edad Media.

Romano de origen, muy sabio humanista, músico y organista animador de las fiestas del Oratorio del Santo Crucifisso in San Marcello, Emilio de Cavalieri fue delegado por el duque de Toscana, Fernando, con ocasión de su casamiento con Cristina de Lorena en 1588, y seguidamente nombrado intendente general de Bellas Artes. En Florencia fue, naturalmente, invitado a formar parte de la *camerata* y la frecuentó asiduamente. En 1588 empezó una *Ascensión de Nuestro Redentor,* cuyo manuscrito ha sido recientemente descubierto por el R. P. Martin ; más tarde, a su regreso, en Roma, donde le llamaba su amistad con Felipe de Neri (que moriría en 1595), Cavalieri hizo ejecutar en febrero de 1600, en el Oratorio de Santa Maria in Vallicella, *La Rappresentazione di Anima e di Corpo,* que, hasta hace poco, se consideraba como el primer *oratorio.* El nuevo género — drama sagrado, en sus comienzos «representado» y de estilo homofónico (*stilo espressivo*), al igual que las obras mitológicas de Peri y de Caccini — adoptó el nombre del lugar donde fue creado. *La Rappresentazione di Anima e di Corpo* no presenta sólo un interés histórico, porque marca el comienzo de un género bien pronto floreciente ; la obra es de una belleza que debe a sus coros y a sus recitativos, de una simplicidad llena de grandeza y de una precisión de acento admirable. El cuerpo y el alma son los protagonistas que dialogan ; el alma se esfuerza demostrando al compañero con el que va unida la necesidad de romper los lazos que le atan a los placeres materiales y elevarse a dichas más serenas. El texto y la música, estrechamente unidos, comunican a la obra de Cavalieri un carácter de profunda humanidad conmovedora. Se considera, además, a Cavalieri — Peri lo afirma en el prefacio de su *Euridice* — como el inventor del bajo cifrado.

De este modo se precisa simultáneamente, en Roma y en Florencia — pero a la capital toscana pertenece el origen del movimiento, ya que Cavalieri formó parte de la *camerata* florentina —, una orientación nueva de la música lírica. El comienzo del siglo XVII es al mismo tiempo comienzo de un nuevo período en el que reinará la ópera. Entre este siglo y el que le precede, la ruptura es completa, y sin analogía en la historia de las artes ; en pocos años, las producciones, las obras maestras de los compositores más grandes, caen en el olvido, y serán precisos dos siglos para que se vuelva a descubrir su valor y belleza.

Lo más sorprendente de esta aventura es que nada parecido ocurre en ningún otro de los dominios del espíritu : en el caso que comentamos, la creación de un género nuevo se acompaña de una regresión muy definida en el dominio de la técnica. Cuando los hombres del siglo XVII declaran la fealdad del arte ojival y convierten la palabra «gótico», con que lo señalan, en sinónimo de bárbaro y abominable, por lo menos se guardan de renunciar a los procedimientos de construcción perfeccionados por sus padres. Pero los creadores del *dramma in musica,* bajo el pretexto de un retorno a la antigüedad, sacrifican, a la ligera, el tesoro musical pacientemente amasado por sus abuelos.

Durante un largo período la ópera será, como el ballet, diversión de príncipes y espectáculo de corte, con excepción de Venecia, donde se la verá muy pronto, a causa de las costumbres de la ciudad, convertida en espectáculo popular, aunque guardando su carácter aristocrático. Por otra parte, un músico genial, Claudio Monteverdi, tanto por la elevación de su pensamiento como por la superior calidad de su técnica, enriquecerá la ópera con obras maestras de una esplendorosa belleza, no empañada por el transcurso de tres siglos. Y tendrá algunos dignos sucesores.

Su *Orfeo,* que se representó en Mantua, en la Academia de los *Invaghiti,* el 24 de febrero de 1607, debe sin duda a las circunstancias de su composición una parte del patetismo que la caracteriza. Apasionadamente enamorado de su joven esposa Claudia Cattaneo, hija de un músico de orquesta, y con la cual se había casado doce años atrás, Monteverdi la veía languidecer, sin que los médicos pudiesen aliviarla. Claudia morirá en Cremona, el 10 de agosto de aquel mismo año. El reflejo de sus propias penas tiene su eco en *Orfeo,* como resonará en *Arianna,* escrita dentro de aquel año. El libreto de *Orfeo* se debe a Striggio, quien sigue la leyenda, pero acomodándola al gusto del día : el libretista introduce danzas pastorales en el primer acto, y al final, una intervención de Apolo, *deus ex machina,* por quien Orfeo es transportado al Olimpo. El segundo acto, en el que, en medio de la alegría bucólica, aparece una ninfa a los pastores y les manda cesar sus cantos, ya que Eurídice acaba de morir, constituye una de las cumbres del arte lírico, y las quejas de Orfeo, su exclamación : *Ohimè!,* su lamento : *ed io respiro! ed io rimango!* no han sido nunca sobrepasados por ningún músico dramático.

Si Monteverdi consigue ese milagro, lo debe al hecho de haber sido formado en la escuela de Marco-Antonio Ingegneri, maestro de capilla de la catedral de Cremona y autor de los célebres responsos de Semana Santa que su belleza hizo atribuir durante largo tiempo a Palestrina. A Monteverdi le sirven últimamente su ciencia del contrapunto, su conocimiento profundo de la música modal, incluso cuando emplea el *stilo espressivo.* Instintivamente, sabe encontrar el modo de reforzar un acento patético con un «regreso» al estilo antiguo. Carece de prejuicios [1] y se ha podido comparar más de un pasaje de *Orfeo* con los hallazgos más originales de Mussorgski en *Boris Godunov* y Debussy en *Pelléas et Mélisande.* El autor de *Orfeo* lo es también de los *Madrigali spirituali* a cuatro voces, publicados en Brescia (1583), y sabe acordarse en sus óperas de que ha introducido en ellos disonancias sin preparar — acordes de séptima y novena de dominante —. Sus libertades armónicas y sus adaptaciones de la música modal corren parejas y atestiguan la libertad de su espíritu, desembarazado de todas las trabas escolásticas e independizado de las ideas de su tiempo.

Arianna se escribió sobre un libreto de Rinuccini. Su primera representación se dio el 28 de mayo de 1608. Sólo poseemos la escena VI, el célebre *lamento* que trastornó al auditorio y valió un verdadero triunfo

---

[1]. MAURICE LE ROUX, *Claudio Monteverdi.* Paris, edit. du Coudrier, 1951, pp. 64 y sig.

a Monteverdi. Ella basta para que podamos juzgar a la obra entera. Monteverdi utilizó el *lamento* para *Il Pianto della Madonna,* con texto latino. De este año de luto son, además, otras dos obras del compositor : una comedia musical, *L'Idropica,* sobre un libreto de Guarini, y un ballet, *Il Ballo dell'Ingrate.* No se conserva nada de *L'Idropica,* pero *Il Ballo dell'Ingrate* nos ha llegado en su integridad ; la obra se halla entremezclada de recitativos y arias que son las obras cumbres del estilo florentino.

Como maestro de capilla de la catedral de Venecia, una vez hubo abandonado la corte de Mantua, Monteverdi compuso madrigales de forma polifónica, motetes y misas, sin dejar, por eso, de escribir obras dramáticas : *Peleo e Teti* (1616), *Amori di Diana e d'Endimione* (1618), *Andromeda* (1620), *La Finta pazza Licori* (1627), *Proserpina rapita* (1630), *La Vittoria d'Amore* (1641), *Adone* (1639) — que alcanzó un enorme éxito en el teatro de San Giovanni e Paolo. Muchas de las obras se han perdido. Pero nos queda *Il Nerone ossia l'Incoronazione di Poppea,* sobre un libreto de Busenello, representado en el mismo teatro en 1642, y confirmando el éxito de *Il ritorno d'Ulisse in patria,* que se produjo en el año anterior, y en el teatro de San Cassiano, de Venecia. Varias ediciones modernas han devuelto a tales obras maestras el sitio que les había usurpado un largo olvido. Estas obras se distinguen, desde el punto de vista de la forma, por una variedad extrema : cambios de escena frecuentes, diversidad de la música, en la que el recitativo se ve interrumpido por *ariosi,* dúos, tercetos, conjuntos, que se enlazan con él sin que interrumpan la acción. La estética de esos dramas es moderna por completo, y, anticipándose a su época, Monteverdi ha hecho una obra que pertenece a todos los tiempos, ya que supera, y mucho, a las producciones de sus contemporáneos y se halla en ella, como si el músico adivinase lo que debía realizarse mucho tiempo después, todo lo que iban a descubrir sus sucesores. Por ejemplo, la grandeza simple y patética de los adioses de Séneca a la vida, en la *Incoronazione,* nos hace presagiar a Rameau y Gluck ; el delicioso dúo de la Damisela y el Paje, en el mismo drama, nos anuncia la escena de Susana y Querubín, en *Le Nozze.* Numerosos pasajes de *Il ritorno d'Ulisse* están escritos en estilo polifónico, y se han ya citado los pasos de gamas modales, que dan a muchos de ellos el color de ciertas páginas de Mussorgski, de Fauré o de Debussy. Además, a partir de *Orfeo,* aparecen temas característicos de una situación, un personaje. Y en todo existe un maravilloso equilibrio en el empleo de medios tan distintos.

Al lado de las obras dramáticas de Monteverdi, desarrolladas en forma de tragedias líricas, han de colocarse los relatos épicos, cantatas, trozos diversos cuyo carácter expresivo les aproxima al arte teatral, hasta el punto que algunos de ellos pueden fácilmente ser escenificados. Éste

«Ballet des Fées de la Forêt Saint-Germain» (1625).
Entrada de «los bravos combatientes».

(Dibujo acuarelado del siglo XVII)

«Ballet de la Douairière de Billebault» (1626).
Entrada de la viuda y sus damas.

(Dibujo acuarelado del siglo XVII)

Escena de «Androneda», tragedia de Corneille, música de C. d'Assoucy (1651). (La misma decoración había servido para el «Orfeo» de Rossi).

(Grabado de F. Chauveau)

Decorado de Torelli para «Les Noces de Thètis», ópera de Caproli (1654).

(Grabado de Silvestre)

es el caso del *Combattimento di Tancredi e di Clorinda,* sacado del canto XII de la *Jerusalén libertada,* y que se halla en el octavo libro de madrigales publicado en Venecia por Alessandro Vincenti en 1638 bajo el título de *Madrigali guerrieri ed amorosi con alcuni opuscoli in genere rappresentativo,* que explica muy claramente la naturaleza de aquellas obras. En el *Combattimento* un *testo,* un texto, es contado por un recitante, y forma el recitativo que cuenta las circunstancias del encuentro de Tancredo y un guerrero mahometano, quien no es otro que Clorinda, desconocida bajo el yelmo que oculta sus facciones. Ese recitativo es de una extrema simplicidad melódica ; lo interrumpen de vez en cuando las voces de los dos adversarios enfrente el uno al otro. El final de esta cantata resulta de una grandeza y emoción admirables, producto del arte con que Monteverdi retarda la resolución de la apoyatura iniciada quince compases antes de la cadencia conclusiva [1]. La orquesta ofrece también particularidades geniales : Monteverdi le confía un papel que podríamos llamar activo, independiente y expresivo con el mismo fuero que las voces ; un papel que es ya el que le concederán los maestros del arte lírico en el siglo XIX. Monteverdi, consciente del valor y el porvenir de esa innovación, lo confiesa sin falsa modestia : «Me ha parecido bien hacer saber que de mí provienen las primeras investigaciones y ensayos de este género, tan necesario al arte musical y por cuya ausencia se puede honradamente decir que el arte había quedado imperfecto hasta la fecha, puesto que sólo existían dos géneros, a saber : el dulce y el moderado». Este *stilo concitato,* estilo «animado», le pertenece : atrevido innovador, Monteverdi lo ha presentado, y a menudo ha realizado casi todo lo que iba a constituir la música moderna [2].

Acabamos de ver que muchas obras de Monteverdi se estrenaron en Venecia. La razón no consiste tan sólo en que el compositor fuese organista de San Marcos, sino también en el amor que los venecianos manifestaron por la ópera, desde el momento que les fue revelada. Aunque el género nació en Florencia, Venecia fue la primera que abrió un teatro público de ópera. En 1637, una compañía de cantantes se instaló en San Cassiano, recién construido por la familia Tron ; el público pagaba cuatro liras por la entrada. Era una empresa, la de los cantantes, arriesgada : las *rappresentazioni,* muy dispendiosas, tenían fama de no poder ser organizadas sino a expensas de los príncipes, los cuales solían tener salas de música suficientemente vastas. Así sucedía en Florencia y Roma, en los palacios de los Borghese y los Barberini. Éstos últimos hicieron construir una sala con capacidad para cuatro mil personas, donde el mismo Bernini se encargaba de la maquinaria. Durante los carnavales, el

---

[1]. MAURICE LE ROUX, *loc. cit.,* p. 93.
[2]. Sobre Monteverdi, se podrán consultar las obras de Henry Prunières, Librairie de France, 1926, y Maurice Le Roux.

cardenal Antonio Barberini, sobrino del papa Urbano VIII, suspendía sus audiencias e incluso la recepción de embajadores para consagrarse por entero a la preparación de los espectáculos y vigilar la confección de máquinas y decoraciones. Todo el mundo se disputaba las invitaciones a esas fiestas, a las cuales los mejores cantantes, los castrados de más brillante reputación, prestaban su concurso. Pero esto constituía un placer reservado a unos elegidos — a la verdad, numerosos, puesto que el teatro era muy grande — ; pero en ningún caso tenía acceso el público. En cambio, el pueblo de Venecia, desde 1637, puede conocer ese placer aristocrático pagando algunas liras. El ruido que se produce en toda la península alrededor de las maravillas que se ven en Florencia y en Roma dentro de los teatros particulares pica la curiosidad de los venecianos. La música no es precisamente lo que les atrae en primer lugar ; pero se beneficiará con ese entusiasmo. Los organizadores de las representaciones de San Cassiano supieron sacar partido. Su mecenazgo se vio facilitado por la importancia que la música ocupaba en la vida de Venecia ; la capilla de San Marcos era una de las más reputadas de Italia. La escuela veneciana había producido compositores, de los más famosos, en el transcurso de los dos siglos anteriores ; organistas y madrigalistas, autores de piezas religiosas y motetes profanos. El terreno, por consiguiente, se encontraba muy bien preparado para el éxito de la ópera.

Henry Prunières, en su *Monteverdi*, en sus obras sobre *ópera veneciana* y en la *ópera en Francia antes de Lully,* nos pinta un cuadro exacto y colorido :

«Se hizo necesaria una simplificación del aparato escénico ; igualmente, de la ejecución musical. Resultaba imposible pagar todas las noches el sueldo de sesenta u ochenta músicos y los numerosos coristas, como poseía el papa. Fue preciso contentarse con una docena de instrumentos de arco y dos clavecines : uno de *ripieno*, para sostener a la orquesta, y el otro que tocaba el *maestro,* cuando acompañaba los recitativos. Dos trompetas se añadían a ese modesto conjunto para sonar en las oberturas y las escenas guerreras o triunfales.»

«El público, de cuyo sufragio dependía ahora el éxito, era muy distinto del que hasta entonces se había interesado por las representaciones de ópera : ya no existían invitados en la sala ; no se podía contar con los aplausos de cortesía. La gente de toda condición que llena los palcos y la cazuela, como han pagado su entrada, tienen el derecho de ver y juzgar libremente. No existen distinciones de localidad en la sala ; los primeros puestos son para los que llegan primero, de modo que hay verdaderas batallas para adueñarse de las más próximas a la escena. Los asientos son incómodos ; la sala carece de iluminación : desde que se levanta el telón, se apagan las dos arañas que han permitido instalarse a los espectadores.

A los que desean leer el libreto, les es preciso comprar a la entrada la pequeña bujía indispensable. También se podrán procurar manzanas y peras cocidas, que servirán para calmar el apetito y, a veces, para desahogar el furor sobre los actores...»

Los artesanos y los gondoleros, a quienes en ocasiones quiere el uso que se les abandone los palcos vacíos, no son los menos asiduos a la ópera : pronuncian sobre los cantantes sentencias sin apelación. Saben reconocerlos a través de sus extravagantes disfraces, y disfrutan en ese juego : cuando aparece vestido de nodriza un cierto clérigo que goza de renombre por su modo de desempeñar los papeles bufos, todo el patio exclama encantado : «Ecco Pre Pierro che fa la vecchia!». Para los principales papeles, se procura asegurar el concurso de los mejores virtuosos, pero, para los pequeños, se recurre a los aficionados de buena voluntad : muchos frailes y curas entre ellos. Nadie se extraña. En Roma también, los conventos proporcionan la mayor parte de los coristas.

El teatro se abre tres «temporadas» al año : desde el día siguiente de Navidad hasta el 30 de marzo ; del segundo día de Pascua al 30 de junio y del 1.º de septiembre al 30 de noviembre. El público veneciano se siente atraído. Adora las intrigas complicadas, las escenas violentas y, a veces, la tragedia se da en la misma sala. Durante una velada, en un palco, un Morenigo mata a un Foscarini de un pistoletazo. Los soldados y los bravi, encargados del orden, no bastan, y a menudo hay que mandar refuerzos.

Las costumbres venecianas de aquellos tiempos nos sorprenden : costaría trabajo creer todas las maldades y los crímenes que se leen en las crónicas, si no afirmasen su autenticidad documentos serios. Los libretos de óperas venecianas son un reflejo del tiempo. Están dedicados a grandes señores que no se sorprenden de hallar incluso alusiones a sus fechorías : su desdén les pone por encima de la opinión, y su fortuna, por encima de las leyes ; ejemplo, los hermanos Grimani-Calergi, cuyo tío mandó construir el teatro de SS. Giovanni e Paolo. Amantes de la ópera, se ocupan por sí mismos de las representaciones, velan por el lujo del espectáculo y la escenificación, jamás bastante suntuosa. Copio aún este detalle de Henry Prunières : «Esos mecenas son, además, unos seres temibles, acusados con motivos bastantes de ser «responsables ante Dios de la vida de doscientas personas despachadas por el puñal o el veneno». Repetidamente se les destierra de Venecia, pero plantan cara y se quedan, rodeados por una verdadera tropa de sicarios, hasta el día que hacen que se derrame la copa de sus crímenes, raptando en una góndola, por la noche, a la salida de un ensayo en el teatro de SS. Giovanni e Paolo, a su enemigo el conde Querini Stampalia, que es cruelmente asesinado en el palacio de los raptores, a la vista de los dueños. No tardarán, no obstante, en verse indultados, y entrarán triunfalmente en Venecia ; su primer cuidado será derribar el monumento expiatorio elevado sobre el solar de la casa del crimen y reedificarán el ala izquierda del palacio Vendramin, su fastuosa guarida». Es digno de nota que en ese palacio Wagner morirá el 13 de febrero de 1883.

Si recogemos estos rasgos, no es únicamente a causa de su color pintoresco : es porque marcan a la ópera veneciana desde el origen, y cuando Lorenzo Da Ponte, veneciano, libretista de Mozart, escribirá el poema de *Don Giovanni,* se verá en sus personajes el exacto reflejo de las costumbres de su patria desde uno o dos siglos atrás. Convierte así la leyenda española en una verdadera ópera veneciana.

No entra en el plan de este libro enumerar todos los músicos que han enriquecido el género lírico : son innumerables ; hemos solamente marcado la evolución del género, precisando mediante el estudio de las obras esenciales sus caracteres en las diversas épocas, dentro de los países por donde se ha extendido.

En Venecia, dos romanos que fueron los primeros directores de los teatros de San Cassiano, y de SS. Giovani e Paolo — Francesco Manelli y Benedetto Ferrari —, ambos músicos que escriben, como es natural, para la escena, ven muy pronto como se alzan salas rivales. La de San Samuele reestrena la *Arianna* de Monteverdi, con motivo de su inauguración en 1639. Manelli abre una cuarta sala, el Teatro Novissimo, en 1642, donde hace cantar su *Alcate.* Luego Ferrari se marcha a Módena, y Manelli, dotado de una hermosa voz de bajo, que ha contribuido al éxito de varias obras, entra en la capilla de San Marcos. Entonces empieza, en Venecia, el reinado de Francesco Cavalli.

Protegido del *podestà* de Crema, que se había encargado de su educación, Francesco Cavalli entró en la capilla de San Marcos en calidad de cantor. No tardó en ser organista. La dignidad de su vida y la calidad de sus obras le merecieron una alta estima. En 1639, a los treinta y siete años de edad, estrenaba en San Cassiano *Le Nozze di Teti e di Peleo, opera scenica.* Henry Prunières señala que es la primera obra con el título de *opera scenica,* que hizo fortuna. El libreto es de Orazio Persiani, y la partitura revela la influencia romana porque en ella predomina el estilo recitativo ; pero en ciertos pasajes (la *chiammata alla caccia* — la llamada a la caza —, por ejemplo) se deja ver la influencia de Monteverdi. Sin embargo, no fue sino dos años más tarde, con *Didone,* estrenada en el mismo teatro, que, afirmando una manera más personal, Cavalli alcanzó la recompensa de un éxito tan grande que se vio precisado a dar otras obras ; en 1642 se le representa simultáneamente en tres teatros : en San Cassiano, con *Virtù degli Strali d'Amore,* en el San Mosè, con *Amore innamorato,* en el SS. Giovanni e Paolo, con *Narciso ed Eco.*

Durante treinta años, del 1639 al 1669, fecha desde la cual se consagró a la música religiosa, escribió cuarenta y dos óperas. Su renombre pasa las fronteras muy pronto; en 1642 la corte de Viena le encarga *Egisto,* que no sólo fue representado en 1643 en San Cassiano de Venecia, sino inmediatamente en todos los teatros de Italia, y en París, el año 1646. Volveremos a encontrar a Cavalli cuando se trate de la ópera en Francia; su *Serse,* creado en SS. Giovanni e Paolo en 1654, se cantará en la corte de Francia el 1660. Entre sus obras más famosas, hay que citar *Deidamia* (1644); *Doriclea* (acogida triunfalmente en 1645); *Titone,* del mismo año; *Romolo e Remo,* de igual fecha; *La prosperità infelice de Giulio Cesare, dittatore* (1646); *Giasone* (1649), inmensamente popular, por la escena de Medea invocando a los espíritus infernales; *Euripo* (1649); *Bradamante* (1650); *Alessandro vincitor di se stesso* (que Prunières atribuye a Cesti, por culpa de un libreto impreso en Luca, con el nombre de este músico), *Scipione Africano, Eritrea,* la *Veremonda, Ciro, Statira, Erismena, La Presa d'Argo e Gli Amori di Linceo con Ipermestra,* cantada solemnemente en Florencia el 18 de junio de 1658, con motivo del nacimiento de un hijo del rey de España Felipe IV, para la cual el cardenal Giovanni Carlo había encargado máquinas extraordinarias que permitían los cambios de escena con gran rapidez. Cavalli obtuvo con su *Ipermestra* uno de los mayores triunfos de su carrera. Hacia el final de la misma, hizo representar aún *Pompeo Magno* en 1666 y *Coriolano* en 1669.

Hay bastante con esa nomenclatura para ver como el teatro se orienta con preferencia hacia los temas mitológicos y deja en segundo término los históricos. Pero los libretistas no se creen obligados a respetar la mitología ni la historia, ni tan sólo la leyenda. Monteverdi no se preocupó jamás de la calidad de sus libretos; sus continuadores tampoco; únicamente buscan historias sentimentales que halaguen el gusto de los espectadores: en *Muzio Scevola,* que Cavalli hizo representar en San Salvatore el año 1664, Nicolà Minato, autor del poema, explica el heroísmo del joven patricio que se abrasa la mano en las llamas del altar, ¡por razones de amores contrariados!

El estilo de Cavalli marca una igual complacencia: ciertamente, el músico pone gran cuidado en la verdad de los acentos; sabe comunicar a los recitados y a las arias una intensidad de expresión verdaderamente admirable; posee vigor y sabe ser agradable. Domina su oficio y revela su genio en la invención melódica, a veces, y, mucho más raramente, en los acompañamientos instrumentales. Pero, como dice muy bien su biógrafo, no es ni un investigador ni un innovador. Nos habla en el lenguaje de su tiempo y no vacila en copiar de Monteverdi, cuando le hace falta. Calca sin gran escrúpulo. Lo que de él nos gusta, lo que le hace ser un gran músico, es su vigor y franqueza, más que sus riquezas. Y además, es inteligente, hábil; pero se contenta con más facilidad que Monteverdi; gusta de la *canzone* con estribillo, que ya es el *aria da capo*; a veces las palabras del estribillo cambian y ocasionan una modificación de la melodía. Otras veces las estrofas están separadas de los estribillos por recitativos. Sobresale en el *lamento,* y el de Climene en *Egisto* es una de las páginas más conmovedoras de la música dramática. «El bajo va martilleando un tema formado de un trozo de la escala cromática descendente; y la melodía boga encima con inaudita libertad de movimiento». (Prunières.)

Es preciso señalar también la importancia creciente que toman los acompañamientos orquestales en la ópera veneciana; pero muy pronto se marca una tendencia hacia la simplificación, que incluso da una impresión de pobreza, principalmente en las últimas obras de Cavalli: después de un ritornelo, cuando empieza el aria, la orquesta se reduce a sonar acordes, o limita su intervención a formar ecos a la voz y llenar las pausas.

La orquesta se compone del clavecín, tiorbas para dar el bajo; violines, violas que, por lo corriente, acompañan a las voces; trompetas, cornetas, trombones y fagotes. Los timbales intervienen en aires guerreros, frecuentes en las óperas de Cavalli.

Henry Prunières señala la destreza en la escritura del cuarteto vocal. Tanto si se trata de obtener un efecto bufo (véase el final de *Egisto,* donde el Amor, descendido a los Infiernos, se defiende de sus víctimas, Fedra, Semele y Dido, que pugnan por azotarle); como un efecto grandioso y simple (en el *Ercole amante,* con el cuarteto *Dall'Occaso a gl'Eoi* — «De Poniente a Levante»), siempre manifiesta la misma habilidad; y en *Pompeo magno,* cuando, después de los acordes de las trompetas, aparece el cortejo de Pompeyo, las aclamaciones del pueblo, alternando con los solos, causan un efecto extraordinario.

Se ha dicho con razón que Cavalli, colorista como los pintores venecianos de su tiempo, supo crear una decoración orquestal y vocal apropiada para encuadrar la acción dramática y darle mayor realce.

Simultáneamente, en Roma, la ópera, concebida según las teorías de los reformadores florentinos, es recibida favorablemente por los dignatarios de la corte papal. Stefano Landi, castrado al servicio del cardenal Borghese, y muy pronto maestro de la Capilla Sixtina, da en representación, en 1619, una *Morte d'Orfeo* y, el año siguiente, en el palacio del cardenal Borghese, su *Aretusa.* La aristocracia romana se aficiona pronto a las obras florentinas; los compositores romanos, por su parte, denotan, a partir de 1626, con el estreno de la *Catena d'Adone,* de Domenico Mazzocchi (también al servicio de los Borghese), una neta evolución del estilo lírico : el recitativo florentino ya no conserva su monótona pureza ; a cada paso le interrumpen arias, ritornelos confiados a la orquesta, coros, danzas. Pero Mazzocchi, formado en la escuela de los madrigalistas, continúa el gusto del contrapunto, y lo manifiesta en la escritura de sus coros ; se nota un sentido de la modulación, del cromatismo, y el aria *Folle l'aura mi scherne,* de *Adone,* imita, gracias a las alteraciones que se hallan en cada compás, el gemido del viento a través de los árboles del bosque. Los historiadores señalan esta ópera como el punto de partida de la segunda época del drama lírico : la época romana. Pero no cambia sólo la música de carácter ; también la estructura de los libretos, donde empiezan a reinar elementos fantásticos y maravillosos. La ópera está en trance de convertirse cada vez más en un «espectáculo», un pretexto para exhibiciones, con una presentación que se quiere complicar cada vez más.

Los Barberini mandan construir el primer gran teatro, que servirá de modelo a tantos otros, y que se inaugura el 23 de febrero de 1632 con el *San Alessio* de Stefano Landi, sobre un poema de Mgr. Rospigliosi. A consecuencia del éxito, enorme, la obra se representó durante tres años seguidos por las fiestas de Carnaval. Tampoco para Landi tienen secretos las sutilezas de los madrigalistas. Sus coros y sinfonías son muy desarrollados ; y se mueve con agilidad en el drama sagrado, rompiendo la monotonía habitual de los argumentos mitológicos. Además, en la «sinfonía» que precede el segundo acto se ha podido ver el primer modelo de la obertura italiana (allegro-adagio-allegro).

Otra novedad está a punto de manifestarse. En 1639, con la *Galatea* del célebre sopranista Loreto Vittori, que, antes de entrar en la capilla pontificia, había residido en Florencia, la alegría se introduce en la ópera. *San Alessio* ya contenía escenas bufas. La letra de *Galatea* es de Mgr. Rospigliosi — el futuro papa Clemente IX —, quien había escrito el libreto de la primera «comedia musical», puesta en música por Vergilio Mazzocchi (hijo de Domenico) y Marco Marazzoli : *Chi soffre speri.* A ellos se les debe la invención del recitativo *quasi parlando,* que será de tan frecuente uso en la ópera bufa, y que con tanta naturalidad traduce la volubilidad del diálogo italiano en las obras de Mozart y de Rossini. Este *recitativo secco* se acompaña sólo con notas aguantadas, y, más adelante, con los arpegios del clavecín. *Chi soffre speri* es una obra llena de animación en la que hay una escena que representa una feria, donde paseantes y feriantes dialogan vivamente. En colaboración con Antonio-María Abbatini, Marazzoli escribe *Dal Male il Bene,* estrenada también en Roma en 1654, y que es una verdadera ópera cómica, con los finales desarrollados como lo serán más tarde en las obras ligeras de Mozart y Rossini.

Uno de los mayores éxitos de la ópera de los Barberini fue, en 1637,

Erminia sul Giordano de Michel-Angelo Rossi, llamado «del Violino», y, en efecto, violinista y organista célebre. Henry Prunières ha publicado fragmentos de esta composición; la pieza, nos dice, es una sucesión de cuadros cortísimos, los cuales encantan los ojos, ocupan el espíritu y apenas dejan tiempo al espectador para escuchar la música. «El compositor deja pasar sin comentario las fantasmagorías del libreto. Armida puede invocar las furias y desencadenarlas sobre el campo de los cristianos; puede caer pedrisco sobre la escena, abrirse el infierno y mostrar sus demonios y sus espectros; la orquesta se calla.»

Fue en 1641 cuando Luigi Rossi entró al servicio del cardenal Antonio Barberini. Célebre cantante, compositor de cantatas profanas apreciadísimas, debutó en el teatro el año 1642 y aplicó al drama el estilo de la cantata, con el mayor éxito, en *Il palazzo incantato d'Atlante*. Poco tiempo después, produce un oratorio, *Giuseppe, figlio di Giacobbe*. Y en París, donde sigue a los Barberini, desterrados al advenimiento del papa Inocencio X, y refugiados cerca de Mazarino, compone Luigi Rossi su *Orfeo*, representado ante la corte el 2 de marzo de 1647 por una compañía italiana y continuado hasta mayo sin que su éxito disminuyese. Más adelante explicaremos la influencia ejercida por esas representaciones sobre el arte lírico francés. Rossi regresó a Roma, y al cabo de un tiempo fue de nuevo llamado a París por Ana de Austria en 1648. Allí permaneció durante la Fronda, y luego siguió al cardenal Antonio Barberini a Aix-en-Provence; más tarde, a Roma.

Lo que da más valor a sus obras es su maestría como armonista, no muy inferior a la de Monteverdi. Pero también es un melodista genial; sus arias saben expresar la resonancia íntima, el sentido profundo de las situaciones y de las palabras. Por desgracia, el valor musical de las óperas de Rossi no impide que los libretos sean de escaso valor, inverosímiles hasta la extravagancia: en *Orfeo*, el abate Buti no teme mostrarnos a una Eurídice que prefiere la muerte, antes que permitir que Aristeo le arranque de la pierna la serpiente mortal. Y este extremo de pudor no impide al abad de presentarnos a Aristeo acompañado de un alegre sátiro y la dulce Eurídice de una desenvuelta nodriza! [1].

Muy pronto la ópera y el oratorio, hasta entonces confundidos (a lo menos los dramas profanos y los sacros se representaban indistintamente en el teatro de los Barberini), van a ser separados por el papa Urbano VIII. Con toda probabilidad fueron las órdenes religiosas quienes decidieron al Santo Padre: se reservaron las *rappresentazioni spirituali*, mientras que el teatro del papa se quedó con las obras menos austeras, mitológicas, históricas, y las comedias musicales.

En Venecia, durante este tiempo, el arte lírico no cesaba de atraer

[1]. HENRY PRUNIÈRES: *Histoire de la Musique*, t. II, p. 52 (París, Rieder, 1936).

un público que había adquirido la pasión del teatro. En el mismo año en que Cavalli se hacía aplaudir con su *Giasone* (1649), Marc' Antonio Cesti debutó con *Orontea,* durante el carnaval, y alcanzó de golpe un verdadero triunfo. Había llegado recientemente de Florencia y Roma ; era religioso franciscano y después de haber trabajado con Abbatini había sido nombrado maestro de capilla en su convento de Volterra. En Roma conoció sin duda a Luigi Rossi. Pronto Cesti, según frase de su amigo Salvator Rosa, fue «gloria y esplendor de los escenarios profanos» ; pero al propio tiempo cesó de ser el Padre Cesti para convertirse en *Il signor cavaliere Cesti.* Se había librado de los hábitos, no sin algún escándalo. En 1651, escribió *Alessandro vincitor di se stesso* (según Prunières, por más que los musicólogos están de acuerdo en atribuir la ópera en cuestión a Cavalli, decano y rival de Cesti) ; en el mismo año, compuso *Cesare amante.* Como su éxito iba en auge, el archiduque Fernando lo llamó a Innsbruck, donde, en 1650, se representó *Argia* en presencia de la reina Cristina de Suecia ; la obra se representó más tarde (1669) en Venecia, donde triunfó tanto más cuanto que Cesti, en el intervalo, había estrenado en Florencia *Dori* (1661), en ocasión de las bodas de Cosme de Médicis con Margarita-Luisa de Orleans, y luego la había reestrenado en Venecia, dos años más tarde. Le vemos aún en Innsbruck, en 1662, donde produce *La Magnanimità d'Alessandro* ; en Roma, llamado por el papa (aunque estuviese secularizado), a la Capilla Sixtina ; en Roma se da el *Alessandro vincitor di se stesso.* Le seguimos en Venecia, con *Tito,* en 1666 ; más tarde en Viena, donde, por fortuna, consigue una plaza de Vice-Kapellmeister en la corte imperial, ya que su vida escandalosa le ha merecido una paliza en Venecia. Estrena en Viena *Nettuno e Flora festiggianti* (1666). El año siguiente, por las bodas del emperador Leopoldo I y Margarita de España, *Il pomo d'oro* ; aquel mismo año, también en Viena, *Le Disgrazie d'Amore* y *La Schiava fortunata.* Por fin, regresa a Venecia y parte a Florencia, donde muere envenenado el 14 de octubre de 1669, trágico fin de una extrañamente agitada existencia [1].

La aportación de Cesti deriva de su ingenio y sutileza, a la par que de su gran cultura musical. Tiene el sentido innato de la melodía, a la que con naturalidad comunica una suavidad y pureza reforzadas por los hallazgos armónicos del compositor. Henry Prunierès nota que Cesti llegó en el momento culminante de la trayectoria de Cavalli, como Racine cuando amenazó la gloria de Corneille. Mucho más que su rival, ha contribuido a la evolución del *aria* en el sentido de la melodía pura, equilibrada. Pero sus viajes y sus tribulaciones le han en cierto modo sacado de su centro, y es indudable que sus obras llevan la marca del desorden en que vivió : le deben algunas cualidades, pintoresquismo, pero también una mezcolanza

---

[1]. El envenenamiento de Cesti pertenece a la leyenda. *(N. del T.)*

de influencias diversas, que, sin embargo, supo fundir en un todo personal.

Giovanni Legrenzi, maestro de capilla de San Marcos, más tarde director del Conservatorio dei Mendicanti, ejerció una influencia considerable como maestro : discípulos suyos fueron Lotti y Gasparrini. Le debemos una veintena de óperas (*Achille in Sciro,* 1664 ; *Zenobia, Creso, Eteocle e Polinice,* etc.), muchas de las cuales se han perdido. Lo que nos queda nos permite saber que perfeccionó el *aria da capo,* de la que hizo un uso sistemático.

Sería perfectamente vano clasificar por escuelas — florentina, veneciana, romana y bien pronto napolitana — todas las obras líricas italianas del siglo XVII ; la ópera tiende a convertirse en un género universal : los mejores músicos viajan de una ciudad a la otra, de Italia a Francia y Austria. Si bien los temperamentos individuales imprimen sobre ella su signo, y las maneras y el espíritu de las diversas razas se reflejan tanto en su música como en su literatura, las formas ya se han fijado, y hasta el siglo XIX no experimentarán sino cambios de detalle.

Stradella es napolitano ; nace en 1645, y muere asesinado en Génova hacia el 1681, después de unas aventuras amorosas que lo han convertido en héroe de dos óperas, una de Flotow y la otra de Niedermeyer. Se había enamorado de una cantante, discípula suya y amante de un noble veneciano — puesto que Stradella residió una temporada en Venecia, donde se representaban algunas de sus obras —. Consiguió escaparse con su amante hasta Roma, en cuya ciudad fue perseguido por el celoso veneciano, que intentó asesinarle. Se escapó, esta vez, a Turín, en donde fue alcanzado y herido por su rival. Dos años más tarde, en Génova, caía bajo los golpes del veneciano. Sus oratorios (*San Giovanni Battista, Ester, Santa Pelagia, San Giovanni Crisostomo*), sus óperas (*Biante, Corispero, Floridora, Orazio Cocle, Trespolo tutore*), fueron estrenados al azar de su vida errante. Nos han llegado en forma de manuscritos ; Stradella sobresale sobre todo en sus cantatas, en las que su genio melódico hace maravillas. En *La forza dell'amor paterno,* representado en Génova el 1678, Alberto Gentili ha observado que la obertura se halla construida en dos partes, y el primer tema es el del aria de Antíoco que da principio a la obra. Este uso, inaugurado por Cesti en *Il pomo d'oro,* según el cual la obertura expone uno o varios temas de la ópera, se generalizará con Alessandro Scarlatti.

El verdadero fundador de la escuela napolitana es Francesco Provenzale (1610-1704), cuya obra entera se produjo en Nápoles. Debutó en 1653 con *Ciro,* dio en 1658 un *Teseo* y compuso una decena de óperas, de las cuales dos han llegado hasta nosotros, *Stellidaura vendicata* y *Lo Schiavo di sua moglie.* Ese músico habilidoso ya se revela un compositor bufo, anticipándose a los maestros de los siglos XVIII y XIX.

Por aquel entonces ya el público no se preocupa más que de escuchar bonitas voces que canten bonitas arias, fabricadas para hacer valer
las dotes de los intérpretes :

«Lo que cuenta — escribe Henry Prunières — es el talento del virtuoso y la manera como realza las arias. Todo artista debe tener alma-
cenadas un cierto número de *arie de baule* (*baule,* o sea baúl, maleta),
que sirvan a todo propósito. Nadie se extraña de eso, ya que nadie se
interesa por lo que ocurre en la escena. Por otra parte, ¿cómo tomársela
en serio? Por todas partes se escuchan *castrati* disfrazados de mujer,
mujeres en *travesti* de hombre. Un monje, el R. P. Dom Filippo Melani,
vino a París en 1660 para cantar en el *Xercès* de Cavalli el papel de la
reina Amestris, ¡enamorada del rey de Persia y disfrazada de hombre!
El público no se toma la pena de puntualizar si tal *castrato* figura un
hombre o una mujer, y no se indigna por ver a César o a Pompeyo representados por un eunuco. En Nápoles, se permite a veces que las cantantes desempeñen personajes masculinos, porque gustan allí casi exclusivamente las voces de registro elevado. Sin embargo, en las partituras
no se leen notas altas : los cantantes las colocaban a su gusto, al bordar
las repeticiones de las *arie da capo*. En esta época el arte se halla por
completo impregnado de sensualidad y la voz pasa por encima de todo.
Los músicos sobresalen en el arte de realzar los efectos vocales con el
contracanto de un instrumento solista : violín, corneta, flauta, oboe, trompeta. El resto de la orquesta, compuesto de un pequeño número de instrumentos de cuerda, se limita a acompañar lo más discretamente posible.»

La ópera continuará así durante todo el siglo XVIII, por lo menos en
todos los sitios donde la ópera francesa no mantiene sus posiciones.

Puesto que, si la reforma florentina había sido, según palabras de
Romain Rolland, una reacción de simplicidad y claridad, pareja a las
reacciones del Renacimiento en otros dominios del arte, reacción necesaria, dado que la complicación y la obscuridad crecientes amenazaban
de muerte a la polifonía, ahora sin duda el movimiento de los humanistas
había pasado más allá del objetivo que se pretendía alcanzar, creyendo
remontarse a las fuentes del drama de los antiguos. Las florituras exce-
sivas de los madrigalistas, la extravagancia de sus invenciones puramente
formales y extrañas al arte, se veían substituidas rápidamente por otras
singularidades que tampoco regulaba el buen gusto, de las cuales acabamos de mostrar algunos ejemplos. Con todo, a través de esos excesos, en
los que lo peor proviene de las exigencias de los cantantes, progresan la
armonía y la orquesta, que se va desarrollando. El arte lírico está a punto
de alcanzar este punto de equilibrio que le han de proporcionar las obras
maestras de Rameau y de Mozart.

CAPÍTULO IV

LA ÓPERA FRANCESA EN EL SIGLO XVII
LULLY Y SUS CONTEMPORÁNEOS

La política tuvo una influencia decisiva sobre la evolución del arte lírico francés : el cardenal Mazarino, al suceder a Richelieu, quedó como primer ministro de 1643 a 1661 ; durante el año último del reinado de Luis XIII, durante la menor edad y los diez primeros años del reinado personal de Luis XIV, nada se hizo contra su voluntad. Educado en Roma, había cantado en las *rappresentazioni* del Oratorio de San Felipe Neri y tomado parte en las fiestas de la canonización de san Ignacio de Loyola, en 1622 ; conservaba un gusto extraordinario por la música. Cuando los Barberini se vieron obligados a desterrarse de Italia, a la muerte del papa Urbano VII (1644), Mazarino los acogió en Francia, donde se convirtieron en verdaderos embajadores de la música italiana. El cardenal Antonio Barberini se encargó de hacer venir a los mejores compositores e intérpretes que habían actuado en Roma : Marco Marazzoli y la cantante Leonora Baroni, de 1643 a 1645 ; Atto Melani, en 1644 ; Luigi Rossi en 1646-1647, después en 1648-1649 ; Carlo Caproli en 1654, cantaron ante la corte. En 1645 se representó la *Finta pazza* de Sacrati ; en el año siguiente, el *Egisto* de Cavalli ; en 1647, Luigi Rossi, acompañado de los más grandes cantantes de la península, hizo representar su *Orfeo*. Vino la Fronda : el primer ministro tuvo más urgentes problemas ; pero, una vez pasada la borrasca, continuó sus proyectos y, en 1654, mandó representar las *Nozze di Peleo e di Teti,* de Carlo Caproli, con números de baile. El éxito fue considerable. Con ocasión de haberse concluido el tratado de los Pirineos, reforzado con el casamiento de Luis XIV con la Infanta María Teresa de España, en 1659, Mazarino mandó venir de Venecia a Francesco Cavalli para montar en el Louvre, el 22 de noviembre de 1660, *Serse,* y, más tarde, en la sala de las Tullerías, el 7 de febrero de 1662, *Ercole Amante,* arreglado para la circunstancia. Cavalli fue víc-

tima de una cábala — a la cual Lully, como se verá más tarde, no fue
ajeno. Mazarino, por otra parte, hacía poco que había muerto, y el público,
dispuesto contra la lengua italiana que no llegaba a comprender, no ocultó
su impaciencia, mostrando interesarse más en la presentación, magnifi-
cencia del decorado y esplendidez del vestuario, que en la música. Pero
ésta no podía menos que llamar la atención de los músicos, y Juan Bautista Lully no iba a tardar mucho en sacar un maravilloso partido de las
enseñanzas recogidas durante los espectáculos en los que tomó parte.

Mientras se desarrollaban esas fiestas y Mazarino revelaba a los franceses las bellezas de la música italiana y los esplendores de la ópera, los
músicos franceses no permanecían inactivos. Escribían músicas de escena
para comedias que utilizaban máquinas — a la manera de los italianos —,
componían pastorales y, naturalmente, ballets. Así *Andromède* de Corneille fue representada en el Petit-Bourbon en 1650, con intermedios musicales de Charles d'Assoucy. Éste compuso en el mismo año una comedia
musical, *Les Amours d'Apollon et de Daphné,* que se ignora si llegó a
representarse, pero que es uno de los primeros ensayos de ópera francesa,
cantada y hablada, cuatro años antes de la obra de Michel de La Guerre :
Le Triomphe de l'Amour.

Al igual que Guesdron y Antoine Boësset (que, por cierto, pertenece
a la generación anterior), Michael de La Guerre se esfuerza, en su pastoral *Le triomphe de l'Amour sur les bergers et les bergères,* en permanecer fiel a la tradición francesa ; la obra, compuesta sobre un libreto de
Charles Beys, fue representada en un concierto ante el rey el 22 de enero
de 1655, y sobre el teatro, para la corte, el 26 de marzo de 1657. Se trata
de una «comedia de canciones», desgraciadamente perdida, pero de la que
sabemos que obtuvo un gran éxito de público.

Sin embargo, el poeta Pierre Perrin, autor del libreto de *La muette
ingratte,* puesto en música por Robert Cambert, no vacila en concederse
el mérito de haber «inventado» el género, imitado, como lo confiesa, de
las «comedias en música que se representan en Italia». No es dudoso que
Cambert haya asistido a las representaciones de las obras de Caproli y de
Rossi. Pero, tal vez porque desconfía de sus propias fuerzas, no se aventura a componer recitativos, y, de acuerdo con su libretista, los reemplaza
por arias alternadas. El subtítulo de *La muette ingratte,* por lo demás,
es una confesión, ya que define la obra como una «elegía a tres voces en
forma de diálogo». Con el mismo libretista escribe Cambert *La Pastorale
d'Issy,* que debe su título a que fue representada por aficionados en abril
y mayo de 1659 en el castillo de Issy, casa de campo del rico joyero parisién de La Haye. Su éxito fue tal, que *La Pastorale* se representó en
Vincennes, ante la corte. En su prólogo, Perrin declara : «El autor, con
esta pieza, quiere experimentar si la «comedia en música» puede triunfar

en el teatro francés, siendo reducida a las leyes de la buena música y al gusto de la nación y adornada de todas las bellezas de que tales representaciones son capaces». Mazarino la escuchó e inmediatamente estimuló a Cambert y a su libretista pidiéndoles que escribieran una ópera en cinco actos y un prólogo, *Ariane ou le mariage de Bacchus,* que se daría en representación con motivo de las bodas de Luis XIV. Pero el proyecto fue abandonado y, como hemos dicho, se recurrió a Cavalli. La razón, según Combarieu, estriba en que, por aquellas épocas, era imposible hallar en París actores capaces de representar y cantar una ópera; la *Pastorale* había tenido que ser confiada a unos aficionados, por falta de cantantes profesionales. Sea lo que sea, no se sabe si Cambert escribió algunos fragmentos de su partitura. Nada nos ha llegado. Tampoco se conserva ni una nota de *La Mort d'Adonis,* del hijo de Antoine Boësset, escrita sobre un libreto de Perrin; pero se sabe, por diversas arias de corte de este compositor, publicadas en la colección de Ballard, que su estilo era vecino en todo al de su afortunado rival, Lully.

El rey quiso conocer algunos fragmentos de *La Mort d'Adonis* y los hizo cantar por su capilla durante una velada. Por lo que dice Perrin, quedó complacido y los defendió contra la cábala «que intentaba confundirlos, por motivos particulares de interés y de pasión». Lo cierto es que el autor no se desanimó y persistió tenazmente en sus propósitos de crear la comedia con música. Por fin, obtuvo la protección de Colbert, a quien presenta un *Recueil de paroles de musique,* que acaba de publicar en 1667, para los conciertos de la reina. Junto a las canciones, serenatas, aires para beber, añade ballets e incluso comedias: *Le Ballet des Faux Roys, Le Mariage du Roy Guillemot*; en el prefacio, pide la creación, en París, de una Academia de poesía y de música, alegando «la gloria que sería para el rey no tener que soportar que una nación en todas las demás partes victoriosa sea vencida por los extranjeros en el conocimiento de las dos bellas artes: Música y Poesía»; insiste en que la Compañía se deberá componer de poetas y músicos «o, si fuese posible, de poetas-músicos, lo que no sería pequeña ventaja para el público ni poco glorioso para la nación [1]». Tanto se ingenia, que Colbert acoge favorablemente la súplica y obtiene de Luis XIV, el 28 de junio de 1669, un privilegio acordando a Perrin «el permiso para establecer, en su buena villa de París y otras del reino, una Academia compuesta del número y condición de personas que crea convenientes para representar y hacer cantar en público óperas y representaciones en música y en verso francés, parejas y semejantes a las de Italia, y para indemnizar el firmante de los grandes gastos que serán necesarios para dichas representaciones, tanto para los teatros, máquinas, decoraciones, trajes y demás cosas precisas, permitiéndole

[1]. Cf. COMBARIEU: *Histoire de la Musique,* t. II, pp. 79 y sig.

pedir del público la suma que bien le parezca». El privilegio se otorgaba por doce años, y se extendía a todo el reino, bajo pena, para los que abrieran teatros concurrentes, de pagar diez mil libras de multa y ver confiscados sus teatros, maquinaria y vestuario. Especificaba, además, que todos los gentilhombres, doncellas y demás personas podían cantar en la susodicha Ópera sin que por ello perdiesen los títulos de nobleza, privilegios, cargos, derechos e inmunidades. Cláusula que prueba en qué alta estima se tenía la empresa.

Perrin se asoció con Cambert, e hizo construir inmediatamente una sala en el emplazamiento del «Jeu de Paume» (juego de pelota), calles de Seine y des Fossés de Nesle. Pero tuvo la imprudencia de agregarse dos nuevos asociados: Champeron y un gentilhombre, Sourdéac, los dos unos aventureros. En diciembre de 1669, ante notario, se comprometieron a proporcionar los fondos necesarios; mas no poseían un sueldo. Mientras tanto, urgiéndole debutar, Cambert, director de la orquesta del teatro, hacía ensayar una *Ariane,* compuesta sobre un libreto de Perrin, mientras que Monier, uno de los artistas contratados, recorría todo Francia para reclutar cantantes y constituir una compañía. Sourdéac rompió con sus asociados, pero sin dejar de prometerles fondos. Se abandonó *Ariane* y empezaron los ensayos de *Pomone,* que pudo ser estrenada el 12 de junio de 1670 en Sèvres, en la casa de campo de Sourdéac. Mas ese ensayo general — que, tal vez por prudencia, se dio en privado y en espera de unos fondos que no llegaban — hizo las veces de señal para las reclamaciones que pronto se transformaron en pleitos por parte de acreedores impagados y artistas despedidos. *Pomone,* sin embargo, pudo ser representada en la sala de la Academia el 3 de marzo de 1671. Era una ópera pastoral en cinco actos y un prólogo. Su éxito fue bastante grande, mas no lo suficiente para permitir a la empresa resistir el asalto de sus acreedores. Con todo, se habían reducido los gastos; Sourdéac y Champeron, sentados a la puerta, sin sombrero y en mangas de camisa, se encargaban por sí mismos de cobrar las entradas, pesando los luises con el pesillo y metiéndoselos en la faltriquera. Sin duda con demasiado ahínco, ya que el pobre Perrin, no pudiendo ya alcanzar más *lettres de répit* (cédulas de aplazamiento), fue encarcelado por deudas en la Conciergerie en junio de 1671. Allí se vio obligado a vender todos sus derechos, partes y porciones del privilegio al músico Granouillet de Sablières, según acta «otorgada entre dos ventanillas de la prisión». Con todo — nos dice Combarieu —, cometió una grave falta al querer indemnizar a un acreedor con «lo que le pertenecía según el privilegio de la Ópera». Y las consecuencias le fueron funestas.

Sablières substituyó Cambert por Guichard, y de esta forma Cambert fue víctima de los fraudes de Sourdéac y Champeron. Éstos habían encar-

Escena de ópera italiana (1655).

(Grabado de Boetto)

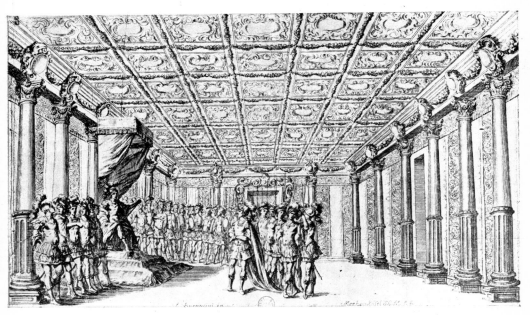

Escena de «Il Pomo d'Oro», ópera de Cesti (1667).

(Grabado de Kussel)

Escena del «Triomphe de l'Amour», de Lulli (1681).

(Dibujo atribuido a F. Chauveau)

gado a Gilbert el poema de la segunda obra que la Academia representó
en febrero de 1672, y Cambert, aunque indispuesto con ellos, le había
puesto música. *Les Peines et Plaisirs de l'Amour,* en cinco actos y un
prólogo, fueron estrenadas en febrero de 1672. Cambert litigó contra Sourdéac, después de que, por la autoridad real, la Academia fue cerrada el 1.º
de abril, aguardando a que Lully obtuviese el privilegio. Mas no tardó en
refugiarse en Inglaterra, donde fue acogido por Carlos II; fundó una
Academia calcada de la de París e hizo representar su *Ariane* corregida
en 1674, y, más tarde, *Les Peines et Plaisirs de l'Amour* y *Pomone.* Pero
le perseguía la desdicha, y murió en Londres, asesinado por su domés-
tico, en la primavera de 1677.

En estas circunstancias, empezó el reinado de Lully, que iba a durar
hasta su muerte, en 1687, o sea quince años; pero de hecho se ha podido
decir con razón que Lully continuó reinando sobre la Ópera mucho tiempo
después de fenecido.

No insistiremos sobre sus comienzos; los detalles biográficos ya se
han dado en la *Histoire de la Musique* [1]. Basta recordar que Lully llegaba
en el momento oportuno y que, ese momento, lo había sabido acelerar,
halagando hábilmente los gustos del joven Luis XIV hacia la danza y el
espectáculo, ganando los favores de quienes podían serle útiles y usando
de todos los procedimientos para hacer valer sus talentos, que nadie podía
negar eran grandes. Excelente violinista, músico consumado, había ya
abandonado el cultivo de su instrumento al encargarse de la dirección de
la Academia. Pocas veces se acordó de él, a fin de entregarse por entero
a sus tareas directivas [2].

Para ellas estaba muy bien preparado: había compuesto la música
de numerosos divertimentos, danzando con el rey en una cuarentena de
ballets. Improvisador jamás escaso de ideas, era desde 1661 superintendente
de la música de la Real Cámara. El 30 de marzo de 1672, M. de La Reynie,
lugarteniente de policía del reino, recibió orden de mandar que cesasen
las representaciones de Perrin — cupo privilegio había comprado Lully
en febrero — y, dentro del mismo día, le sucedía éste último. El nuevo
privilegio celebra sus méritos:

«El rey, habiendo sido informado de que las penas y los cuidados que
el señor Perrin se había dado para la Academia de música no han podido
secundar plenamente su intención, ni elevar la música hasta el punto que
se había prometido, ha creído que, para asegurar mejor el éxito, era con-
veniente dar la guía (de dicha Academia) a una persona cuya experiencia
y capacidad le fuesen conocidas y que tuviese la suficiente capacidad para

---

[1]. René Dumesnil: *Histoire de la Musique* (Collection «Ars et Historia»), Librairie Plon,
París.
[2]. Romain Rolland, en sus *Notes sur Lully (Musiciens d'autrefois,* Hachette, p. 119),
cuenta que el mariscal de Grammont fue el único que halló la manera de hacerle tocar de
vez en cuando.

formar discípulos, tanto para cantar y representar bien sobre el teatro como para adiestrar las bandas de violines, flautas y otros instrumentos. Por esas causas, bien informado de la inteligencia y gran conocimiento que ha adquirido su caro y bien amado Juan-Bautista Lully, en lo que a la música se refiere, de lo que le ha dado y da cotidianamente muy agradables pruebas, después de muchos años que está a su servicio...»

Tales son los términos en que la ordenanza real consagra como sucesor de Perrin a Lully.

Lully, de todos modos, estaba tan seguro, que había mandado empezar la construcción de un nuevo teatro a Charles Vigarani, decorador de la corte, con el que estaba asociado. La sala debía alzarse sobre el solar de otro juego de pelota, calle Vaugirard, cerca del Palacio de Orleans (hoy Palacio del Luxemburgo). Todo estaba preparado ya, y se abrió el 15 de noviembre de 1672, con *Les Fêtes de Bacchus et de l'Amour (pasticcio* compuesto de escenas de diversos ballets y comedias-ballets de Lully : *La Princesse d'Elide, Ballet des Muses, Georges Dandin, Les amants magnifiques, Le bourgeois gentilhomme,* etc.). El mismo programa se reanudó en Versalles, el año 1674. Su primera ópera — que esta vez no era ya un «potpourri» —, *Cadmus et Hermione,* se dio el 27 de abril de 1673. El libreto era de Quinault, que Lully conoció a través de Molière, relación afortunada para el músico.

Por muy acreditada que esté la opinión de que se puede hacer una buena música sobre un mal libreto, no deja de ser cierto que, en el asunto propuesto por el libretista, en su arreglo de escenas, en el curso de las pasiones y en el diálogo que las expresa, tiene que hallar el músico su inspiración. La ñoñería de los libretos de Pellegrin gravitará pesadamente sobre el porvenir de las obras de Rameau, como más tarde, en el siglo XIX, Chabrier será víctima de la insuficiencia de sus libretos. Philippe Quinault ha merecido el elogio que le dirigió Herder : «Contiene pasajes de tanta fuerza como en Corneille y Racine, dentro de las formas que cultivaron ; con sus recitativos, lo mismo que sus coros, ha despertado en los franceses el sentido de la música ; en sus piezas se hallan la misma claridad de exposición, el mismo orden, la misma lógica de escenas, el mismo empaque de los grandes clásicos».

Es cierto que Lully supo ser hábil y defender sus intereses sin demasiados escrúpulos. Pero no es menos cierto que Luis XIV, dándole su confianza, salvó la Ópera que acababa de instituir. Lully fue un excelente administrador. La Academia de música le debe un prestigio que le ha permitido atravesar todas las tormentas y durar aún hoy en día.

Mas no fue solamente mostrando sus capacidades administrativas que Lully prestó servicios a la música. Cuidadoso en el trabajo de los ensayos, capaz de dirigir mejor que ningún otro, supo, además, suscitar el gusto por la ópera en un pueblo que hasta entonces prefería la canción. Seguramente, como todos los hombres cuya voluntad está siempre tensa hacia un solo objeto, fue de un carácter incómodo, incluso a sabiendas tiránico. No toleró rivales, sobre todo aquellos cuyo talento podía hacerle sombra. Su vida privada, hasta su casamiento, e incluso después, dio pábulo a muchas críticas. Sus enemigos no se han privado de juzgarle sin indulgencia. Mas lo que nos importa, en definitiva, es la influencia por él ejercida sobre el arte lírico francés. Nadie puede negar que ha sido decisiva.

No enumeraremos las aproximadamente treinta obras que dejó y se vieron representadas ya en la corte, ya en la Ópera, en sus salas sucesivas. Ya que, inmediatamente después de *Cadmus et Hermione,* el teatro se trasladó al Palais-Royal, que le fue concedido después de la muerte de Molière (17 de febrero de 1673). La Ópera debía permanecer allí durante un siglo.

Allí fueron estrenados : *Alceste,* el 11 de enero de 1674 ; *Thésée,* el 11 de enero de 1675 ; *Atys,* el 10 de enero de 1676 ; *Isis,* el 5 de enero de 1677 (estas cuatro óperas, en cinco actos y un prólogo, sobre libretos de Quinault). Todas ellas fueron nuevamente representadas en el curso de las temporadas siguientes. *Psyché,* tragedia en música, cinco actos y un prólogo, estrenada el 19 de abril de 1679, era de Thomas Corneille y Fontenelle, en cuanto al libreto, así como *Bellérophon,* cinco actos y un prólogo, estrenada el 31 de enero de 1679. Lully debe aún a Quinault : *Proserpine,* estrenada el 15 de noviembre de 1680 ; *Persée* (18 de abril de 1682) ; *Phaéton,* estrenado primero en Versalles, el 6 de enero de 1683, reestrenado en la Ópera el 27 de abril del propio año ; *Amadis,* el 18 de enero de 1684 ; *Roland,* el 18 de enero de 1685 ; *Armide,* el 15 de febrero de 1686 ; todas estas obras son en cinco actos y un prólogo. La pastoral heroica *Acis et Galathée,* en tres actos y un prólogo, sobre palabras de Campistron, estrenada en Anet el 6 de septiembre de 1686, entró en el repertorio de la Ópera algunos días más tarde. En fin, *Achille et Polyxène,* en cinco actos y un prólogo, sobre un libreto de Campistron, fue terminada por Pascual Colasse ; sólo el primer acto pudo ser terminado por Lully, que murió el 22 de marzo de 1687 ; la obra se estrenó el 7 de noviembre, y en aquel mismo año se representó la *Ariane* de Cambert.

Como se ve por esa lista, ninguna obra fue admitida en la Ópera, bajo el «reino» de Lully, que no fuese suya.

Hay que añadir a esa producción considerable los ballets de la corte, las comedias-ballets y las pastorales, que le hicieron colaborar con Molière, Benserade y Quinault. En cuanto a los músicos que le ayudaron, es tan difícil establecer la lista, como lo que se les debe exactamente en las partituras. No poseemos ningún autógrafo musical de Lully. No se puede inferir, no obstante, que las obras que firmó no eran suyas. Es conocido su método de trabajo : se sentaba al clavecín, declamaba las escenas que debía poner en música, probando aires a media voz y sobre el teclado, mientras se llenaba de tabaco las narices. Dictaba luego a sus secretarios Lallouette o Colasse, a los cuales, además, dejaba el cuidado de las partes intermedias — si hemos de creer a Lecerf de la Viéville. Se ha podido comparar su manera de proceder con la de ciertos pintores cuyo taller colaboró en gran manera con la producción del maestro, aunque bajo su dirección y vigilancia. Nada nos indicará, sin duda, cuál fue la parte de Colasse, por ejemplo, en este trabajo. Todo lo que sabemos con certeza (pero agrava nuestras dudas) es que Colasse no era en nada indigno de la confianza que en él tenía Lully, puesto que las obras que ha firmado atestiguan su mérito. Lully le confió la dirección de la orquesta de la Ópera, y en este puesto igualmente mereció su confianza. Gervais y Marais fueron también buenos músicos, aunque poco originales. Por otra parte, el egoísmo y despotismo de Lully ahogaron a sus posibles rivales.

Desde el punto de vista técnico, se debe a Lully, no la creación (como se ha repetido demasiadas veces) de la obertura francesa ; pero sí su perfeccionamiento. En su forma definitiva, se compone de un movimiento lento, ordinariamente sobre un compás binario, al que sucede un movimiento vivo, casi siempre a tres tiempos, y corrientemente fugado. Su orquesta se aumenta y comprende : primeros y segundos violines ; quintón (alto) ; primeras y segundas flautas ; primeros y segundos oboes, fagot, trompetas (a veces), trompas de caza y tímpanis. El bajo continuo, lo realizan el clavecín y las tiorbas.

Su estilo vocal es más simple que el de los compositores italianos de su tiempo. Se ha dicho que había estudiado la declamación con la Champmeslé, intérprete ordinaria de las tragedias de Racine, y calcado su prosodia sobre la dicción de la actriz. No tenemos ninguna certeza de ello, aunque sea posible, y hasta probable. En todo caso, el *récitatif* constituye el elemento esencial, la base de su estilo. Lecerf de la Viéville lo declara «casi perfecto» y nota que «ocupa el justo medio entre el hablar ordinario y la música». Sus contemporáneos lo juzgan casi todos natural y simple, y el P. André, en su *Essai sur le Beau,* lo alaba por seguir paso a paso la naturaleza. Pero, un siglo más tarde, Jean-Jacques Rousseau no le escatima los más severos reproches. Censura su «extravagante griterío, que pasa a cada punto de abajo arriba y de arriba abajo, en la lengua francesa, cuyo acento es tan unido, tan simple, tan poco cantante». Nosotros actualmente no sabemos cómo pronunciaban, qué dicción tenían, los trágicos del «gran siglo» : *verba volant* ; pero, según todas las probabilidades, su dicción era muy enfática. El recitativo de Lully reproduce casi constantemente el «ronrón» de la tragedia, el monótono desfile de anapestos, dáctilos, o **peones** :

Ĭl n'est rien ‖ dăns lĕs cieux

Ĭl n'est rien ‖ ĭ-cĭ bas ‖

Dĕ sĭ charmant ‖ quĕ vŏs ăppas ‖ (Isis).

Se podrían multiplicar los ejemplos, es cierto. Pero también se podrían citar muchas páginas en las que Lully introduce de pronto en el recitativo acentos profundamente humanos, traduce la melancolía, la pasión. Romain Rolland, en sus *Musiciens d'autrefois,* dice con mucha justicia que entonces «su música refleja la emoción de una manera transparente». Pero esos instantes en los que el acento dramático vence al «ronrón» del verso clásico son muy raros. Ordinariamente, la primera frase del aria es rica en hallazgos de esa clase ; la continuación sólo nos trae una simetría.

Su frialdad sabe, con todo, animarse. Muestra ingenio en los pasos cómicos ; sabe igualmente hallar acentos misteriosos, como en el nocturno del *Triomphe de l'Amour,* o en el sueño de *Atys,* obra maestra de simplicidad y justeza.

Como dice Lionel de la Laurencie :

«Dulcemente, sostenidos, flautas y violines, por tranquilas armonías, dibujan pequeños movimientos ondulantes de negras, ligadas de dos en dos, después de lo cual las flautas en terceras despliegan flexibles festones. En todas las voces, la sonoridad fluye con movimiento continuo, sin esfuerzo ; éste es el dulce aniquilarse que encontramos en el sueño de las Gorgonas de *Persée,* en el sueño de Proteo de *Phaéton,* y en las «sordinas» de *Armide.* La sinfonía vaga en abandono, sutil, tenue como un ensueño.»

No menos sobresale en las marchas guerreras, los combates ; y el primer acto de *Thésée* nos ofrece un ejemplo famoso. Su reputación en ese género es grande ; el príncipe de Orange se dirige a él para encargarle una marcha para sus tropas. Como danzarín, *balladin,* que se decía entonces, se preocupó naturalmente de animar la música de los ballets e introducir danzas nuevas o poco conocidas hasta entonces : el minué y la *bourrée.* Compuso *airs de vitesse,* arias de movimiento rápido, que no escaparon a las críticas y que se vieron tildadas de *balladinages.* Sin embargo, no se preocupó y acabó por imponerlas, así como los aires «característicos», es decir, representativos de algún personaje por su ritmo expresivo.

Lo más notable de Lully, italiano afrancesado, es que su arte y estilo son esencialmente franceses ; y a esto se debe que ejerciesen una influencia tan profunda y duradera. Toda la música del xviii, y no solamente la de teatro, le debe algo. Por lo que hace a sus prodigiosos éxitos, Lionel de la Laurencie subraya que Lully, hábil cortesano que sabe evolucionar con las circunstancias, elevándose al rango de historiógrafo del Rey-Sol, encuentra ya en su tema una prenda de inmortalidad. «Su música sabe cantar dos cosas que llegan al corazón del soberano : la majestad y el placer, y, por ese aspecto, encaja a la perfección con el arte del siglo.» Es, en efecto, completamente del tiempo en que Charles Le Brun retrataba por alusión las hazañas de Luis XIV, pintando las victorias de Alejandro. La marcha de *Thésée,* al sonar en enero de 1675, saluda en realidad la conquista del Franco Condado y los éxitos de Turena en Alsacia ; canta la gloria del rey.

Entre su música y la del siglo anterior, existe la misma diferencia que entre el arte de Ronsard y el de los poetas del Gran Siglo, sometidos a la disciplina cartesiana : «*Aimez donc la raison...*» La música de Lully es una construcción razonable. Con ella, dice Lionel de la Laurencie, con sus coros macizos, sus trompetas estridentes, imperiosas, sus sinfonías solemnes, la decoración visual encuentra su semejanza. La Ópera llega a ser la imagen visual del siglo y no refleja tanto la personalidad artística de su autor como el medio dentro del cual ha vivido. El arte ya no es tan individual como en el siglo precedente.

Ésta es otra de las razones del éxito que obtuvo Lully : sus arias se difunden entre el pueblo con la misma rapidez que en el mundo de la corte ; un grabado de la época nos lo representa, detenido en el Pont-Neuf y, desde su carroza, comunicando a los cantores callejeros el movimiento exacto de una de sus melodías. No sólo es en la corte donde «todo lo que se aleja demasiado de Lully, de Racine y de Le Brun está condenado» : La Bruyère hace esta observación. Y es que Francia entera no presta oídos más que a Juan-Bautista.

Por más que Pascal Colasse se mantuvo siempre a su lado, y por más que reemplazó a Lallouette en sus funciones de secretario cuando éste perdió la confianza del maestro, su fama, que fue grande, le ha sobrevivido apenas. Por otra parte, no se halló a sí mismo hasta que murió aquel por quien había trabajado tanto : de tan larga sujeción conservó, sin duda, como una señal profunda, un pliegue demasiado acusado para que pudiese enmendarse. Pero no es poco el haber dejado *Thétis et Pélée* (1689), *Astrée* (1692), sobre un libreto de La Fontaine, *Jason* (1696), la ópera-ballet *Saisons,* y tres o cuatro obras más que, al escucharlas, no se sabría decir si algunos de sus mejores pasajes no son acaso del mismo Lully. Pues Colasse, si bien careció de originalidad, poseía a fondo su oficio.

Henri Desmarest, que fue amigo de Campra, sin poseer su talento, demostró, sin embargo, habilidad en sus *Fêtes galantes* (1698) ; y no se puede decir gran cosa más de La Coste, ni de Charles-Hubert Gervais, cuyas óperas conocieron cierto éxito, pero fueron bien pronto olvidadas.

Muy distinto es Marc-Anthoine Charpentier, ya que, sin disputa, hubiera sido el amo de la ópera francesa, si Lully le hubiese dejado los medios para llegar. Nacido en 1634, pasó a Italia y, en Roma, fue discípulo de Carissimi. De regreso en Francia, trajo el gusto de la música italiana, hasta el punto que se ha podido decir, en comparación con Lully, que el florentino se había mostrado más francés que el parisién, su rival. A la verdad, lo que Marc-Anthoine Charpentier debía a Carissimi era una excelente formación, un sólido oficio, como lo iba a demostrar en sus composiciones religiosas. Y esto fue lo que le perjudicó más : le reprocharon el ser demasiado sabio, complicado. Charpentier era sabio, mas no complicado : su música, por más de dos siglos olvidada, en nuestros días ha encontrado un público que la aprecia mucho más que las obras de Lully.

En el teatro, logró poner música en *Le malade imaginaire* (1673), después de la pelea de Molière con Lully ; desde entonces fue el músico titular de la Comedia Francesa, para la que escribió la música de *L'Inconnu* y de *Circé,* de Thomas Corneille (1675). Para Molière, además, escribió las partituras de *La Comtesse d'Escarbagnas* y *Le mariage forcé.* Para Poisson, la de *Les fous divertissants* ; para Thomas Corneille y Visé, la de *Les Amours de Vénus et d'Adonis* ; para Baron, la del *Rendez-vous des Tuileries.* Su arte sobrepasaba el mero saber técnico.

Charpentier dio la plena medida de su ingenio en *La Couronne de Fleurs.* Esa pastoral en música, con letra de Molière, se convirtió más tarde, reformada, en la égloga añadida a *Le malade imaginaire.* Se representó en casa de Mlle. de Guise, en su hotel del Marais. La escena figura un rincón silvestre, en tiempos de guerra, que ha despoblado la campiña. Flora quiere guiar el retorno de pastores y pastoras, ya que un héroe ha devuelto la tranquilidad al mundo. La alusión es transparente : se trata de Luis XIV, cuyas victorias permitirán a Francia disfrutar de la paz, y Flora invita a los pastores para que canten la gloria de su bienhechor : a los vencedores del torneo poético,

> «*Da su mano los honores*
> *De esta corona de flores*».

Cantan, pues ; mas les interrumpe el dios Pan, con un nuevo halago dirigido al Gran Rey :

«¿*La zampoña podrá tanto,*
que, do el mismo Apolo cede,
y, con su lira y su canto,
en la empresa retrocede...?».

Se reparte, pues, el premio entre los concursantes y, en un conjunto, se hacen votos para la gloria y la felicidad del rey.

Henri Quittard, que publicó un estudio sobre esa notable partitura, no encuentra en ella ningún italianismo digno de mención ; pero percibe en los temas de Marc-Anthoine Charpentier una gracia fácil, fluida, como no se encuentra más que en el siglo XVII.

«El primer relato de Flora — dice —, por ejemplo, *Renaissez, paraissez, tendres fleurs* ; el de Rosélie : *Puisque Flore en ces bois nous convie,* el primer terceto que sigue, tienen ya un perfume del XVIII. Rameau no ha escrito jamás nada más fresco y amable ; de un carácter más tiernamente campestre, tal como se entendía entonces... En fin, los conjuntos, después de cada solo, el gran conjunto final, principalmente, son de un excelente estilo. Hay gran distancia entre esa escritura, si no rigurosamente figurada, a lo menos animada de un verdadero espíritu polifónico, y la arquitectura algo compacta de los coros de Lully. Por lo demás, esa independencia y fantasía en el manejo de las voces se encuentra en casi todos los compositores franceses de aquella época.

Sin duda. Pero es la época en que Lully les cierra las puertas de la Ópera. Y Jules Combarieu nota a propósito de *Orphée descendant aux Enfers,* divertimento que se dio igualmente en uno de los conciertos de Mlle. de Guise, que Charpentier sabía también «manejar las cuerdas graves de la lira y que habría podido fundar la ópera francesa». Hubiera sabido, ciertamente, unir el estilo polifónico con el estilo recitativo y conservar de la herencia del pasado lo que legítimamente tenía que sobrevivir y fue olvidado por el espacio de dos siglos. Pero son lamentaciones superfluas : Lully venció a Charpentier.

En 1680, Marc-Anthoine Charpentier fue nombrado maestro de capilla de la iglesia de Saint-Louis de los Jesuitas y del colegio de los Padres, en el que se continuaba la costumbre de dar representaciones sacras análogas a las instituidas en Roma por san Felipe Neri. Allí se conocieron sus oratorios *Le reniement de saint Pierre, L'enfant prodigue, Le Sacrifice d'Abraham, Le Massacre des Innocents, La Naissance de Jésus-Christ, La Peste de Milan,* con excepción de *Le Jugement de Salomon,* destinado en 1702 a la Sainte-Chapelle con motivo de la apertura del Parlamento. Pero, además de estos oratorios, el maestro de capilla escribió para el colegio de Clermont (hoy Liceo Louis-le-Grand) dos tragedias cristianas representadas por alumnos, y cuyo texto estaba en latín. Claudio

Crussard, que tanto ha hecho para la memoria de Charpentier, da los siguientes detalles sobre esas representaciones:

«Esas tragedias se componen de tres o cinco actos, que los PP. La Rue, Le Jay y Porée construyen a la perfección. Muy a menudo se mezclan intermedios en francés. El ballet, la presentación, decorados e indumentaria son particularmente cuidados. Al lado de los alumnos actores, que ostentan nombres tales como MM. de la Trémouille, de Mortemart, de Condé, etc., aparecen bailarines de la Ópera. El P. Porée es un notable director de escena, cuyos minuciosos consejos todavía podemos saborear hoy en día, gracias al libro de Boysse [1]. Nada más interesante que ver a uno de esos Padres, a la vez autor y director de escena de una de esas grandes tragedias, cómo preside su ejecución: arreglando un paso, rectificando una actitud, disponiendo los conjuntos, animando una dicción monótona, atenuando un efecto exagerado, poniendo, en suma, su cultura al servicio de una manifestación de arte que se juzga útil para el desarrollo de la gracia, porte y buen gusto de los alumnos destinados a representar la selección social [2].

La corte y la ciudad aman estos espectáculos: en 1651, «La Reina y los Señores sus dos hijos» van a contemplarlos, junto con su séquito. Luis XIV se deja ver en alguna ocasión. El 10 de febrero de 1687, se dio la tragedia *Celsus,* representada por los alumnos de segunda, junto con *Celse martyr,* «tragedia en música para servir de intermedio a la pieza latina». El texto era del P. Bretonneau, la música de Charpentier. El 25 de febrero del año siguiente, fueron representados *Saül,* con *David et Jonathas,* tragedias en música de los mismos autores, y el *Mercure* nos cuenta:

«Se ha hecho más en este año, y, sobre una tragedia, *Saül,* que se ha representado en versos latinos, se añadió otra en versos franceses intitulada *David et Jonathas*; y, como esos versos se han puesto en música, con razón se ha dado el título de ópera a la obra. No se conciben mayores aplausos que los que se han prodigado, tanto en los ensayos como durante la representación. Claro que la música es de M. Charpentier.»

La obra es, en efecto, admirable, y muy diferente de lo que ordinariamente se escuchaba entonces en la Ópera. Desdeñando la moda y las convenciones, Charpentier presta a sus héroes un lenguaje musical absolutamente humano. Claude Crussard, analizando su estilo, pone de relieve sus cualidades, que se deben, en primer lugar, al *plan* con que dispone las sinfonías, danzas, recitados, arias y coros, siguiendo rigurosamente la acción y sus exigencias; a la misma música, dentro de la cual «el espíritu del pasado, el gusto del momento y las tendencias de lo por

[1]. Boysse: *Le Théâtre des Jésuites,* París, 1880.
[2]. Cl. Crussard: *Un Musicien français oublié: M.-A. Charpentier,* París, Floury, 1945.

venir se conjugan para mejor traducir las pasiones de los personajes. Cada escena, cada acto, son completos en sí mismos, y todo depende de todo». Las sinfonías sitúan la atmósfera de los actos que preludian ; los recitados comentan la acción ; las arias expresan los sentimientos individuales, mientras que, en los coros, nos mezclamos con una multitud que, con movimientos de alegría, temor o terror, asiste o participa en el drama. Es el principio de los grandes oratorios de Haendel.

En esas obras está lo mejor de Charpentier ; y en sus *Leçons de Tenèbres,* obra maestra absoluta ; y en su *Te Deum* a seis voces ; y, tal vez en su *Médée,* tragedia lírica en cinco actos y un prólogo, sobre palabras de Thomas Corneille, estrenada en diciembre de 1693. En una curiosa nota, Brossard (autor del *Dictionnaire de musique* publicado en 1703, del que Rousseau copia muchos pasajes) juzga así *Médée* : «Es sin disputa alguna la obra más sabia y rebuscada de todas cuantas se han impreso, por lo menos después de la muerte de M. de Lully, y, si bien por las cábalas de los envidiosos y los ignorantes no ha sido recibida por el público tan bien como se merecía, es, entre todas las óperas, sin excepción, aquella en la cual se pueden aprender más cosas esenciales a la buena composición».

Es probable que, más que a la ciencia de Charpentier, la causa del poco éxito de *Médée* deba ser atribuida a la mediocridad del libreto. Con todo, los méritos de la partitura continúan evidentes ; menos, sin duda, que las obras que acabamos de citar, pero del mismo orden. De momento, es la claridad, la soltura de un estilo extremadamente trabajado pero que guarda siempre una apariencia de naturalidad. Tanto si escribe para el teatro como para la iglesia, emplea con la misma seguridad el estilo polifónico, el coro en armonía vertical, el recitativo seco o el recitativo expresivo, el aria a una o varias voces. Su música posee una vida intensa, una extraordinaria resonancia humana, y se encuentran en él, más que en ningún otro compositor del siglo XVII, las cualidades que fueron de Monteverdi. Conoce la virtud del silencio e indica expresamente en sus partituras : «Aquí precisa un gran silencio». Su frase melódica es de una flexibilidad rítmica que no se halla en ningún otro músico de su época, y sus audacias armónicas nos muestran una persistente voluntad de estilo contrapuntístico. ¿Acaso no escribió : «Varias cuartas o quintas seguidas se permiten entre las partes superiores, con tal de que sean de especies distintas y marchen por grados conjuntos»? En un ejemplo citado por Claude Crussard se encuentra el acorde *mi bemol, re, sol naturales,* bajo el cual Charpentier anotó : «Ese acorde es muy quejumbroso». Es preciso decir que las disonancias de que se sirve son todas conducidas con una seguridad que las justifica.

Si las formas tienden desde el fin del siglo XVII a una construcción rígida, Charpentier es, ciertamente, uno de los que se pliegan menos a esas exigencias. Pasa, al contrario, con eminente virtuosismo de pluma, de las complicaciones de ocho partes reales distribuidas en dos coros a la simplicidad de un recitado de aire popular, y siempre parece obedecer a una necesidad impuesta por la acción, por los sentimientos que expresa.

Así como estamos abundantemente informados de los menores detalles acerca de la vida de Lully, se ignora casi todo de la biografía de Marc-Anthoine Charpentier. Poco importa, en resumidas cuentas : lo esencial es que nos haya llegado su obra. En su gran parte continúa manuscrita. Pero lentamente, gracias a la paciencia y erudición de musicógrafos, a quienes Claude Crussard ha dado el ejemplo, esa obra inmensa se nos va revelando. Y, en la misma medida, crece el nombre de un maestro que debe colocarse entre los más ilustres músicos que ha tenido el mundo.

CAPÍTULO V

EL ESPLENDOR DE LA ÓPERA ITALIANA EN EUROPA DURANTE LOS SIGLOS XVII Y XVIII

Si, como hemos visto, se ha podido hablar equivocadamente de escuelas florentinas, venecianas, romanas y napolitanas, a propósito del arte lírico italiano en los tres primeros cuartos del siglo XVII, no por ello es menos cierto que los centros de producción de este arte se han ido desplazando durante esta época. Nacida en Florencia, la ópera se manifestó en Roma, entre los Borghese y los Barberini ; en Venecia, casi al mismo tiempo, convertida rápidamente en espectáculo popular ; finalmente, en Nápoles, donde ganó un color más vivo, si no más vigoroso.

Mientras que Provenzale desarrolla entre los napolitanos el gusto por la tragedia lírica y muestra, de pasada, como del teatro lírico es tan posible hacer que nazcan las risas como las lágrimas, Giacomo Carissimi (1605-1674) ejerce una influencia considerable sobre el desarrollo del oratorio. Concede más importancia al virtuosismo vocal, pero al propio tiempo busca una traducción musical más fiel del texto, tanto en la melodía como en los acompañamientos orquestales. Con su enseñanza, tan buscada, forma discípulos, que se llamarán Marc-Anthoine Charpentier, Alessandro Scarlatti, Johann-Kaspar von Kerll, Kaspar Förster, los cuales, dispersándose por Europa, llevan por doquier la semilla de los principios recibidos. Ya hemos señalado, a propósito de Charpentier, la importancia de este movimiento y el papel que juega en la difusión del estilo italiano, que, a partir de esta época, tiende a una especie de universalidad. Los oratorios latinos o «historias sagradas» de Carissimi : *Abraham e Isaac, Baltasar, Diluvium Universale, Ezechia, Felicitas beatorum, Historia divitis, Jephte, Job, Jonas, Judicium Salomonis, Lamentatio damnatorum, Lucifer, Martyres, Vis frugi et paterfamilias*, han servido de modelo a cantidad de producciones ulteriores. La Lande y Bach le deben los procedimientos que sabrán adaptar al propio temperamento, pero que tienen, sin embargo, su fuente en el arte de Carissimi. Y, si bien no se conocen óperas que lleven su firma, se le ha considerado desde siempre como un maestro en el arte de la escena. Claro que la diferencia entre el oratorio y la ópera es ligera y sólo estriba en el argumento.

Alessandro Scarlatti (1659-1725), siciliano, antes de ser discípulo de Carissimi lo fue de Provenzale. En Roma estrenó su primera ópera, *L'errore innocente* (1679) ; y la segunda, *L'onestà nell'amore,* el año siguiente, se estrenó en el palacio de la reina Cristina de Suecia, que, después de su abdicación, vivía en Italia. La obra le gustó, y Scarlatti fue nombrado maestro de capilla de la soberana. Luego abandonó Roma por Nápoles, donde fue maestro de capilla de Santa Maria di Loreto y, más tarde, maestro de capilla de la corte y director del Conservatorio de Sant'Onofrio. A la muerte de Francesco Foggia, Scarlatti fue llamado otra vez a Roma, para sucederle en el órgano de Santa Maria Maggiore. El cardenal Ottoboni le contrató en calidad de director de música, y le hizo nombrar caballero de la Espuela de Oro. Un año más tarde, regresó a Nápoles, donde enseñó en el Conservatorio dei Poveri, colmado de honores. Scarlatti ha sido un autor fecundo, que escribió, en medio de sus viajes, más de ciento quince óperas, una veintena de misas, doscientos salmos y motetes y una prodigiosa cantidad de cantatas, arias, piezas vocales e instrumentales de toda clase. Muchas de sus obras se han perdido, lo que no tiene nada de extraño.

Su aportación a la orquesta consiste en una serie de felices modificaciones que aseguran el equilibrio sonoro de las cuerdas y los instrumentos de viento ; él es quien ha dado al «aria» toda la importancia que luego ha ido adquiriendo en el estilo italiano. Sus discípulos, Leo, Pergolese, Durante y Hasse, han alcanzado a su vez la celebridad. Todo cuanto deben a su maestro, el parentesco de su estilo con el de aquél, legitima la denominación de «escuela napolitana».

«El arte fundado por Scarlatti — escribe Combarieu — es, en efecto, distante de la gravedad de Florencia y de las ilusiones de aquellos humanistas que nos querían devolver la tragedia antigua ; constituye, también, un progreso sobre el teatro veneciano. Su característica más general es un espíritu nacional, una especie de retorno a la libre expansión del genio popular que, en el teatro, tiende a hacer penetrar el elemento cómico hasta en la «ópera seria», y guarda sin interrumpirla la tradición que, a partir de la antigua atelana latina, llega hasta los tipos consagrados de Arlequín, Pantalón y Colombina. Por medio del *intermezzo,* en el que hay que ver una suerte de parodia de la tragedia lírica, poco a poco se irá deslindando el género severo del placentero, antes confundidos, para llegar a la «ópera bufa», que, en manos de un Pergolese o de un Rossini conocerá destinos tan brillantes [1]».

En efecto ; se estableció la costumbre de introducir entre los actos de la «ópera seria», esos *intermezzi,* hechos de piezas ligeras y alegres, verdaderas farsas. La palabra, primeramente, había servido para designar unos divertimentos musicales intercalados en las representaciones habladas. Por analogía, el nombre se conservó para denominar los intermedios intercalados durante los entreactos de las «óperas serias». Primero no guardaban ninguna relación entre sí ; pero, con Nicolà Logroscino (1700-1763), ya forman verdaderas piezas, como *Il vecchio marito, Tanto bene che male,* con un conjunto para el final de cada acto. Mas esas piezas — por lo corriente en dialecto napolitano, cosa que contribuía a su éxito popular — continuaban intercalándose entre los actos de la pieza principal, la «ópera seria».

La serva padrona, obra maestra de la ópera bufa, no es otra cosa que un *intermezzo* de esta suerte. Tiene por autor a Giovanni-Battista Pergolesi (1710-1736), alumno que fue de Durante en el Conservatorio dei Poveri. Su muerte prematura, a los veintiséis años, privó a la música de las obras maestras que prometían producciones como sus *Sonatas a tres,* su *Stabat* (la última composición) y sus óperas bufas. *La serva padrona (La sirvienta señora)* se estrenó en Nápoles el año 1733 y, diecinueve años más tarde, tenía que desempeñar un papel histórico en la «querelle des Bouffons», que nació a propósito de ella. Pocas han gozado de tanta fortuna, ya que sigue figurando en los repertorios francés e italiano después de hace más de dos siglos. *La serva padrona* fue primitivamente un intermedio intercalado en *Il prigionero superbo* ; e igualmente *Amor fa l'uomo cieco,* en *Sallustia* JESAEI, pero su éxito se vio eclipsado por el de *La serva padrona.*

Se encuentra en esa pequeña ópera todo cuanto pueda contribuir a un triunfo duradero ; en efecto : un libreto (de G.-A. Federico) divertido, más bien basto, pero ingenioso por su simplicidad al plantearse, que permite adivinar el desarrollo ; a las primeras réplicas del diálogo se echa de ver que el viejo Uberto (Pandolphe, en la versión francesa) se dejará llevar adonde y como quiera la zalamera y astuta Zerbina, a la cual hace poco ha dado albergue en su casa y que va siendo cada día más exigente, caprichosa y atrevida. La obra bien pudiera llamarse, del mismo modo «¿ qué precio cuesta el amor a los ancianos ?». Tema eterno, que dos personajes cantantes y uno mudo, el criado Vespone (Scapin, en la versión francesa), bastan para desarrollar durante los dos actos. Vespone se disfrazará de valentón, con el fin de asustar a Uberto, y se hará pasar por

---

[1].   COMBARIEU, *loc. cit.,* t. II, p. 34.

el novio de la camarera, con el feliz resultado de que Uberto, para salvarla, se casará con ella ; después de lo cual Zerbina desenmascarará al criado. Y todo acabará con una promesa de dicha : *«Per te ho nel core il martellin'd'amore, che mi percuote ognor!».* La calidad de la música se deriva de su exacta adaptación al texto ; además, por encima de éste, posee una gracia endiablada. Su defecto único consiste en la indefinida repetición de las palabras, cosa que no deja de causar cansancio ; pero entonces esa práctica se consideraba natural. Jean Chantavoine ha dicho muy bien que esos personajes de la comedia italiana puestos en escena por *La serva padrona* pertenecen a la época de los títeres y las marionetas ; ahora bien, la gracia de las marionetas estriba en su imitación de los gestos humanos y en la rigidez misma de esa imitación ; en cambio, sobre el teatro, el humor de los personajes vivientes reside en su imitación de las marionetas. La música de *La serva padrona,* con su mezcla de vivacidad, gracilidad, amabilidad fácil y formalismo estrecho, traduce a las mil maravillas esa acción recíproca y aquel equilibrio.

Otro discípulo de Durante, Nicolà Jommelli (1714-1774), debutó con pequeñas óperas sin éxito ; luego dio, en 1736, *L'errore amorosa,* más apreciada, y, en 1737, *Odoardo,* con las cuales afianzó su reputación. Abandonó Nápoles por Roma, y allí estrenó *Ricimero y Astianasso* (1740) ; después pasó a Bolonia, donde tomó lecciones del P. Martini, gran contrapuntista ; llegó a Venecia, donde hizo representar *Merope* (26 de diciembre de 1741), éxito que le valió la dirección del Conservatorio dell'Incurabili ; regresó a Roma y aceptó en 1753 la plaza de maestro de capilla de la corte de Stuttgart. Quince años de permanencia en el Wurtemberg le proporcionaron un conocimiento a fondo de la música alemana, y bajo la influencia de las obras sinfónicas de Stamitz amplió su manera. En 1745 dio en Viena *Didone abbandonata* sobre un poema de Metastasio, su amigo. Mas, a su vuelta a Italia, los italianos le consideraron como un extranjero. Sus óperas *Fetonte* (que había sido representada en Stuttgart), *Armida* (1770), *Demofoonte* (1770), *Ifigenia in Tauride* (1771), sólo hallaron indiferencia. Pensionado por Joao VI, rey de Portugal, no quiso exilarse a la corte de Lisboa y murió de pesar, después de terminar un *Miserere* luego famoso.

El veneciano Baldassare Galuppi (1706-1785) fue discípulo de Lotti y empezó creando numerosas óperas serias antes de consagrarse al estilo bufo que debía asegurar su gloria. Su fecundidad — alcanza el total de ciento doce óperas, veinte oratorios, tres cantatas dramáticas y una veintena de piezas de música de cámara —, tanto como sus viajes, contribuyó mucho a la difusión de la música italiana a través de Europa. Su obra se representó, efectivamente, no sólo en todo Italia, sino en Londres, Mannheim, Stuttgart, Estrasburgo, Praga, Madrid y San Pe-

Escena de «Roland», ópera de Lulli (1685).
(Dibujo según Bérain)

Representación de una ópera en la corte de Luis XIV.
(Grabado de Aveline)

Figurines para «Roland», ópera de Piccini (1778).

(Dibujos a la pluma)

La Scala de Milán hacia 1790, construído por G. Piermarini de 1776 a 1778.

(Grabado del siglo XVIII)

tersburgo, en cuya ciudad residió el 1745 y fue encargado por el zar de dirigir la orquesta del teatro. A su vuelta a Venecia, se ligó con Goldoni, y a partir de ese momento nos da la medida de su genio ingenioso y ligero : *Il filosofo di campagna* es de una facundia asombrosa, y la música, abundante en rasgos delicados, muestra al propio tiempo una ciencia armónica y una calidad de instrumentación que le deberían merecer salvarse del olvido.

Esa abundancia de creación aún fue sobrepasada por Nicolà Piccini (1728-1800), que fue, en Nápoles, discípulo de Leo y de Durante. No fue, con todo, precoz sino de un modo relativo, puesto que no dio su primera obra hasta el 1754, con *Le donne dispettose* ; a ésta debían seguir unas ciento cincuenta óperas, de las que únicamente conocemos ciento treinta, al menos por sus títulos. En 1760, en Roma, su ópera *Cecchina nubile* (*La Buona Figliola*) le valió un tan esplendoroso triunfo, que la obra dio literalmente la vuelta a Europa ; la reputación que le proporcionó fue la causa de las ofertas que se hicieron a Piccini para que fuese a París, cuando los franceses quisieron oponer a Gluck un rival italiano. Volveremos, pues, a encontrarlo allí al tratar de la disputa de los gluckistas y piccinistas. Sin embargo, la versatilidad del público romano no le permitió mantener la posición que debía a su éxito. Fue postergado por Anfossi, que no le igualaba en talento. Piccini prometió no volver más a Roma y se marchó a Francia (1776). Pero la Revolución le obligó a regresar a Nápoles, donde escribió algunas piezas italianas ; el casamiento de su hija con un revolucionario francés le hizo caer en desgracia. Habiendo conseguido escaparse, una vez más se encaminó a París, y su familia consiguió reunírsele. Allí se vio indemnizado de la pérdida de sus bienes y nombrado inspector del Conservatorio. Acabó su existencia en Passy, el 7 de mayo de 1800.

Otro ejemplo de fecundidad, nos lo da Giovanni Paesiello (1741-1816), autor de más de cien óperas, las mejores de las cuales pertenecen al género bufo. También éste había sido alumno de Durante en Nápoles, y en el teatro de estudio del Conservatorio de Sant'Onofrio debutó en 1763 con un *intermezzo* que le valió en seguida varios encargos. Después de *Le virtuose ridicole*, *L'idolo cinese* (1767) le colocó a la cabeza de una serie de brillantes éxitos, que le convirtieron en rival de Piccini. *Il Duello*, en 1774, *Il Socrate immaginario,* en 1775, y, sobre todo, *Il Barbiere di Siviglia* (1782) y *La Molinaria* (1788) extendieron su reputación a través del mundo, tanto, que Rossini fue censurado por haber osado escribir un *Barbiere* después de la obra maestra de Paesiello. Por muchas razones que tengamos para preferir la ópera de Rossini, lo cierto es que Paesiello fue un maestro en el arte de escribir melodías llenas de vida y frescor, y más aún : de imprimir a una comedia musical entera una unidad de movimiento y estilo que la realza y acrece su brillantez. Como Jommelli, fue llamado desde Rusia y residió en Petersburgo de 1776 a 1784 ; luego regresó a Nápoles, donde, en 1799, el Gobierno republicano le conservó en su puesto de maestro de capilla. En 1802, Nápoleón, que admiraba el talento de Paesiello, pidió al rey de Nápoles, restaurado, que le cediese el músico. Pero éste no tardó en regresar a Nápoles, al lado de Murat, hastiado de los celos con que le perseguían los colegas parisienses. No sobrevivió mucho a la restauración de los Borbones, que fueron para él causa de nuevas desdichas.

Su rival Domenico Cimarosa, ocho años más joven (había nacido en 1749 en Aversa, cerca de Nápoles, y murió en Venecia en 1801), era discípulo de Piccini y, desde el estreno de su primera obra, *Le stravaganze del conte,* en el teatro de Fiorentini, había conquistado el público napolitano. En 1779, el éxito de *L'Italiana in Londra* le obligó a repartir su vida entre las dos capitales. Pero su fama no tardó en pasar las fronteras : en 1789, se halla en Petersburgo, después de haber sido festejado en Viena, donde escribió la obra que le proporcionaría la mejor de su gloria : *Il matrimonio segreto,* obra cumbre de la ópera bufa que se impuso inmediatamente. Se cuenta que el emperador Leopoldo de Austria, después de la primera representación, a la que había asistido, mandó invitar a los cantantes y músicos, a los que dio una cena, y, acabada, quiso volver a escuchar la pieza aquella misma velada. Stendhal pretende haberla aplaudido más de cien veces ; por doquier *Il matrimonio segreto* fue acogido con idéntico favor : en Nápoles se representó setenta y siete sesiones consecutivas sin agotar el entusiasmo. En 1794, *Astuzie femminile* provocaron un éxito poco menor. Cimarosa, comprometido por sus opiniones republicanas y la parte que había tomado en la revolución de 1779, fue condenado a muerte. Indultado, se embarcó para Venecia ; pero, a su llegada, murió, según se dijo entonces, envenenado. La opinión pública no dejó de acusar al Gobierno. Una declaración oficial del médico privado de Pío VII, que residía en Venecia, certificó la muerte natural del infortunado compositor.

Sin duda, la partitura de *Il matrimonio segreto* ha envejecido un poco ; pero la finura y la gracia de esa música guardan todavía su seducción y disimulan las longitudes del libreto, en demasía alargado, que escribió Giovanni Bertati : Geronimo, comerciante rico y sordo, tiene un dependiente, Paolo, el cual se halla casado en secreto con Carolina, hija segunda de su principal. Los dos esposos tiemblan, cosa que nos vale un dúo encantador : *Cara, non dubitar... Ah! pietate troveremo se il ciel non barbaro è,* puesto que el conde Robinson debe llegar de un momento al otro para pedir la mano de la hija mayor, Elisetta, mientras que el padre exulta y canta : *Di giubbilo, saltate!* Elisetta comparte la alegría :

será condesa, y exige de Carlota un anticipo de homenaje, a lo que la hermana se rehúsa. Intervención de la tía Fidalma, y un terceto encantador. Llegada del conde : naturalmente, le gusta más Carlota que su futura : cuarteto no menos ingenioso ni menos logrado que el terceto anterior : *Sento in petto un freddo gelo...*, después un dúo entre los dos bajos, Geronimo y el conde. Éste se dirige a Paolino, para que le ayude a conseguir la mano de la menor. Paolino le representa la imposibilidad del cambio ; Carlota, por su parte, procura escaparse ; el conde se obstina. Para salir del paso, Paolino quiere precipitar la boda : sexteto.

En el segundo acto, Geronimo se obstina, está irritado. Para calmarle, el conde le ofrece abandonar la mitad de la dote si le dan la mano de Carlota en vez de Elisetta. Paolino busca la alianza con la tía Fidalma e intenta explicarle su matrimonio secreto. La solterona confunde las reticencias del dependiente con los titubeos de un enamorado tímido, y, para infundirle ánimos, se declara presta a casarse con él. Carlota, que llega de improviso, se cree traicionada. Todo se explica, entre uno y otro : un rapto deshará el embrollo ; es la célebre aria : *Pria che spunti in ciel l'aurora...*

A fin de convencer a Elisetta, el conde se pinta a sí mismo bajo los más negros colores. Elisetta no se deja engañar. Nuevas complicaciones : Fidalma quiere alejar a Carlota y propone que sea encerrada en un convento. Nuevo conjunto, esta vez un quinteto. Finalmente, en el último cuadro, el conde, que, durante la noche, sale de su habitación, en busca de Carlota, se ve sorprendido por Elisetta ; sobrevienen Paolina y Carlota con una vela en la mano, y se producen una serie de *quid pro quos,* terminados por una confesión, seguida de una reconciliación general : *Oh! che gioja! Oh! che piacere!*

Ciertamente, Giovanni Bertati, que había sucedido a Da Ponte como poeta laureado de la corte de Viena, no posee el genio de un Beaumarchais, y Cimarosa dista más del de Mozart. Con todo, pensamos por momentos en las *Nozze* y en el *Barbiere,* puesto que en *Il matrimonio segreto* se notan alegría, sutileza, un arte consumado de la construcción y el equilibrio, un trabajo musical extremadamente delicado. Pero el defecto de la obra radica en la uniformidad de esa perfección formal : no hay profundidad, y, sin la tesitura en que están escritas, las arias sentarían tan bien a un personaje como a otro.

Entre los músicos de este período que ilustraron a la escuela italiana, es preciso mencionar a Leonardo Vinci, imitador de Pergolese, Tommaso Traetta, cuya ópera *Il Fornace* conoció la popularidad, y cuyo *Ippolito,* estrenado con ocasión del matrimonio del príncipe de Asturias, le valió una pensión del rey de España ; Domenico Terradellas, discípulo de Durante, que murió prematuramente [1]; Antonio Sacchini, que vivió en Londres y en París, contribuyeron notablemente a la difusión del repertorio italiano; Niccolò Porpora, que pasó también por Londres y Viena, después por Dresde, en cuya ciudad permaneció largo tiempo en calidad de maestro de capilla, conjuntamente con Hasse. Todos esos viajes de compositores, en su mayor parte de *opere buffe,* explican mucho, no sólo la boga de un género tan rápidamente divulgado por el mundo, sino el gusto del *bel canto,* que se desarrolla en todas las capitales donde las arias «de bravura» entusiasman a las masas. Se va al teatro menos para oir una bella obra que para aplaudir a un intérprete reputado y se compone cada vez más con vistas a un éxito provechoso.

El empleo de castrados contribuyó asimismo al desarrollo de ese arte, a la verdad artificial en exceso. Sin embargo, Francia permaneció ajena a todas estas prácticas, y jamás empleó regularmente a los castrados.

Si bien es cierto que Nicolas Lasnier (o Lanyer, 1588-1666), volviendo de un viaje a Italia, donde fue para traer a Carlos I cuadros de los grandes maestros italianos, intentó aclimatar en Inglaterra el *stilo rappresentativo,* del que se había prendado durante su permanencia en la península, no sabríamos ver en sus *Lovers made men,* sobre un poema de Ben Jonson, otra cosa que un *mask,* ni sus cantatas pastorales son otra cosa que arias cortesanas. Lo mismo se puede decir de Henry Lawes (1595-1662), que pone música el *Comus* de Milton (1634), y emplea el estilo monódico con demasiada frialdad, si bien con elegancia. En 1656, Henry Lawes, Coleman, George Hudson y Henry Cook (corrientemente llamado Captain Cooke, por haber ganado este grado en el ejército del rey) firman en común el *First Day's Entertainment,* curiosa obra en la que música y declamación se mezclan y donde se presentan Aristófanes y Diógenes, un parisién y un londinense discutiendo acerca del teatro y oportunidad de las representaciones. Se trataba —como señala Henri Dupré— de «sondar las disposiciones de los jefes de la Commonwealth». Las disposiciones en cuestión fueron conciliadoras; Davenant, el autor del libreto del *Entertainment,* cobró ánimos y escribió el poema del *Sitio de Rodas,* cuya partitura se ha perdido, por desgracia. Por desgracia, sí, teniendo en cuenta que fue la primera ópera inglesa.

En 1670, Matthew Locke compuso una música de escena para el *Macbeth* de Davenant; poco después, arias y coros para la *Psyche* de Shadwell y *The Tempest,* de Shakespeare. Pero, aunque publicadas bajo el título de *The English Opera or the vocal music,* etc., esas partituras no son más que músicas de escena, y es preciso llegar a Purcell para encontrar verdaderamente al creador de la ópera inglesa.

---

[1]. De Terradellas, barcelonés, y su breve, gloriosa y novelesca vida se hablará en el «Apéndice». *(N. del T.)*

Nacido probablemente en 1658, Henry Purcell tendría, por consiguiente, dieciséis años cuando Cambert, acogido en Londres por Carlos II, hizo representar su *Ariane* en 1674. Entró en la capilla real y fue discípulo de su padre, maestro de coro en la abadía de Westminster, después de Cooke, de Humphrey y de Blow. En 1680, le vemos organista titular de la abadía, y, poco más tarde, es nombrado compositor de la corte. Sus piezas religiosas, sus *Welcome songs,* sus *Hymnes,* le proporcionan una reputación creciente. Escribió unas cincuenta obras destinadas al teatro, pero que son simples músicas de escena, interludios sinfónicos, arias y coros para comedias y dramas —a menudo «arreglos» de Shakespeare, Dryden, Congreve o Tom d'Urfey— o, todavía, *masks.* Sin duda no se hallaría olvidado del todo ; pero su nombre no habría brillado más que los de sus maestros Cooke o Blow —cosa injusta, ya que les vence en todas sus obras— si, a los treinta años, no hubiese compuesto *Dido and Aeneas,* la única ópera que escribió. Hay que precisar, no obstante, que varias de sus producciones se avecinan mucho a la tragedia lírica : la frontera que separa a los géneros es incierta. Pero, si bien casi siempre la música inglesa destinada a la escena consiste en una serie de *catches* (cánones a dos o más partes), que hacen correr a las voces una tras otra como para *atraparse* (*to catch*), la de Purcell es más desarrollada, como se observa en *King Arthur,* sobre libreto de Dryden, que en su tiempo fue considerada la obra maestra del músico (1691).

El libreto de *Dido and Aeneas* se debe a Nahum Tate (1652-1715), que fue nombrado poeta laureado a la muerte de Shadwell. Tate fue un hombre singular, y su intemperancia causó escándalo. Mediocre escritor, aunque muy orgulloso, tuvo la audacia de arreglar y completar las piezas de Shakespeare, modificando a su gusto, nada puro, tanto el desarrollo como el desenlace de aquéllas. Por lo que se refiere a Dido, recurrió a una de sus propias obras, que adaptó, bien entendido, ayudándole Virgilio ; de esta forma, *Brutus of Albe,* estrenado en Dorset Garden diez años antes, se convirtió en *Dido and Aeneas.* El escenario no era malo, y Tate consiguió hacer algo más que una obra escolar. Ya que apenas es algo más que eso ; y, sin embargo, constituye una de las piezas capitales del teatro lírico. Encabezando la partitura se lee, en efecto : «Ópera representada en el pensionado de M. Joseph Priest, en Chelsea, por jóvenes de buena familia, letra de M. N. Tate, música de M. Henry Purcell.». Sin fecha ni otra información. Bonito tema de disputa para los eruditos : unos proponen el 1675 ; otros, el 1677 ; otros, el 1680. Hoy se opina, con Barclay Squire, que *Dido and Aeneas* fue estrenado en 1689. Pero todo el mundo concuerda en que *Dido* no fue reestrenado hasta el año 1895. Se interpretaban, es cierto, algunas de sus páginas en los conciertos. Mas, con motivo del bicentenario de la muerte de Purcell, los alumnos del

«Royal College of Music» interpretaron la ópera bajo la dirección de sir Charles Standford : luego fue representada varias veces, incluso en Francia, donde la «Schola» la puso en escena, y más tarde, en 1927 pudo ser escuchada en la «Petite Scène» de Xavier de Courville. Pero siempre han sido aficionados quienes la representaron. No obstante, como dice Edward J. Dent, profesor de musicología en Oxford, la obra alcanza «una amplitud trágica y una belleza no superadas por las más célebres óperas de Gluck». Incluso puede decirse que hay en *Dido and Aeneas* algo más humano, más maravillosamente profundo. Una grabación integral de esa obra de Purcell permite hoy a todo el mundo conocer una joya tan olvidada.

El Cartago de Tate no tiene nada de histórico. La acción sigue, aproximadamente, el relato del príncipe troyano en Virgilio ; pero Tate no se priva del placer de aderezarlo al gusto del día, embelleciéndolo con las tradicionales brujas del teatro inglés, que intervienen con frecuencia. Dido, a la que acompaña Belinda, aparece en escena desde el principio del primer acto. Está triste, la agitan presentimientos ; esconde púdicamente la razón de sus cuitas : Belinda se las adivina. Se trata del «invitado» troyano, causa de ellas. ¿Por qué no consumar una unión provechosa para el reino? Al último, Dido confiesa hallarse enamorada de Eneas. Tiembla por él, expuesto a tantos peligros. Aparece el troyano. Sabe lo que los dioses le exigen ; mas, con todo, sucumbe, mientras el coro le anima : «¡Amor, prosigue tu conquista!». Una danza expresa el triunfo del amor, mientras Eneas se va alejando, al lado de la reina.

El espectador se ve transportado en el antro de una bruja. Ésta llama a sus hermanas y les anuncia que, obligada por el Destino, debe proseguir Eneas su viaje, en demanda de Italia, donde revivirá Troya. Las brujas quieren perder a Dido ; mientras se oyen los ecos de la cacería real, claman su odio y deciden mandar un elfo que, bajo las trazas de Mercurio, tiene que dar a Eneas la orden de embarcarse aquella misma noche. Una de ellas, provocando una tempestad, dispersará la cacería. Un coro y una danza de brujas acaba el primer acto.

En el segundo acto, mientras Dido y Eneas reposan dentro de un bosquecillo consagrado a Diana, la tempestad estalla : es preciso huir ante el huracán. Entonces aparece el elfo y expresa a Eneas la voluntad de los dioses. Eneas maldice su suerte y se encamina hacia las naves para dar la orden de aparejar aquella misma noche.

El tercer acto se nutre de la desesperación de Dido. Mas, antes, las brujas se han regocijado por la desgracia de la reina. Dido aparece ; habiéndole dado alcance Eneas, ella lo rechaza : hay que obedecer al destino. Escena admirable, en la que Purcell expresa el doloroso conflicto entre el amor y el deber ; en la que Dido, ya, no piensa más que en la muerte : «Ella le aguarda ; debe llegar, en cuanto él haya partido...»

Muere la reina, en efecto. Es la magnífica lamentación: «Cuando repose en el seno de la tierra...», el adiós supremo a Cartago, a la fiel Belinda; el canto fúnebre:

> *«Thy hand, Belinda, darkness shades me...*
> *When I am laid in earth, may my wrongs create*
> *No trouble in thy breast:*
> *Remember me, but, ah! forget my fate!»*

(Tu mano, Belinda, las tinieblas me alcanzan... Cuando repose en el seno de la tierra, que mis culpas no turben tu corazón: acuérdate de mí; mas, ah!, olvídate de mi hado!)

No se mata: las susceptibilidades de las jóvenes «de buena familia», pensionistas de Chelsea, les impedían seguir a Virgilio hasta el suicidio; muere dulcemente, exhalando por dos veces el sublime *Remember me,* del que se ha dicho que Purcell, por un presentimiento de su corta existencia, había hecho el propio epitafio. En todo caso, ningún músico, en ninguna ocasión, ha encontrado más nobles ni desgarradores acentos. El aria de Dido está acompañada por la cuerda, sobre un bajo obstinado (una gama cromática descendente), procedimiento que Bach utilizará en el *Crucifixus* de la *Misa en si menor* y Mozart en la muerte del Comendador en *Don Giavanni.* Mas estas arias de la desesperada reina no son las únicas bellezas que encierra *Dido and Aeneas.* El coro final, también repetido dos veces, es una maravilla, y más aún la obertura, grave y dramática, terminada en un *allegro* fugado, en el momento en que van a aparecer los personajes; el aria de Dido en el primer acto: *Ah! Belinda, I am pressed with torment...,* el recitado que hace una sirvienta, en el segundo acto, de la muerte de Acteón; los adioses de Eneas en el tercer acto, y el coro que sigue. *Dido and Aeneas* es una de las cumbres más altas del arte lírico de todos los tiempos. No es la única obra maestra de Purcell: hay en *The Fairy Queen* (*La Reina de las Hadas,* sacada de Shakespeare) bellezas de igual magnitud.

Purcell no debía sobrevivir muchos años — seis, si hemos de creer a M. Barclay Squire —. Murió, en efecto, el 21 de noviembre de 1695, a la edad de treinta y siete años, y reposa en la abadía de Westminster, no lejos del órgano del que fue organista. Un epitafio en latín dice: «Vive, ciertamente, y que viva mientras resuenen los órganos vecinos; mientras con sus cantos armoniosos honre el pueblo a Dios».

Dido and Aeneas debía continuar por mucho tiempo siendo la única ópera inglesa — o casi —. Carlos II, aunque amante de la música, no hubiera podido financiar con su tesoro particular un teatro de ópera, como Luis XIV o el emperador de Austria, ya que el Parlamento, subraya

Edward J. Dent, no le habría concedido permiso para derrochar en «frivolidades». El puritanismo lo hubiera tomado a mal. Sin embargo, en tiempos de la reina Ana, se instaló un teatro italiano en Londres : Vanbrugh había construido en Haymarket una sala inmensa para Batterton ; pero su acústica no se prestaba al drama ni a la comedia, mientras que la música sonaba bien. Por espacio de dos siglos esa sala sirvió para la ópera italiana ; por dos veces se incendió y fue reedificada : la aristocracia la había convertido en punto de reunión, y, con todo, la ópera se veía condenada a una ruina crónica : cada dos o tres años, un sindicato de melómanos se declaraba en quiebra [1]. Otro le reemplazaba. Lo más extraordinario es que la Ópera, a pesar de esas pérdidas enormes, no dejó de existir jamás, ni de ser el espectáculo más *select* de Londres. Siempre actuaban en ella algunos cantantes ingleses o semiingleses ; pero cantaban en italiano. Bajo la reina Ana, se habían representado obras de Scarlatti, de Bononcini, traducidas al inglés ; pero desde que se persuadió a los cantantes italianos, y éstos vinieron a Londres, terminaron las traducciones. Apenas una sola ópera extranjera fue traducida completamente y cantada en inglés durante el siglo XVIII ; e incluso hasta la mitad del XIX, no existió ningún criterio según el cual una ópera debiese ser traducida al inglés sin modificaciones e interpretada sin mutilaciones (salvo algunos cortes necesarios). Y aunque algunos compositores ingleses, como lord Burghers, escribían óperas en italiano, hubo apenas algunas óperas inglesas compuestas íntegramente en esa lengua.

En 1711, Haendel estrena su *Rinaldo,* improvisado en quince días sirviéndose de fragmentos sacados de algunas obras precedentes. Le fue preciso luego volver a Hannover, como se verá más lejos. Regresó a Londres, y obtuvo de la reina Ana una pensión de doscientas libras. Pero, cuando el Elector de Hannover subió al trono de Inglaterra, le trató con rigor, a causa de haber desertado de Alemania. Fueron precisas algunas felices circunstancias — la composición de *Water Music,* según se asegura — para reconciliar al nuevo rey con el músico. Haendel juntó la compañía de la Royal Academy of Music, fundada en 1719, y dio allí unas quince de sus óperas. Bononcini, cuyas obras habían sido, por cierto, representadas por la compañía de Haendel, abrió un teatro rival. Tenía el favor del duque de Malborough, y gobernó el King's Theatre hasta el año 1732. Mas, habiendo hecho interpretar un madrigal de Lotti como obra propia, fue descubierta la superchería y tuvo que abandonar Londres y marcharse a París. La competencia resultó tan desastrosa para Haendel, que el teatro quebró. La verdad es que el público no se había aficionado plenamente a la tragedia lírica, y sólo la aristocracia frecuentaba Hay-

[1]. Se sacan estos datos del excelente estudio sobre el *Porvenir de la ópera inglesa* de Edward J. Dent, que encabeza *La Création de l'Opéra anglais et «Peter Grimes»* (bajo la dirección de Eric Crozier). Paris, col. *Triptyque,* Richard-Masse 1947.

market, lo que no bastaba para que viviese la Ópera. El pueblo no iba ; aplaudía *The Beggar's Opera,* de John-Christopher Peepush, sátira a la vez de la ópera italiana y de la vida inglesa ; en estos últimos años, y bajo el título de *L'Opéra de quat-sous,* esa obra ha vuelto a conocer la popularidad. Peepush había compuesto la obertura ; Gay, el resto, fabricado a base de canciones sobre aires sacados del folklore y de las coplas de moda. Aunque Haendel fue colmado de honores en Inglaterra y enterrado cerca de Purcell en Westminster, pertenece a la historia musical de Alemania, donde vamos a encontrarle en seguida.

La Gran Bretaña no ha producido más músicos líricos que los recién citados, salvo los dos Arne : el padre, Thomas-Augustine (1710-1778), y Michael, el hijo (1741-1786). El primero escribió una treintena de óperas (comprendiendo en el número la música de escena para varias tragedias de Shakespeare). Entre ellas, figura *Artaxerces,* con letra en inglés (1762). Thomas Arne, además, compuso dos oratorios, *Abel* y *Judith.* Fue el primero en introducir voces femeninas en los coros de los oratorios, en 1773. Pero debe principalmente su celebridad al *Rule Britannia,* cuya música compuso sobre una letra de James Thomson, el autor de las *Estaciones.* Michael Arne es autor de algunas óperas representadas con éxito ; hacia 1770, se consagró a la alquimia y se arruinó. Volvió entonces a la música, y escribió alguna música de escena para los teatros de Londres.

Edward J. Dent nota como una de las causas de la ausencia de compositores líricos en Inglaterra el hecho de que pocos cantantes ingleses eran capaces de «representar» su papel, mientras que los actores eran incapaces de cantarlo. Los cantantes, en efecto, se consagraban al oratorio y se encontraban desplazados en los teatros. Bajo el reinado de Victoria, Covent Garden fue restaurado y dedicado a la ópera italiana en 1847. Otra compañía italiana dio sus temporadas en His Majesty Theatre coincidiendo con las del Covent Garden. En 1892, Covent Garden, donde fueron representadas las óperas de Wagner, dejó de llamarse Ópera Real Italiana y se convirtió en Ópera Real. En ella se cantaba muy poco en inglés, ya que las compañías contratadas para interpretar óperas extranjeras, alemanas, francesas, o italianas, las cantaban cada cual en su lengua. Y los compositores ingleses que conseguían que se les estrenase alguna obra original debían hacerla cantar en francés o italiano [1]. Edward J. Dent añade : «Los entendidos de las generaciones precedentes se interesaban solamente por las voces ; iban al Covent Garden como hubieran ido a una exposición hípica o floral. Lo que les gustaba más era hacer alarde de su experiencia». Inglaterra no posee el privilegio de aquellos pretendidos melómanos para los cuales el intérprete cuenta más que el compositor y su obra. Pero es bien cierto que esta

[1]. EDWARD J. DENT, *loc. cit.,* p. 14.

razón, junto con las que acabamos de enumerar, impidió que el arte lírico inglés tomase vuelo. Hubo que contentarse con calcar algunas obras maestras de valor probado, que un pequeñísimo número de compositores tuvo la audacia — y se necesitaba tenerla — de escribir ; y las obras maestras eran naturalmente todas extranjeras, italianas las más. Y si alguien hubiese intentado hacer muestra de alguna originalidad, no se le habría comprendido. Así es que fue preciso aguardar la iniciativa del teatro de Sadler's Wells para poner en escena, en 1941, en Hull, bajo los bombardeos, *Dido and Aeneas,* y *Thomas and Sally,* de Arne, antes de crear ballets y de montar *Peter Grimes,* de Benjamín Britten, manifestación brillante de un renacimiento en la ópera inglesa.

CAPÍTULO VI

EL TEATRO LÍRICO EN FRANCIA BAJO LUIS XV
LA FERIA — LA GUERRA DE LOS BUFOS — EL NACIMIENTO
DE LA ÓPERA CÓMICA

I

El período siguiente a la desaparición de Lully no aporta ningún
cambio notable a la ópera francesa : las tragedias musicales, las obras
de estilo noble, continúan calcadas sobre las que habían obtenido el favor de la corte y el público en tiempo de los fastos de Versalles. Dejando
aparte a Marc-Anthoine Charpentier, los demás músicos se muestran
dóciles a las enseñanzas que han sacado de Lully, hasta el punto de ser
difícil distinguir los unos de los otros.

Los ballets siguen gozando de favor ; también son construidos como
los de la época precedente. Pero el gusto por las *bergeries* (pastorelas)
sentimentales no tardará en manifestarse cada vez con más fuerza, en
cuanto, al suceder, bajo la Regencia, una mayor libertad de costumbres
a la austeridad de los últimos años del Gran Rey, se encontrará una
compensación algo hipócrita en una afectación de sensibilidad que no
excluye de ningún modo la galantería frívola. El texto de los libretos
no importa mucho : es tan sólo un pretexto para las diferentes «entradas», como en el pasado. Sólo se le pide proporcionar, bien o mal, un
cañamazo. Lo que cuenta y da relieve a ciertas obras de ese tipo es la
calidad de la música con que las adorna un compositor como Campra o
Destouches. Por este aspecto se han conservado y aún gustan hasta en
nuestros días.

L'Europe Galante, en medio de esas producciones, ha quedado como
tipo perfecto. Obtuvo un éxito tal, que Campra, su autor, antes maestro de capilla de la iglesia del Saint-Sauveur de Aix-en-Provence, y
luego de las catedrales de Toulouse y París, dimitió de su canongía para

dedicarse más completamente a la música. La primera representación de un precedente ballet, *Bacchus et Silène,* dada en el castillo de Raincy en junio de 1679 por la princesa Palatina, ya había sido triunfal. Lo aplaudieron tanto, que Campra decidió trabajar para la Ópera y emprendió sin dilación *L'Europe Galante.* En efecto, la obra se representó en la Ópera al cabo de cuatro meses, el 16 de octubre. El éxito fue resonante, y Campra, a fin de no desperdiciarlo, comenzó una obra del mismo género, *Le Carnaval de Venise,* no menos favorablemente acogida. Con el tiempo, tenía que producir veinticinco óperas o ballets y compartir con su émulo André-Cardinal Destouches el constante favor del público.

El estilo de Campra, más florido que el de Lully, acusa, con todo, más netamente, el ritmo de los aires de danza. El autor denota un cuidado de la interpretación coreográfica, y facilita el trabajo de los bailarines. La forlana de *L'Europe Galante,* todavía célebre, es el modelo acabado en su género. En la música vocal, es aficionado a repetir las mismas frases, adornarlas con vocalizaciones. No llega al abuso en el que caerán luego tantos músicos ; pero ya se marca una orientación nueva hacia un estilo que, a no tardar, se verá privado de simplicidad.

Les Éléments de André-Cardinal Destouches, discípulo de Campra, llevan como subtítulo : «Ballet del Rey, en cuatro entradas y un prólogo». El libreto era de Roy, y, para la música, Destouches había encontrado un colaborador precioso en la persona de La Lande. La obra se representó en las Tullerías, el 22 de diciembre de 1721. La reseña publicada en *Le Mercure de France* nos da una exacta idea de la riqueza del espectáculo : «A la tercera escena de la primera entrada, se abre el palacio de Juno. Ella aparece sobre su trono, rodeada de las Horas con los Aquilones y Céfiros. Iris se halla detrás del trono, sobre su arco. Esta decoración es de las más galantes : la forman columnas de nubes, alrededor de las cuales vuelan toda suerte de pájaros pintados por M. Houdry, de la Academia Real de Pintura... En el epílogo que termina el ballet, el rey, representando el Sol, se nos muestra sobre su carro, coronado por los signos del Zodíaco y seguido de las cuatro partes del Mundo... A cada parte del proscenio se abren dos balcones, el uno encima del otro, para los coros : las mujeres abajo ; los hombres, arriba ; la orquesta para los instrumentos *en tout à fait hors-d'oeuvre* pero tocando al teatro... El Sol, que aparece en el fondo del teatro al acabarse la última entrada, está dispuesto de una forma muy ingeniosa : el disco es luminoso, y los rayos, muy bien imitados por medio de un agua azafranada en el interior de unos tubos de vidrio». ¿Qué quería decir el redactor de *Le Mercure de France* con las palabras : *l'orchestre est placé en tout à fait hors-d'oeuvre*? Nos imaginamos difícilmente que haya podido instalarse lejos de los coros que debía sostener... Sin embargo, la descripción merece ser retenida : nos muestra el cuidado que ponían los decoradores y el escenógrafo incluso en los menores detalles del espectáculo. Todo tiene que agradar a los ojos ; pero importa también que los coros, inmóviles y embarazosos por el número de cantantes que los componen, dejen libres las tablas. Precisa, no menos, que el director los tenga bajo su batuta. Es curioso notar que su disposición en los balcones del proscenio será la misma que se adoptará, ante el mismo problema, en la Ópera, el año 1949, para la representación de *Lucifer*. Al propio tiempo, la importancia que se da a la maquinaria, el lujo de la decoración en perspectivas, todos esos cuidados materiales exigidos por el género, son su flaqueza, y no tardarán en servir de argumento para aquellos que ven la verdadera grandeza del teatro lírico en la calidad de la música y en las emociones traducidas por ella o que de ella se originan.

En verdad, ambas cualidades no faltan, ciertamente, en las obras de La Lande y Destouches. Pero resulta mejor cuando se ven libres de las trabas que les impone la escena ; en las obras destinadas al concierto, es donde pueden expresarse a sus anchas.

Con motivo de *L'Europe Galante,* se reglamentó por primera vez en Francia la cuestión de los derechos del autor, gracias a la energía de Campra y de La Motte, autor del libreto. Recibieron cien libras cada uno por las diez primeras representaciones, cincuenta hasta la vigésima ; después, la obra quedó propiedad de la Academia de Música. Asimismo, es a partir de *L'Europe Galante* que comienzan los *spectacles coupés,* cuya boga duró por espacio de una parte del siglo XVIII. Finalmente, Combarieu señala que, además, la organización material del teatro en aquellos tiempos era todavía de las más rudimentarias. Hasta 1715 las velas no fueron substituidas por bujías, para la iluminación. El peligro de incendio, de todas formas, fue apenas menor : el 6 de abril de 1763, a las ocho de la mañana, por imprudencia de un barrendero, que había puesto un candelero al lado de un cable de maniobra, éste se inflamó, soltóse el contrapeso, y subió encendido al telar, donde pegó fuego a varias decoraciones y cables. El incendio consumió la sala por entero, amén del escenario de la Ópera, que entonces estaba situada en el Palais-Royal. El 8 de junio de 1791, la sala, completamente reconstruida, fue de nuevo devorada por las llamas.

Por lo que se refiere a las personas que pretendían entrar en la Ópera sin pagar un céntimo, su número sin cesar iba en aumento, hasta el punto que fueron promulgados muchas ordenanzas y decretos, sin que se llegase a suprimir del todo el abuso. Así, el 28 de noviembre de 1713, el rey ordena : «Su Majestad, habiéndose informado... prohibe a los Oficiales de su Casa, a sus guardas, gendarmes, caballos-ligeros, mosqueteros, entrar en la Ópera sin pagar ; y a todos los domésticos de librea, sin excepción alguna, bajo ningún pretexto que sea, entrar incluso pagando [1]». La Ópera tenía que ser un placer aristocrático, y se temían las riñas y peleas.

Pero no fue solamente en la corte y en la Academia Real de Música donde floreció el arte lírico en esa época. La pequeña corte de la duquesa de Maine (nieta del gran Condé, y esposa del segundo hijo de Luis XIV y la marquesa de Montespan) fue uno de los círculos artísticos más brillantes de toda Europa dentro del primer tercio del siglo XVIII. La duquesa supo atraer a su dominio de Sceaux a muchos ingenios, entre los cuales había músicos como Jean-Joseph Mouret. Las «Nuits de Sceaux» — que así fueron llamadas esas reuniones — concedían una buena parte a la música ; y si Mouret fue apodado el Músico de las *Gracias,* a causa del título de un ballet que hizo representar en 1733, hay que ver en él, no menos, uno de los compositores que ejercieron más decisiva influencia en la evolución del arte lírico, por el cuidado en la verdad de la expresión. Mouret fue uno de los creadores de la Ópera Cómica, donde luego le encontraremos.

El comienzo del siglo XVIII vió iniciarse una disputa que iba a durar largo tiempo ; giraba sobre el punto de saber cuál de las dos músicas era mejor ; la italiana o la francesa. En 1702, el abate Raguenet publicó un violento ataque contra Lully, bajo el título : *Parallèle des Italiens et des Français.* Le replicó el guardasellos del Parlamento de Rouen, La Viéville de Fréneuse, que dos años más tarde mandó imprimir en Bruselas una *Comparaison de la Musique italienne et de la Musique française,* verdadero panegírico de Lully.

Algo después, a propósito de Rameau, la discusión degeneró en batalla. Jean-Philippe Rameau no abordó el teatro sino muy tarde ; pero ya sus piezas para clavecín, su *Traité de l'Harmonie réduite à ses principes essentiels,* denotaban en él no sólo un compositor de originalidad singular, sino también un teorizador cuyas ideas profundas iban a ejercer una considerable influencia sobre el arte de los sonidos. Dio primero a la Foire (también le encontraremos allí dentro de poco) algunas comedias musicales ; más tarde, habiéndole asegurado la subsistencia su cargo de maestro de música del «fermier-général» La Pouplinière, escribió una ópera, *Samson,* con libreto de Voltaire. La Ópera la rechazó a causa de su tema bíblico. Y hasta el 1733, a los cuarenta años de edad, no volvió a escribir óperas, con *Hippolyte et Aricie,* tragedia lírica en cinco actos y un prólogo, letra del abate Pellegrin. En 1735, compone *Les Indes galantes,* ballet heroico en tres actos y prólogo, sobre un libreto de Fuzelier. Así alternará en sus producciones tragedias líricas y ópe-

---

[1]. Cf. COMBARIEU, *loc. cit.,* t. II, pp. 106 y sig.

ras-ballets. La suerte de Lully consistió en encontrar a Quinault, como Gluck tuvo, un poco más tarde que Rameau, la fortuna de hallar a Raniero de Calzabigi ; la desdicha de Rameau consiste en haberse tenido que contentar con los libretos de Pellegrin. Su flaqueza ha perjudicado grandemente a las magníficas tragedias del músico. Pero Rameau se preocupaba muy poco de lo que serviría de pretexto para su música ; aún hoy día, cada vez que se repone una obra de Rameau, la mediocridad de los libretos impide que se mantenga en el repertorio. Por fortuna, el libreto de *Castor et Pollux* (1737) fue escrito por Gentil Bernard. La obra duró en los carteles por el espacio de cuarenta y siete años, y se ha repuesto muchas veces aún. Felizmente, también, las óperas-ballets permiten una presentación en la que la variedad es elemento de éxito : la bellísima reposición de *Les Indes galantes* en 1952 ha demostrado como la música era todavía capaz de ganar al público.

Cuando leemos las críticas contemporáneas sobre las óperas de Rameau, nos asombra su violencia ; desbordan de pasión, y hasta las injurias se dan libre curso en medio de las perfidias. Los «lullistas» declaran a la música de Rameau «bárbara, estrepitosa, intolerable» ; su melodía, «sin alma» ; los músicos de la orquesta, se decía, afirmaban con enojo no comprender nada y estar cansados de tocar sin pausa durante la representación entera, sin poder ni estornudar. El abate Desfontaines califica a Rameau de «destilador de acordes barrocos», y Campra dijo al príncipe de Conti : «En *Hippolyte et Aricie* hay bastante música para hacer diez óperas» — lo que podía ser un elogio, pero que se tomaba, ciertamente, en un sentido de malevolencia. Jean-Jacques Rousseau se hará eco de esas censuras que hoy nos parecen tan faltas de base. Rousseau las recogerá y desarrollará no sin perfidia.

Nosotros, ahora, vemos en Rameau al padre de la música moderna ; menos por sus escritos teóricos que por el ejemplo que nos da en sus obras. A distancia, el estilo de Rameau nos parece más cercano al de Lully, que no lo pareció a sus contemporáneos ; con la diferencia que encontramos más originalidad en el primero. Lully, en efecto, no inventa casi nada, y se limita a utilizar hábilmente lo que conoce. Rameau es, al contrario, un verdadero creador que afirma su fuerte personalidad, tanto con el atrevimiento de su escritura armónica como con sus hallazgos melódicos. Su música de danza está hecha con tanto cuidado, que posee todas las cualidades de la sinfonía. Las cualidades propias de Rameau harán que Debussy lo reconozca como el verdadero padre del arte contemporáneo, como el primero y más grande compositor verdaderamente francés, puro de toda influencia extranjera, después de los polifonistas del Renacimiento ; pero lo que admira a Debussy es precisamente lo que le criticaban más amargamente los lullistas a la salida de la

Ópera. Era hombre de carácter difícil ; sus exabruptos, que se han hecho legendarios, excitaron la ferocidad de sus detractores. Oponiendo, ostentando incluso, una completa indiferencia frente a los juicios de aquéllos, que con razón despreciaba, pasó por duro y egoísta. Se dice que se sentía feliz ante el ruido que se armaba a su alrededor. Ruido, por cierto, muy fuerte : *Le Neveu de Rameau* nos ha conservado el eco. Con *Les bijoux indiscrets,* Diderot nos ayuda a comprender la violencia de las pasiones que agitaban a lullistas y ramistas (irónicamente les llamaban entonces *ramoneurs* (deshollinadores), porque la música de Rameau era «triste y negra», y por tanto los partidarios debían compararse a gente tiznada de hollín).

La primera representación de *Dardanus,* el 19 de noviembre de 1739, excitó la curiosidad hasta el punto de que todas las localidades se habían agotado cuando faltaban ocho días para el estreno, y por más de dos semanas. Todo París repetía que la conjura de los *ramoneurs* comprendía más de mil partidarios, decididos todos a aplaudir «con furor» para asegurar el éxito de la nueva obra. La obra fue un éxito, en efecto, pero pagado con artículos malévolos, en los que la música es tildada de «científica», de «brusca», de «mecánica difícil». Se escribe que «sacudiría los nervios de un paralítico». El abate Desfontaines exclama : «¿La ininteligibilidad, el galimatías, el neologismo, quieren, pues, hablar por boca de la música?». Jean-Jacques Rousseau recogerá esos argumentos injuriosos, para cerrar con más fuerza contra el pobre Rameau, culpable de haberse anticipado más de una mitad de siglo a su época.

En todo, efectivamente, fue un precursor. En *Platée,* estrenada durante el carnaval (4 de febrero de 1749), Rameau se revela como el verdadero creador de un género que no conocerá fortuna hasta más de cien años después : la opereta. El libreto de Autereau no le parece nunca lo bastante alegre y turbulento, y lo manda modificar más de tres veces. El asunto, los celos de Juno y los dioses del Olimpo, se representa de una manera grotesca, como lo será en *Orphée aux Enfers* y *La Belle Hélène.* Las flautas que acompañan al coro cantado entre bastidores imitan al cuclillo ; el oboe y el segundo violín, por medio de una sucesión de cuartas, croan como las ranas.

Es muy difícil definir el estilo de Rameau, y todos los que lo han intentado lo alcanzan sólo comparando sus obras a las de sus contemporáneos, de sus antecesores, y hasta de sus sucesores ; su estilo, como todo lo que nos viene de él, lleva el sello de los precursores.

Claridad y firmeza caracterizan la línea melódica de sus recitativos y arias. En verdad, no se distingue diferencia alguna entre el recitativo y el aria por lo que a la construcción melódica se refiere. Tanto al uno como a la otra, les pide expresar en música sentimientos, estados de

La «Beggar's Opera», de Peepush (1728). Escena del Juicio
(acto III, escena 2).

(Cuadro de W. Hogarth)

«Mascaradas y Operas».

(Grabado satírico de W. Hogarth)

Ejecución de un Oratorio en Londres,
en 1732.

El público del Covent-Garden
hacia 1730.

(Aguafuertes de W. Hogarth)

Interior de la Opera Real de Haymarket en Londres.
(Grabado de Rowlandson y Pugin)

ánimo y de pasión. Ningún adorno inútil. Cuando se encuentran adornos es que añaden algo que refuerza la expresión.

Louis Laloy, en su penetrante libro [1], observa con exactitud que en Rameau, bajo la melodía, siempre aflora la armonía : de donde resulta que su estilo es a la vez muy riguroso y muy libre ; no se podría cambiar, añadir ni quitar nada a su frase musical, a su acompañamiento armónico, sin destruirlos por completo. Expresan limpiamente, sin ambigüedad, lo que quieren decir, ni más ni menos. Se bastan a sí mismos. Tal vez esto explica su respuesta a una intérprete que se quejaba de la velocidad del *tempo* de un aria que tenía que cantar : «¡Qué importa que no se entiendan las palabras ; lo esencial es que se entienda mi música!». Esto se ha citado como una humorada, como la marca de un orgullo excesivo. Pero no ; lo que Rameau exigía es que el movimiento fuese «verdadero» ; que por su vivacidad tradujese exactamente la naturaleza de las emociones que debían agitar a la persona, sin preocuparse de si el sentido de las palabras era menos comprensible. Aquí vemos cómo se aparta esta exigencia del cuidado puesto por Lully en destacar cada sílaba y ajustarse a una declamación calcada sobre la de los actores del Teatro Francés en tiempos de Racine y la Champmeslé. Lo ha dicho, además : «Una música sin movimiento pierde toda su gracia, y no se pueden inventar cantos que resulten hermosos sin ese movimiento». Su «prosodia» está, pues, bien lejos de modelarse sobre el canto de los actores trágicos. Es viva y flexible ; dictada por el sentido de la frase, por su contenido emotivo ; no se preocupa de adaptarse al pie de la letra.

En cuanto a la armonía, hay que citar sus palabras textuales, ya que sus obras son la ilustración de sus proposiciones :

«Es cierto que la armonía puede remover en nosotros diferentes pasiones, a proporción de los acordes que se empleen. Existen acordes tristes, lánguidos, tiernos, agradables, alegres y sorprendentes ; existen también series de acordes para manifestar las mismas pasiones. La dulzura y la ternura se expresan a veces muy bien por medio de acordes modulantes y superposiciones (séptimas disminuidas, y novenas y oncenas) más bien menores que mayores, haciendo reinar las mayores que pueden encontrarse, en las partes medias más que en las extremas. Las languideces y sufrimientos se expresan perfectamente con disonancias modulantes (séptimas disminuidas) y principalmente con el cromatismo. La desesperación y las pasiones que llevan al furor o contienen algo sorprendente piden disonancias de toda clase sin preparación ; y sobre todo las mayores reinan en la parte superior. Es bello incluso, en ciertas expresiones de esta naturaleza, cambiar de tono por una disonancia no preparada.»

[1]. Louis Laloy: *Rameau* (colección *Maîtres de la Musique*. Paris, Alcan). También Georges Migot, *Jean-Philippe Rameau* (colección *Les Grands Musiciens par les Maîtres d'aujourd'hui*. Paris, Delagrave).

Leyendo estas líneas se comprende que Debussy haya encontrado en Rameau al antepasado con el cual quiso ligar su propio genio. Tanto más cuanto que Rameau aplicó usualmente esas frases de su *Traité de l'Harmonie* a sus propias obras. Basta con citar el aire de las Sacerdotisas de *Hippolyte et Aricie,* el aria del sueño de *Dardanus,* donde se encuentran, alternativamente, los dos acordes de tónica (*sol, si bemol, re*) y dominante con su novena (*re, fa sostenido, la, do, mi bemol*) y cien otros ejemplos. Pero en él jamás el cromatismo conduce a la confusión de tonalidades : tiene el sentido del valor expresivo de los acordes ; estima que este valor de la armonía es igual que el valor expresivo de la melodía, a la cual completa. El maravilloso cuarteto vocal de la entrada de las Flores en *Les Indes galantes,* con su acorde de novena, es un ejemplo. Jamás músico alguno se ha mostrado más seguro de sus medios, más feliz en el modo de emplearlos.

Rameau apareció en el teatro tal vez demasiado pronto, tal vez demasiado tarde, y fue una gran lástima. Veinticinco años más pronto, en posesión de su técnica, habría orientado la música francesa por caminos que no hubo de encontrar sino mucho después, y no hubiera sido víctima de los malignos ataques de tantos enemigos. Pero ha dejado, como dice Louis Laloy, «una música de certitud y claridad», y la fuerza de su espíritu metódico fue tal «que la condujo lejos de los caminos trillados, en pleno porvenir».

II

En el siglo XVIII nace un género cuya importancia no cesará de crecer durante un largo período : la ópera cómica. A decir verdad, había comenzado algo antes, en la Feria de Saint-Germain, que todos los años se celebraba el 3 de febrero sobre la ribera izquierda del Sena, y ocupaba dos grandes cobertizos instalados sobre terrenos dependientes de la Abadía de Saint-Germain-des-Prés, el origen de los cuales se remonta hasta el reinado de Luis XI. Allí se estableció el primer café público, cerca de las salas de baile y los teatros, rodeados de tiendas de mercaderes. El terreno estaba situado aproximadamente cerca del emplazamiento del mercado y la plaza de Saint-Sulpice. La feria fue suprimida en 1789.

La Feria de Saint-Laurent empezaba el 9 de agosto, en la víspera de la fiesta del santo, y su duración, al principio muy corta, se fijó en ocho días, después en quince, para extenderse al fin del 28 de junio hasta los últimos días de septiembre, en 1661, cuando fue trasladada a un cercado que pertenecía a los lazaristas, situado entre Saint-Lazare y los Recoletos. Se edificaron pórticos y tiendas cerradas, al borde de calles plantadas de árboles ; y la feria tuvo además sus teatros de marionetas, sus mercaderes de juguetes, de dulces, de paños, de toda suerte de utensilios y, naturalmente, sus tabernas, bailes, charlatanes y bailarines. También fue cerrada en 1789.

Los cómicos ambulantes daban espectáculos mezclados de canciones. En muchas ocasiones, los cómicos de la Comedia Francesa, en uso de su privilegio, intentaron prohibir la representación de toda clase de obras dialogadas ; pero la astucia de los cómicos ambulantes acababa siempre por triunfar de los obstáculos legales que se les oponían. La Ópera intervino, a su vez, para que se les impidiese cantar durante sus representaciones. Trabajo perdido ; la lucha abundó en episodios héroe-cómicos. Finalmente, el 26 de noviembre de 1716, un decreto en debida forma sancionó un contrato otorgado entre los síndicos de la Ópera, el señor y la señora Saint-Edme, y la señora de Baune, según los términos del cual los antes citados señor y señora obtenían el privilegio de representar en las Ferias «espectáculos acompañados de canto, danza y sinfónicas, bajo el nombre de *Opéra-Comique»*, sin que esta autorización pudiese traspasarse a ningún tercero ; todo ello, mediante la suma de treinta y cinco mil libras anuales, que se pagarían a la Ópera. En 1717, la señora de Baune aparece como sola poseedora del privilegio : un año después, se había arruinado.

La compañía de Dominique (director de la Comedia Italiana) la sucedió, e inauguró el 22 de agosto de 1721 su teatro de la Feria de San Lorenzo.

¿Qué eran esos teatros? ¿Qué se representaba en ellos? Para comprender la razón de su éxito conviene recordar que simultáneamente, en Nápoles, en Londres y en París, se dibujaba en aquellos momentos una reacción contra la solemnidad acompasada de la tragedia lírica. En Francia, sobre los tablados de la Feria, se instalaban parodias semejantes a *The Beggar's Opera* ; se zahiere a los héroes empenachados, y el favor que obtienen esas pequeñas obras, ingeniosas a menudo, groseras a veces, pero siempre mordaces, es tanto más vivo por cuanto la Ópera se ha convertido en un centro a la vez mundano y espiritual que absorbe la mayor parte de la actividad de la época. Las piezas de música de cámara, las suites sinfónicas, conservan estrecha relación con el ballet, y parecen tan destinadas al teatro como al concierto. El francés ama la rebeldía : las disputas le apasionan. Las que nacen de la Ópera se adornan de «cotilleos», como se diría hoy, en los que se mezclan el comadreo con la cuestión de principio ; comadreo del que las celebridades del momento pagan el gasto. Las trifulcas de la Feria con la Comedia Francesa o con la Ópera ofrecen una publicidad fructífera para los espectáculos de ópera cómica, donde nadie se priva de hacer reír a costas del adversario. El género paródico, naturalmente, es el más empleado : permite alusiones personales, imitaciones en las cuales se abultan a placer las fallas de los autores o de los intérpretes famosos. Las letras de esos sainetes se adaptan a los aires de las óperas de moda que se quiere ridiculizar, o bien, cuando hay que temer las enojosas consecuencias de la justicia, se echa mano de los «timbres» de las canciones en boga. Tales *vaudevilles* se designan, en los folletos impresos, por las primeras palabras del cuplé ; más raramente, recurriendo a una música nueva. Todo esto, de muy bajo tono, hará exclamar a Voltaire, no sin acrimonia : «La Ópera Cómica no es más que la feria reforzada ; el siglo presente apenas se compone de otra cosa que de los excrementos del gran siglo de Luis XIV».

Mas esto, que es cierto a comienzos del XVIII, cambiará muy pronto : vemos a músicos como Rameau, que no desdeñan los teatros de la Feria ; compositores como Mouret, proveedores en título de esas compañías ambulantes. Hasta finales del XIX, la ópera cómica conservará la huella de sus orígenes : en la sala Favart, obligatoriamente, las partes «habladas» alternarán con las cantadas, y el género francés se distinguirá del italiano por esa supervivencia, que tiene por resultado el excluir casi en absoluto el recitativo de la ópera cómica francesa.

Entretanto, todo el siglo XVIII resuena con los choques entre los teatros de la Feria y los teatros regulares (Ópera, Comedia Francesa, Comedia Italiana). La historia de esos episodios es confusa, ya que en esa guerra de usura, donde las victorias y las derrotas resultan indecisas, todo se entremezcla. Larga es la lista de los directores obligados a cerrar sus teatros, empleando ardides para poder abrirlos de nuevo, entregándose a un verdadero juego de escondite que divierte al público, tanto como las piezas que se representan sobre los tablados. Gilliers, Allard, Vanderberg, Monnet, derrochan tesoros de ingenio para no sucumbir. El espíritu de Scapin y de Arlequín les inspira.

En 1746, se había representado *La serva padrona,* en su texto original, en la Comedia Italiana. El 1.º de agosto la obra de Pergolese aparece en la Ópera ; mas, esta vez, en versión francesa. El acontecimiento sirvió de pretexto para una disputa interminable, que en la Historia se conoce con el nombre de «*Guerre des Bouffons*» (guerra de los bufos), nombre que se daba a los actores de la compañía italiana de ópera bufa. Los enemigos del estilo de Rameau hallaron en *La servante maîtresse* nuevos argumentos. Al estilo «demasiado sabio» de Rameau, opusieron la transparente simplicidad del maestro italiano. Se predicaba un «retorno a la naturaleza», una declamación lírica calcada sobre la palabra tal como se habla. Este bando encontró un campeón ardiente en la persona de Jean-Jacques Rousseau.

El 30 de julio de aquel año de 1752, la compañía de Jean Monnet había representado en la Feria de San Lorenzo *Les Trocqueurs,* ópera cómica en un acto, letra de Vadé y música de Dauvergne. El libreto aprovecha un argumento explotado ya muy a menudo : Lubin y Colas tienen el capricho de cambiarse las novias ; enteradas ellas del proyecto, saben arreglárselas de forma que los dos campesinos renuncian a su proyecto. El éxito fue grande ; la arieta *«On ne peut trop tôt se mettre en ménage»*, se hizo rápidamente popular. De esa representación de *Les Trocqueurs* se hace derivar ordinariamente la historia de la ópera cómica francesa.

No le bastó a Rousseau con escribir su *Lettre sur la Musique françoise* ; quiso enseñar a los músicos franceses lo que se debía hacer, y escribió *Le devin du village*. La *Lettre* (la carta) terminaba con esta violenta conclusión :

«El monólogo de *Armide,* de Rameau, ha hecho siempre, y no dudo que hará, un gran efecto en el teatro, porque los versos son admirables y la situación viva e interesante. Pero sin los brazos y la mímica de la actriz, estoy persuadido de que nadie podría aguantar el recitativo y que una música semejante necesita en absoluto el auxilio de los ojos para ser soportable a los oídos. Creo haber demostrado que no hay medida ni melodía en la Música Francesa, porque la lengua no es susceptible de tenerlas ; que el canto francés es un continuo ladrido, insoportable a cualquier oído sin prevenciones ; que la armonía es tosca, sin expresión, y sabe a relleno escolar ; que los aires franceses no son tales aires ; que el recitativo francés no es tal recitativo. De lo que saco en conclusión que los franceses no tienen música ni la pueden tener ; o que, si llegaran a tener una, sería peor para ellos.»

Y añadía Rousseau en una nota : «No llamo tener una Música el tomar prestada la de otra lengua para aplicarla a la suya ; y preferiría que guardásemos nuestro desabrido y ridículo canto, que asociar aún más ridículamente con la lengua francesa la melodía italiana. Esa repulsiva mezcolanza, que tal vez será por ahora tema de estudio para nuestros músicos, es demasiado monstruosa para que pueda ser admitida, y el carácter de nuestra lengua jamás se prestará a ello». En lo que, violencias verbales aparte, tenía razón, precisamente porque se equivocaba al negar a los músicos franceses, a Rameau en particular, la posibilidad de hacer una música de acuerdo con el genio de la lengua francesa : y es curioso cotejar ese texto de Rousseau con la refutación que se encuentra en la correspondencia de Romain Rolland y Richard Strauss a propósito de *Pelléas et Mélisande* : «Lo que vos llamáis *«Nonchalance der Declamation»* es flexibilidad y diversidad psicológica. Los franceses no tenemos una sola manera de acentuar una palabra para siempre. Se acentúa diferentemente según el sentido de la frase, y sobre todo según el carácter de aquel que habla». Y, si existe un medio para notar esos matices, no hay duda que pertenece a la música.

Rousseau, en *Le devin du village,* no hizo más que intentarlo (sin alcanzar, con todo, su objeto, porque no era lo bastante músico, y, aunque lo hubiese sido, el argumento era demasiado infantil para darle ocasiones para aquel designio). La obra fue estrenada el 18 de octubre de 1752 ante la corte en Fontainebleau ; después, en la Academia Real de Música el 1.º de marzo de 1753. Tuvo un éxito enorme, debido principalmente a su ingenuidad casi pueril. Era de moda ser «sensible», y ante el rey, ante un público fatigado, la obra encontraba un auditorio dispuesto a la emoción ; en sus *Confesiones* Rousseau se complace en subrayar que «Su Majestad no paraba de cantar con la voz más desafinada del reino» el aria de Colette :

> *«J'ai perdu mon serviteur,*
> *J'ai perdu tout mon bonheur.»*

Regreso a la simplicidad, a la naturaleza ; pero signo de impotencia para construir el menor desarrollo sinfónico ; para encontrar en la música la traducción expresiva de un sentimiento. Y sin duda hay que ver, en la conciencia que Rousseau tenía de lo que le faltaba, una de las razones de su animosidad contra Rameau : «El abate Du Bos, escribe en su *Lettre sur les ouvrages de Rameau,* se atormenta mucho con el objeto de reivindicar para los Países Bajos el honor de la renovación de la música, y eso se podría admitir si se diese el nombre de Música a un continuo relleno de acordes. Pero si la armonía es una base común, y la melodía, sola, constituye el carácter, no tan sólo la música moderna ha nacido en Italia, sino que parece que, entre todas las lenguas vivas, la música italiana es la única que puede subsistir. En tiempos de Orlando y Goudimel, se hacía armonía y sonidos ; Lully añadió algo de cadencia ; Corelli, Buononcini, Vinci y Pergolese son los primeros que han hecho música». He aquí algo tan perentorio como absurdo.

La *Querelle des Bouffons* se ampliaba y envenenaba. Se fue *bouffon* con los enciclopedistas, con Grimm y d'Holbach. Se fue *antibouffon* con Cazotte, Rameau (naturalmente), el abate Fréron y el P. Castel. Los adversarios multiplicaban sus folletos, tales como *La Lettre à une Dame d'un certain âge sur l'Opéra,* de d'Holbach ; el *Petit Prophète de Boehmischbrode,* de Grimm y Diderot ; las cartas de Rousseau que hemos dicho. Dejemos a éste que nos pinte la violencia de la discusión : «París entero, escribe, se dividió en dos partidos, más ardientes que si se hubiese tratado de un problema de Estado o religión. El uno, más poderoso, más numeroso, compuesto de los grandes, los ricos y las mujeres, sostenía la música francesa ; el otro, más vivo, más altivo, más entusiasta, se componía de los verdaderos entendidos, de la gente de talento, de los hombres de genio. Su pequeño pelotón se reunía bajo el palco de la reina. El otro llenaba todo el resto de la platea y la sala, y su núcleo principal se hallaba debajo del palco del rey. He aquí por qué nacieron los nombres célebres de los dos partidos en aquellos tiempos, «el rincón del rey» y el «rincón de la reina». El rincón del rey quiso hacer burla del rincón de la reina; a su vez fue chanceado por *le Petit Prophète*; quiso meterse a razonar y fue aplastado por *La Lettre sur la Musique française*». Nadie sabría hablar de sí mismo y de sus propios escritos con más modestia. Nadie sabría mostrarse más injusto que Rousseau cuando echa en cara a Rameau «imitaciones, dobles dibujos, bajos obligados que no son otra cosa que monstruos deformes». Es extraño que se reproche a los franceses que hagan música francesa, como lo sería extrañarse de que los italianos la hagan italiana. Verdi, sobre el particular, ha dicho, ciento cuarenta años más tarde, cosas más sensatas, en su respuesta a Hans de Bülow: «Vosotros sois los hijos de Bach; nosotros, los hijos de Palestrina. Conviene que los artistas del Norte y del Sud tengan tendencias diversas. Todos deberían mantener los caracteres propios de su nación». Es muy natural, también, que los franceses sean los hijos de Rameau, como lo fueron más o menos los mejores entre ellos — y como lo hubieran continuado siendo — si poco después el paso de Gluck no hubiese levantado una nueva disputa (que en realidad no fue más que un rebrote de la guerra de los bufos).

Cuesta esfuerzo comprender hoy las razones del éxito de *Le devin du village* o, mejor dicho, por qué se concedió tanta importancia a una obrilla que no tenía ninguna. Para comprenderlo hay que recordar lo que sucedió al mismo tiempo en el teatro con la tragedia y la comedia. Nivelle de La Chaussée pone en escena *Le préjugé à la mode* en 1735, y mezcla algunas escenas cómicas con las escenas patéticas. Pero seis años más tarde, en 1741, en *Mélanide,* ya no hay sitio para la risa. El éxito de la obra es enorme: las mujeres van al teatro a «llorar» con delicia. Voltaire, que con su espíritu cáustico empieza burlándose de aquel género híbrido, no tarda en seguir la moda y escribe *L'enfant prodigue* y *Nanine ou le préjugé vaincu* (1749).

Hay disputas; los argumentos empleados por los partidarios de la «comedia lacrimosa» son los del «rincón de la reina» en la guerra de los bufos: creen defender la verdad, la simplicidad, la naturaleza. Atacan el énfasis de la tragedia con coturnos, como los otros el estilo ampuloso de la ópera. La influencia de La Chaussée se ejercerá profundamente y por largo tiempo; creadores originales como Diderot y Beaumarchais no escaparán a ella. Sedaine en 1765 dará el modelo del nuevo género con *Le philosophe sans le savoir,* y Sedaine, libretista de Philidor, de Monsigny y de Grétry, ejercerá una influencia firme sobre sus músicos. En el arte lírico, el amable optimismo llega al borde de la pura necedad ; el sentimentalismo trivial de La Chaussée, es el mismo de *Le devin du village* y la razón de su éxito.

Nunca el paralelismo entre la evolución de las diversas artes en una determinada época fue más claro que en esta época ; por todas partes una mezcla de realismo y enternecimiento : Chardin, Greuze, que se dice predestinado a pintar la virtud. Por floja que haya sido la partitura de *Le devin,* es innegable que el lirismo de Rousseau ha ejercido una gran influencia ; pero Rousseau no hizo escuela únicamente por *Le devin.* Su *Pygmalion* encontró ilustres admiradores. En esa obra es original : inventa «un género de drama en el cual las palabras y la música, en vez de marchar juntas, se hacen escuchar alternativamente, de manera que la frase hablada es anunciada en cierto modo por la frase musical. Empleando ese método, se reuniría la doble ventaja de aliviar al actor por medio de frecuentes descansos y de ofrecer al espectador francés la especie de melodrama que conviene más a su lengua». Lo que guía a Rousseau, aun aquí (como si Rameau no acabase de demostrar exactamente lo contrario), es la idea falsa de que la lengua francesa no soporta ser puesta en música. Pero, si bien el prejuicio le ciega, Rousseau sabe concluir por lo menos algunas observaciones interesantes. Precisamente, escuchando en Mannheim dos melodramas de Benda, *Médée* y *Ariane à Naxos,* salidos directamente de *Pygmalion,* Mozart, en una carta dirigida a su padre, hace las siguientes reflexiones : «¿Quieres saber mi opinión? En la ópera se tendría que tratar la mayor parte de los recitativos de esta forma». Y habla de «una ópera sin cantantes».

Combarieu observa, a propósito de esa carta, que, además de los melodramas de Benda, *Sémiramis* y *Zaïde* de Mozart, la escena de la prisión en *Fidelio* de Beethoven, *El sueño de una noche de verano,* de Mendelssohn, el *Manfred* de Schumann, el *Struensee* de Meyerbeer, el *Peer Gynt* de Grieg, *L'Arlésiennc* de Bizet, pertenecen todos ellos a la posteridad de *Pygmalion.*

La guerra de los «rincones», la disputa entre lullistas y *ramoneurs,* debían renacer en breve : en enero de 1774, Gluck llegaba a París para poner en escena, el 19 de abril de aquel mismo año, su *Iphigénie en Aulide.* Pero antes de retratar los episodios de aquella batalla, más encarnizada y no menos pérfida que las anteriores, es preciso examinar de qué forma la evolución de la ópera alemana pudo haber decidido a Gluck a intentar su reforma de la tragedia lírica.

Capítulo VII

EL TEATRO LÍRICO ALEMÁN EN LOS SIGLOS XVII Y XVIII

La ópera comenzó a extenderse dentro de las cortes alemanas; los compositores italianos la dieron a conocer, comenzando por Viena, Munich, Dresde, Hannover y Berlín, a cuyas ciudades pronto siguió la de Hamburgo. Entretanto, desde 1627, Heinrich Schütz dirigía la representación de una *Dafne,* en el castillo de Hartenfels, cerca de Torgau, con motivo de las fiestas celebradas durante las bodas de Sofía de Sajonia con Jorge II de Hesse-Darmstadt; *Dafne,* de Schütz, es la primera ópera escrita por un compositor alemán. Pero el libreto, italiano, de Rinuccini, es el mismo que había utilizado Peri. La partitura desapareció durante un incendio, como la de *Orpheus und Euridice,* ópera-ballet que escribió Schütz para las bodas de Juan-Jorge II de Sajonia, en 1638; de manera que sólo podemos suponer las cualidades de su estilo lírico, sin duda análogas a las que resplandecen en sus *Pasiones.* El compositor, en Italia, había estudiado en Venecia con los dos Gabrieli; había escuchado las óperas de Monteverdi. Aunque residía en Dresde, había obtenido varias veces del landgrave licencias durante las cuales regresó a Italia. Por todo ello, aunque sea osado hablar de influencias a propósito de un artista tan potente y original, lo cierto es que Schütz debe a los venecianos tanto su profundo conocimiento del arte polifónico como su iniciación al nuevo estilo. Pero, a su vez, orientó el arte alemán por los caminos que, más tarde, Bach debía seguir.

Heinrich Albert (1604-1651), primo de Schütz y su discípulo antes de serlo de Stobäus, tuvo la desgracia de caer prisionero, durante dos años, de los suecos; en las fiestas del centenario de la Universidad de Koenigsberg, en 1645, hizo representar un *Prussiarchus,* que no ha llegado a nosotros, y en 1647 un *Cleomedes* del que poseemos fragmentos. Éstos han bastado a los musicólogos para patentizar que Albert jugó un papel importantísimo en la introducción del estilo monódico en Alemania.

Adam Krieger (1634-1666) experimenta su influencia, así como Wolfgang Franck (1640-1695), que fue en Hamburgo uno de los fundadores de la ópera ; después viajó, se estableció en Londres y pasó a España, donde murió, probablemente envenenado, después de una vida de dramas y aventuras. En Hamburgo estrenó unas catorce óperas, de las que sólo se conocen algunas arias, publicadas separadamente, entre 1680 y 1686.

La Ópera de Hamburgo se fundó el 2 de enero de 1678. Por su inauguración se dio el *Adán y Eva* de Johann Teile, por sobrenombre «el padre de los contrapuntistas» (1646-1724). Discípulo de Schütz, Teile, a su vez, fue maestro de Johann-Adolf Hasse (1699-1783), que abordó la escena como tenor antes de convertirse en uno de los más fecundos compositores de ópera. Empezó en Brunswick el año 1721 con un *Antiochus* — la única de sus obras escrita sobre un texto alemán — ; después, el año siguiente, marchó a Italia, donde trabajó, en Nápoles, con Porpora, y luego con Alessandro Scarlatti. En esta ciudad se representó su *Tigrane,* acompañado de un «intermedio», *La serva scaltra,* en 1723 ; *Astarto* en 1726, y aquel mismo año, *Il Sesostrate,* que obtuvo un gran éxito. Los italianos le llamaban «Il Sassone» (el sajón). En 1727 se estableció en Venecia y allí fue maestro de capilla del Conservatorio degli Incurabili. Casado con una cantante italiana, Faustina Bordoni, regresó seguidamente a Dresde, donde se representó *Cleofide* (13 de septiembre de 1731), en cuya ópera se encargaba ella del primer papel. Pero los dos volvieron pronto a Italia y alcanzaron nuevos triunfos. Una jira a Londres le permitió hacer conocer su *Artaserse,* ya representado en Venecia, a los londinenses. Su intención era quedarse en Inglaterra, pero se retiró ante Haendel y compartió su vida entre Dresde e Italia. Le vemos en París, en 1750, donde fue acogido triunfalmente. Durante el bombardeo de Dresde, en 1760, su casa fue incendiada y casi todos sus manuscritos perecieron. En 1765, Hasse y su mujer fueron a Viena ; allí escribió algunas óperas para el teatro de la corte ; después se fue a terminar sus días en Venecia. Produjo más de ochenta óperas, catorce oratorios y gran número de misas y motetes.

La Ópera de Hamburgo conoció la misma suerte que la Ópera veneciana en sus primeros tiempos : el gusto del público, más aficionado al espectáculo que a la música, exigía que se le presentasen suntuosos decorados, grandes máquinas, desfiles y numerosa comparsería ; entre las obras mediocres que se estrenaron, forma una excepción *Ismène* de Reinhardt Keiser (1674-1739). Dicha ópera se había ya representado el año 1693 en la corte de Brunswick, bajo el título de *Die wiedergefundenen Verliebten,* con resonante éxito. Su *Basilius,* estrenado dos años antes en la misma corte, fue igualmente repuesto en Hamburgo ; pero el mayor triunfo del compositor fue *Störtebecker und Gaedje Michel,* que llevaba a la escena un capitán de bandoleros famoso en la región. Compuso también otras obras sobre temas populares, a veces incluso atrevidos. Su propia existencia se vio llena de agitación, y más de una vez tuvo que escaparse de Hamburgo huyendo de sus acreedores. Excelente músico, dotado de originalidad melódica, fue el primero que escribió sobre libretos alemanes y comunicó un carácter nacional a sus obras. Su estilo es elegante ; sus arias, graciosas, y la instrumentación, sabia. Ha ejercido una positiva influencia sobre Haendel y Hasse, y supo formar el gusto de sus compatriotas, comunicándoles el amor a la música — hasta entonces no iban al teatro más que por el espectáculo —. Creó conciertos y organizó una excelente orquesta.

Entre los demás compositores que representaron sus obras en Hamburgo, se distinguen los nombres de algunos de los maestros que han creado la sinfonía moderna : Philipo-Heinrich Erlebach (1657-1714), al que se debe *Die Plejaden,* una especie de comedia lírica, estrenada primero en Brunswick (1693) ; Johann Sigmund Kusser (1660-1727), que durante ocho años, de 1674 a 1682, fue el discípulo favorito de Lully ; debido a su incapacidad de fijarse en ninguna parte, Kusser debió a esa inquietud, que le obligaba a desplazarse sin cesar, una verdadera cultura europea. Se le encuentra en todas las poblaciones alemanas, en Londres, en Dublín, en Italia. Vive, sin embargo, bastante tiempo en Hamburgo — de 1693 a 1696 — para dirigir la Ópera y merecer de Mattheson el calificativo de «modelo de directores de orquesta». Su *Ariadne* (Brunswick, 1682), su *Erindo oder die unsträfliche Liebe* (Hamburgo, 1693), de los que se conservan numerosas arias ; sus oberturas nos muestran a un músico ciertamente influenciado por el gusto francés, pero dotado de originalidad y de una real potencia dramática, que le valieron éxitos importantes y duraderos ; el mayor corresponde a *Die glückliche Liebe des tapfern Jasons,* conocida en Brunswick y en primera versión el año 1692 y refundida y reestrenada en Hamburgo en 1697.

Johann Mattheson (1681-1764), hombre de una cultura muy vasta, músico que dominó todos los instrumentos, cantante cumplido, dotado de una bella voz de tenor y capaz de cantar igualmente en italiano, francés e inglés, como en alemán, fue primero amigo de Haendel y le tomó bajo su protección cuando éste vino a Hamburgo en 1703 ; mas no tardaron en reñir los dos. Mattheson tuvo una carrera muy agitada ; fue sucesivamente preceptor de los hijos del embajador de Inglaterra, diplomático, director de música, canónigo de la catedral de Hamburgo y director del teatro de aquella población ; habiéndose vuelto sordo, tuvo que abandonar sus funciones. Su obra comprende ocho óperas y veinticuatro oratorios, sin contar muchas otras obras vocales e instrumentales. (*Die Plejaden,* 1699 ; *Porsenna, Der Tod der grossen Pan,* 1702 ; *Cleopatra,* 1704 ; *Boris Goudenow,* 1710 ; *Henrico, re di Castilla,* 1711). Sus obras sinfónicas le han valido el ser considerado como el más importante de los contemporáneos de Bach, y sus escritos teóricos han ejercido una influencia considerable sobre la evolución de la música, contribuyendo al establecimiento del sistema armónico moderno.

Después de él hay que citar a Georg-Philipp Telemann, algunas de cuyas obras fueron firmadas bajo su seudónimo anagramático de Melante (1681-1767). Nació en Magdeburgo y murió en Hamburgo, donde había sido nombrado director de la música, después de haber sido sucesivamente maestro de capilla en Leipzig, donde dio algunas óperas (lo que le fue en seguida prohibido como incompatible con sus funciones en la iglesia de Santo Tomás) ; en Sorau y en Eisenach (donde hizo amistad con la familia Bach) y en Francfort del Mein. Fundó unos conciertos en Hamburgo, que han llegado hasta el siglo xx ; compositor de una fecundidad inagotable, ha escrito música de todos los géneros : cuarenta óperas italianas o alemanas, casi todas para el teatro de Hamburgo ; cerca de seiscientas oberturas francesas o suites de orquesta ; un gran número de oratorios y de cantatas dramáticas. Su celebridad, en su tiempo, superó a la de Bach. Su estilo es muy próximo al de Rameau, a quien admiraba, pero también ha cultivado el estilo italiano, y su habilidad y gusto han dejado huella en sus obras, de una real personalidad que las salva del manierismo. En el dominio de la armonía, Telemann ha sido un innovador audaz. Sus composiciones sinfónicas muestran, al mismo tiempo que un sentimiento poético, un don del color y una encantadora vivacidad. En sus pequeñas obras líricas, ha sido uno de los precursores, si no el creador, del *Singspiel,* donde sus cualidades cómicas encuentran libre curso. Riemann ve en las obras dramáticas de la vejez de Telemann, *Ino, Tag des Gerichts,* una fuerza lírica y un sentimiento de la naturaleza que hacen a la vez presagiar a Gluck y a Beethoven.

Aunque no fuese más que por sus cantatas profanas, Juan-Sebastián Bach tiene que ocupar un puesto en una historia del teatro lírico. Si no insistimos en el estudio de sus oratorios es porque ya se han estudiado en otra obra [1] ; pero por lo menos hay que recordar que nadie ha sabido más que el «cantor» de Leipzig comunicar a sus obras una fuerza, un acento dramático, cuya pujanza consigue, con la sola fuerza expresiva de la música, traducir toda la grandeza de las escenas trágicas de la Pasión. Con nobleza y simplicidad familiar, Bach sabe elevarse sin esfuerzo hasta donde nadie ha podido alcanzar ; y sabe acercar hacia nosotros, sin disminuirlos, los personajes del Evangelio y el mismo Jesús. La forma de los grandes oratorios de Bach es absolutamente vecina a la de los dramas litúrgicos que se hallan al origen del teatro medieval. Pero el genio del compositor varía sus desarrollos con arte jamás igualado.

[1]. RENÉ DUMESNIL: *Histoire de la Musique* (Librairie Plon, París).

Es muy difícil datar las cantatas profanas de Bach ; Albert Schweitzer aduce argumentos convincentes para la clasificación de aquellas veinte obras de ese género que Bach escribió probablemente. No existen dudas acerca de La Caza (Was mir behagt, ist nur die muntre Jagd) : se ejecutó el 23 de febrero de 1716 en el trigesimoquinto cumpleaños del duque Cristián de Sajonia-Weissenfels, celebrado con una cacería a la que asistió el príncipe de Cöthen. La alegoría mitológica desarrollada en el texto de Salomon Frank es trivial : Diana, Endimión y su cortejo cantan la gloria del príncipe. La cantata sirvió a menudo para diversos grandes personajes : todo se limitó a que se modificase el nombre del príncipe ; y Bach no tuvo empacho de utilizar diversos fragmentos de su partitura para otras obras. La cantata de La Caza proporcionó, cambiándola apenas, el aria célebre de la Cantata de Pentecostés : se trataba de expresar alegría, y el tema se ajustaba perfectamente [1].

Del mismo modo la cantata Durchlaucht'ster Leopold, compuesta en Cöthen en 1717 por los años del príncipe, sirvió para el segundo día de Pentecostés, por lo menos el tempo di minuetto ; contentándose Bach con substituir el nombre del príncipe por el de Dios. Otras cantatas de circunstancias son : Weichet nur, betrübte Schatten, para una boda en la corte ; la compuesta con motivo del cumpleaños de F. Müller, profesor de filosofía de la Universidad de Leipzig, en cuya ciudad Bach hacía tres meses que se había instalado ; la obra se cantó el 3 de agosto de 1725. El libreto es de Picander, que debía convertirse en el poeta titular de Bach, aunque sin llegar nunca a la suela de los zapatos de su músico. Ese dramma per musica — como lo titula Bach — también es una alegoría mitológica : Eolo quiere devolver la libertad a los vientos encadenados ; ni Céfiro ni Pomona pueden disuadirlo. Mas intercede Palas anunciando que las Musas se congregan en honor de su protegido, el señor profesor Augusto Müller, y el dios se calma. Hay en la cantata páginas admirables en las cuales Bach se abandona a la alegría de escribir. El aria de Pomona, tan melancólica, la queja de Céfiro, la belleza del final — aunque un poco macizo —, hacen de la obra algo digno de Bach. Pero, como dice Albert Schweitzer, ¿tuvo acaso el autor plena conciencia del valor de la obra, del carácter tan felizmente descriptivo de su música, cuando aceptó, en 1734, convertirla, sin cambiar gran cosa, en cantata para la coronación de Augusto II, que subía, por su desdicha, al trono de Polonia ?

El argumento de Febo y Pan lo extrae Picander de Ovidio, y el célebre desafío proporcionó a Bach el más feliz pretexto para la música descriptiva. Le facilita además ocasión de vengarse personalmente. «Bach escribió Febo y Pan para ajustar las cuentas con Scheibe (hijo), que le reprochaba a su música el ser demasiado artificial e inaccesible al público :

---

[1]. A. SCHWEITZER : J. S. Bach, le musicien-poète (Lausanne, Foetisch, p. 151).

Midas es Scheibe ; Febo, Bach. La venganza se parece a la de Hans Sachs contra Beckmesser.» En Bach, como en Wagner, se da la misma mezcla de sublimidad y peso que según Nietzsche constituye una de las características del arte alemán. El *largo* de Febo, el aire de danza que canta Pan, se oponen completamente y son característicos de la manera de Bach. La *Cantata del café* (1732) tiene por título *Schlendrian mit seiner Tochter Liessgen* ; y la hija de Schlendrian, Liessgen, es tan apasionada del café que hace el voto de no aceptar por marido sino a un hombre que sea tan aficionado a esa bebida como ella. Así podrá beber a sus anchas y resistir a las censuras y amenazas de su familia. El libreto hace reir con una risa un poco basta, es cierto ; pero la música de Bach es la de una opereta, y el maestro de las *Pasiones* se anticipa a Offenbach en el trío final.

El *Elogio del contento* (*Von der Vergnügsamkeit*), que Schweitzer data de la misma época, celebra la felicidad apacible del hogar ; en esa cantata Bach se nos describe por entero al natural. Después de un comienzo trivial y «burgués», tenemos un final de una real poesía mística, un gran impulso hacia la paz del Señor. El 27 de julio de 1733, Bach solicita el título de compositor de la corte de Dresde, y el 5 de septiembre presenta en la asociación Telemann el *drama per musica Hercules auf dem Scheide-Wege* (*Hércules ante los dos caminos*), con motivo del cumpleaños del príncipe heredero. Spitta juzga muy acertadamente que la música de esa obra es superior a la que Haendel escribió sobre el mismo argumento : es de un vigor adecuado al héroe. Bach, según su costumbre, ha utilizado algunos de los fragmentos para sus obras religiosas, y la «berceuse» de la Voluptuosidad se ha convertido, cambiando algunas palabras, en la «canción de cuna» del Niño Jesús ; y si esta metamorfosis es legítima, la que convierte el aria «Sobre mis alas volarás» en el aria del *Oratorio de Navidad* «En tu honor quiero vivir», no tiene para nada en cuenta el sentido expresivo de la música. Nada menos que seis fragmentos son aprovechados de una obra para la otra, sin que sean adecuados ; apurado por el tiempo, Bach no temió saquear su propia música.

Pasemos de largo las cantatas de circunstancias : tres en 1733, y otras dos en 1735, para llegar a la cantata burlesca : *Mer hat en neue Oberkeet* (*Tenemos un nuevo gobierno*) compuesta en honor del chambelán Heinrich von Dieskau y ejecutada el 30 de agosto de 1742. Es muy interesante por el lugar que en ella ocupa la música popular ; en la obertura utiliza aires de danza (una de las melodías se encuentra en las *Variaciones de Goldberg*) ; también volvemos a encontrar el aria de Pan, del *Desafío*. Bach se divirtió mientras componía esa música, y escuchándola se nota : su placer es contagioso.

Hay que citar también, para que la lista sea completa, dos cantatas italianas, *Amore traditore* y *Non sia che sia dolore* [1]. Ofrecen un mediocre interés. Albert Schweitzer, al analizarlas, observa una cosa : que Bach se preocupa muy poco por el texto de Picander o de los demás libretistas, por lo menos literalmente : su música es un libre comentario de la palabra esencial, de la idea principal, de la imagen que se desprende del texto. El resto (y con razón, ya que tales textos son tan pedestres como insignificantes) no cuenta para él. Cosa que debería tranquilizar a los eventuales traductores de las cantatas profanas : es preferible traducir con fidelidad el sentido de la música de Bach que ceñirse al texto de Picander. Una traducción literal «sólo conseguiría ampliar los defectos».

Juan-Cristián Bach, el menor de los hijos de Juan-Sebastián (1735-1782), tenía quince años cuando murió su padre. Terminó su educación musical con su hermano Carlos-Felipe-Manuel, clavecinista de cámara de Federico el Grande, y luego marchó a Milán en calidad de maestro de capilla del conde Agostino Litta. Éste le dio toda clase de facilidades para que recibiese lecciones de contrapunto del P. Martini en Bolonia. Convertido al catolicismo y nombrado en 1760 organista del Duomo de Milán, escribió música religiosa y óperas que obtuvieron brillantes éxitos : su *Catone d'Utica*, estrenada en Milán en 1758, se representó en Nápoles en 1760 ; y es en Nápoles donde fue estrenado en 1762 *Alessandro in Indie,* así como numerosos intermedios. Partió de allí para Londres con reputación siempre creciente, y allí fue maestro de música de la reina. Asociado con K. Fr. Abel, su primer violín solista, fundó los conciertos Bach-Abel de Hannover-Square, que se convirtieron en los equivalentes en la vida musical inglesa de los «Concerts-Spirituels» de París. Sus dieciséis óperas italianas, sus cuatro óperas francesas (*Amadis des Gaules,* París 1779), con todo el éxito que alcanzaron, y la novedad de su estilo, no han contribuido tanto a su reputación como sus obras sinfónicas, notables bajo todos los puntos de vista por la originalidad de su concepción, ampliando la manera de Stamitz. Fue además el primero que, en un concierto, el año 1768, empleó un pianoforte de martillos.

La cronología hubiera exigido hablar de Haendel antes que de Bach y sus hijos, ya que Haendel, nacido el 23 de febrero de 1685, fue cuatro semanas mayor que Juan-Sebastián. Mas por las mismas razones que nos han hecho abreviar cuanto se ha dicho de éste, habrá que ser breve sobre aquél, limitándonos a extendernos sobre la parte más sobresaliente de sus obras maestras : la música religiosa. Ya se ha dicho cómo en Hamburgo se hizo amigo de Mattheson y riñó luego con él, que le hirió gravemente en duelo. Había dado en Hamburgo cuatro óperas : *Almira,* más tarde *Nero* (1705), *Daphne* y *Florinda* (1708). En Italia, donde residió durante

[1]. Sobre Bach, consultar también: NORBERT DUFOURCQ, *Jean-Sébastien Bach, génie allemand ou génie latin?* (La Colombe, 1947); ROBERT PITROU, *Jean-Sébastien Bach* (Albin-Michel, 1941).

cuatro años, pudo iniciarse más de cerca en el estilo italiano y dar en 1707, en Florencia, *Rodrigo*. En Venecia, donde se encuentra en el año siguiente, coincide con el príncipe Ernesto-Augusto de Hannover, cuya amistad le será más tarde beneficiosa. En Roma se hospeda en casa del marqués Ruspoli y allí dirige la ejecución de dos oratorios. Traba amistad con los dos Scarlatti y les acompaña a Nápoles, donde permanece un año con ellos (1708). Allí estrena su cantata dramática *Alci, Galatea e Polifemo*. De regreso a Florencia, en 1709, hace representar *Agrippina,* con éxito que se renueva durante el carnaval siguiente en Venecia.

Está en dudas acerca de dónde establecerse. Unos hannoverianos que conoce en Venecia insisten para que acepte la plaza de maestro de capilla en la corte del Príncipe Elector. Se decide, mas pide una licencia para ir a Londres. Ya hemos dicho con qué entusiasmo fue acogido y cómo estrenó en aquella ciudad su *Rinaldo* (1711) ; pero los deberes de su cargo le reclamaban en Hannover el otoño de aquel mismo año. Allí lo pasó, impaciente por regresar a Inglaterra, lo que no dejó de molestar gravemente al príncipe. En Londres le prodigan los halagos ; sin embargo, su *Pastor fido* sólo obtiene un éxito mediano, y su *Teseo,* menor todavía. Pero en 1713, el *Te Deum* que escribió para celebrar la paz de Utrecht le proporciona un brillante desquite, y desde entonces se le considera como otro Purcell. La reina Ana le concede una pensión de doscientas libras. Pero muere, y le sucede precisamente el príncipe de Hannover. Naturalmente, éste se venga de su maestro de capilla, que había desertado sus funciones. Una leyenda quiere que la serenata *Water music* haya reconciliado al soberano y su músico : la obra es suficientemente buena para haber obrado ese milagro. Haendel acompaña a Jorge I, ex-príncipe de Hannover, cuando éste va hacia Alemania. En Alemania, compone, sobre una letra de Brokes, una *Pasión,* y hace representar, bajo el título de *Oriana,* la ópera que estrenó en Londres con el nombre de *Amadigi di Gallia.* A su regreso en Inglaterra es huésped del duque de Chandos, para quien escribe, además de las célebres *Chandos Anthems,* un oratorio profano donde por segunda vez trata (lo había hecho antes en Nápoles) el tema de *Acis and Galatea* y su primer oratorio inglés, *Esther.* Vienen luego, en 1710, la fundación de la *Royal Academy of music,* su competencia con Bononcini y las rivalidades, que arrastran a la ruina la empresa, de las que ya hemos hablado. Un viaje, en 1729, por Alemania e Italia, le permite ver a su anciana madre y los Scarlatti. De vuelta en Londres, con una compañía reclutada en la península, inaugura una segunda Academia ; tiene por asociado al zuriqués Heidegger. Mas Porpora y Hasse abren un teatro rival, y Heidegger se retira desanimado. Haendel persevera, pone en escena *Arianna* (versión renovada del *Pastor fido*), escribe *Terpsichore, Ariodande, Alcina, Atalanta, Giustino, Arminio,*

Figurines de Gillot para «Les Eléments», ballet de Destouches (1725).

Decorado de Slodtz para la VI entrada del ballet «Les Eléments».
(Reestrenada en el teatro de Versalles en 1763)
(Dibujo al lápiz y a la pluma)

Personajes de «Castor et Pollux», ópera de Rameau (1737).

(Grabado y gouache de Wirsher. Museo de la Opera)

El cantante Jélyotte (1713-96) en «Dardanus», ópera de Rameau.

(Dibujo acuarelado. Museo de la Opera)

Figurin para «Zoroastre», ópera de Rameau (1749).

(Dibujo acuarelado. Museo de la Opera)

Reposición de los «Indes Galantes» en la Opera de París (1952).
El Palacio (figurines y decorado de J. Dupont).

Reposición de los «Indes Galantes».
Los Salvajes (figurines y decorado de Chapelain-Midy).

Actores del Teatro italiano en París hacia 1730.

(Croquis a la sanguina)

La Camargo, en el paso de La Noche.

(Grabado anónimo)

Berenice, de 1734 a 1737, en el Covent Garden, y empieza la serie de grandes oratorios. Pero su salud declina (los cuidados la corroen), y un primer ataque de apoplejía le obliga a dejar la ópera. Sigue en Aquisgrán una enérgica cura de aguas, se repone casi por completo y tiene energías para componer en el 1739-1740 sus nuevas óperas *Jove in Argo, Imeneo, Deidamia,* y sus oratorios *Saúl* e *Israel.* Compone encarnizadamente, a pesar de sus dolencias: escribe su obra maestra *The Messiah* en veinticuatro días (1742, Dublín). Su vista no tarde en debilitarse y el trabajo se le hace cada vez más difícil. No por eso deja de trabajar; continúa dando conciertos y cumpliendo sus obligaciones de organista: ocho días antes de su muerte, todavía se sienta al teclado. Se apaga por fin su vida el 14 de abril de 1759, dejando un nombre tan grande como el de Bach.

Naturalizado inglés desde 1726, considerado en su país de adopción como el sucesor de Purcell, la verdad es que debe mucho al arte británico, y su obra, tan diversa, incluso tan original, es una confluencia de influjos bien asimilados: los maestros de las óperas italiana y francesa, las tradiciones alemanas y el gusto inglés participan en ella por un igual. Pero ha conseguido extraer de fuentes tan diversas lo que faltaba a su naturaleza para crear lo que en él es inimitable: su estilo. Genio universal, curioso de todas las cosas, sumerge en el pasado sólidas raíces que le unen con la tradición polifónica. Pero pertenece al porvenir tanto como al pasado. En él se funden el espíritu germánico y el latino: a Italia debe lo que hay de más ligero, más cantable, en su música, como debe su solidez instrumental a sus primeros maestros organistas; luego a Mattheson, que le introdujo en calidad de segundo violín en la orquesta de Hamburgo. Por una parte, es el heredero de Buxtehude, que le causó, como a Bach, la más profunda impresión cuando en compañía de Mattheson fue a oirle en Lubeck. Pero su genio, más que en obra alguna, se ha revelado en sus oratorios. La forma más austera del drama sacro convenía mejor a Haendel que el cuadro de la ópera. Sin embargo, no por eso ha ejercido menos influencia en el drama lírico: la viva impresión que Gluck se llevó de su estancia en Londres escuchando a Haendel fue a su vez decisiva.

CAPÍTULO VIII

EL ESPLENDOR DEL ARTE LÍRICO ALEMÁN
EN EL SIGLO XVIII
GLUCK, HAYDN, MOZART Y LA ÓPERA VIENESA

Así como el arte lírico italiano había brillado a través de Europa en el siglo XVII, la ópera alemana se extiende cien años más tarde. El emperador José II y su hermano y sucesor Leopoldo II, buenos músicos, eran aficionados al teatro. Además, Austria tuvo la suerte de producir un Gluck, un Mozart, y Viena atraía desde mucho tiempo lo mismo a los compositores italianos que a los de la Alemania del Norte. Las condiciones eran favorables a la expansión de los gustos vieneses por la Europa occidental : el matrimonio de la archiduquesa María-Antonieta con el Delfín iba a tener imprevistas consecuencias sobre la música francesa contemporánea.

Hijo de un «Intendente forestal» (*Oberforster*) al servicio de la duquesa de Toscana, del conde Kinsky, y finalmente, del príncipe Lobkovitz [1], Christoph-Willibald Gluck (1714-1787) tuvo la fortuna de contarse entre los músicos del príncipe Melzi, que se lo llevó a Italia. En Milán, escuchó los consejos de Sanmartini. Gluck debutó en el teatro, el año 1741, con un *Artazerse,* sobre el libreto de Metastasio que había servido antes a Hasse, e iba después a ser utilizado por numerosos compositores. Sólo se conocen dos arias ; pero la obra obtuvo un éxito suficiente para decidir al Teatro Grimani di San Samuele de Venecia, que pidió una obra al joven compositor. *Demetrio* se estrenó el 4 de mayo de 1742. El mismo año, de regreso en Milán, estrena *Demofoonte* ; en tres años escribe diez óperas, e *Ipermestra,* estrenada en el teatro Grimani el 21 de noviembre de 1744, en su obertura presenta uno de los más bellos adagios que Gluck jamás ha escrito. Los recitativos, además, anuncian

[1]. Cf. el *Gluck* de J.-G. PROD'HOMME, obra definitiva que rectifica muchos errores y aclara varios aspectos obscuros (París, Société d'Éditions françaises et internationales, 1948).

futuras obras maestras. De Venecia, pasa a Turín, y allí estrena *Poro* (*Alessandro nell'Indie*), y, errante de Venecia a Nápoles y Milán, pasa a Londres, donde, en 1746, después de haber escuchado los oratorios de Haendel, se dedica a perfeccionar su estilo. En 1745, el 4 de enero, hace estrenar en el Haymarket *La Caduta de'Giganti,* obra de circunstancias, cuyo subtítulo, *La rebellione punita,* es alusivo a los jacobinos. Es bien recibida, lo bastante para valerle el encargo de una segunda obra. Arregla una *Artamene,* en la cual incluye doce arias procedentes de obras anteriores.

No se sabe de cierto en qué época abandonó Inglaterra. Pero lo seguro — J.-G. Prod'homme lo demuestra — es que Gluck se marchó a Hamburgo y que no fue a París para escuchar *Castor et Pollux* (que no se interpretaba en aquellos días). Provisto de buenas guineas inglesas, entra a formar parte de la compañía de Pietro Mingotti en calidad de *maestro al cimbalo* y de «arreglador», encargado de componer, si se terciaba, alguna aria para una cantante o algún *virtuoso.* Recorre, de esta forma, Europa, pasa por Dresde, Praga, Hamburgo y Copenhague. Más tarde, de 1754 a 1764, es maestro de capilla de la Ópera de la corte. El 15 de septiembre de 1750, se casa con una joven de dieciocho años, Maria-Anna Pergin, de una familia muy acomodada. De aquí en adelante podrá trabajar libre de cuidados.

Su «reforma» ya ha madurado en su espíritu. El primer fruto de sus meditaciones sobre el arte lírico es *Orfeo ed Euridice,* que se presentó el 5 de octubre de 1762 en el Burgtheater. El papel de Orfeo lo cantó el castrado Guadagni ; Euridice, Marianne Bianchi, y el Amor, Lucie Glebero-Clavereau. El estreno tuvo lugar a presencia de la corte ; la segunda representación se dio el 10. La obra tenía que ser modificada profundamente para las representaciones de París, en 1774. Entretanto, Gluck vuelve a las formas italianas en alguna de sus obras siguientes (*Telemaco, Il Trionfo di Clelia*) ; las abandona en *Alceste* (Viena, 1767), compuesta, igual que *Orfeo,* sobre un libreto de Raniero de Calzabigi, providencialmente hallado para proporcionarle libretos de gran tono que le van a permitir no hacer ya concesiones al virtuosismo vocal. En la epístola dedicatoria al gran duque de Toscana, Gluck toma posiciones ; en la dedicatoria de *Paride ed Elena* al duque de Braganza, en aquel mismo año, confirma aún más netamente sus palabras :

«Cuando quise escribir la música de *Alceste,* escribe en la *Epístola,* me propuse despojarla enteramente de todos aquellos abusos que, introducidos por la vanidad mal entendida de los cantantes o por una exagerada complacencia de los maestros, desfiguran de hace tiempo la ópera italiana, y que del más pomposo y bello de todos los espectáculos han hecho el más ridículo y aburrido. Imaginé reducir la música a su verdadero oficio, que es servir a la poesía en cuanto a la expresión y para las situaciones de la Fábula, sin interrumpir la acción ni enfriarla por medio de adornos superfluos. Creo que debía ser al poema lo que son a un dibujo bien compuesto la vivacidad de los colores y el contraste adecuado de las luces y sombras que sirven para animar a las figuras sin variar su contorno. Por lo tanto, no he querido detener a un actor, en medio del gran calor del diálogo, para aguardar un fastidioso *ritornello,* ni cortar una palabra por una vocal favorable para hacer gala en un largo pasaje de la agilidad de su bonita voz, o esperar a que la orquesta le diese tiempo a tomar aliento para hacer una larga cadencia... He pensado que la sinfonía (obertura) tenía que preparar a los espectadores para la acción que debe ser representada y, por decirlo así, formar el argumento... He creído todavía que mi mayor esfuerzo debía reducirse a buscar una bella simplicidad ; y he procurado evitar toda ostentación de dificultades a expensas de la claridad ; y me ha parecido vana la ostentación de una novedad si no estaba condicionada por la situación y la expresión. En fin : no hay regla de orden que no me haya creído en el deber de sacrificar gustosamente a favor del efecto. He aquí mis principios.»

Gluck, que había enseñado música a la futura delfina de Francia, conocía, por haberlo tratado en Roma, a Gaud Lebland du Roullet, cuando volvió a encontrarlo en Viena, donde éste fue en calidad de agregado de la embajada de Francia. Esta circunstancia ponía un triunfo más en manos del músico, que acariciaba el proyecto de ir a París. Pronto se esbozó una colaboración entre ambos. Du Roullet se había aplicado a extraer un libreto de ópera de la *Iphigénie en Aulide* de Racine. Gluck empezó su trabajo en 1771. Du Roullet quedó «subyugado por su genio», dice J.-G. Prod'homme ; y es verdad : hasta la muerte se dedicará al servicio del compositor. *Iphigénie* estuvo acabada a fines de verano de 1772 ; desde el primero de agosto, Du Roullet había dirigido a Dauvergne, director de la Ópera conjuntamente con Berton, Trial y Joliveau, una carta en la que le anunciaba que el «famoso M. Glouch (*sic*), tan conocido por todo Europa, ha escrito una ópera francesa, que desearía fuese representada en el teatro de París». La carta se publicó en *Le Mercure de France* del primero de octubre. Du Roullet insiste en ella sobre el estudio particular que el compositor ha hecho de la lengua francesa, «que habla con dificultad» pero «conoce a fondo», y alaba los méritos de Gluck, «hombre de genio y, al mismo tiempo, hombre de gusto». Como sea que Du Roullet había zaherido ligeramente a Calzabigi en su panegírico de Gluck (para darse tono, evidentemente), Gluck juzgó prudente escribir por su propia cuenta al *Mercure* a fin de no disgustar a su anterior libretista. Y, al propio tiempo que elogia a Calzabigi, hace prudentemente el elogio de Rousseau. Así Gluck prepara — y con una excesiva diplomacia, que, como todos los excesos de habilidad, podía ser más perjudicial que beneficioso — su viaje a París.

Dauvergne ha recibido el primer acto de *Ifigenia*. Lo admira ; pero declara que no pondrá en escena la obra, como no sea que Gluck se comprometa a entregarle seis partituras del mismo género, «ya que una tal ópera era como para matar a todas las antiguas óperas francesas». Dándose cuenta de lo ambiguo de la respuesta, Gluck hace avisar a la delfina, su antigua alumna. Ella le responde invitándole a que vaya a París [1]. J. G. Prod'homme cita un pasaje de las memorias de Joseph Weber, hermano de leche de María-Antonieta, el cual más tarde ocupó un empleo en las Finanzas, gracias a la protección de la reina. Éste escribe : «Francia sólo conocía una música semibárbara ; ese arte se hallaba en la infancia, cuando los demás habían pasado la época de la madurez. María-Antonieta vio la ópera francesa y resolvió rectificar el gusto nacional. A ella, y a su amor ilustrado hacia las artes, debe Francia la revolución que entonces se obró en la música». A través de esas frases, no hay duda que se transparentan las apreciaciones de la delfina. Por otra parte, Marmontel nos dice que Gluck fue «tan fuertemente recomendado a la reina por el emperador José como si el éxito de la música alemana tuviese la importancia de un negocio de Estado». Marmontel, piccinista (nota J.-G. Prod'homme), tal vez exagera. Pero cuando Gluck llegó a París, el 20 de noviembre de 1773, todo se hallaba preparado para que estallase una nueva querella, «la guerra de los rincones», por segunda vez.

Dauvergne no se daba mucha prisa ; Gluck aprovechó ese plazo para observar la Ópera, estudiar la situación y crearse amigos. Comenzaron los ensayos : Gluck se mostraba difícil, hasta quisquilloso. Circulaban chismes de pasillo, peleas con Sophie Arnould, con la orquesta. El último ensayo se verificó el 11 de abril de 1771 ; el estreno se retrasó hasta el 19, a causa de una indisposición de Larrivée, que se encargaba del papel de Agamenón. Saliendo del ensayo general, Rousseau había mandado un billete a Gluck para decirle que «acababa de realizar lo que él tenía por imposible hasta aquel día». El estreno produjo la más fuerte recaudación que se había conocido en la Ópera : 6.212 libras, 10 sueldos, y las cinco primeras representaciones, del 19 al 29, arrojaron un total de 29.655 libras. Los revendedores se habían dedicado a un verdadero agio con las localidades. Para aprovechar ese éxito fulminante, Gluck mandó traducir a escape su *Orfeo*, su *Alceste*, y escribió una *Armide* sobre el antiguo libreto de Quinault, puesto en música por Lully un siglo antes. No nos meteremos en detalles sobre la permanencia del músico austríaco en París : basta con decir que el 3 de marzo de 1777, cuando la Ópera dio su *Armide*, su reputación estaba tan sólidamente establecida, sus par-

---

[1]. J.-G. Prod'homme: *Gluck* (París, Société d'Éditions françaises et internationales).

tidarios eran tan calurosos, que fue preciso, por falta de localidades para el estreno y días subsiguientes, admitir espectadores pagando para el ensayo general. Pero, para dejar bien sentado que les hacía un gran favor, Gluck dirigió la orquesta sin peluca, tocado con su gorro de dormir. Cosa que le hizo admirar más todavía.

La política, entretanto, se había mezclado en la disputa. Todo el partido de María-Antonieta era, naturalmente, gluckista ; los enemigos de la reina se sitúan entre los antigluckistas, al lado de d'Alembert, Marmontel y La Harpe, que son los más activos. Rousseau, primero gluckista, como se ha visto, luego fluctúa, y finalmente vuelve a la defensa de sus viejas y caras ideas sobre la música italiana.

Para hacer una jugada contra María-Antonieta y combatir mejor a Gluck, los adversarios del compositor austríaco imaginan suscitarle un rival. Su elección recae sobre Piccini. Mme. Du Barry, enemiga jurada de la reina, es del complot : pone en movimiento el embajador del rey de Nápoles en Francia, el marqués de Carraccioli, y Piccini llega en diciembre de 1776, ignorando completamente el francés. No importa : Marmontel se encarga de enseñarle los rudimentos indispensables. Después, sobre el texto del libreto de *Roland,* marca los acentos para que el compositor no se equivoque. El 27 de enero de 1778, la obra se estrena en el Teatro Italiano, y, a pesar de los esfuerzos de los gluckistas para que fracase, tiene un éxito. Pero no lo suficiente para que Gluck quede aplastado.

Entonces los dos rivales entran en competencia : cada uno de ellos escribirá una *Ifigenia en Táurida.* Piccini, mientras prepara su obra, da su *Cecchina,* y, luego, *Il vago disprezzato,* con éxito que exaspera a los gluckistas. Gluck, presionado por sus partidarios, termina el primero su *Ifigenia,* que ve la escena de la Ópera el 18 de mayo de 1779. El público la recibe con entusiasmo. Cosa singular : ¡ se elogia a Gluck por haberse inspirado tan felizmente en el recitativo francés de Lully y de Rameau !

Hasta el 25 de enero de 1781 la *Ifigenia* de Piccini no fue representada. No alcanzó gran éxito. Pero en 1783, cuando hacía unos meses que Gluck había regresado, después de su triunfo, a Viena, Piccini obtuvo con su *Didon* un buen desquite. Esta vez no era sobre Gluck, sino sobre su compatriota Sacchini, cuya *Chimène (Il gran Cid)* había sido representada con éxito en la Ópera. ¡ Pero *Didon,* de 1783 a 1826, obtuvo más de doscientas cincuenta representaciones !

Si hablamos de «reforma», de «revolución» gluckista, es, ante todo, porque Gluck «quiso» resueltamente cambiar muchas cosas, como hemos visto en las citas de su *Epístola dedicatoria.* Se han comparado esos principios tan netamente expresados con la Declaración de los Derechos del Hombre, y se ha hecho de ellos la declaración de los derechos del músico dramático. Declaración que a veces experimenta algunas modificaciones y contradicciones : ¿acaso Gluck no ha escrito a su libretista de la *Ifigenia en Táurida* : «Para la letra que os pido, me son precisos versos de diez sílabas, cuidando de poner una sílaba larga y sonora en los sitios que os indico : finalmente, que el último verso sea sombrío y solemne, si queréis ser consecuente con mi música»? Esta indicación, ¿no prueba acaso que, a veces, incluso a menudo, Gluck exige que la poesía, la acción, se plieguen a las exigencias del músico y no el músico a las exigencias de la acción y a las necesidades del poema?

Otra contradicción, su prosodia tan a menudo destructora de la medida del verso, del que prolonga y hasta acentúa las *e* mudas ; que obliga a veces a la repetición de una sílaba sobre una nota diferente de la que sirvió para la emisión inicial (*pleu-eurs* ; *moi-oi* ; *instants-ants*). Contradicción, su resolución de no emplear arias con repeticiones, y las repeticiones que se encuentran esparcidas por sus obras, sin que se vean siempre lo bastante justificadas.

Marmontel, que no le tenía simpatía, le ha comparado a Shakespeare. Mas para él era una especie de injuria, puesto que encontraba a Shakespeare lleno de incoherencia y dureza ; bárbaro, en una palabra. Y, al propio tiempo, compara el arte italiano con el de Racine, lo que a sus ojos era el mejor elogio.

Hay, en efecto, durezas en el arte de Gluck, ya que su miedo al cromatismo llega al terror. A veces, movido por esos sentimientos, llega a rehuirlo en pasajes dentro de los cuales habría dulcificado la sequedad de sus sucesiones de armonías consonantes. Finalmente, al cabo de dos siglos, Gluck nos parece haber confundido a veces el sentimentalismo con el sentimiento, cuando sus rivales italianos — por ligeros que sean y a pesar de sus complacencias por los efectos vocales — han mostrado menos pesadez y han guardado más mesura.

Combarieu, después de haber formulado esas objeciones, concluye muy justamente : «En suma, en el siglo XVIII, los éxitos y los trabajos parecen haberse repartido aproximadamente por un igual entre Gluck y Piccini. La guerra se terminó como la de los Bufos y como sucede en multitud de otras batallas después de las cuales se canta el *Te Deum* en los dos campos».

Romain Rolland se ha preguntado cuál había sido el resultado que la música francesa había sacado de aquellas luchas : «Antes de Gluck — escribe —, el problema se reducía a una oposición entre el arte italiano y el arte francés. Llega Gluck. ¿Qué es lo que hace triunfar? ¿El arte italiano, o el arte francés? ¿El arte alemán? ¿Acaso otra cosa? ¡Un arte internacional!... Sí ; el arte de Gluck es un arte europeo, y es en este sentido que sobrepasa a mi entender el arte de Rameau, que es exclusivamente francés...». Es incontestable que Gluck ha sido un europeo ; pero no por eso deja de ser esencialmente alemán. Y Debussy, después de haber puesto en claro de modo irrefutable cuanto Gluck debe a Rameau, escribirá, bajo la ficción de una «Carta abierta a M. *le chevalier W. Gluck*» : «A pesar de ese aspecto «de lujo», vuestro arte ha tenido mucha influencia sobre la música francesa. Se os halla en Spontini, Lesueur, Méhul, etc. ; en vos se contiene la infancia de las fórmulas wagnerianas, y eso es insoportable. Entre nosotros, vuestra prosodia es muy mala ; a lo menos, hacéis de la lengua francesa una lengua de acentuación, cuando lo es de matiz. (Ya sé : sois alemán). Rameau, que ayudó vuestro genio a formarse, contenía ejemplos de declamación fina y vigorosa que os pudieran haber servido mejor. No hablo del músico que era Rameau para no parecer descortés. Hay más : Rameau era lírico ; esto nos convenía desde todos los puntos de vista ; debíamos continuar líricos, sin aguardar un siglo y medio para volverlo a ser. Por haberos conocido, la música francesa obtuvo el inesperado beneficio de caer en brazos de Wagner. Me place pensar que, sin vos, eso no sólo no hubiera ocurrido, sino que el arte musical francés no hubiera pedido tan a menudo su camino a personas demasiado interesadas en hacérsele perder» [1].

Juicio severo, pero bastante justo, a la verdad. Si es cierto que Gluck ha querido — y no se puede dudar de ello — conducir el arte lírico hacia una suerte de «internacionalismo», ¿se le tendría que elogiar? Acordémonos de la frase de Verdi que hemos citado hace poco : lo que nos place aún hoy día de Gluck, lo que nos obliga a sentir admiración por él, ¿no es acaso que, por mucho que se haya empeñado en no serlo, haya sido en el fondo un puro alemán, a quien Weber y Wagner deben una bastante grande parte de su formación? Un arte «internacional», como lo quería Gluck, es, para el teatro lírico, el arte de Scribe-Meyerbeer, el arte cosmopolita de la ópera de 1835, después de Rossini ; es el más detestable *passe-partout*, utilizando todos los clichés, y mortal para toda originalidad. Las obras duraderas de la época siguiente, firmadas por Bellini, Rossini, Weber y Berlioz, han sido felizmente italianas, alemanas y francesas. Ninguna de ellas fue internacional [2].

II

No sabríamos pasar en silencio, al hacer historia del arte lírico, el nombre de Joseph Haydn, aunque su gloria perdurable no le provenga del teatro en música. Sin embargo, se le deben veinticuatro óperas. Las es-

---

[1]. *Monsieur Croche antidilettante,* por CLAUDE DEBUSSY (París, N. R. F., 1921).
[2]. Tal vez el nacionalismo francés haya hecho incurrir al autor en opiniones desmedidas e injustas. *(N. del T.)*

cribió para un reducido cuadro, con los recursos bastante sumarios que le ofrecía Esterhaz. Y si en alguna ocasión deseó ver representar en París su *Vera Constanza* (la única, entre sus obras, que fue escrita para el teatro de la corte, en Viena, el 1777, sin haberse visto representada), se dio cuenta claramente de la imposibilidad en que se encontraba, pese a todo su genio, de rivalizar con Gluck o Mozart. La carta que escribió, respondiendo a una invitación que le llegaba de Praga en 1787, prueba a la vez su modestia y el justo sentimiento que tenía de su inferioridad en aquel terreno : «Deseáis de mí una ópera bufa ; con mucho placer, si os es agradable poseer para vos solamente alguna obra vocal de mi composición. Pero, en lo referente a representarla en el teatro de Praga, en tal caso, no os puedo servir, ya que todas mis óperas están demasiado ligadas con nuestro personal de Esterhaz, y fuera de aquí no producirían nunca el efecto que yo he calculado para esta localidad. Sería muy distinto si tuviese la dicha inestimable de poder componer para ese teatro sobre un libreto enteramente nuevo ; pero, aun así, correría demasiado riesgo, ya que sería difícil a quien sea colocarse al lado del gran Mozart. Es ésta la razón por la cual yo quisiera poder imprimir en el alma de todos los amantes de la música, y sobre todo de los grandes, los inimitables trabajos de Mozart tan profundamente y con un conocimiento musical y un sentimiento tan vivo como los que yo experimento por aquellas obras ; entonces las naciones se disputarían la posesión de un tal tesoro. Es necesario que Praga retenga a un hombre tan valioso y que lo recompense ; porque, sin esto, la historia de un gran genio es triste y no da sino pocos ánimos a la posteridad. Es por ese motivo que, desgraciadamente, tantos hermosos genios llenos de esperanzas sucumben. ¡ Estoy lleno de cólera porque este único Mozart no está todavía agregado a una corte imperial o real! Perdonadme si salgo así de mis quicios : es que quiero demasiado a ese hombre» [1].

Esta carta también nos hace querer, en Haydn, al hombre, como admiramos al gran sinfonista que fue : raro es que un cofrade se muestre tan generoso y clarividente. Más raro todavía ver a un músico genial inclinarse con tan verdadera y sincera modestia ante otro músico genial, veinticuatro años más joven.

Haydn tenía sesenta y cinco años cumplidos cuando escribió *La Creación* y *Las Estaciones*. Aunque ambos oratorios no están destinados a la escena, su inspiración, su estilo, tan cercano al arte popular en ciertos pasajes, han aportado algo enteramente nuevo y que ha ejercido una indudable influencia sobre la música dramática. *La Creación* fue ejecutada en 1798, y *Las Estaciones,* en 1801 : en ellas se encuentra algo más

---

[1]. Esta carta, dirigida a Roth, de Praga, la cita Michel Brenet en su *Haydn*, pp. 105 y sig. (Alcan, colección *Les Maîtres de la Musique*.)

que un reflejo de los gustos de la época ; Haydn nos hace comprender lo que hay de mejor y más generoso en el alma de sus contemporáneos, ya que fue, en verdad, profundamente sincero.

III

La influencia de Haydn sobre el joven Mozart no se refleja tan sólo en la música instrumental de este último, sino también en sus obras escénicas : Mozart era todavía un niño cuando escribió, entre abril y julio de 1768 (tenía doce años), *La finta semplice* (ópera bufa en tres actos), encargada por el Burgtheater de Viena ; la obra, a pesar de la intervención del emperador, no fue representada sino hasta 1769, en Salzburgo. La influencia italiana se ve patente, y, si bien el manuscrito conservado en Berlín no nos revela el genio que estaba a punto de mostrarse, nos atestigua, sin embargo, una habilidad ya portentosa.

Mucho más interesante es el *Liederspiel*: *Bastien und Bastienne,* compuesto en 1768 para el célebre magnetizador Mesmer sobre un texto de Weiskern adaptando un libreto de Favart, falsificación de *Le devin du village*. La obra cuenta dieciséis números ; mas esta vez no es la influencia italiana lo que se manifiesta en ella, sino la de J. A. Hiller, cuyos *Singspiele* señalaron el comienzo de un género esencialmente alemán en la comedia musical. La influencia francesa la encontramos igualmente en el acompañamiento de los recitativos, con sus modulaciones menores. Pero, tal como nota Georges de Saint-Foix, los recuerdos franceses, producto de su viaje a París en 1763-1764, se borran sensiblemente a medida que la obra progresa, y la romanza y el rondó se cambian, dentro de los últimos números, en verdaderos *lieder,* en los que la gracia de la melodía tiene más importancia que la exactitud de la expresión.

Durante su estancia en Italia, Mozart compuso, en el segundo semestre de 1770, una ópera seria en tres actos, *Mitridate, re di Ponto,* sobre un poema de Cigna Santi, inspirado en Racine. El encargo, se lo había hecho la Ópera de Milán. En aquellos días, las enseñanzas del P. Martini le habían familiarizado con el género que debía tratar. El estreno se verificó el día siguiente de Navidad, con éxito honroso. Cosa curiosa : el joven compositor había escrito unas cuantas arias, que cambió por otras, más fáciles de cantar y de un menor atrevimiento en las modulaciones.

Wolfgang, puesto por tan buen camino, ya no cesará de escribir para el teatro. Con ocasión de las bodas del gran duque Fernando y de la gran duquesa Beatriz, recibe el encargo de una *serenata* : una pastoral de treinta y tres números, *Ascanio in Alba,* sobre un poema de J. Parini, y la compone en Milán del 1.º al 30 de septiembre de 1771. La obra se representó el 17 de octubre y «aplastó» la ópera del viejo Hasse, *Ruggiero, ossia l'Eroica Gratitudine*. La obra de Mozart sobresale por los coros, de un subyugante frescor ; el ballet, por desgracia, se ha perdido.

De regreso en Salzburgo, Mozart recibió un nuevo encargo para las fiestas de la entronización del arzobispo Colloredo, el 29 de abril de 1772. *Il Sogno di Scipione, azione teatrale* en un acto, sobre un poema de Metastasio inspirado en Cicerón, se aproxima a la cantata y contiene doce números, entre los cuales dos coros y nueve arias en el estilo de la ópera seria. La obra resulta muy superficial y denota ser una tarea impuesta ; el libreto es de una lentitud fastidiosa.

En Italia, Mozart había recibido el encargo de un *dramma per musica* en tres actos, *Lucio Silla*, sobre libreto de Giovanni da Camera. Lo terminó en noviembre de 1772 y su primera representación se dio en Milán, el 26 de diciembre, con motivo de la apertura del carnaval. La inexperiencia de un actor provocó la risa de toda la sala y perjudicó a la función ; además, la insuficiencia de un libreto menos que mediocre no favoreció a Mozart, el cual, sin embargo, supo comunicar a las arias de Giunia acentos cuya grandeza real pone más de relieve la inferioridad de las demás escenas.

Dos años transcurrieron entre *Silla* y *La Finta Giardiniera*, compuesta en Salzburgo y Munich de octubre de 1774 a enero de 1775, sobre un libreto bufo, en tres actos, ya puesto en música por Pasquale Anfossi. La obra, encargada para el teatro de la corte de Munich, pertenece a ese período «galante» en el que Mozart se pliega al estilo mundano, bajo la influencia de los italianos acogidos en Salzburgo por Colloredo, enemigo jurado de la música alemana. El libreto de *La Finta Giardiniera* es un *imbroglio* lleno de inverosimilitudes. Mozart supo imprimirle un carácter completamente distinto del que le había dado Anfossi : su música es más sabia ; trata la voz como los instrumentos de la orquesta y sin demasiadas preocupaciones por lo que respecta a la declamación. Anfossi sólo procuraba divertirse divirtiendo, de paso, a los espectadores ; Mozart, más profundo, quiere conmover dondequiera que tenga ocasión de expresar un sentimiento tierno o melancólico ; y eso no puede lograrse siempre si no es falseando el sentido de la letra ; pero la obra nos muestra, en cambio, que Mozart, en 1774, a los dieciocho años, ya es él mismo. *La Finta Giardiniera* fue modificada en dos ocasiones : en 1780 y en 1789.

Con motivo de la visita a Salzburgo del archiduque Maximiliano-Francisco, en abril de 1775, Mozart recibió el encargo de *Il Re Pastore, dramma per musica* en dos actos, sobre un poema de Metastasio. La obra, perteneciente al mismo género que *Ascanio*, fue estrenada el 23 de abril, y no cuenta gran cosa en la producción del joven maestro.

Como los años iban pasando sin que el arzobispo concediese a Mozart una plaza lo bastante remuneradora, ni tan sólo un permiso para una jira por el extranjero, éste dimite y marcha a París con su madre. Llega allí el 23 de marzo de 1778, y tiene la revelación de una música que no sospechaba.

En seguida se asimila los estilos de Gluck, de Grétry, de Schobert, clavecinista de cámara del príncipe de Conti y autor de unas *Sonatas* que le seducen. Dos acontecimientos marcan la estancia en París : la muerte de su madre, ocurrida el 3 de julio de 1778, y el encargo que le hace Noverre de una partitura de ballet para la Ópera : *Les Petits Riens,* que se representan el 11 de junio con *La Finta Gemella* de Piccini. El ballet pasa tanto más inadvertido cuanto que el nombre de Mozart no figura en el programa. Eran las costumbres del tiempo. La obertura y catorce danzas son, sin embargo, suyas. Música simple, encantadora, de espíritu puramente francés ; puede ser también que las otras siete danzas que entran en el conjunto hayan sido revisadas y hasta orquestadas por Mozart. Tuvieron éxito ; pero sólo aprovechó a Noverre.

Mozart recibió de Munich el encargo de una ópera seria para el Carnaval de 1781. De regreso a Salzburgo, se puso inmediatamente al trabajo, sobre el libreto de *Idomeneo,* en tres actos, del abate Varesco, y la obra se representó el 29 de enero de 1781. El abate había «arreglado» la tragedia de Danchet y Campra, los cuales la habían, a su vez, adaptado de Campistron. Argumento patético, situaciones variadas : para tratarlas, Mozart se inspira de una manera visible en el estilo de Gluck ; pero al propio tiempo nos damos cuenta de la fuerza con que marca esta inspiración su personalidad. La orquesta, como dice G. de Saint-Foix, es por lo menos medio siglo más joven que la de Gluck. Los instrumentos de viento, sobre todo, se emplean con esa seguridad, esa maestría, que nadie había mostrado antes. El joven de veinticinco años se revela en *Idomeneo* como el mayor compositor de su tiempo : trata los coros con una preocupación de verdad expresiva, con ciencia pareja a la que muestra en su instrumentación. El adagio *O voto tremendo* es una obra maestra, no tan sólo musical, sino hasta, podríamos decir, humana, que únicamente Mozart podía escribir. Y ¡ qué audacias armónicas, qué empleo de novenas desgarradoras en los acompañamientos ! No sorprende que el público no comprendiese lo que una tal obra les aportaba de nuevo.

Del mismo tiempo debe ser, sin duda, una ópera en dos actos, *Zaïde,* inacabada y descubierta entre sus papeles después de su muerte. Las analogías que presenta con *El Rapto del Serrallo* son numerosas, y no sólo debidas al parecido de los libretos. Mozart consigue un acuerdo entre el género bufo y el de la «comedia llorona», cosa que relaciona su estilo, en esa obra, con el de Monsigny.

Mozart rompió definitivamente con Salzburgo y su príncipe-arzobispo. Marchó a Viena, donde encuentra casada a la que tiernamente ha amado en el secreto de su corazón : Aloysia Weber. Pero se enamoró de la tercera hija de aquella familia, Constanza, con quien se casará el 4 de agosto de 1782 — tres semanas después del estreno de *El Rapto del Serrallo* (16 de julio) —. La obra, como han dicho Schürig y Prod'homme, es «la cristalización del amor de la joven pareja». El título ya resulta una confusión : *Belmont und Konstanze, oder Die Entführung aus dem Serail.* Es fácil adivinar que Belmonte es Mozart, como Constanza es su esposa, y la música traducirá con pasión los sentimientos del joven esposo.

El manuscrito, lo poseía desde un año antes, y había comenzado inmediatamente su trabajo. Fue aprisa, pero varios obstáculos se cruzaron en sus proyectos, siendo precisa incluso la intervención del emperador para hacer representar la obra. Fue un triunfo que dura todavía. Bajo el discreteo de una amable *turquerie* en el más puro gusto del siglo XVIII, que el libretista Christoph Bretzner y el adaptador Stéphanie proponen al músico, se perciben los latidos de un corazón ardiente y voluptuoso. Muchas páginas son casi confidenciales, apenas veladas bajo un amor ligero. Traducen el «romanticismo» de Mozart, que escribe, no una obra de encargo, sino que cuenta su propia historia y se pinta completamente a lo vivo dentro de la partitura. La música tiene el tono de una carta de amor : es convincente y apasionada.

No es preciso detallar un libreto tan conocido ; la intriga es inocente, su falta de verosimilitud no estorba para nada : desde la obertura, la música nos hace aceptar por adelantado lo que veremos sobre la escena. La parte bufa no es menos lograda que las escenas de amor ; y la gracia e ingenio de la partitura impiden que se note la incoherencia de situaciones que desafían a la lógica. Las dos arias de Osmín, en el primero y el último acto, las arias de Belmonte y Constanza, la serenata de Pedrillo, el cuarteto del segundo acto y el trío del primero, figuran entre las más puras obras maestras del compositor : aguantan la comparación con las más bellas páginas de las *Bodas* y de *Don Giovanni.* Sin duda, es preciso señalar muy especialmente la romanza de Pedrillo, acompañada por los *pizzicati,* no solamente a causa de su poesía tan maravillosa, sino también porque la incertitud tonal de ese fragmento lo aproxima estrechamente a los que Fauré escribirá un siglo más tarde. Mozart, aquí, se aventura, con magnífica seguridad, fuera de todas las reglas admitidas. Redescubre por instinto lo que la música modal había producido de más suave, anticipando el encanto maravilloso de Fauré.

Der Schauspieldirektor (*El Director de Teatro*) cuenta, en un breve acto, encargado para una función de gala ofrecida por el emperador en Schoenbrunn, una anécdota de entre bastidores : la rivalidad de dos cantatrices. El libreto de Stéphanie el joven es bastante insípido ; la música de Mozart consigue, no sin esfuerzo, atenuar su mediocridad.

En el verano de 1783, empieza una ópera bufa en dos actos, sobre un texto del abate Vacario : *L'Oca del Cairo,* y escribe su primer acto, a pesar de la inepcia del libreto, que no tarda en descorazonarle. Lo que de ella queda contiene páginas deliciosas, de las cuales una, por lo menos, es trasladada a las *Bodas.* Una feliz casualidad pone en su camino al hombre que le proporcionará ocasiones para que Mozart dé su plena medida. Ese hombre es Lorenzo Da Ponte, y su verdadero nombre, Emmanuele Conigliano. Veneciano de origen judío, seminarista, *abbate* sin convicción, Da Ponte nos hace pensar en Casanova — de quien, además, es amigo —. Tiene la misma despreocupación ; sin duda la misma ausencia de escrúpulos ; es también goloso de aventuras, de conquistas femeninas. El Don Juan que, más tarde, ofrecerá a Mozart se le parecerá en más de un rasgo, y le bastará con recurrir a sus propios recuerdos para pintar el personaje al natural. De momento, Da Ponte, que ha tenido que huir de Venecia, se halla en Viena ; allí se ha convertido en una especie de persona indispensable, gran proveedor de *libretti* a los músicos de moda. Con escasos miramientos — pero tal era la costumbre, y nadie veía mal en ello — saca del *Mariage de Figaro* un libreto que entrega a Mozart en julio de 1784. El compositor, por esta vez, se halla en posesión de un texto que le permitirá darse por entero ; además, el proyecto, en cuanto se somete al director, es aceptado y Mozart se apresura a escribir. En cuatro meses, la obra se ve terminada ; pero hay rivales que intrigan y, entre ellos, Salieri, el aplaudido autor de *Le Donne letterate,* se muestra el más activo de todos. Sin embargo, no logra triunfar de la astucia del veneciano y *Le Nozze de Figaro* es representada el 1.º de mayo de 1786 en la Ópera de Viena.

La cábala no dormía : estuvo a pique de comprometer el éxito de la obra en su estreno. No pudo impedir del todo el éxito, pero consiguió que fuese mediocre. Mozart tomó su desquite en Praga, donde una excelente interpretación le valió un triunfo, meses más tarde ; Da Ponte aludirá a ese triunfo en el libreto de *Don Giovanni.*

Poner en música la comedia de Beaumarchais parecía imposible empeño. Mozart lo cumplió e incluso hizo un milagro. Esa obra maestra deslumbra ; cuanto más se la estudia, más razones se encuentran para gustarla y admirarla. Su extrema variedad ; el don que posee el músico, de traducir los menores matices de los sentimientos y caracteres ; de hacer nacer en el ánimo del auditor lo que le quiere sugerir, con una simple alusión ; todo junto forma una partitura que sería sin igual si *Don Giovanni* no la sobrepujase.

Bondini, director del teatro de Praga, muy contento con el éxito de

Le Nozze, se apresuró a pedir otra obra. Da Ponte, en defecto de verdadera originalidad, tenía una buena cualidad : saber discernir en las obras de sus colegas lo que era excelente y lo que era malo ; y apropiarse de lo primero, sin escrúpulos, evitando lo segundo cuidadosamente. Eran innumerables las obras basadas en la leyenda de *Don Juan* ; el tema incluso era de repertorio en la *Commedia dell'arte* ; en 1786, el veneciano Gazzaniga acababa de dar a la escena un *Don Giovanni* ; fue con toda probabilidad esa ópera la que dio la idea a Da Ponte para escribir otra a su vez. Da Ponte sacó su inspiración abundantemente del libreto que Berati había acomodado de Goldoni para Gazzaniga ; pero supo también pillar de otras partes los elementos que le hacían falta. Es seguro que Mozart y él sostuvieron muchas conversaciones a propósito del escenario ; es posible que Casanova incluso haya dado una mano a su amigo Da Ponte. Éste, en todo caso, se dio prisa en su trabajo, y durante el verano el músico se aplicó a la composición de su *Don Giovanni,* y el *dramma giocoso* empezó a ser ensayado a principios de otoño. La primera representación, el lunes 29 de octubre de 1787, fue acogida por un público entusiasmado hasta el delirio.

Dramma giocoso : esas dos palabras definen exactamente el *Don Juan* de Mozart. Se han hecho múltiples censuras a Da Ponte. La verdad es que tuvo el mérito de proporcionar a un músico genial la tela de una obra maestra, y cortada exactamente a la medida. La alegría de Mozart, su humor, se encuentran a sus anchas, como sus cualidades profundas de emoción, y *Don Giovanni* es la más perfecta de las obras mozartianas. Desde la obertura, que se dice haber sido improvisada en la misma víspera del estreno, hasta el final, la partitura ofrece una diversidad y una riqueza que aturden. Hay escenas, como la muerte del Comendador (Mozart había perdido a su padre el 28 de mayo, unas semanas antes de escribir la primera escena, y exhala su propio dolor), que alcanzan, por su concisión y la grandiosa simplicidad de los materiales puestos en acción, el más alto grado de lo patético ; mientras que las partes cómicas, el papel de Leporello, son de lo más logrado del género. Pero el genio de Mozart se revela principalmente en aquellas situaciones que podríamos llamar realistas y en las que se mezclan lo cómico y lo dramático ; todo ello es obtenido con tacto, mesura, pudor y simplicidad naturales. Nada hay que sea forzado ; algunas notas, un trazo ligero, bastan para darnos el justo matiz de una situación o carácter. Las arias de Zerlina, como las de Susana en las *Bodas,* expresan, o más bien sugieren, sin cargar jamás, toda la gracia de la mujer enamorada y que vacila ante la llamada del deseo. Nunca ha sabido la música decir tantas cosas y transportar al auditor en un instante, perfecta y fácilmente, desde una ternura voluptuosa hasta el dolor. Nunca el arte ha sido tan espontáneo.

Juan Sebastián Bach.
(Grabado)

Jorge Felipe Telemann.
(Grabado de Lichtensteger)

La Opera Real de Berlin en el siglo XVIII.
(Grabado de Schleuen)

Jorge-Federico Haendel
(Dibujo de Faber)

«Judas Macabeo», oratorio de Haendel.
(Grabado italiano del siglo XIX)

El carácter de Don Juan, incluso, debe a Mozart un ennoblecimiento : su héroe libertino es siempre — como el de Molière — un gran señor, para el cual nada cuenta, como no sea la satisfacción de sus caprichos. Pero faltaría una cosa, que no hubiera pasado de esbozo de haberse ceñido Mozart al texto del libretista. Don Juan queda caballeresco hasta en la burla y en el crimen. Lo que el libretista no supo hacer lo expresa la música. Y ese acierto del genio es tan grande que ofrece a cada generación un espejo donde pueda hallar un reflejo de su propia imagen en los personajes que se le muestran. Cada uno de ellos, sin embargo, es de una verdad temporal y local muy exacta : es de su propio tiempo y de todos los tiempos, porque es, por la gracia de la música de Mozart, profundamente humano.

La feliz colaboración de Mozart y Da Ponte se prosigue con *Così fan tutte,* título que parafrasea una sentencia de Basilio en *La Nozze,* cuando el conde descubre a Querubín agazapado bajo la colcha en el sillón :

> *Così fan tutte le belle,*
> *Non c'è alcuna novità.*

La obra ha dado lugar, sobre todo en Francia, a varias discusiones acerca de su sentido y su valor. Querellas vanas, por otra parte, y nacidas de esa necesidad de embrollar lo que sería claro si no se prestasen gratuitamente a los autores intenciones secretas, y si lo más sencillo, en música, no fuese leerla, escucharla tal cual es y no albergar ideas preconcebidas. La música es clara. El libreto tiene mala reputación. Pasa por absurdo. Taine dice en una página de *Thomas Graindorge* : «La pieza no tiene sentido común». Pero añade en seguida : «¡ Tanto mejor ! ¿ Acaso los sueños tienen que ser verosímiles ?» Tomemos, pues, el libreto por lo que es : un texto de ópera bufa, una segunda versión, emperifollada, de los *Trocqueurs* de Vadé y Dauvergne, representados en la Feria de Saint-Laurent en 1753. Nada nos permite afirmar que Da Ponte haya conocido esa obra ; incluso se asegura que fue el emperador quien le propuso desarrollar una aventura que había pasado en Trieste, no hacía mucho, y de la que se había hablado copiosamente. En cuanto a Mozart, no hay lugar para echarle en cara el «haber aceptado un libreto indigno de él» : Niemtschek afirma que le fue impuesto expresamente y no estaba en su poder rechazarlo. En 1790, Mozart se hallaba, además, en la más negra miseria, y si algo puede extrañarnos es que, desde el fondo de sus apuros, haya podido componer una obra tan alegre como *Così fan tutte.*

Da Ponte ha querido escribir una «farsa», y es exactamente una farsa italiana, casi calcada de la *Commedia dell'arte,* el libreto en cuestión. Ha realizado a la perfección lo que se proponía hacer. Taine tiene razón :

es absurdo esperar de una farsa algo más que una ocasión de risa. Don Alfonso, el razonador de *Così fan tutte,* lo dirá con todas sus letras, al hacer la moraleja de la comedia :

> *Fortunato l'uom che prende*
> *Ogni cosa per buon verso...*
> *Quel che suole altrui far piangere*
> *Sia per lui cagion di riso.*

Ya era ésta la moral de Fígaro : Da Ponte no hizo más que recordarla.

He aquí el argumento. Dos tenientes, los dos amigos, Ferrando y Guglielmo, están enamorados de dos hermanas, Fiordiligi y Dorabella ; ambos se hallan muy prendados de sus novias. Don Alfonso apuesta con ellos que sus hermosas son iguales a las demás muchachas. Los dos amigos están demasiado ufanos para dudar, y, por consiguiente, aceptan el envite. Cien cequines, que espera cada uno de ellos ganar. Llegan, en ésas, las dos hermanas ; Alfonso les anuncia que el regimiento parte para la guerra : adioses desgarradores y promesas de fidelidad. Suena una marcha guerrera (obra maestra de la ironía mozartiana) ; una lancha se lleva a los dos oficiales. No muy lejos, por cierto ; lo bastante para que tengan tiempo de disfrazarse como albaneses y para que Alfonso obtenga la complicidad de la camarera Despina. Vuelven los dos amigos, desconocidos bajo sus respectivos disfraces : *«Che figure, che mustacchi! Io non so se son Valacchi, o se Turchi son costor!»*, exclama, riéndose, Despina. Los dos albaneses son presentados a las dos muchachas, y, naturalmente, el malicioso Alfonso ha querido que haya un cruce : a Dorabella, Guglielmo le hace la corte ; mientras Ferrando se dedica a Fiordiligi. Lo exige la prudencia ; no se disfraza la voz bajo un par de bigotes. Las dos damiselas, de pronto, resisten ; mas, con la complicidad de Despina, Alfonso manda llamar a los dos albaneses, mientras ellas se pasean por el jardín. Simulando estar desesperados por no haber podido ablandar el corazón de las hermosas, fingen envenenarse con arsénico. Hay que llamar a un médico, y Despina, disfrazada, se presenta como un doctor. El método que aplica es el de Mesmer ; para los pases magnéticos, Fiordiligi aguanta la cabeza de Ferrando, y Dorabella, la cabeza de Guglielmo. La vida renace, y con ella el enternecimiento. Los dos albaneses, reconocidos, ofrecerán una fiesta nocturna a sus caritativas víctimas.

Ésta forma el argumento del segundo acto. Despina, con ingenio diabólico, procura persuadir a sus dueñas de que no tienen razón en permanecer insensibles ante sus galanes. Se oye una serenata y éstos llegan en seguida. Guglielmo presenta a Dorabella una joya en forma de corazón, y obtiene, en cambio, el retrato de Ferrando ; Fiordiligi se lo censura : ama todavía a Guglielmo y quiere seguirlo, disfrazada, bajo las banderas. Ferrando, entonces, interviene y le pide que lo mate, ya que no deberá verla más. Fiordiligi queda vencida por tanta pasión — ahora es Guglielmo quien se desespera. Alfonso hace la moraleja : «*Così fan tutte!* Todo el mundo acusa a las mujeres ; mas yo las excuso ; jóvenes o viejas, feas o hermosas, ¡todas son así!».

Se organiza a escape una ceremonia para firmar los contratos matrimoniales. Despina será el notario, como ha sido ya el médico. Lee luego el acta ; pero se oye de nuevo la marcha militar, y Alfonso, simulando inquietud, obliga a los dos albaneses a desaparecer. De esta forma Guglielmo y Ferrando pueden abandonar sus sables y bigotes de jenízaros. Al marcharse, sorprenden a Despina, refugiada en una habitación próxima. Ella se excusa, alegando que regresa de un baile de máscaras. Cuando llegan otra vez los dos amigos al lado de sus prometidas, Guglielmo hace como que descubre el contrato matrimonial y estalla en vehementes reproches. Naturalmente, se aclara que eran ellos los dos albaneses, y todo acaba con una reconciliación general. Alfonso proclama las palabras que se han mencionado más arriba.

Se han podido hallar numerosas semejanzas entre muchas escenas de esta obra con otras de las *Bodas*. Ciertamente, el libreto de la primera no tiene la finura del de la segunda ; mas, por esas mismas analogías, tendía más de un lazo al compositor. La marcha militar de los actos primero y segundo recuerda irresistiblemente el *Non più andrai* de Fígaro, al *Cherubino alla vittoria!,* y los enredos de Despina recuerdan los de Susana. Pero Wagner exclama : «¡Cómo adoro a Mozart, porque *no le fue posible* inventar para *Così fan tutte* una música semejante a la de *Figaro!*». La originalidad de Mozart se halla entera en ese rasgo. Sobre el texto bastante mediocre de Da Ponte, ha renovado el milagro de *Don Giovanni.*

Così fan tutte es, antes que nada, música. Sobre una trama que se diría demasiado delgada, si no se estuviese tentado de llamarla demasiado grosera, el compositor ha tejido un bordado que la cubre, que la transforma tan por completo, que no importa la materia que le sirve de soporte. Desaparece, esa materia, y no es más que el bastidor de un sueño, del sueño a que aludía Taine : «¿Acaso en un país ideal como la selva de *As you like it,* los amantes no están liberados de las necesidades que nos obligan y de las cadenas bajo las cuales nos arrastramos? Ésos se disfrazan de turcos, y sus novias caen en el engaño. También yo ; también quiero creer en esas locuras, por un instante, por tan pocos instantes como gustéis ; y es por eso que mi emoción es encantadora. Haré como el músico : olvidaré la intriga». La partitura de *Così* contiene bellezas que autorizan a ponerla en comparación con las *Bodas* y el *Don Juan* ; toda ella se baña en una atmósfera sonora de una limpidez y encanto que G. de Saint Foix califica justamente de «mediterráneos» ; en ninguna otra parte Mozart ha buscado con tal refinamiento «el placer puramente musical, la belleza concertante de un sonido instrumental que se añade a la voz, realza su acento, comenta su melodía, su ardor y turbación». El clarinete multiplica sus cálidas caricias, sus suaves inflexiones. Las arias de Fiordiligi, el aria de Ferrando en el segundo acto, el aria de Guglielmo en la cual, para agradar a su novia, enumera las cualidades que la adornan, cuentan entre los trozos más bellos del repertorio mozartiano ; el músico ha sabido convertir ese libreto de farsa en un poema que canta el amor feliz velado de melancolía. Pero *Così fan tutte* no sólo nos ofrece páginas admirables aisladas ; lo que junta entre sí a los pasajes es de la misma calidad dentro de la diversidad, y de un cabo al otro es un brotar continuo, un fluir melódico armonizado y orquestado con refinamiento sin caídas. Y esa continuidad tan variada, esa pura atmósfera de sueño, pura, convierte *Così fan tutte* en algo que es análogo, en música, a lo que en la poesía dramática es el encanto shakespeariano.

Così fan tutte se estrenó en el Burgtheater de Viena el martes 26 de enero de 1790 y se representó diez veces durante el mismo año ; en febrero, la muerte de José II interrumpió el curso de la obra. Sin embargo, el éxito había sido lo suficientemente rotundo para que se hiciese en seguida una traducción alemana del texto.

Desde marzo hasta septiembre de 1791, Mozart trabajó en la composición de *La Flauta Mágica*. Son conocidas las circunstancias que le llevaron a emprender esta ópera de grandes dimensiones, en dos actos y de un género nuevo : el 7 de marzo, Schikaneder le había propuesto el argumento : un cuento de hadas, inspirado en el espíritu francmasón — Mozart hacía tiempo que se hallaba afiliado a una logia vienesa, de la que también era hermano Schikaneder. Del mismo modo que Da Ponte, Schikaneder no sentía el menor empacho por adoptar ideas de sus cofrades : *Die Zauberflöte* debe mucho a obras anteriores, y el fondo del argumento proviene a la vez de un cuento de Wieland y de *Sethos, histoire de l'ancienne Égypte,* del abate Terrasson. Sea como quiera, Mozart, una vez más, triunfará de la puerilidad del libreto, y aun respetando las invenciones a veces incoherentes de Schikaneder, comunicará a la obra una nobleza que la levantará hasta las nubes. La única invención de Schikaneder consiste en el personaje de Papageno, el pajarero, reflejo del héroe salzburgués Kasper, ingenuo y fanfarrón. Mozart ha sabido adornar de gracia y frescor las coplas de su libretista, con la misma seguridad con la cual cubre de una sobria grandeza el papel del gran sacerdote de Isis, Sarastro ; de una intensa poesía los de Tamino y Pamina ; de una delicada y hechicera extravagancia el dúo de Papageno y Papagena que precede al final, y el personaje de Monostatos. ¡ Qué maravilla la escena en la cual dos hombres armados que velan a las puertas del Miedo aguardan y atienden a Tamino para la prueba suprema! En este paso, Mozart se impone y supera por la simplicidad de medios de su arte.

La primera representación se verificó el 30 de septiembre del 1790, en el teatro *Auf der Wieden,* una especie de granja transformada en sala de espectáculos, en un suburbio de Viena. De función en función, la recaudación iba subiendo, y Schikaneder tuvo que dar doscientas representaciones de *Die Zauberflöte* en tres años.

Cuando ya había comenzado la orquestación de *La Flauta Mágica* Mozart, a principios de agosto, recibió el encargo de una ópera seria. *La Clemenza di Tito,* sobre un texto de Metastasio reducido a dos actos por Caterino Mazzola. Se trataba de componer, para las fiestas de la coronación de Leopoldo II, una partitura destinada a Praga. La ceremonia estaba fijada para el 6 de septiembre ; Mozart se hallaba agotado por el trabajo ; estaba orquestando *La Flauta Mágica* y componiendo el *Requiem.* Nada de extrañar, pues, que *La Clemenza di Tito* delate precipitación y hasta, en algunos pasajes, incluso una especie de indiferencia por el asunto impuesto. Y, con todo, la partitura contiene coros que figuran entre los mejores debidos al maestro. Tal vez haya encargado a su discípulo Sussmayer (que terminó el *Requiem*) alguno de los números de la ópera. El compositor murió en la noche del 5 de diciembre de 1791, y a la edad de treinta y cinco años. Sus compatriotas no sospechaban el valor de aquel músico, y fueron precisos muchos años para que se reconociese a Mozart como uno de los más grandes, si no el más grande, entre los genios de la música.

Hemos subrayado, de paso, a propósito de las *Bodas,* del *Don Giovanni,* y de *Così fan tutte,* los rasgos más característicos de su estilo. Por otra parte, es muy inexacto referirse al *estilo* de Mozart, ya que supo variar hasta el extremo los modos de expresión de su pensamiento y cambiar de procedimiento según cambiaba de argumento. Además, en el curso de una existencia tan breve pero llena de actividad, Mozart ha evolucionado sensiblemente siguiendo las circunstancias y las influencias, más bien buscadas que sufridas. Las ha conseguido asimilar, hasta dominarlas, tan a la perfección, que ninguna de ellas ha perjudicado el desarrollo de su propia sensibilidad. En eso, se le puede comparar a un políglota igualmente capaz de expresar perfectamente su pensamiento en italiano que en alemán y francés, marcando los menores matices en cualquier lengua que hable o que escriba ; y Wagner ha podido decir con razón que las mejores óperas italianas habían sido compuestas por un alemán. Sin embargo, escuchando las *Bodas* o *Così fan tutte* (ya no hablo de *Don Giovanni,* donde hay más profundidad), nos damos cuenta de que la perfección de este italianismo encierra una perfección alemana mayor aún.

A despecho de esa diversidad a que hemos aludido, la frase de Mozart se reconoce entre todas, por muy perfectas que sean. Tomemos, por ejemplo, las más logradas de las arias del *Matrimonio segreto* : faltan a Cimarosa, a pesar del encanto chispeante de su orquesta, a pesar de la perfecta escritura de las partes vocales, a pesar del ingenio de su música, aquellos matices sutiles de una emoción contenida, de ternura y de melancolía que brotan a cada instante bajo la melodía de Mozart o en la trama armónica de sus acompañamientos. Faltan aquellas audacias fulgurantes, aquellos prodigiosos escorzos — siempre tan perfectamente naturales en Mozart — ; aquellos hallazgos que emocionan, que desgarran incluso, sin jamás insistir. Le bastan seis compases y una escala descendente para que el auditorio sienta el escalofrío de la muerte en el instante en que expira el Comendador ; y, en la misma obra, la frase de Zerlina ofreciendo a Masetto el delicioso remedio que ella le trae, ¿no es acaso la más voluptuosa que un músico haya jamás escrito?

Toccami quà! sentilo battere...

La apoyatura y el trino que siguen, dos compases más lejos, ¿no son por ventura el estremecimiento de la carne amorosa, la misma vida? Hay una cierta inocencia en tanta audacia ; para hacernos comprender mejor a la naturaleza, el arte reinventa la naturalidad.

Lo mismo en el dúo *Là ci darem la mano* : nunca la música ha expresado tan bien el amor — o, mejor dicho, el instinto del amor —, el poder que empuja a dos seres hacia el abrazo. Y, sin embargo, nunca la música ha sido menos vulgar, más inmaterial que aquélla en la cual Mozart ha sabido poner todos los deseos, todas las llamadas irresistibles de la voluptuosidad. ¿Cómo sentimientos tan complejos, tan diversos, han podido caber en una treintena de compases? *Vorrei e non vorrei* — quisiera y no quisiera... Solicitación de los sentidos, conciencia del deber, que se va debilitando, hasta llegar al *Andiamo!,* hasta el momento en que el instinto de amar sumerge a la razón...

Y ¡cuántas otras páginas maravillosas en las obras líricas de Mozart! Genio libre, que parece haberlo presentido todo, adivinado todo, y que, dentro de una corta existencia de treinta y cinco años, llegó a acumular las más altas obras maestras que el arte de los sonidos haya jamás producido.

IV

Y, con todo, sus contemporáneos le opusieron Salieri, y hasta lo prefirieron a menudo. Antonio Salieri, el rival dichoso de Mozart, nació en Legnano el 19 de agosto de 1750. Después de haber estudiado en Venecia, conoció allí a F. L. Gassmann, quien, llamado a Viena en 1775 para escribir ballets, se lo llevó consigo, le enseñó la composición y se cuidó de proporcionarle una cultura general. Gracias a su protector, *Le donne letterate* fueron presentadas a Gluck, el cual animó a Salieri ; la ópera fue representada en 1770, ante el emperador. Con *La Fiera di Venezia,* el éxito de Salieri siguió creciendo, dos años más tarde, y la obra se representó en Munich y en Mannheim, después de Viena. Entonces comenzó una época de producción febril : Salieri ha dejado nada menos que cuarenta óperas. Sin embargo, la fama creciente de Gluck hubiera podido perjudicarle ; pero tuvo la habilidad de hacerse indispensable al maestro : supo imitar su estilo, ayudarle tan bien, que Gluck lo mandó a París e hizo representar el 26 de abril de 1784 *Les Danaïdes* (ópera en cinco actos sobre un libreto de Du Roulet), como suya ; sólo al cabo de doce representaciones, cuando el éxito se hallaba asegurado, Gluck declaró, en una carta que se hizo pública, que la obra pertenecía por entero a su discípulo Salieri. *Les Danaïdes* contienen bellas escenas, y la «Imprecación» de Hypermnestra, negándose a obedecer a la orden que le da Danao, así como a sus hermanas, de inmolar a su esposo, posee una auténtica grandeza que explica el error de los contemporáneos. Para la Ópera de París escribió Salieri también *Les Horaces* (1786), *Tarare* (1787). A su regreso, en Viena (1788), Salieri fue nombrado director de orquesta de la corte, después maestro de capilla del emperador. Con Mozart se portó, por desgracia, de forma que ha empañado su reputación. Se ha pretendido incluso que en su lecho de muerte se acusó de haber envenenado a su rival, y Puchkin ha sacado de esta leyenda una ópera puesta en música por Rimski Korsakov. Nada prueba que Salieri haya cometido ese crimen. Lo seguro, no obstante, es que sus intrigas han conseguido con demasiada eficacia ensombrecer los últimos años de Mozart.

Giuseppe Sarti (1729-1802) fue también rival de Mozart. Discípulo del P. Martini, fue profesor de música del príncipe heredero de Dinamarca, y, en Copenhague, produjo una veintena de óperas. Regresó a Italia, primero estuvo en Venecia, luego en Milán, donde fue maestro de capilla del Duomo. Estrenó en Venecia, en 1776 *Le gelosie villane* y *Farnace* ; en Florencia, *Achille in Sciro* (1779) ; *Fra i due litiganti, il terzo gaude,* en Milán (1782) ; dos años más tarde, Catalina II de Rusia le llamó para nombrarle maestro de capilla de su corte. Creó, en 1791, una Academia de música en Ekaterinoslav ; Pablo I la cerró, con todas las instituciones fundadas por su madre, al subir al trono, en 1797. Cuatro años más tarde Sarti regresaba a Italia, con la salud fuertemente alterada ; mas no pudo alcanzar su patria ; murió en Berlín. Sus obras habían gozado de un prolongado favor en Viena ; así es que Mozart, haciendo tocar a una pequeña orquesta unos aires de moda, durante la cena de *Don Giovanni,* utiliza un fragmento de *Fra i due litiganti.* En la misma escena, intercala también una alusión a *La cosa rara,* después del aria *Non più andrai,* de su propio *Figaro.* Y es porque, en efecto, Martín y Soler (que los italianos apellidaban *Lo Spagnuolo,* ya que había nacido en Valencia el año 1754, y, en su patria, a los veintidós años, había dado a conocer *I due avari*) había tenido la fortuna de ver representar en 1786 *La cosa rara* en Viena, donde se había establecido. La obra se representó sesenta veces seguidas. Martín y Soler había alcanzado una sólida reputación en Italia con diez obras anteriores. Su *Arbore di Diana* tuvo más éxito aún, y se representó un centenar de veces en Viena. Rival afortunado de Mozart, de Cimarosa y de Paesiello, Martín y Soler fue a Rusia el año 1788 y estuvo a la cabeza de la ópera italiana de Petersburgo hasta el 1801, cuando ese teatro cedió su turno a la ópera francesa. Allí murió en 1806.

A estos nombres hay que añadir el de Cimarosa. Pero ya se ha explicado la triunfal acogida que los vieneses hicieron al *Matrimonio segreto* cuando fue estrenado, en 1792.

CAPÍTULO IX

EL ARTE LÍRICO DURANTE LA REVOLUCIÓN Y EL IMPERIO. EL ALBA DEL ROMANTICISMO

I

Se hace muy difícil trazar los límites precisos entre los diversos períodos de la historia. Los trastornos más profundos, los acontecimientos más graves, si bien remueven la existencia de aquéllos que los atraviesan ; si bien hallan en las obras del espíritu algún eco perceptible muchas veces, no modifican, con todo, los temperamentos de los creadores, que se adaptan a las circunstancias, sin renunciar a nada de lo que les es consubstancial. Y, si es verdad que un historiador de la música ha podido definir al período revolucionario como «Una ópera con letra de Marie-Joseph Chénier, música de Méhul y Gossec, y con decorados de David», la razón es porque, en efecto, la Revolución se ha querido acompañar de multitud de cantos, himnos patrióticos, fiestas cívicas y grandes cortejos ; la música tomó gran parte en ella. Pero ni Gossec, ni Lesueur, ni Méhul, ni Grétry, han sido revolucionarios en su arte. Han vivido ; han sido, claro, los supervivientes de una sociedad que dio a luz un mundo nuevo ; mas no fueron hombres nuevos y atravesaron la tempestad como pudieron, para volverse a encontrar a punto de colaborar con los fastos napoleónicos. Formación, ideas estéticas, gustos personales, les ligan al siglo XVIII con más fuerza que la fecha de su muerte con la Revolución y el Imperio. Han sido los hijos espirituales de Rameau y de Gluck, como los políticos del tiempo fueron hijos de Rousseau y la Enciclopedia. Y, verdaderamente, han continuado siendo lo que ya eran.

La Revolución sobreviene en el momento en que la ópera cómica se ha ganado el primer sitio en las actividades musicales, y produce obras que le merecen aquel lugar. Lo debe en buena parte a un napolitano afrancesado, Egidio Romualdo Duni (1709-1775), discípulo de Durante,

el cual, después de haber alcanzado éxitos en Italia con un *Nerone* que
en Roma eclipsó a la *Olimpiade* de Pergolesi, renovó la suerte en Milán,
Génova, Florencia y Parma, donde fue nombrado profesor de música de
la Infanta Elisabet. La influencia francesa era grande en aquel ducado :
allí recibió el encargo de escribir óperas con letras francesas. Duni puso
en música un libreto de Favart, *Ninette a la cour,* que obtuvo en 1755 un
clamoroso éxito. Enardecido por éste, Duni marchó a París, donde produjo
una gran cantidad de pequeñas obras juzgadas encantadoras. Las más conocidas son : *Le peintre amoureux de son modèle* (1757), *Le retour au
village* (1762), *La Clochette* (1766), *Le Docteur Sangrado, La fille mal
gardée, Nina et Lindor, L'Ile des Fous, Le Milicien, Les deux chasseurs
et la laitière, Le Renard et la Perdrix* (que María-Antonieta quiso interpretar en persona, con el conde de Artois y M. de Vaudreil), *La Fée Ur-
gèle* o *Ce qui plaît aux dames.* El éxito de esas obras, en las que habían
brillado las señoras Laruette y Favart, junto a Clairval, continuó durante
todo el Imperio ; y, aunque italiano, Duni fue considerado como uno de
los fundadores de la Ópera Cómica francesa.

Philidor Danican (1726-1795) fue célebre como jugador de ajedrez y
como compositor, y repartió su vida entre las partidas disputadas con los
mejores jugadores de Europa y la música. Pertenecía a una dinastía de
músicos de la Grande-Écurie y se llamaba François-André ; inició su carrera con un *Lauda Jerusalem,* en el Concierto Espiritual (1755) ; luego
decidió escribir para el teatro. *Blaise le Savetier* (recientemente repuesto
en la Opéra-Comique), en 1759, *L'Huître et les Plaideurs,* en el mismo
año ; *Le quiproquo ou le volage fixé* (1760) ; en el mismo año, *Le Soldat
Magicien* (una obra maestra), *Le jardinier et son Seigneur* (1761); otra obra
maestra : *Le Maréchal-ferrant, Sancho Pança dans son île, Le Bûcheron*
(1763), *Le Sorcier* (1764), (una fecha : fue la primera vez que los aplausos obligaron a un autor a salir para saludar al público desde la escena,
en medio de sus intérpretes) ; diez o veinte otras obras ligeras y ágiles,
llenas de música, atestiguan su genio y al propio tiempo su fecundidad.
También se le debe el *Carmen Saeculare* de Horacio, que puso en música
para Londres en 1779 y que ha quedado como el más importante de los
oratorios franceses profanos en el siglo XVIII.

Pierre-Alexandre Monsigny (1729-1817) empezó como violinista ; después, a la muerte de su padre, para subvenir a la manutención de su familia, ejerció las funciones de intendente de la Casa del Duque de Orleans.
La *Serva padrona* le decidió a trabajar en la composición, y, poco más
tarde, entregaba a la Feria de Saint-Laurent *Les aveux indiscrets* (1759).
Animado por el éxito, Monsigny no tardó en ser el proveedor en título de
los italianos : *Le maître en droit* (1760) y *Le cadi dupé,* en el mismo año ;
On ne s'avise jamais de tout (1761), *Le Roi et le fermier* (1762), *Rose et*

Colas (1764), *Aline, reine de Golconde* (1766), *L'ile sonnante* (1768), *Le Déserteur* (1769), *Le Faucon* (1772), *La belle Arsène* (1773), *Le rendez-vous bien employé* (1774), *Félix, l'enfant trouvé* (1777), le valieron la fortuna. Esta última obra fue un triunfo : los libretos de Sedaine encontraban en él al músico más apropiado para traducir la *bonhomie* y el sentimentalismo que respiraban ; pero hay algo más importante en su música : el don melódico de Monsigny, una manera encantadora, una distinción natural que ha preservado a sus obras del envejecimiento. Habiendo sido nombrado inspector general de los Canales, cesó de escribir. La Revolución le privó de su cargo y sus economías ; y hubiera caído en la miseria sin la pensión de 2.400 francos anuales que le pasó la Ópera Cómica. En 1813, sucedió a Grétry en la Academia.

Sesenta y una óperas cómicas, en veintiocho años, valieron a Nicolás d'Alayrac (o Dalayrac) (1753-1809) una reputación considerable. Es amigo de los Enciclopedistas e inaugura su carrera en 1781 con dos óperas cómicas, *Le Petit Souper* y *Le chevalier à la mode,* presentados en el teatro de sociedad del conde de Besenval. María-Antonieta, que asistió al espectáculo, tomó a Dalayrac bajo su protección. Las puertas de la Comedia Italiana se le abrieron de par en par. Llegó a ser uno de los músicos de la casa. Sus principales éxitos fueron *L'eclipse totale* (1782), con la que debutó ; *Le Corsaire* (1783), *Nina ou la Folle par amour* (1786), *Azémia ou Les Sauvages* (1787), *Fanchette* (1788), *Les deux petits savoyards* (1789), *Éloi et Bathilde, La soirée orageuse, Vert-Vert* (1790), *Marianne* (1795), *La famille américaine* (1795), *Gulnare ou l'Esclave persane* (1797), *La maison isolée, Primerose, L'erreur d'un bon père, Adolphe et Clara, Laure, Maison à vendre* (que ha quedado de repertorio) (1800), *Luina,* etc.

J. P. Schwarzendorf, que cambió su nombre por el de Martini (1741-1816), escribió primero marchas militares ; más tarde debutó en el teatro con *L'amoureux de quinze ans,* en 17771. Le debemos *Le Droit du Seigneur, Annette et Lubin* (1800), que alcanzaron éxito ; pero se ha salvado del olvido únicamente a causa de la romanza *Plaisir d'amour,* sobre una poesía de Florian.

Natural de Lieja, donde nació en 1742, A.-E.-M. Grétry supo atravesar las tormentas que trastornaron a Europa, sin perder nunca su natural apacible ; y, si bien hoy en día no es otra cosa más que un nombre, y su obra está casi relegada al olvido, puso, sin embargo, en sus óperas un frescor superficial que aún puede gustarnos. Puso también en ellas cosas más importantes, ya que, en muchos puntos, se adelantó a su tiempo ; y tampoco debe olvidarse que Mozart sacó provecho de haberlo oído. Pero su música muchas veces resulta vacía, y se ha podido afirmar que entre la parte del primer violín y la del bajo podría pasar una carroza. Ha escrito enormemente en todos los géneros, como tantos otros músicos de su tiempo. Sus ideas sobre la ópera son una anticipación de las de Wagner ; pero sus obras no nos dan una demostración convincente.

En 1759 una beca le permitió ir a Roma. Allí, en 1765, estrenó *La Vendemmiatrice* en un teatro de aficionados. De su enorme producción — más de cincuenta óperas, y obras de todos los géneros en mayor cantidad aún —, ¿qué nos ha quedado? Su fortuna comenzó con *Le Huron*, sobre un libreto que Marmontel sacó de *L'Ingénu,* y que se representó en el Teatro Italiano el 20 de agosto de 1768. Antes, *Isabelle et Gertrude* habían obtenido algún éxito ; pero *Les mariages samnites* hicieron bostezar al público. La marcha del *Huron* (que provenía, sin embargo, de los *Mariages*) hizo la fortuna de la obra y del compositor. Todo París cantó :

> «*Comme il est gai, comme il est leste...*
> *Il a des ailes aux talons*»

y todavía figura en el repertorio de algunos orfeones. *Lucile* (5 de enero de 1769, donde se encuentra el famoso «*Où peut-on être mieux qu'au sein de sa famille ?*») parece una transposición sonora de un cuadro sentimental de Greuze, propuesta al músico por Marmontel. *Les deux avares* (1770), *Zémire et Azor* (1771), *La Rosière de Salency* (1773) *La Fausse Magie* (1775), un ballet heroico, *Céphale et Procris* (1775) consiguieron éxitos ; pero un drama burlesco, *Matroco* (1778), constituyó un fracaso, compensado por el éxito del *Jugement de Midas* y de *L'amant jaloux* (1779). En 1782, triunfó *Colinette à la Cour ou la double épreuve,* y, el año siguiente, *La Caravane du Caire,* y, finalmente, el 21 de octubre de 1784, *Richard Coeur-de-Lion* su obra definitiva, que se considera clásica, aunque hoy olvidada, después de haberse mantenido por muchos años en el repertorio. El libreto de Sedaine ofrecía providencialmente a Grétry las situaciones más apropiadas para dar curso libre a su facilidad, al mismo tiempo que a su sensibilidad. A su retorno de la Cruzada, el rey de Inglaterra cae prisionero y se le encierra en el castillo de Dürenstein. El juglar Blondel de Nesle quiere salvarle y, para hacerse reconocer, canta bajo la ventana del calabozo la canción *Une fièvre brûlante,* que Ricardo responde, entonando la segunda estrofa. Otros pasajes de la ópera se han hecho populares : el aria de Blondel en el primer acto, *O Richard, ô mon Roi,* el aria de Ricardo en el segundo acto, *Si l'univers entier m'oublie,* el trío del tercer acto : *Le Gouverneur pendant la danse* ; la ronda de las bodas : *Et zig, et zig et zog, quand les boeufs vont deux à deux,* han asegurado el triunfo de la obra. Grétry se esfuerza para ser verídico, e incluso intenta dar a su música, en esta ocasión, un aspecto suficientemente arcaico. Tal vez ha presumido en exceso de sus fuerzas ; en todo caso, tuvo la suerte de agradar e imprimir una nueva dirección al arte lírico. Cosa que no pasó sin lucha : conocida es la cuarteta que Voltaire escribió a propósito del *Jugement de Midas* :

«*La Cour a dénigré tes chants
Dont Paris a fait des merveilles.
Grétry, les oreilles des grands
Sont souvent de grandes oreilles.*»

Isouard, conocido por su nombre de pila : Nicolo, era natural de Malta (1775) y se había creado una reputación en Italia por un *Artaserse,* estrenado en Livorno en 1794. Vino a París, donde la Ópera Cómica puso en escena su *Tonnelier* en 1799, seguido pronto por *Michel-Ange* (1802), cuyo éxito fue extraordinario ; por *Rendez-vous bourgeois, Cendrillon* y *Le Billet de Loterie* (1810). Fue el rival, a veces afortunado, de Boïeldieu ; pero, a pesar del triunfo de *Jeannot et Colin,* en 1814, y de *Jaconde,* el Instituto se inclinó a favor del autor de *Jean de Paris.* Murió el 23 de marzo de 1818, habiendo casi acabado la partitura de *Aladin ou la Lampe merveilleuse,* terminada por Benincori y estrenada en 1822 ; la obra fue uno de los mayores éxitos de la Ópera (que, en aquella ocasión, inauguró la luz de gas).

Ferdinando Paër (1771-1839) había sido violinista en Parma, su ciudad natal, y su primera ópera, *Circe,* se estrenó en Venecia, el año 1791. Marchó a Viena, donde fue director de orquesta, y estrenó, con gran éxito, *Camilla* en 1799 y *Sargino* en 1803. En Dresde, el año siguiente, dio *Eleonora,* con argumento parecido al de *Fidelio.* Se agregó al séquito de Napoleón, y le acompañó a Varsovia y luego a París, donde fue nombrado director de orquesta imperial. En 1812, es director del Teatro Italiano, y, en 1823, se ve obligado a ceder el cargo a Rossini. Nombrado en 1832 director de la música de la Cámara real, fue elegido miembro del Instituto. Se le tendría en el más absoluto olvido si no hubiese estrenado, en 1821, *Le Maître de Chapelle* en la Ópera Cómica. El ingenioso libreto de Sophie Gay, el aria del maestro de capilla y el dúo que éste canta después con su sirvienta salvaron esa obra, que, reducida a un solo acto, de los dos que tenía originariamente, continuó por mucho tiempo como telón corto y merecería ser repuesto.

Belga como Grétry, Gossec (1734-1829) fue presentado a La Pouplinière por Rameau, y más tarde fue maestro de capilla del príncipe de Conti. Sus piezas de música de cámara le han hecho comparar a Stamitz. Para el teatro, escribió *Le Tonnelier* (1761), seguido por una veintena de óperas, algunas de las cuales son obras de circunstancias (*La Reprise de Toulon,* 1796) ; entre sus partituras dramáticas se distinguen : *Toinon et Toinette* (1767), *Rosine* (1786), *Sabinus* (1774), *Alexis et Daphné, La*

Fête du Village (1778), *Les Visitandines* ; pero son principalmente sus cantos patrióticos lo que le ha valido la supervivencia. Músico casi oficial de la Revolución, escribió *Le Chant du 14 juillet,* el *Hymne à l'Etre suprême,* los *Hymnes à la Liberté, à l'Humanité, à l'Égalité, Le Serment républicain,* etc., donde supo introducir una cierta llama. Étienne-Nicolas Méhul (1763-1817) es el autor del *Chant du Départ,* donde hay algo más que en los himnos de Gossec, y que proviene tanto del valor del músico como de su fe patriótica. El valor musical de Méhul se encuentra también en las obras dramáticas de este compositor, ya en el género ligero (*l'Irato,* 1801, magistral en su vivacidad), ya en la ópera seria, con *Joseph.* Esta última obra ganó el premio instituído por Napoleón en 1807, aunque presentaba la particularidad de no contener ningún papel de mujer, y dio la vuelta a Europa. Numerosas veces ha sido repuesta, y continúa en el repertorio de la Ópera. Pese al lánguido libreto de Duval, esa popularidad se justifica por la verdad dramática de una música simple. Desde 1797, Méhul había alcanzado un éxito singular con *Le Jeune Henri.* La obertura despertó un entusiasmo tal, que la orquesta se vio precisada a tocarla tres veces seguidas. Pero los patriotas del año V se indignaron cuando vieron sobre la escena a un joven rey que no era un tirano, y los silbidos interrumpieron la representación. Con todo, muy pronto la obra fue una de las más célebres del repertorio.

Compositor fecundo, Le Sueur (1760-1837) ha sobrevivido no tanto por su producción dramática como por haber sido el maestro clarividente de Berlioz. Tuvo Le Sueur que luchar contra la mala suerte y la coalición de los mediocres ; vio su *Télémaque* rechazado en 1787 por la Ópera, y se retiró por el espacio de cuatro años al campo. Regresó de su retiro con dos partituras : *La Caverne* y *Paul et Virginie,* que se representaron en la sala Favart ; pero el *Ossian ou Les Bardes* tuvo que ceder las tablas a la *Sémiramis* de Catel (1773-1830), el autor de un Tratado de Armonía, que se había hecho famoso por sus obras de circunstancias.

Cherubini, nacido en Florencia el año 1760, discípulo de Sarti en Bolonia, llegó a Francia después de haber adquirido una reputación justificada por el mérito de sus composiciones religiosas y escénicas (*Quinto Fabio,* 1780 ; *Armida,* 1782 ; *Adriano in Sira* ; *La sposa di tre*) ; después de una temporada en Londres, donde estrenó *La finta principessa* en 1785 y *Giulio Sabino* el siguiente, se estableció en París en 1788. Su *Lodoïska* en la sala Feydeau en 1791, seguida de *Elisa,* de *Médée,* de *L'hôtellerie portugaise, La Punition, Emma, Les deux journées, Épicure, Anacréon,* obras todas ellas estrenadas en la feria de Saint-Germain, excepto *Demophon,* que se estrenó en la Ópera, no pudieron conciliarle los favores de Bonaparte, cuyos gustos musicales había criticado sin ambajes ni rodeos, de forma que la Ópera le cerró sus puertas. Marchó luego a Viena, en 1805, y allí dio a la escena *Faniska,* que le valió la admiración de Beethoven y de Haydn. A la llegada de los franceses, fue contratado como director de los conciertos de Schoenbrunn ; mas no supo aprovechar la ocasión para congraciarse con Napoleón. De regreso en París, desanimado, Cherubini abandonó casi por completo la composición y se retiró en casa del príncipe de Chimay. Allí le encargaron una misa para la inauguración de la iglesia : el resultado, fue la admirable *Misa en fa.* Sin embargo, no renunció por completo al teatro ; hizo representar *Pimmalione* en 1809, *Crescendo* en 1810, y dio *Les Abencérages* a la Ópera, que, en 1813, cayeron al foso desde la primera representación. En 1816 fue nombrado profesor de composición y superintendente de la música del rey, y, más tarde, en 1821, al reconstituirse el Conservatorio, fue su director, hasta un año antes de su muerte (1842). La obertura de *Anacréon* ha quedado de repertorio en los conciertos sinfónicos ; Weber admirada *Le porteur d'eau* e incluso la consideraba una obra maestra. La verdad es que Cherubini, a pesar de alguna frialdad, es un músico notable. Su error consistió en cerrarse a las ideas nuevas y mirar a Beethoven como «el Anticristo del Arte» — por lo menos Berlioz lo asegura —. Pero no quiso admitir tampoco a Liszt en el Conservatorio...

François-Adrien Boïeldieu, nacido en Rouen el 1775, principió felizmente en la capital normanda con dos pequeñas obras, *La fille coupable* y *Rosalie et Mirza.* Llegó a París y tuvo la fortuna de hacer cantar algunas de sus melodías por Garat, lo que le permitió encontrar a un público dispuesto a darle sus aplausos en el teatro. En 1795, la Ópera Cómica estrenó *La Dot de Suzette,* y dos años más tarde *La famille suisse,* que fueron bien acogidas. En 1800, *Le Calife de Bagdad,* y en 1803, *Ma Tante Aurore* le valieron la celebridad. Mientras tanto, se había casado con la bailarina Clotilde Mafleuroy, que le hizo muy desgraciado ; de modo que aceptó, para alejarse de ella, la plaza de compositor de la corte de Rusia, y durante siete años permaneció en Petersburgo. A su regreso, en París, el año 1812, la Ópera montó *Jean de París,* que fue un triunfo análogo al de *Le nouveau Seigneur du village,* estrenado el año siguiente, y *Le Petit Chaperon rouge* en 1818. El 10 de diciembre de 1825 *La dame blanche* obtenía un éxito prodigioso que se renovó a cada nueva representación y que desde el principio valió al compositor las más calurosas felicitaciones de Rossini, antes de que la partitura diese la vuelta a Europa y procurase a Boïeldieu el honor (póstumo) de ser vecino en efigie de Mozart en el vestíbulo de la Ópera de Viena.

El libreto de Scribe se inspiraba en el *Monasterio* y *Guy Mannering* de Walter Scott. George Brown, joven oficial, llega a la mansión de los condes de Avenel, en Escocia, e ignora que es el último retoño de aquella familia. El intendente Gaveston ha intentado desviar en provecho propio los bienes puestos a su custodia. Pero la «Dama blanca» vela : aparece durante la noche, y con su ayuda George Brown desbarata las intrigas de Gaveston. El dominio va a ser puesto en subasta. Los colonos se han puesto de acuerdo para tomar parte en la puja. Están a punto de abandonar cuando George interviene, sube locamente su oferta y consigue que Gaveston abandone. Mas George no tiene un céntimo. ¡ No importa ! «La Dama blanca» (que no es otra que Ana, una joven huérfana recogida por el difunto conde de Avenel) le revela que ha recibido el encargo de guardar un cofrecillo entregado por el conde y que encierra la fortuna inmensa de la familia. Y, en el preciso momento en que el juez llega para advertir a George que debe encarcelarle si no paga inmediatamente su deuda, el lindo teniente ya se halla en posesión de un tesoro y una novia, ya que todo termina, por supuesto, con el casamiento del encantador militar y la hermosa «Dama blanca».

Existe en la partitura de esa ópera un algo de ingenuo y sutil, de ligero y fresco, de gracioso y tierno, que le comunica un indefinible encanto. Ha envejecido mucho ; pero conserva, sin embargo, una juventud deliciosa. Tal vez convencional ; mas Boïeldieu no tiene la culpa si los organillos y las cajitas de música han machacado *«Prenez garde!, la dame blanche vous regarde!»* y *«Ah! quel plaisir d'être soldato!»*. El éxito vale su precio. Y es innegable que *La dame blanche* marca una fecha en la historia del arte lírico, no tan sólo por ser una de las primeras obras de lo que se podría llamar ciclo escocés, inspirado en Walter Scott, y poner en escena fantasmas, de los que los románticos usarán y abusarán ; sino también por la calidad de la música con la que Boïeldieu adorna las invenciones de Scribe, y asimismo porque la escena de la subasta es una obra magistral de vida y movimiento.

Después de *La dame blanche,* Boïeldieu se retiró y no escribió más que *Les deux nuits,* en 1829. La obra no tuvo más que un *«succès d'estime»* : no se repite dos veces *La dame blanche...* Pero sería injusto no reconocer a *Les voitures versées* que Boïeldieu trajo de Petersburgo un mérito, si no igual, por lo menos comparable. Aunque no fuese más que por el aria : *«Apollon toujours préside au choix de mes voyageurs»,* que por el dúo *«O dolce concento!»* y por las variaciones sobre *«Au clair de la Lune».* La pequeña obra en dos actos merece sobrevivir.

II

París, durante esta época, acoge ampliamente a los músicos extranjeros, y particularmente los italianos. *La Vestale* de Spontini (1774-1851) triunfa clamorosamente en la Ópera el 11 de diciembre de 1807, y su autor, naturalizado francés y casado con Mlle. Érard, dirigirá el Teatro

Figurines de Boquet para «Iphigénie en Aulide», ópera de Gluck (1774).

italiano, desde el cual revelará *Don Giovanni* y *Così fan tutte* a los parisienses. Luis XVIII le nombrará compositor de la corte, cargo en el que seguirá hasta que Guillermo III, rey de Prusia, lo llame desde Berlín.

Discípulo de Piccini, había conquistado la celebridad en Italia con *I puntigli delle donne* desde el 1796 en «L'Argentina» de Roma y con *La finta filosofa* en Nápoles. Pero en París, en 1804, *Julie* fue silbada, y *La Petite Maison* no tuvo más éxito. Tenía que alcanzar la revancha con *La Vestale* en la Ópera de la calle de la Loi, hoy en día de Richelieu, en presencia de la emperatriz Josefina. El éxito fue debido al carácter nuevo de la ópera más que a la solemnidad de la representación. El libreto de Jouy se había destinado a Boïeldieu, que lo rechazó. Cherubini tampoco quiso aceptarlo. Entretanto Spontini, gracias a su cantata *Austerlitz,* se había ganado el favor de Napoleón y obtenido el empleo de compositor de la emperatriz. El comité de la Ópera exigió correcciones en *La Vestale,* pese a la protección de Josefina. La magistral interpretación de Mme. Branchu, de Lainez y Dérivis ayudó mucho al triunfo del compositor.

Se ha visto en esta obra el punto de partida del romanticismo musical francés. Es mucho decir, y parece que el estilo de Spontini más bien refleja las preocupaciones del momento : todo el mundo entonces tenía el sentimiento de que la pintura, la arquitectura, las artes plásticas, estaban de acuerdo con la grandeza del régimen, pero que la música se había quedado atrás y no había producido después de la Revolución nada que denotase un cambio correspondiente a la evolución de las demás artes. Los auditores de *La Vestale* fueron sacudidos por los acentos apasionados, por el entusiasmo que desborda en la partitura. Los más sabios, los que eran capaces de analizar esa música, observaron fácilmente que la partitura observa un plan casi geométrico. Encontraron la preocupación del orden, la disciplina a la que se sometían los artistas contemporáneos. Y es verdad : Spontini realiza la doble aspiración de su época. Sabe traducir la pasión con vehemencia (y por eso hay en él cierto romanticismo, como en todos los mejores artistas del momento) ; pero se mantiene dentro de una forma que continúa rigurosa ; y en eso se demuestra clásico. Posee, más que ningún otro entonces, el sentido del teatro. No teme los contrastes : refuerzan la orquesta ; incluso incluye en ella al bombo, y, cosa importante, escribe tan bien para las voces (es italiano) como para los instrumentos, cuyos registros y timbres sabe utilizar a maravilla, sin exigirles nada que fuerce sus medios, y llega sin esfuerzo a efectos que otro menos experto no hubiera conseguido.

Aparece como un precursor, y Berlioz no se engaña : la orquesta de Spontini, a pesar de una armonización demasiado hueca, a menudo «suena» como ninguna otra antes de Berlioz había sonado, y ya casi como la de Meyerbeer.

9

Menos afortunado con *Fernand Cortez* (también sobre un libreto de Jouy), acogido no obstante con favor el 28 de noviembre de 1809, Spontini se benefició de la misma interpretación ; pero la obra no se aguantó, mientras que *La Vestale* se mantuvo más de treinta años en el repertorio. *Fernand Cortez* situaba la Ópera por el camino de los grandes frescos históricos, animados por una figuración considerable y permitiendo a los decoradores amplias composiciones. La Restauración hizo perder a Spontini sus cargos y honores : el compositor volvió a escribir para el teatro, e hizo estrenar *Pélage, Le dieux rivaux, Olympie,* y en 1822 *Murmahal,* sacado de *Lallah-Rook,* de Moore. En Berlín dio *Alcidor* en 1825, y *Agnès de Hohenstaufen* en 1829. Spontini se había vuelto irritable viendo palidecer su estrella, y se retiró a Italia ; y allí murió, en su población natal de Majolati, el 14 de enero de 1851.

Hay que mencionar por lo menos a Carafa de Colobrano, de la casa principesca de los Carafa (1787-1872), que debutó en Italia con *Il Fantasma* e *Il vascello d'occidente* (1814), y en Francia hizo representar en la Ópera Cómica una *Jeanne d'Arc,* seguida, en Feydeau, del *Solitaire* sobre un libreto de Planard. El éxito de esa ópera cómica fue enorme, como el de *Masaniello* (Ópera Cómica, 27 de diciembre de 1827) ; pero *La Muette de Portici* de Auber, sobre el mismo argumento, impidió su reposición. Dejó treinta óperas y basándose en esa cantidad presentó su candidatura a la sucesión de Le Sueur en la Academia de Bellas Artes. *La Revue musicale* conoció aquella carta imprudente y la publicó sin más comentario que esta simple observación : «*C'est bien ce qui nous inquiète!*»

Carafa no aportaba nada nuevo. La desgracia de *Masaniello,* que tuvo que ceder el sitio a *La Muette,* se repitió con motivo de *Le Nozze di Lammermoor* (Teatro Italiano, 1829) : seis años más tarde, Donizetti daba a la escena *Lucia.* No se trata de simples coincidencias. Esas coincidencias atestiguan la misma necesidad que experimentaban los contemporáneos de ampliar las fuentes de inspiración al no contentarse con los argumentos mitológicos o legendarios de los que se habían nutrido los músicos durante los dos siglos anteriores, y el afán de hallar en los poetas y novelistas de su tiempo los temas que han de tratar.

Época de transición, en la que se atisba el alba de nuevos tiempos que van a formar el romanticismo. El movimiento ya ha nacido en Alemania, cuando apenas se le presiente en Francia. Beethoven ha escrito *Fidelio* ya en 1805, y Weber, que produce *Abu-Hassan* en 1811, hará representar el *Freischütz* en 1821.

Capítulo X

EL ROMANTICISMO. LA ÓPERA INTERNACIONAL

Son muchas las causas que determinaron la evolución del arte lírico llevada a término en la primera mitad e incluso en los dos primeros tercios del siglo XIX. De momento, la importancia del movimiento romántico, esa corriente de ideas cuya violencia se manifiesta a través de la Europa entera y bajo formas diversas dependientes del carácter particular de cada uno de los pueblos, conserva, no obstante, rasgos comunes en todos ellos, el más claro de los cuales es una necesidad de liberación, de renovación, nacido, por su parte, de la ideología del siglo XVIII. Inmediatamente después, la mayor facilidad de intercambio a través de un mundo que parece empequeñecerse a medida que las distancias van contando menos, acentúa cada vez más la tendencia a lo que se ha denominado con la palabra bárbara de internacionalización (que no es universalidad, antes bien cosmopolitismo) del arte de los sonidos : el deseo formulado por Gluck ha sido escuchado hasta el exceso ; pero Gluck no había querido lo que iba a producirse. Quería ser comprendido en todas partes porque ambicionaba expresar sentimientos bastante generales — y generosos — para que fuesen entendidos por todo el mundo. De ahora en adelante se buscará la audiencia del mayor número, no sin sacrificar aquello en honor de lo cual la música rechazaba el sufragio de los mediocres ; al contrario, se descenderá hasta el halago de los gustos menos nobles. Los primeros románticos no tienen la culpa de todo eso ; pero no es menos cierto que del romanticismo han salido los males que han conducido, en 1860, el arte lírico al borde de la muerte ; males que le hubieran matado de no haber mantenido algunos artistas, a veces inconscientemente, los valores que debían salvarlo.

Se ha juzgado a menudo el romanticismo con severidad ; muchas veces hasta con injusticia. Ante los ojos imparciales del historiador, el romanticismo se caracteriza, en primer término, por una necesidad de

volver a la Naturaleza. En Alemania, la primera ola romántica ha tomado
el nombre casi intraducible de *Sturm und Drang* — literalmente tempestad y asalto —. Es el título de una obra dramática de Klinger, que
apareció en 1777 (y de la que sólo ha quedado el título). Pero Klinger,
poeta superficial, escribe no obstante en su prólogo cosas muy exactas,
y notablemente ésta : «Nada madura sin fermentación». El romanticismo
ha madurado dentro de una fermentación de ideas, un hervidero de revueltas como el mundo jamás ha visto : «La Naturaleza, exclama Werther,
forma sola al gran artista. Un hombre que se forme según las reglas no
producirá jamás nada absurdo o malo, de la misma forma que el que
modele su conducta según las leyes no será nunca un malvado ; pero en
cambio *toda regla ahogará, dígase lo que se quiera, el verdadero sentimiento de la naturaleza y su fiel expresión*». No más reglas, no más
maestros. Pero el romanticismo reconoce, con todo, a sus maestros ; descubre a Shakespeare ; Goethe celebra al dramaturgo inglés, lo venera :
«¡ Todo es naturaleza en los héroes de Shakespeare : crea hombres, como
Prometeo !».

El culto de Shakespeare conduce a la época en que éste vivió, opo-
niéndola a la nuestra (la de los primeros románticos). De ahí el gusto
por el Renacimiento y después por la Edad Media ; y si se contempla
la antigüedad no será con los mismos ojos que los clásicos. Bajo la toga
o la clámide, se querrá escuchar el latido de un corazón humano, parecido
en sus deseos y pasiones al corazón del hombre contemporáneo.

Sin embargo, la palabra «romanticismo» no significó, de pronto, lo
que hoy designamos con este nombre. Al principio no indicó gran cosa
más que el origen histórico o el color particular de los argumentos. En
Inglaterra, el movimiento encontró un terreno abonado por el gusto nacional por lo novelesco y el individualismo, tan acentuado entre todos los
ingleses. Pero Inglaterra no ha producido músicos románticos, y no se
hablaría aquí de ella si Walter Scott y Byron no hubiesen ejercido una
influencia tan profunda y extensa sobre los compositores alemanes y
franceses de su tiempo.

El movimiento romántico no se ha extendido así, de golpe, a través
de Europa. Se ha adaptado al temperamento nacional, y distinguimos sin
esfuerzo el romanticismo alemán de Beethoven y Weber, del romanticismo francés de Berlioz. Pero al juntar esos nombres nos damos inmediatamente cuenta de una cosa : el romanticismo musical aparece antes en
Alemania que en Francia (lo mismo pasa en la literatura). La música
sigue, con algún retraso, como en el siglo anterior, el movimiento de
las ideas.

En fin, el romanticismo, de momento, se manifestará más por el contenido de las obras que por su forma. Es decir, se respetará la estructura

tradicional, la sintaxis y la gramática musicales, que serán de una apariencia casi clásica. Pero bajo esa vestidura exterior las ideas dejarán percibir su violencia, su novedad; inquietarán a los campeones del clasicismo mantenedores de la tradición. Encontraremos en la música lo que había pasado en el dominio literario, cuando Víctor Hugo proclamaba: «¡Guerra al Vocabulario y paz a la Sintaxis!» ¿Qué quería decir? Que si queremos hacernos comprender hay que hablar un lenguaje que todos comprendan, y que si se quiere enriquecer ese lenguaje es lícito recurrir a locuciones olvidadas o desdeñadas, a palabras consideradas como vulgares, a condición de que sean de buen cuño. Así Beethoven enriqueció el lenguaje musical; pero en sus primeras obras escribió aproximadamente como Haydn o Mozart.

Los contemporáneos han sido malos jueces de lo que veían y escuchaban. Es difícil comprender hoy por qué razón las mismas personas que aplaudían los dramas de Hugo y luchaban contra las «pelucas» clásicas demostraron tan pocas ganas de sostener a Berlioz; por qué razón reservaron sus favores para músicos de segunda categoría y no para los artistas de un valor positivo; por qué razón, finalmente, las óperas más vacías, la música más exangüe, fue considerada por aquel público como una expresión del arte nuevo mientras que aquélla que nos parece hoy en día ostentar la marca más profunda del espíritu romántico no les pudo llegar al corazón y les pareció incomprensible.

Uno de los caracteres de la ópera romántica consiste en la voluntad de expresar la Naturaleza. Las obras de Weber son las de un hombre que, como dirá de sí mismo el Walther von Stolzing de Wagner, ha escuchado la voz de los bosques y lo que le decían los murmullos del viento y la fuente. Siempre se ha hecho música imitativa, y los clásicos — un Couperin, un Rameau — han sobresalido en ella. Pero ya no se trata de reproducir el cacareo de una gallina o el ruido de los martillos de un herrero. Más que reproducir, se quiere evocar, sugerir. La sinfonía entrará en la ópera con Beethoven y Weber. El color local y el color temporal van a ser también cuidados, y por los mismos medios de sugestión. Finalmente, el músico romántico no retrocederá ya ni temerá llevar a la escena, que hasta entonces había sido reservada exclusivamente para los héroes con muchas plumas, a los personajes más humildes. Beethoven opondrá la jovialidad del carcelero Rocco a la angustia de Leonora y a la grandeza del noble Florestán, víctima del odio de Pizarro. El arte sacude las cadenas por medio de las cuales el clasicismo lo retenía dentro de fórmulas que se habían vuelto demasiado estrechas y que le hacían correr el peligro de muerte por desecación. Da la primacía al sentimiento. Asigna como objeto de la música, según la frase de Beethoven, venir del corazón para ir al corazón. Pero no faltarán los excesos, y habrá buenos y malos románticos. Nos extrañamos, a distancia, de que sean a veces los peores aquellos que han seducido más a sus contemporáneos, y quisiéramos estar seguros de que la posteridad ha devuelto al sitio que les corresponde tanto los hombres como las obras. Nuestros bisabuelos se extasiaron escuchando algunas óperas en las que sus descendientes sólo ven motivos de aburrimiento, en espera de que generaciones posteriores vuelvan a descubrir aquel encanto. Lo que importa, en suma, es lo que hay de original en cada obra, lo que no fue introducido en ella por dar satisfacción a la moda y ganar el aplauso de la masa. Ciertos procesos se ven continuamente revisados, y se ve a los valores espirituales oscilar de tiempo en tiempo como los valores que se cotizan en la Bolsa. Pero ha pasado ya suficiente tiempo para que sepamos discernir hoy en día, sin prejuicios, lo que el romanticismo nos ha legado y ha sido positivamente un enriquecimiento para el arte.

I

Hay sin duda un algo de romanticismo en Mozart : lo ha comprendido todo, ha expresado todo cuanto la música puede traducir, y hasta lo más secreto del alma femenina. También es cierto que el sentimiento de la naturaleza no se halla ausente de su obra. Pero nos sería igualmente fácil señalar a Rameau como el precursor de un Beethoven de la *Pastoral* y del Berlioz de la *Fantástica:* la tempestad del *Turc généreux,* la de la entrada de *Les Fleurs,* la erupción volcánica de la entrada de *Les Incas* en *Les Indes galantes* están tratadas musicalmente como lo harán los románticos, con el mismo empeño de reflejar al hombre y sus pasiones en la descripción de la naturaleza.

Beethoven sólo nos ha dejado una ópera : *Fidelio* ; pero no es la única de sus obras destinadas a la escena. Además del ballet de *Prometeo,* escribió la obertura de *Coriolano,* la música de *Egmont, Las Ruinas de Atenas* y *El Rey Esteban.* Si el libreto de *Fidelio,* leído fríamente, procurando olvidar la partitura, puede parecer una parodia de drama romántico, tal como lo concibieron Dumas padre y Hugo ; si lo inverosímil del personaje de Leonora, disfrazada de jovenzuelo y que la voz delata tan poco que Marcelina, aunque viva bajo el mismo techo, se enamora de ella y quiere hacerla su esposo ; si todo eso nos choca y nos provoca risa, vemos sin embargo con claridad qué es lo que pudo seducir a Beethoven en el melodrama de Bouilly. Gaveaux ya le había puesto música y fue representado en Viena después de su estreno en la Ópera Cómica de París. Beethoven sólo apreció las intenciones nobles del argumento sin darse cuenta de su torpeza y hasta ridiculez. La abnegación de Leonora por Florestán, su marido prisionero, se parece al amor tal como el músico lo sueña: un amor que incluso dentro de la pasión conserva un carácter algo religioso. El cuadro mismo de la acción, un calabozo, parece un símbolo. Beethoven es también un prisionero, pero de una incurable sordera que le separa de los demás hombres como un muro y unas rejas.

Fidelio se representó por vez primera el 20 de noviembre de 1805 en Viena. Los franceses habían entrado el 15 en la capital después de los combates de Dirstein y de Mariazell. Todo era adverso al éxito de la obra ; no alcanzó ésta más que tres representaciones y no se repuso hasta el año siguiente por la primavera, pero reducida a dos actos en lugar de tres, en cuya ocasión Beethoven escribió la obertura conocida con el nombre de *Leonora n.° 3,* y que se acostumbra a ejecutar entre el cuadro del patio de la prisión y la escena del calabozo. Corregido una vez más, en 1814, *Fidelio* se vio por fin juzgado según sus verdaderos méritos.

En esa obra, Beethoven se muestra — como hemos ya dicho — respetuoso con las formas tradicionales ; el romanticismo en ella es producto de la calidad expresiva de la música. El aria, la «gran aria», está construida según las reglas clásicas : una introducción, de movimiento moderado o allegro, que es una especie de recitativo ; un movimiento lento, y finalmente unas *strette* rápidas, *agitato.* El plan es lógico ; corresponde a los sentimientos que el personaje expresa en el monólogo, esa especie de examen de conciencia que es el aria : el personaje primero resume en sí mismo el objeto del debate, medita luego lo que va a decidir y por último se inflama frente a la acción. Las dos arias famosas de *Fidelio,* la de Leonora y la de Florestán, se hallan construidas de este modo. Pero el temperamento romántico de Beethoven no se revela en el fuego que pone en esas arias, que pintan la pasión, sino en el coro de prisioneros del segundo cuadro, en el que se encuentra el elemento pintoresco y además cargado de emoción. *Fidelio* todo entero aparece como un himno a la libertad no menos que al amor. Florestán es un mártir de la libertad ; ha sido lanzado a un calabozo por haber luchado contra la tiranía de Pizarro. Y la abnegación de Leonora — aun cuando tenga como principal resorte el amor conyugal — es también un combate por la liberación de los oprimidos. En el segundo cuadro, cuando convence a Rocco para que permita a los detenidos políticos que salgan un instante a respirar libremente a la luz del día y a contemplar la radiante claridad del verano, persigue, al propio tiempo que su fin particular, acercarse a Florestán y darle ánimos, un objeto generosamente altruista. Antes de que penetre en la estancia de su esposo, éste la llama en sueños y la saluda con este nombre : «¡ Ángel de la Libertad!», y cuando don Fernando llega para libertar a las víctimas de Pizarro y éstas se arrodillan ante su salvador, éste exclama : «¡ Levantaos! ¡ Yo no soy más que un hermano entre hermanos!». Casi con las mismas palabras del final de la IX Sinfonía, el verso de

Schiller : «*Alle Menschen werden Brüder!*» Todos los hombres se convierten en hermanos.

El sueño de fraternidad universal que Beethoven no ha cesado de acariciar, la luz de una aurora por largos tiempos esperada, ilumina su obra. ¿Cómo no habría puesto lo mejor de sí mismo en el canto de los prisioneros de *Fidelio,* lo mejor de su alma atormentada, de su alma romántica ?

La más que reservada acogida que obtuvo *Fidelio* prueba la hostilidad que el romanticismo experimentó en sus comienzos, hostilidad mucho más clara que la que se manifestó frente a la literatura romántica. La originalidad de Beethoven es puesta en entredicho por el crítico de «La Gaceta general de la Música», el cual escribe después del estreno : «Beethoven se ha recreado tantas veces sacrificando lo bello al deseo de hacer algo nuevo y extraordinario, que se podría esperar por lo menos, en su primera obra dramática, cierta originalidad. Ahora bien ; precisamente es lo que se echa de menos. Su partitura no se distingue ni por la invención ni por el estilo. Los trozos cantados no son nunca construidos sobre una idea nueva. La mayoría de las veces no tienen ningún carácter. Los coros no hacen ningún efecto ; uno de entre ellos, que expresa la alegría de los prisioneros al respirar libremente, resulta particularmente desacertado...».

En una palabra, todo lo que hoy admiramos en *Fidelio* es lo que choca al crítico alemán. Todo cuanto proporciona a la obra su facultad de durar, de provocar después de un siglo y medio la emoción del auditorio, es lo que le deja indiferente y le desagrada. En Francia, Cherubini no comprendió tampoco, y fue preciso que Habeneck fuese acostumbrando progresivamente a su público de la Sociedad de Conciertos y hasta a los músicos de su orquesta, para que se aceptase. Porque faltaba sin duda, para comprender aquella música, esperar de ella algo más que un placer superficial : una emoción profunda, para la cual se hallaban bastante mal preparados los aficionados al *bel canto.*

Desde este punto de vista, Weber está más de acuerdo con las exigencias de su época ; lo que no significa que su obra se halle falta de profundidad, sino que se deja abordar más fácilmente, adornada como está de brillantes colores y con el elemento fantástico que la hace más accesible.

Pero antes de hablar de Weber hay que citar por lo menos a Hoffmann, músico y poeta fantástico. Su *Undine,* ópera romántica, compuesta sobre un libreto de La Motte-Fouqué, se representó en Berlín el 3 de agosto de 1816, cinco años antes que el *Freischütz,* y de su audición Weber recibió una impresión profunda. Se creía que la partitura se había perdido en un incendio ; mas Pfitzner encontró una copia y *Undine* se representó en

Essen y Maguncia en 1918. En ella se puede atisbar una verdadera prefiguración, aún algo torpe quizás, pero bien acusada, del estilo romántico de Weber.

Desde sus inicios, Weber se sintió atraído por lo fantástico. Nacido en el año 1786 en Eutin, hijo de un director de teatro, acompañó a su padre en su vida errante. Recibió, al azar de las jornadas de la compañía, lecciones de Miguel Haydn en Salzburgo, del abate Vogler en Viena, y entretanto iba componiendo. A los quince años era ya autor de tres óperas. Vogler le dio a comprender la necesidad de emprender estudios serios. Obedeció y su maestro le hizo nombrar director de orquesta en Breslau. Tenía dieciocho años, llevaba una vida alegre ; pero trabajaba. Su amigo Rhode le entregó un libreto de ópera, *Rübezahl,* la leyenda de un gigante popular, donde hay coros de espíritus, de genios y de gnomos. Weber escribió la obertura de la ópera, obertura que arreglada en 1811 lleva el título de *Beherrscher der Geister (El Soberano de los Espíritus).* Esta obertura contiene ya a todo Weber en potencia : ritmos francos, efectos de teatro — pero de buena ley —, instrumentación notablemente colorida, y también ya, en el episodio central, lo que Weber llamaba jocosamente «el parque de artillería» porque empleaba tres trombones, cuatro trompas y tres timbales. Casi la instrumentación de Wagner.

Siguió viajando ; en 1810 da *Silvana* en Francfort, una obra terminada en la prisión por deudas. *Silvana* tiene por título : *ópera romántica.* Consiste su libreto, de Hiemer, en la historia de una hija del bosque a quien un ermitaño ha prohibido que hable con los extranjeros ; no puede expresarse más que con gestos, pero la orquesta se encarga de completar la mímica : gran ocasión para el compositor de hacer gala de sus dotes expresivas y colorísticas. En el año siguiente los afirmaba aún más en Munich con *Abu-Hassan,* sobre un libreto del mismo Hiemer. Se trata de una «turquería» en un acto, que recuerda el argumento del *Rapto en el Serrallo,* ya que para Fátima y Hassan, reducidos a la bancarrota, se plantea el problema de llegar hasta el califa, engatusarlo, obtener el perdón de sus deudas y hacer desterrar a Omar, el más avariento de sus acreedores. Hiemer hace una sátira de los apuros de dinero que Weber y él habían conocido en Stuttgart. La obra, que mezcla el canto con la recitación, como todas las de Weber (excepto *Euryanthe*), contaba originariamente ocho números y la obertura. El compositor añadió luego dos más. La obertura, encantadora, rompe con la costumbre de las oberturas italianas y ofrece un verdadero sumario de la ópera. Ésta lleva el carácter del romanticismo, no sólo por el giro de algunas frases que nos hacen presentir a Wagner, sino por el lenguaje armónico, que se adelanta en mucho a su época.

Pero es en el *Freischütz* donde se afirma netamente el romanticismo alemán. Libreto y música son puramente germánicos, lo que no impide absolutamente que la obra sea comprendida y estimada en todas partes por aquéllos que son sensibles a la gracia de la melodía y a la calidad de la instrumentación.

El argumento, ya tratado por Roser von Reiter, está sacado de una antigua leyenda. Es, en dos palabras, la historia de un hábil tirador, Max, que para obtener el premio de un concurso y a la vez la mano de Ágata, la joven a quien ama, prometida por su padre, el guardabosques Kuno, al vencedor del concurso de tiro, se deja arrastrar por su mal genio, Kaspar, a cerrar pacto con el diablo, el cual le dará siete balas francas; las seis primeras alcanzarán el blanco al que Max apunte, pero la séptima pertenece al diablo, que la dirigirá como le plazca. El título de la obra se explica así por «las balas francas», las balas malditas, una de las cuales, la que pertenece al diablo, tenía que tocar a la novia de Max. Pero matará a Kaspar, puesto que un santo ermitaño llegará a tiempo para desbaratar la maña diabólica de Samiel (el demonio) y su compinche. Y todo acabará con el perdón del príncipe, sólo con la condición de que Max aguarde por el espacio de un año la felicidad que esperaba para el día siguiente.

Más aún que en el elemento fantástico, el valor del *Freischütz* estriba en su poesía, de inspiración popular. Si el libreto más bien yuxtapone, que fusiona en un todo, la cantidad de rasgos diversos, la música, al contrario, pasa de los unos a los otros con extraordinaria flexibilidad. Está llena de sencillez y de efectos terroríficos; de gracia espontánea en el papel de Annette; de pintoresco en sus partes descriptivas. En el acto del torrente del lobo, el episodio de la caza infernal y la fundición de las balas, logra alcanzar una grandeza salvaje. Ha servido esta escena de modelo a centenares de obras. La contribución del *Freischütz* es una de las más considerables que la música haya jamás recibido: toda la orquestación moderna ha salido de su partitura.

El dúo de Annette y Ágata se puede parangonar con el de la, condesa y Susana en el *Fígaro* de Mozart. El aria de Ágata es comparable con la de Leonora. Y si Gluck, en la escena de la entrada de los infiernos de *Alceste,* ha conseguido hacer pasar un escalofrío de angustia entre el auditorio, Weber, en el acto del torrente del lobo, sabe utilizar con seguridad sorprendente los medios más adecuados para crear una atmósfera de terror: lo que se impone al espíritu, sin embargo, es la música, más que las apariciones siniestras; es la elección de los timbres, el choque de ritmos, la invención melódica. Existe entre las dos obras la diferencia que encontramos entre una escena de violencia y pasión en la tragedia clásica, y un episodio de la misma naturaleza en Shakespeare.

Weber no hizo más que el esbozo de una ópera cómica, *Los tres Pintos,* que habría hecho juego con *Habu-Hassan*. Deploramos su pérdida : hubiera sido sin duda una de sus obras más personales. *Euryanthe,* que viene después, fue, como ha dicho William Saunders, «el más perfecto logro de la ópera romántica, el más grande fracaso de la ópera en general.» Lo absurdo y complicado del libreto, de Helmina de Chezy, *bas-bleu* de Dresde, causaron el fiasco. La autora se inspiró en una novela de caballerías, la *Histoire de Gérard de Nevers et de la belle et vertueuse Euryanthe de Savoie.* Historia muy complicada : Euryanthe, prometida de Adolar, ha recibido la confesión de un secreto ; Emma, hermana de Adolar, al perder a su prometido Udo, se ha dado muerte absorbiendo el veneno contenido en la piedra de una sortija. Su alma no hallará el reposo a menos que las lágrimas de una inocente perseguida bañen la sortija maldita, y cuando «la fidelidad al asesino sea la redención del asesinato». Ahora bien : Euryanthe tiene una rival, Églantine, que está enamorada de Adolar. Y Adolar tiene también un rival, Lysiart, que se compromete a probar a Adolar que Euryanthe no le es fiel. He aquí un drama con dos traidores ; pero esto no se adivina sino en el transcurso de la obra, de lo que nace una tenebrosa y obscura intriga. Euryanthe ha participado su secreto a Églantine, su pérfida amiga, la cual le ha robado el anillo. Cuando se entera de que Euryanthe ha traicionado su secreto, Adolar, bajo el imperio de la cólera, la lleva al fondo de una selva y allí se prepara a darle muerte, cuando una serpiente monstruosa amenaza al galán. Euryanthe se interpone entre su prometido y el monstruo. Adolar mata la serpiente y huye, renunciando a su crimen, pero abandonando a Euryanthe. Los cazadores del rey la encuentran inanimada y el rey avisa en persona al joven. Adolar se está batiendo con Lysiart. El rey separa a los dos adversarios y hace detener a Lysiart, que ha tenido tiempo de matar a Églantine. Llegan los cazadores con Euryanthe, y Adolar cae a los pies de su amada.

Lo fantástico del argumento sedujo a Weber : encontraba en él lo que le había resultado tan bien en el *Freischütz.* Hizo añadir al libreto lo que parece más inverosímil : la historia de Emma y Udo ; así podría hacer aparecer (o al menos evocar, ya que la aparición felizmente no se realiza siempre en el teatro) el fantasma de Emma suplicante. En la obertura de *Euryanthe,* célebre entre todas, el pasaje *largo* que se repite en el segundo acto es de un carácter profundamente dramático que le hace apropiado para acompañar la visión del fantasma saliendo de la tumba. La obertura es una página brillante, maravillosamente conseguida : la partitura contiene dos arias de Adolar, la primera caballeresca, vigorosa ; la segunda llena de ternura ; luego viene el *largo* evocando el fantasma de Emma ; el centelleante final reproduce los motivos del principio. *Euryanthe* marca una fecha tal vez más importante que la del estreno del

Freischütz. Su influencia sobre Wagner es manifiesta. Schumann ha dicho que «*Euryanthe* fue sangre del corazón de Weber y le ha costado ciertamente algunos años de su vida. Pero con esta obra llegó a la inmortalidad». Se estrenó en Viena el 25 de octubre de 1823.

Weber había recibido de Londres el encargo de *Oberón* para el Covent Garden. Marchó a Inglaterra, ya muy enfermo, a pesar de una cura en Marienbad que sólo le concedió un respiro. Trabajó con ardor y *Oberón* se representó por primera vez el 12 de abril de 1826. Weber moriría el 5 de junio. Pero había podido asistir al triunfo de la nueva obra. El escenario de ésta es una mezcla de cuento de hadas y drama hecho con retazos del *Sueño de una noche de verano,* de la antigua novela francesa *Huon de Bordeaux,* y sobre todo del *Oberón* de Wieland. Oberón, peleado con Titania, su esposa, juró no volverla a ver hasta que la fidelidad de dos amantes redima los perjurios de la inconstancia. Huon de Burdeos, Huon el hombre de pro, y Rezia, hija del sultán de Bagdad, serán aquellos amantes fieles. Pero tendrán que atravesar toda suerte de pruebas antes de verse unidos. Un cuerno encantado que Oberón regala al caballero le ayudará a triunfar, y Huon tendrá que librar a Rezia de unos piratas que la han raptado. Weber deseaba hacer una ópera verdadera ; las exigencias del teatro inglés, tal como subsistía aún a comienzos del siglo XIX, se lo impidieron ; mas con todo ha conseguido dar un extraordinario color a su partitura. Es una espléndida obra maestra, que la extravagancia del libreto condena a no ser sino demasiado raramente ejecutada.

El aria de Rezia se oye cada vez más de tarde en tarde en las salas de concierto. La obertura es una página sinfónica maravillosa que resume a la obra. Comienza por las tres notas misteriosas del cuerno mágico : tres notas ascendentes que bastan para crear una atmósfera hechizada y que volverán muchas veces durante el drama, constituyendo un auténtico *leitmotiv.* Las danzas y los coros que a menudo las acompañan ocupan un importante lugar en *Oberón.* Muchas veces Weber confía a las voces la representación de las fuerzas de la naturaleza : la barcarola de las Ondinas es de una intensa poesía. Jean Chantavoine ha podido decir con mucha razón que *Oberón,* desde el punto de vista histórico, más que una obra es un legado ; es decir, un tesoro del que su poseedor o inventor ha sacado menos partido que sus herederos, entre ellos Wagner y Bizet.

El *Faust* que Ludwig Spohr (1784-1859) hizo representar en Francfort en 1881, obtuvo un éxito clamoroso y fue considerado como la obra cumbre de la ópera alemana. *Jesonda* (sacada de *La Viuda del Malabar,* Cassel, 1823) fue otro triunfo. Violinista de un raro talento, Spohr había dado conciertos en Italia con Paganini. Además de ser autor fecundo de sinfonías y de música de cámara, tiene escritas diez óperas, una de las cuales, *Zemir und Azor,* representada en Francfort el año 1819, fue puesta al mismo nivel que su *Faust*. Weber le reprochó el escribir para las voces como virtuoso de violín. Su sensibilidad casi femenina, su desbordante romanticismo, se dan libre curso en *Faust,* que primero fue un oratorio y actualmente permanece en el olvido. Lo mismo se puede decir de Heinrich Marschner (1795-1861), protegido de Weber, quien en 1820 hizo representar en Dresde *Heinrich IV und Aubigné*. Siendo director de orquesta del teatro de Leipzig, Marschner dio *Der Vampyr* en 1828 y *Der Templier und die Jüdin* el año siguiente. Su música es muy colorida, pero de un romanticismo externo. Entre sus otras obras (escribió quince obras líricas), *Hans Heiling* conserva un interés histórico porque la crítica alemana lo ha comparado con *El Buque Fantasma*. Es cierto que la instrumentación de Marschner es brillante ; pero no hay en él ni la calidad ni la originalidad de Weber ; y los dramas líricos de Wagner han hecho olvidar sin demasiada injusticia los de Marschner.

No hay mucho que recordar tampoco acerca de Konradin Kreutzer (1780-1849) ni de su treintena de obras, aunque la *Noche en Granada* (*Das Nachtlager von Grenada*), representada en Viena en 1834, no carece de amenidad. Tampoco merece ser recordado Gustav-Albert Lortzing (1803-1851), en cuyas obras se observan influencias italianas y francesas. Músico nato, actor y escritor, tuvo facilidad y se contentó sin duda excesivamente con ella. Su *Zar und Zimmermann* (*Zar y carpintero*), a pesar de ser un fracaso en Leipzig, en 1837 triunfó en Berlín.

Friedrich von Flotow (1812-1883), seguramente por su estilo gracioso y ligero, triunfó en París con *Le Naufrage de la Méduse* (1839), estrenado en el teatro de la Renaissance. Sus mejores obras son : *Stradella* (Hamburgo, 1844) y sobre todo *Martha* (Viena 1847). La melodía irlandesa *The last rose of summer,* sobre la poesía de Thomas Moore, introducida por Flotow en esa obra, contribuyó en gran manera a su éxito. *L'Ombre* (*Sein Schatten*) estrenada en la Ópera Cómica el 7 de julio de 1870, lleva a la escena un episodio de la guerra de las Cévennes bajo Luis XIV ; la obra igualó el éxito de *Martha*.

Aunque murió joven, Otto Nicolaï (1810-1849) sobrevive gracias a su ópera *Die lustigen Weiber von Windsor*, estrenada en Viena dos meses antes de su muerte ; la franca alegría de la obra aún es apreciada, mientras que el resto de sus producciones ha caído en el olvido. Franz Schubert, aunque compuso algunas obras dramáticas, *Singspiele,* farsas, óperas, ballets, no merece mucha gloria por todas esas composiciones, al lado de sus *lieder*. Muchas de aquellas partituras se han perdido ; otras sólo nos han llegado en forma de fragmentos. Quedan *Rosamunde,* cuyo ballet forma parte del repertorio de conciertos ; *Fierrabras* (1823), *Alfonso und Estrella,* que tuvo que aguardar treinta años hasta que Liszt la representara en Weimar (1854) y *Die Verschworener* (*Los Conspiradores*) ; por ellas vemos que, de haber vivido, Schubert hubiera podido aportar al teatro cualidades dignas de triunfo.

A Robert Schumann sólo se le debe una ópera, *Genoveva*, que no obtuvo en Leipzig el año 1850 sino escaso éxito. La obra es interesante, aunque poco escénica, y su estrecho parentesco con el argumento del *Lohengrin* todavía acusa más sus defectos ; éstos anulan bellezas dignas del músico de *Faust* y *Manfred* ; *Genoveva* pone de manifiesto lo que Schumann hubiera podido hacer en el teatro si la enfermedad no le hubiese condenado al silencio durante los últimos años de su vida, antes de llevárselo definitivamente, a los cuarenta y seis años de edad. Lo mismo pasa con Mendelssohn, muerto más joven aún, en 1847. No ha dejado más que una ópera, *Die Hochzeit des Gamacho*, favorablemente acogida en Berlín el año 1827. Esta obra no cuenta mucho en la producción del autor ; pero su música de escena para *El Sueño de una Noche de Verano*, y sus grandes oratorios (*Paulus, Elias*), son de un maestro indiscutible.

Es harto difícil hablar equitativamente de Meyerbeer (1791-1864), y se ve por los juicios extremados que se han pronunciado sobre su obra ; ha conocido éxitos resonantes, y ante su gloria naciente quiso entrar en el silencio el prudente Rossini. Sus contemporáneos le han considerado como el dios del arte lírico, y mucho después de su muerte ha continuado brillando en la Ópera. Pero, ya desde su juventud, su antiguo condiscípulo Weber, alumno como él del abate Vogler, le echaba en cara el haber traicionado a su patria alemana para hacerse italiano ; y Schumann, algo más tarde, le acusaba con mucha más fuerza por haberse hecho francés. En el fondo no fue italiano, ni francés, ni tan siquiera alemán ; admirablemente dotado, ha dado la ilusión de una fuerte personalidad y no poseyó más que el don de ser sucesivamente lo que gustaba parecer a fin de poder seducir mejor a sus contemporáneos. Ha sido cosmopolita, y a este título fue uno de los mejores artesanos de la ópera internacional hecha para levantar los aplausos tanto en París como en Roma, Viena, Londres o Nueva York. Sus obras no carecen de fuerza ; pero demasiado a menudo la hinchazón ocupa el lugar de la potencia ; sus dotes melódicas son reales, pero no teme la insipidez ; armoniza como persona para la cual la ciencia musical no contiene secretos, pero llena de vulgaridades sus acompañamientos y no teme ni los efectos fáciles y previstos, ni el plebeísmo. ¿Cómo definir a este Proteo, en quien siempre se revela algún defecto en el mismo instante en que estamos a punto de admirarlo ; este músico artificioso y sabio que tal vez ha sido víctima de su habilidad y a quien sólo ha faltado ser severo consigo mismo y no anteponer la propia estimación al aplauso de las multitudes?

No hay gran cosa que decir de sus primeras obras escritas en Italia, adonde había ido, siguiendo los consejos de Salieri, a fin de perfeccionarse.

Ni *Il Crociato in Egitto* (Venecia, 1824), ni sus obras anteriores completamente olvidadas, nos enseñan nada. Y si se habla del *Crociato* es porque su éxito fue lo bastante vivo para convencer a Sosthène de La Rochefoucauld, superintendente de los teatros, que lo hizo representar en París. Meyerbeer, al dejar la capital francesa, se dirigió a Alemania y regresó seis años más tarde con *Robert le Diable*. Es sabido que Véron, director de la Ópera, le proporcionó intérpretes escogidos, y fue lo bastante hábil para obtener del compositor, hijo de banquero, que pagase la construcción de un órgano para el teatro ; también supo provocar el éxito (no inmerecido, ciertamente), y explotarlo ; y, en fin, aprovechando ese triunfo, encargó una segunda obra a Meyerbeer, estipulando además un sistema de indemnizaciones que el compositor prefirió pagar a precipitar demasiado — y eso le honra — la terminación de *Les Huguenots. Robert le Diable,* 22 de noviembre de 1831 ; *Les Huguenots,* 26 de febrero de 1836 ; dos fechas memorables en la historia de la Ópera. Una tercera, 16 de abril de 1849, *Le Prophète* ; y, más aún, un acontecimiento sin precedentes, una obra póstuma (Meyerbeer había muerto el 2 de mayo de 1864), esperada, reclamada a los albaceas testamentarios, comentada en innumerables artículos de la prensa mediante una «réclame» sabiamente montada : *L'Africana,* el 28 de abril de 1865. A estas obras hay que añadir la música de escena para *Struensee* (un drama de su hermano) ; *Das Feldlager in Schlesien* (en francés, *L'Étoile du Nord*) compuestos en Berlín, donde Meyerbeer fue director de música de la corte de 1842 a 1848, y una obra rural, *Dinorah ou Le Pardon de Ploermel,* estrenada en la Ópera Cómica el 4 de abril de 1859.

Parece que la conjunción de Scribe y Meyerbeer haya sido querida por los dioses para orientar la ópera hacia su destino. El «oficio» del músico no encontraba pareja sino en la habilidad del libretista. A las invenciones del escritor dramático, a sus golpes de teatro, movidos por «hilos» que Berlioz juzgó «gruesos como cables» — y tan gruesos como los del compositor — ; a ese don maravilloso de interpretar la historia añadiéndole a cada instante lo que la realidad no sabía ofrecer, a esa «buena artesanía» decidida a complacer a su clientela, se ajustaban admirablemente tanto las cualidades como los defectos de Meyerbeer ; y, antes que todo, su estupenda plasticidad.

Desde aquel momento ya no existe ninguna otra forma lírica que la ópera histórica. Ella es la que permite desfiles, cortejos, pompas nupciales o fúnebres, cacerías, grandes ballets que se dan bajo pretexto de fiestas en las residencias reales. Se necesitan caballos sobre el escenario de la Ópera (que un crítico denomina «Ópera Franconi»), Margarita de Navarra entra a caballo en su buena villa de París en el tercer acto de los *Hugonotes* ; por lo que se refiere al *Profeta,* como la acción se desarrolla en Holanda, se imagina un ballet en el que bailarines y bailarinas evolucionan sobre patines de ruedas, con gran perjuicio para la música, por otra parte lindísima, y que, desembarazada del ruido infernal de los patines, acompaña hoy a una de las mejores creaciones de los Sadler's Wells. Se da al público el espectáculo de un incendio al acabamiento de la misma obra ; en *Roberto,* los fantasmas de unas monjas salen de la tumba para bailar. Todo el esfuerzo creador consiste más bien en hallar lo que es exterior al drama y le sirve de cuadro que lo que nos hace penetrar los sentimientos de los personajes ; lo que explica sus pasiones. Y, con todo, esa música complaciente no siempre es despreciable : el cuarto acto de *Los Hugonotes* es una obra maestra, apenas estropeada por alguna facilidad, y en *El Profeta* la cavatina de Fides sobre las notas del acorde perfecto lo sería si no terminase desgraciadamente en un pasaje de bravura. Música demasiado a menudo relumbrante y donde se desearía más profundidad ; música que muchas veces empequeñece el drama en lugar de ampliarlo y elevarlo ; música que hizo decir a Wagner «que la reducía al cero absoluto» y a Mendelssohn, hablando de *Roberto* : «¡Ese diablo es un pobre diablo!». Y no obstante... la seducción fue poderosa : el arte — o artificio — de Meyerbeer obra como un imán : atrae. Pero el imán está llamado a perder muy pronto su fuerza magnética : cesó de retener al público, como había cesado ya desde hacía mucho tiempo de atraer a los músicos.

II

Rossini es muy distinto. No porque no haya sido tan hábil y pronto a cazar la ocasión y aprovechar el éxito como su rival alemán. Pero en la música de ese grueso personaje jovial existe una sutileza por completo italiana ; hay una animación irresistible, un gracejo centelleante, en sus arias, escritas a vuelapluma, y tanto movimiento, que parece vida ; y tanta gracia sabia, que parece natural ; y tantos efectos de teatro que parecen lógicos y necesarios, de forma que todo se le perdona mucho antes de que haya pecado. Pero ¿peca, por ventura? ¿Es que le queremos mal por haber sido «él mismo» con tanta malicia, que se tomaría por candor, si no supiéramos que es astuto? Y además ha sabido durar.

No se puede negar que hay algún desecho en una producción tan abundante, tan variada, y extendida por el espacio de veinte años. Pero — suprema habilidad — supo detenerse desde que sintió que iba a cambiar el viento, y valía más quedar como el autor de *El Barbero* y de *Guillermo Tell* que añadir al catálogo de su obra algunos números que habrían aumentado el peso de ella sin aumentar su gloria. *Guillermo Tell* ya no se representa en Francia y no reaparece sino en los *debuts* de los

Figurines italianos del siglo XIX *para «Don Juan», ópera de Mozart.*

Casa natal de Mozart en Salzburgo.
(Grabado alemán)

Decoración de Schinkel para «La flauta encantada», de Mozart.
Acto I, escena 6 (Berlín, hacia 1845).

Figurines para el estreno en París de «Tarare», ópera de Salieri (1787).

Escena de «Richard Coeur-de-Lion», de Grétry (1784). Acto III, escena 10.

(Grabado de Bornet)

El bailarín Pierre Gardel
(1758-1840).

(Grabado de Prud'hon)

El bailarín Augusto Vestris
(1760-1842).

(Dibujo de Isabey. Museo de la Opera)

Figurines para «Pharamond», ópera de Boieldieu (1825).

Decorado de Schinkel para el III acto de «La Vestale», de Spontini.

(Reposición en Berlín, hacia 1845)

tenores en provincias. Pero *El Barbero* vivirá mientras existan amantes del arte lírico, y el *Conde de Ory* merecería ser resucitado.

Inútil mencionar todas las obras que van desde *La Cambiale di Matrimonio,* representada en San Mosè de Venecia cuando Rossini contaba dieciocho años, y que con toda probabilidad no merecía sino pasar inadvertida, hasta el *Guillermo Tell* que el 3 de agosto de 1829 empezaba en la Opera de París una carrera de tanta duración. Basta con mencionar *Tancredi,* que contiene la famosa aria *Di tanti palpiti,* cara a los corazones de Balzac y de todos los románticos y que Rossini escribió (por lo menos lo quiere así la leyenda), sobre la mesa de una hostería, en cinco minutos ; *L'Italiana in Algieri, Elisabetta d'Inghilterra* (que se cita solamente porque esta obra está ligada con el recuerdo de Isabel Colbran, con quien se casó y que le decidió — ¿tuvo razón? — a escribir *óperas serias*) ; *Il Barbieri di Siviglia, La Cenerentola, La Gazza Ladra,* que entusiasmó a Stendhal, como la *Cenicienta* italiana entusiasmaba a Gautier ; *Mosè in Egitto* (cuya plegaria *Dal tuo stellato soglio* fue un artículo del *credo* musical de todos los melómanos románticos, aunque hoy nos parezca más convencional que sincera) ; *La Donna del Lago,* inspirada en Walter Scott ; *Maometto, Semiramis,* que sobrevive por su obertura ; *Le Siège de Corinthe,* nueva versión de *Maometto* ; *Il viaggio a Reims,* que mudó su nombre por el del *Comte Ory.* La lista no es completa, ni con mucho, pero basta para mostrar la fecundidad de Rossini. ¿Dónde están las óperas de antaño? Claro que en esa carrera afortunada no todo marchaba sin fracasos ; pero una ópera bufa sucedía a una ópera seria, y, cuando las cosas no marchaban, Rossini pillaba un coro por aquí y un aria por allá y las acomodaba a nuevos libretos.

Nada queda por decir acerca de *El Barbero.* La obra merece plenamente su reputación. Ha ejercido sobre los músicos franceses una influencia que vino a reforzar la de Spontini y que se vio todavía apoyada por el *Guillermo Tell.* Desde entonces se amplía la parte del *bel canto* en las óperas francesas. Meyerbeer no escapa a ella ni tampoco Auber, Halévy, Hérold. Y, si bien es cierto que Auber con *La Muette de Portici,* en 1828, había conducido la ópera por un camino paralelo al que Víctor Hugo abría al drama romántico con *Hernani, Guillermo Tell* en el año siguiente le daba el impulso definitivo.

¿De dónde proviene esa acción decisiva? *Guillermo Tell* renueva y amplía lo que *La Vestale* de Spontini, veinte años antes, había sólo indicado. Y los resultados esta vez son duraderos. Importa subrayar que, al igual que Spontini, Rossini escribe el *Guillermo Tell* sobre un libreto francés. Pero Rossini ha adquirido un conocimiento profundo de los gustos, aspiraciones y tendencias del público y de los músicos franceses. Es un autor célebre cuyas obras son representadas en París y en provincias más a menudo que las de los franceses. Pero hasta entonces ha sido un músico extranjero. Y *Guillermo Tell,* sin que el estilo italiano de Rossini pierda ninguna de sus cualidades, refleja más que ninguna de sus demás obras la voluntad que tiene el músico de renovarse. Cosa difícil, que Rossini consigue sin esfuerzo aparente, sin dejar de ser él mismo, pero no sin trabajo, como lo prueba la génesis laboriosa de la obra. A más de un siglo de distancia, notamos lo que le liga con las anteriores ; los contemporáneos descubrieron mucho mejor lo que le separa de ellas. Se dieron cuenta del empeño de tratar musicalmente un argumento histórico dando netamente a la partitura el «color local» requerido por el drama de Schiller. El cuidado atento de subrayar con una música expresiva los sentimientos y las pasiones de los personajes y crear la atmósfera física y moral del drama, se manifiestan desde la célebre obertura, que es una verdadera sinfonía, lo cual se descubre en los conjuntos más aún que en las arias (ésas se adaptan al gusto del tiempo, ya que nos hallamos en la edad de oro del *bel canto*). Rossini hace un esfuerzo por alcanzar la verdad expresiva y lo consigue simplificando su escritura vocal. Al mismo tiempo da a la orquesta un color mucho más limpio y crea una decoración sinfónica móvil, que refleja los aspectos de la naturaleza, del paisaje, que en el primer acto es una verdadera sinfonía pastoral.

Cuando se compara esta partitura con las que entonces componían el repertorio, se tiene la medida del progreso que representa. Y, si bien es verdad que muchas páginas son flojas y el idilio de Arnoldo y Matilde empequeñece la obra, sentimos sin embargo que, en otros pasajes, Rossini ha puesto algo más que su ciencia técnica : hay en la escena final, en el himno saludando la libertad, una sinceridad generosa que la realza.

Y eso es lo que en *Guillermo Tell* corresponde a las aspiraciones de la generación romántica, lo que no se encontraba todavía en la *Muette* sino en estado embrionario, y se encuentra desarrollado en el *Guillermo Tell*. Ésta es la razón de la influencia ejercida por esta obra, que por espacio de mucho tiempo durará en el repertorio, y que a pesar de las mutilaciones sufridas continuará gustando. Después de esta obra, Meyerbeer cambia de estilo ; y muchos otros con él. A pesar de su ciencia armónica, a pesar de las modulaciones en tonos muy alejados que Meyerbeer introduce en el dúo de Valentina y Marcelo (*Los Hugonotes*), su influencia se ejerce más bien sobre la forma exterior de las obras ; Rossini, con espíritu de fineza, ofrece un ejemplo más fácilmente asimilable al genio francés. La unidad de estilo de *Guillermo Tell* o del *Comte Ory* da un ejemplo infinitamente provechoso, que muchos desdeñarán, pero que un pequeño número de privilegiados se apresurará a seguir.

Más fecundo aún que Rossini, Gaetano Donizetti (1797-1848) debió a Francia la consagración de los éxitos ganados durante su juventud en

Italia : en cincuenta años de vida y treinta de producción, escribió más de cincuenta óperas. Se han salvado del olvido cuatro o cinco : *Lucia* (1835, en Nápoles) ; *La Favorita, La Figlia del Regimento, I Martiri,* estrenadas las tres en París en 1840, y *Don Pasquale,* igualmente en París en 1843. Se recuerdan aún unos cuantos títulos : *Anna Bolena* (Milán, 1828), *L'Elisir d'Amore* (Milán, 1832), *Linda di Chamounix* (Viena, 1842), *Don Sebastiano* (París, 1843) ; pero el desecho es numeroso ; y la misma constatación se podrá hacer a propósito de otros músicos de la época. No es sólo el gusto que, al cambiar, hace parecer tantas obras viejas y usadas ; también, y mucho más, su propia insignificancia.

Sin embargo, Donizetti había sido un niño prodigio, admirablemente dotado, que había aprendido todas las disciplinas que pueden fortificar a un compositor y darle un dominio del oficio. Su facilidad hace que se satisfaga con poco. Todas sus obras se parecen, y hoy extraña leer que Scudo, crítico musical de la «Revue des Deux Mondes» haya podido ver en *Lucia* no sólo la obra maestra de Donizetti, sino la de todo el teatro lírico. ¿De dónde tanto entusiasmo?

De momento, del libreto que lleva a la escena *The Bride of Lammermoor* de Walter Scott. En 1835 todo el mundo había leído la novela escocesa, publicada en 1819 y traducida a todos los idiomas. Exhala romanticismo en cada página. El libreto, sacado del libro por Cammarano, sólo conserva un grosero cañamazo. Hubiera sido tarea digna del músico restituir al asunto lo que el libretista le había torpemente quitado. Pero, no ; Donizetti no consigue más que subrayar la violencia del drama, la inverosimilitud de las situaciones después del descubrimiento perpetrado por Cammarano. Queda un tinte de melancolía que se extiende sobre los tres actos ; tinte desgraciadamente uniforme. Lo que ha salvado por mucho tiempo del olvido a *Lucia* es la gran participación que Donizetti da a las voces, la perfección (para el cantante) de su escritura. Tiene el mérito de haber limpiado, por decirlo así, simplificado, la melodía de los superabundantes adornos con los cuales el mismo Rossini la sobrecarga. Pero si nos fijamos, por ejemplo, en el principio del famoso sexteto (segundo acto), tan habilidoso, tan notable, vemos que la frase melódica de Edgar con la cual comienza, repite por tres veces el mismo dibujo descendente de dobles corcheas, y es imitado inmediatamente por Lucía, cuya respuesta se halla calcada sobre el mismo motivo de la escala descendente ; la cosa resulta excesiva. Otra de las causas de avejentamiento es la flojedad de los acompañamientos, su monotonía, el abuso de arpegios. Y, con todo, queda algún atractivo en *Lucia,* no, por cierto, el aria de la locura — que en el momento en que sucumbe la heroína bajo el peso de la traición, perdiendo el seso, no es más que un ejercicio de virtuosismo —, sino en algunos pasajes como la muerte de Edgar en el último acto.

Los mismos defectos y cualidades, éstas últimas en mayor número, se encuentran en *La Favorita*. Ciertas inflexiones de un giro melancólico tienen un color muy personal : expresan el alma misma de Donizetti al mismo tiempo que el alma del romanticismo. El éxito fue grande y duradero : la obra es una de las más representadas en Francia. Hoy nos parece muy envejecida. *La Figlia del Regimento,* que ya no se ve casi nunca en escena, se ha defendido mejor de los ataques del tiempo. El argumento, vecino de la opereta, la partitura marchosa y tierna, aseguraron su éxito. Pero es sin duda en *Don Pasquale* donde Donizetti dio lo mejor de su talento. Y, con todo, no pasa de ser un asunto bufo : un viejo enamorado, al que burla una mujer avispada ; casi el tema de *Il Barbiere di Siviglia,* y naturalmente también contiene una serenata. Pero todas estas obras delatan demasiado a menudo la precipitación. El exceso de trabajo mató a Donizetti después de haberle quitado la razón. La melancolía que baña a tantas de sus creaciones, ¿ era acaso un signo precursor de su triste destino?

El de Bellini fue más sombrío aún, después de haber sido más brillante : Vincenzo Bellini murió a los treinta y cuatro años. Siciliano, discípulo de Zingarelli en Nápoles, empezó su carrera en 1825 con *Adelson e Salvini* en la escena del Conservatorio. Lablache, el bajo famoso, lo tomó bajo su protección y estrenó el año siguiente y en el teatro de San Carlo, *Bianca e Fernando,* lo que valió al compositor de dieciocho años un encargo de la Scala ; allí triunfó con *Il Pirata,* después con *La Straniera* ; pero *Zaira* fracasó en Parma : fracaso que se vio compensado por el éxito de *Montecchi e Capuletti* en Venecia, y sobre todo, de *La Sonnambula* en Milán (1831). Aquel mismo año *Norma* recibió una acogida aún más calurosa ; en 1833 estrenó *Beatrice di Tenda,* con un éxito mediano. Poco después Bellini marchó a París definitivamente. En la sala de los Italianos, *I Puritani di Scozzia,* sacada de la novela de Walter Scott, alcanza un éxito inmenso ; pero Bellini murió casi inmediatamente después.

Desde *La Sonnambula* ya los críticos italianos habían censurado la simplicidad excesiva de sus acompañamientos. Esa debilidad del fondo armónico de las voces, esa pobreza de las partes sinfónicas de sus obras, son causa del envejecimiento que sufren. Se necesita todo el calor de las voces italianas, avezadas al *bel canto,* para traducir debidamente una música cuyo encanto reside únicamente en la pureza de su línea melódica. Pero el encanto es poderoso. Sedujo a Bizet, quien intentó reorquestar *Norma,* aunque renunció después del primer acto porque — relata Camille Bellaigue — «¡ su orquestación estaba sin duda mejor que la de Bellini, pero no tenía nada que ver con *Norma* !». Existe, en efecto, dentro de las obras de Bellini, algo indefinible, frágil, que no se puede tocar sin destruirlo por completo. De vez en cuando, se observa algún hallazgo armónico : al final del dúo de *Norma,* el acorde de *mi bemol* entonado por todos los violines en pleno *sol mayor,* o la progresión ascendente de los bajos armónicos, exactamente reproducida en la muerte de Isolda, hasta llegar a la misma apoyatura, que, en ambas obras, señala el punto culminante de la emoción. Pero esos hallazgos son raros : *La Sonnambula* y *Norma* valen por la espontaneidad con que brota la melodía, y este arte escapa a todo análisis. Es inmaterial : el aria *Casta diva* es una simple monodia, tan desnuda como el arte gregoriano ; reposa, es verdad, sobre un fantasma de armonización tan sutil que no parece haber sido puesto sino para mostrar su insuficiencia. Pero Bellini, sin duda, no ha querido otra cosa : ha dejado que se expansione la voz humana. Tuvo el genio de trazar las líneas aéreas más propicias a su empuje.

III

Mientras París se ve invadido por los músicos extranjeros, principalmente italianos, tres compositores franceses, Auber, Halévy y Hérold, mantienen más o menos felizmente la tradición nacional. Y aún los tres sufren la influencia de Rossini y Meyerbeer.

La obra de Daniel-Esprit Auber, que vivió noventa años, de 1782 a 1871, se nos presenta como un puente echado entre el XVIII y el XIX. Tiene del primero la ligereza, el gracejo, las cualidades, superficiales a menudo, que fueron propias de los pequeños maestros de la Ópera Cómica durante los últimos años del antiguo régimen, la Revolución y el Imperio ; del segundo, traduce los gustos por el pintoresquismo romántico ; pero aquí, tampoco, nada que sea profundo, y eso le envejece. Con todo, este puro parisién — nacido en Caen por casualidad — merece verdaderamente su nombre de Esprit ; mas sin duda ha dispersado este espíritu en demasía a través de los ciento treinta y dos actos (sin contar los ballets) que ha firmado.

Discípulo de Cherubini, al que sucedió en la dirección del Conservatorio, sobrevive más por sus óperas cómicas que por las grandes óperas que también escribió. Ya era famoso por *La bergère châtelaine* (1820), *Emma ou la promesse imprudente* (1821), representada 181 veces en París y 582 veces en provincias en el intervalo de pocos años ; *Leicester ou le Château de Kenilworth,* que en 1823 señala el inicio de su colaboración con Scribe ; *Léocadie* (1824), *Le Maçon* (1825) y *Fiorella* (1826), cuando el 29 de febrero de 1828 el telón de la Ópera se alzó sobre el primer acto de *La Muette de Portici* después de una obertura muy brillante que entonces pareció muy original y hoy no lo parece tanto. Su originalidad más auténtica consiste en haber hecho de una muda, la pobre Fenella, el personaje central del drama lírico. Auber había visto a Emilia Bigottini, bailarina de la Ópera, en el papel de protagonista de *Nina ou la Folle par amour,* en el ballet que Milon y Persuis sacaron en 1813 de la obra de Dalayrac ; y se le ocurrió la idea de confiarle una parte en una obra lírica ; el resultado fue *La Muette.* La primera vez se presentaba en la escena un episodio de la historia moderna que parecía lleno de alusiones a los hechos contemporáneos. Por su forma *La Muette* es la primera ópera romántica : la abundancia de todo aquello que hasta entonces había sido accesorio y se convertirá en esencial fue la base del éxito. El espectáculo sedujo a todos a quienes la música no hubiera podido convencer. La obertura, con su airosa marcha, puntuada por el tambor en los tiempos fuertes, la barcarola : *Amis, la matinée est belle* ; el dúo, con su frase *Amour sacré de la patrie,* que tenía que guiar la sublevación de los bruselenses tres años más tarde ; la cavatina del tenor ; el aria del cuarto acto : *Arbitre d'une vie* ; la calidad de una interpretación que reunía las mejores voces de la época (Nourrit, Mme. Cinti-Damoreau, Alexis Dupont, Dabadie, Prévôt, Pouilley, Massol) y por último la gracia de Mlle. Noblet, a quien correspondió el papel de Fenella, originariamente concebido para Mlle. Bigottini ; todo se concitó a la vez para hacer aplaudir la obra, que continuó de repertorio por todo el siglo pasado... y no se ha repuesto ya más. La lectura de la partitura nos muestra cuán flojo era el genio dramático de Auber.

Fra Diavolo (1830) y mucho más aún *Le domino noir* (1837) son las obras en que se halla lo mejor de su producción. *Le domino noir* ha sido uno de los éxitos mayores y sostenidos por mayor tiempo en la Ópera Cómica. El libreto es una especie de transposición de la historia de la Cenicienta, conservando la inverosimilitud, ya que no la poesía (hay gran trecho de Scribe a Perrault) : el libreto ofrece al músico todos los artificios ya conocidos añadiendo otros que se hallarán en *Les Mousquetaires au Couvent* y en *Mam'zelle Nitouche.* Pero sirve de pretexto al músico para algunos amables «couplets», para alguna seguidilla garbosa : «*Ah! quelle nuit! Le moindre bruit me trouble et m'interdit!*», la canción acompañada por el coro : «*Heureux qui ne respire*», el aria «*Une fée, un bon ange*», que han contribuido al buen éxito de la obra. Así mismo *Haydée* en 1847 tuvo una larga popularidad gracias a la barcarola «*Ah! que Venise est belle!*» y *Les Diamants de la Couronne* alcanzaron 379 representaciones a despecho de lo inverosímil del libreto. *Manon Lescaut* contiene la famosa aria de la risa, que se oye a menudo en los concursos del Conservatorio.

Se pretende — y él mismo lo afirmaba — que Auber daba el adiós definitivo a sus obras el día del ensayo general y que jamás volvía a escucharlas. Dijo también : «He amado la música mientras fue mi amante ; pero ¡después que es mi mujer!...». La ocurrencia se terminaba con una sonrisa. No hay que pedir a Auber, escéptico y gracioso, más que esa sonrisa y agradecerle que no haya hecho nunca una mueca.

Muy al contrario, Fromenthal-Élie Halévy (también discípulo de Cherubini) fue un músico lleno de seriedad y gravedad. Gran premio de Roma a los veinte años (había nacido en 1799 y murió en 1862), tuvo unos comienzos dificultosos a pesar de sus éxitos escolares. Un *De profundis* sobre el texto hebraico, compuesto en 1820 para la ceremonia fúnebre del duque de Berri, llamó la atención sobre el músico. Pero tardó siete años para que *L'Artisan* en el Teatro Feydeau, y *Clari* en el Teatro Italiano, le ganasen los sufragios del público. Conoció más tarde algunos fracasos y tuvo que aguardar el estreno de *La Juive* en la Ópera, el 25 de febrero de 1835, para ser admitido entre los músicos de primera fila. El libreto de Scribe, los excelentes consejos de Nourrit, que escribió las palabras del aria : *Rachel, quand du Seigneur* y los ofreció al compositor en sustitución del final del cuarto acto ; los gastos enormes emprendidos por Véron y Duponchel para montar la obra con todo lujo ; la atracción de un «desfile» que ha quedado como legendario, concurrieron al éxito de *La Juive* ; pero si bien tantos detalles exteriores llevaron muchos curiosos a la Ópera, la calidad de la música atrajo a los aficionados. Hoy ciertamente, la partitura ha envejecido ; pero bastante menos que muchas otras contemporáneas. La partitura encierra páginas llenas de pasión y originalidad ; denota una preocupación por el estilo que contrasta con la negligencia de muchas obras de aquellos días. Y la orquestación también es más refinada y elegante que ninguna otra de su tiempo. *L'Éclair,* que se dio en la Ópera Cómica en 1835, no contiene coros, y, si bien el argumento no es muy verosímil, la partitura es agradable, y los «couplets» de la «esperanza» en el tercer acto fueron pronto populares. *Guido e Ginevra, ou La Peste à Florence,* estrenada en la Ópera el 1838, da idea del gusto macabro de la época : se contempla un aparato singular, tumbas de apestados, *condottieri* que cantan : «¡ Viva la peste !» y luchan con sus dagas, venenos que se vierten ; un romanticismo a lo *Han de Islandia.* La noche del estreno fue la del brillante debut de Rosina Stolz.

El 22 de diciembre de 1841, sobre las mismas tablas, Halévy, con *La Reine de Chypre,* obtuvo un triunfo que sobrepasó al de *La Juive.* El libreto de Saint-Georges le ofrecía, por otra parte, situaciones variadas y dramáticas de las que el músico supo sacar un hábil partido. Menos lograda es la partitura de *Charles VI* (1843) ; pero los acontecimientos la convirtieron en instrumento político contra Guizot, demasiado anglófilo para el gusto de sus enemigos, y todo París cantó : «*Guerre aux tyrans, jamais en France, jamais l'Anglais ne régnera!*».

Halévy, al final de su vida, experimentó la tristeza de los artistas que sienten como sus obras pasan de moda y la multitud se aparta de ellas. En una nota sobre Frohberger ha escrito estas líneas desencantadas : «El recuerdo de los triunfos que ya no son es para ellos tan amargo y lleno de nostalgias que parece perseguirles como un remordimiento».

Más que Auber y Halévy, Ferdinand Hérold hubiera podido ejercer una influencia duradera sobre el arte lírico francés, de no haber muerto prematuramente a los cuarenta y dos años, en 1833. Admirablemente dotado, premio de Roma a los dieciocho, después de haber trabajado con Méhul, era rico en dones, y no obstante lleno de modestia (no se *atrevió* a visitar a Beethoven cuando se hallaba en Viena) ; poseía además una gran dosis de buen sentido. Ha dejado escrito : «¿En qué consiste la riqueza de una música? ¿En la «manera» de tratar las ideas, o en «las ideas» mismas?» Ideas, las tuvo, y excelentes ; pero no siempre el suficiente atrevimiento, ni sobre todo tiempo para llevarlas a la práctica y sacar las consecuencias ; y esto es lo que nos hace deplorar su desaparición en el momento en que, como dijo en el lecho de su muerte, «empezaba a comprender la música». Con *Zampa* y con *Le Pré aux Clercs* se ha revelado, no obstante, un precursor : entre todas las obras líricas de este período, éstas se clasifican entre las mejores. El libreto de *Zampa* en realidad es un calco de *Don Juan*. Pero la imagen del Comendador se convierte en la efigie de mármol de una joven antaño seducida por el pirata Zampa, y muerta de dolor. La partitura posee bellas cualidades : la balada, cuyo estribillo es una plegaria a santa Alicia, no tiene la insipidez de tantas otras páginas del mismo género ; los coros son airosos ; pero a menudo las promesas se quedan cortas. *Le Pré aux Clercs* (Ópera Cómica, 15 de diciembre de 1832) es anterior a los *Hugonotes,* y Scribe debe mucho a Planard, como también Meyerbeer a Hérold. Pero, si hay menos efectos de melodrama y más frescor en *Le Pré aux Clercs,* también hay menos «oficio» ; existe en cambio más originalidad, y es eso lo que conserva un encanto a la partitura y la salva de las injurias del tiempo. Hérold fue un músico sincero. Se podría haber esperado de él lo que faltó precisamente a la mayor parte de las óperas de su tiempo.

Adolphe Adam (1803-1856) sacrificó al éxito y a la facilidad todo cuanto hubiera podido hacerle un músico original ; escribió cincuenta y tres partituras en veintisiete años. Después de inicios difíciles, encontró éxitos resonantes con *Le Chalet* (1834), *Le Postillon de Longjumeau* (1836), *Le Toréador* (1840), *Si j'étais roi* (1852). Sobrevive gracias a su canción de Navidad : *Minuit, chrétiens!* y su ballet *Giselle,* cuando podía imaginarse duraderas sus producciones, a las que el éxito parecía asegurar la perennidad. La canción de Navidad de Adam es muy poca cosa ; y *Giselle* debe a los libretistas Théophile Gautier y Saint-Georges, al coreógrafo Coralli — al recuerdo de Carlotta Grisi, que la creó — el haber conservado por más de un siglo un atractivo que no proviene de la música de Adolphe Adam, muy a menudo más a propósito para destruir la poesía que para añadirle a la obra ni un adarme de ella. Y sin embargo la mediocridad de esta partitura emborronada en unos pocos días, vulgar en muchos puntos, se levanta aquí y allá gracias a algunos hallazgos de los que el compositor no ha querido o no ha podido sacar el partido posible : el tema de Giselle deshojando la margarita con Albrecht, y que reaparece en la escena de la locura, hubiera podido servir a Chopin para un Nocturno. Adam sólo consigue estropearlo, como ha inundado de insípidas ramplonerías lo que hay de más logrado en el ballet blanco de las *Willis,* en el segundo acto.

Aunque ocho años más joven que Berlioz, Ambroise Thomas (1811-1896) se relaciona más aún que éste con los músicos que le han precedido ; y esta especie de conformismo académico le hizo adelantarse al autor de la *Sinfonía fantástica* en la carrera para lograr un asiento en el Instituto. También fue discípulo de Le Sueur, y gran premio de Roma (1832) ; conoció al principio dificultades, y sus cuatro primeras obras naufragaron. Las siguientes obtuvieron éxitos tan medianos que renunció al teatro. Volvió, sin embargo, en 1849, con *Le Caïd,* ópera bufa sobre un libreto de Sauvage, que el 3 de enero obtenía un éxito triunfal en la Ópera Cómica. Éxito merecido ; la obra, viva, deliciosa, revelaba una técnica poco corriente. Pero Ambroise Thomas aspiraba a demostrar que era capaz de fuerza y grandeza colaborando con Shakespeare, Goethe y Dante ; escribió *Le songe d'une nuit d'été,* que no tiene de común más que el título con la magia shakesperiana, y en el cual el propio dramaturgo inglés aparece al lado de Elizabeth y de Falstaff, mientras desaparecen Oberón, Titania y Puck, que se hallarían fuera de lugar en el parque de Richmond (1850). En 1866 le llegó la vez a Goethe con *Mignon,* uno de los éxitos mayores y más duraderos de la Ópera Cómica. La novela de *Wilhelm Meister* proporciona la heroína y la mayor parte de los personajes ; pero no tales como Michel Carré y J. Barbier nos los muestran. Philine, que no ocupa mucho sitio en *Wilhelm Meister,* se convierte en uno de los principales personajes de *Mignon,* y la rivalidad entre la actriz y la pobre y simple pequeña forma el argumento de la pieza. En veintiocho años, del 17 de noviembre de 1866 al 16 de mayo de 1894, *Mignon* había figurado mil veces en los carteles de la Ópera Cómica y aún se la encuentra frecuentemente en nuestros días. Y es que hay en esta obra, junto con la habilidad del compositor, todo cuanto puede gustar al público ; arias lindas y aliñadas, fáciles de recordar, una música amable, popularizada por los organillos. Hay otra cosa además, y es la concordancia del color musical con los personajes y situaciones del drama ;

todo delata un «oficio» singularmente diestro. Lo mismo se ve en *Hamlet* (1868), cuyo éxito fue apenas menor. Pero la sombría atmósfera de Elsenor no era para Ambroise Thomas : los caracteres carecen de profundidad ; los episodios trágicos no se prestan muy bien a convertirse en pretextos para romanzas. La partitura es superficial, y la de *Françoise de Rimini* (1882) más aún. El éxito, a pesar de una lujosísima presentación, fue mediocre ; *La Tempestad,* transformada en ballet fantástico en 1882, debió su triunfo efímero a la bailarina Rosita Mauri.

El verdadero romántico francés en el dominio de la música fue Héctor Berlioz. Exactamente contemporáneo de Víctor Hugo (nació en 1803), luchó por la misma causa y provocó en la Ópera una pelea parecida a la de *Hernani.* Pero, menos dichoso que el poeta, el compositor ha experimentado una derrota con *Benvenuto Cellini,* representado en la rue Le Pelletier el 10 de septiembre de 1838, por lo tanto ocho años después del drama de Víctor Hugo. ¿Cuáles fueron las razones del fracaso? ¿La cábala? ¿Los defectos de un mal libreto? ¿La reputación de *fauve,* como se hubiera dicho cien años más tarde, que Berlioz había adquirido con sus obras sinfónicas y singularmente con la *Fantástica*? Hubo un poco de todo eso, pero la verdad parece ser que el público de la Ópera de entonces era, más que ahora, un pequeño mundo cerrado a toda idea nueva ; hubiera sido preciso que Berlioz dispusiese, ya no de un escuadrón de amigos para defenderle, sino de un ejército tan resuelto como los de la «Nueva Francia» que apoyaron a Víctor Hugo. Ahora bien, Berlioz no tenía ni eso. Los pocos camaradas que contaba dentro de la sala no podían nada ante un público puesto en guardia contra la obra por un artículo pérfido de Mainzer, publicado en la «Revue musicale» un mes antes y distribuido entre los asistentes. Los escasos amigos no podían cubrir con sus flacos aplausos los silbidos y gritos de animales desencadenados desde el primer acto por algunas palabras demasiado familiares del texto. Un ventrílocuo, en el patio — cuenta Adolphe Boschot —, obtuvo un éxito prodigioso, mientras que en los palcos, los dandis lanzaban sus cloqueos. La segunda representación, el 12, se dio ante una sala medio vacía ; dos días más tarde había aún menos público. El naufragio del *Benvenuto* debía hacer renunciar durante veinticinco años a Berlioz todo ensayo teatral. La obra no se representó más en Francia ; pero sí en Alemania.

La acción transcurre en Roma, durante el carnaval, en 1532. Benvenuto Cellini está enamorado de Teresa Balducci, hija del tesorero del papa, y medita raptarla, entre la confusión de la mascarada. Pero Fieramosca, escultor del papa, capitán fanfarrón y cobarde, sorprende la conversación de los enamorados ; y se oculta en una habitación vecina para espiarlos. Balducci entra y le sorprende mientras Benvenuto consigue escapar. En el primer cuadro del segundo acto, Cellini aguarda a Teresa en la plaza de Colonna. Llega Ascanio, su discípulo predilecto, trayendo de parte del papa un saco de escudos junto con la orden de fundir inmediatamente la estatua de Perseo. Cellini no piensa más que en Teresa, que acudió a la cita. Fieramosca le ha seguido acompañado de un espadachín, disfrazado de fraile. Benvenuto mata al sicario. Por suerte el cañón del fuerte de Sant-Angelo retumba y la obscuridad permite que Ascanio se lleve a Teresa, mientras Cellini escapa y los esbirros detienen a Fieramosca. El segundo cuadro se desarrolla en el taller del maestro, donde Teresa y Ascanio aguardan la vuelta de Cellini. Llega éste, todavía disfrazado, y pronto le siguen Balducci y Fieramosca; más tarde, un cardenal que el papa envía para vigilar la fundición del Perseo. Tumulto: Fieramosca quiere que Cellini sea ahorcado por haber matado al espadachín; Balducci reclama a su hija; el cardenal quiere la estatua. Cellini amenaza con romper el molde si no obtiene el perdón y la mano de Teresa. El cardenal se lo promete. El metal hierve, pero escasea la fundición. Cellini, desesperado, echa sus estatuas de plata, sus vasos preciosos, todo, dentro del horno. La operación se acaba y aparece Perseo, incandescente. Balducci, entusiasmado, pone la mano de su hija en la mano de Cellini.

Hay en *Cellini* hermosas páginas, y la injusticia del público es imperdonable. La obertura es uno de los éxitos de nuestros conciertos sinfónicos; el cuadro del carnaval tiene una extraordinaria vivacidad de ritmo y de color; Liszt no se engañó: conservó una admiración por *Benvenuto Cellini* que le condujo a representarlo en Weimar el año 1852. Obtuvo un éxito triunfal, pero que no consoló a Berliz en absoluto.

Aunque *La Damnation de Faust* figure en el repertorio de la *Ópera*, la «leyenda dramática» (tal es su título) no estaba destinada a la escena. Se sabe que en 1828 Berlioz había escrito las *Huit Scènes de Faust*; continuó en 1844, e intercaló entre otros desarrollos y añadiduras la *Marcha de Racoczy*, escrita durante su viaje por el centro de Europa y ejecutada por vez primera en Pesth, provocando indescriptible entusiasmo entre el público húngaro; la partitura quedó terminada el 19 de octubre de 1846. No queda nada por decir acerca de esta obra célebre ni sobre las circunstancias de su primera audición el 6 de diciembre de 1846 ante una escasa asistencia. Todo puede resumirse en esa frase de Boschot: la obra maestra de Berlioz acababa de arruinarle. Sólo mucho tiempo después de su muerte, Edouard Colonne, con su obstinación ferviente, supo hacerle justicia.

La idea de sacar de los primeros libros de la *Eneida* una gran obra preocupaba a Berlioz desde hacía mucho tiempo. Mas no se decidió a la empresa sino ante las vivas instancias de Liszt y la princesa de Sayn-Wittgenstein. Releyó a Virgilio, que se sabía de memoria; releyó a

Shakespeare para encontrar un modelo de construcción dramática y escribió él mismo su propio libreto. La partitura le ocupó largo tiempo; se acabó de escribir el 7 de abril de 1858. Pero entonces comenzaron nuevos contratiempos: la Ópera, obstinadamente, rechazó la obra por excesivamente larga, cosa que era demasiado cierta; las puertas de los teatros se cerraron ante el autor de *Benvenuto Cellini*; por fin, en febrero de 1865, Carvalho, director del Teatro Lírico, prometió montar *Les Troyens,* pero con la condición de que Berlioz tenía que separar la primera parte, *La Prise de Troie*; y esos dos actos tuvieron que aguardar hasta 1890 para ser representados en Karlsruhe — veintiún años después de la muerte de Berlioz —, y hasta 1899 para ser presentados en Francia sobre el escenario de la Ópera. Pero lo que quedaba de la partitura aún parecía demasiado largo a Carvalho; había que conceder nuevos cortes; el estreno se efectuó el 4 de noviembre de 1863.

El éxito de curiosidad fue bastante crecido durante las primeras sesiones. Pero el público no tardó en volverse de espaldas a una obra considerada por unos — y muy injustamente — como «difícil», y por otros, los más numerosos, como obscura y aburrida. *Les Troyens,* sin embargo, nos presentan a Berlioz todo entero, con sus grandezas y debilidades. Las segundas han ocultado a las primeras.

En realidad existen dos argumentos en *Les Troyens*: el primero se inspira en el segundo libro de la *Eneida,* y tiene a Casandra por heroína; el segundo es mucho más largo, y Dido es su principal personaje. El lazo entre *La Prise de Troie* y *Les Troyens à Carthage* no consiste más que en la presencia de Eneas. *La Prise de Troie* contiene páginas magníficas: el recitativo y el aria de Casandra deplorando la ciega obstinación de los troyanos, corriendo a su pérdida; la entrada de Andrómaca llevando bajo los velos del luto al pequeño Astyanax en medio del pueblo en fiesta, para ofrecer flores al altar; la sinfonía que acompaña esta escena muda; la aparición misteriosa de Héctor, en la que cada frase pronunciada por el guerrero muerto baja medio tono; la muerte de Casandra en el templo de Vesta. Pero hay también muchas singularidades e italianismos pasados ya de moda en 1863.

Les Troyens à Carthage es aún más desigual; las bellezas que se encuentran en ella son de primer orden, entre las mejores de Berlioz. El aria de Dido: *«Chers Tyriens, tant de nobles travaux...»,* en el primer acto, es solemne y apropiada al caso, pero algo fría y convencional; al contrario, la expresión de la desesperación de la reina, en el último acto, alcanza lo sublime, y jamás el arte de Berlioz rayó tan alto. En el segundo acto (cuarto, considerando la obra en su conjunto) se encuentra el septeto, al que sigue un nocturno admirable, y un dúo en el que la pasión y la voluptuosidad concuerdan con los encantos de la naturaleza ; música transparente como el cielo africano ; música cuyas inflexiones tienen la dulzura de la brisa cargada de perfumes y misterio de la noche. Es una de las más bellas páginas de la música francesa.

Sobre la partitura de *Les Troyens* se ha impreso esta frase extraída de las *Memorias de Berlioz*: «*O ma noble Cassandre, mon héroïque vierge, il faut donc me résigner, je ne t'entendrai jamais!...*».

Béatrice et Bénédict se representó en Baden el 9 de agosto de 1862, antes que el Théatre Lyrique montase *Les Troyens* ; pero la partitura había sido encargada a Berlioz antes de que hubiese terminado su gran obra. El libreto, adaptado de *Mucho ruido por nada,* databa de 1833, y el compositor había ido posponiendo la música. Cuenta la obra con quince números de una variedad y un ingenio encantadores ; es la obra más unida del maestro ; no la más grandiosa, pero en ella consigue lo que se ha propuesto : una obra maestra de sensibilidad y poesía. Hay una escena admirable : el dúo nocturno del primer acto, que hizo escribir a Gounod : «Es un modelo acabado de cuanto el silencio del atardecer y la calma de la naturaleza pueden derramar, sobre el alma, de ensueño y ternura. Hay en la orquesta murmullos divinos que encuentran su sitio en esa admirable pintura sin impedir en nada a las voces su deliciosa cantinela ; es algo absolutamente bello y perfecto. Es inmortal como lo que los más grandes maestros han escrito de más suave y profundo».

Así este gran romántico atormentado, agriado, desgarrado por la vida, víctima de su carácter tanto como de la incomprensión de sus contemporáneos, este temperamento tempestuoso y «volcánico», es, con todo, el músico cuyas obras maestras expresan, como ningún otro antes, la melancolía, la resignación desesperada, y por encima de todo la ternura : Margarita, aguardando a Fausto «que no vuelve» ; Dido murmurando : «Todo conspira a vencer mis remordimientos»... y después el dúo de *Béatrice et Bénédict...*

Contemporáneo de Berlioz, Félicien David (1810-1876) trajo de Turquía y Egipto, adonde le había arrastrado su fidelidad a la fe sansimoniana, la idea de sus «odas-sinfonías», la primera de las cuales, *Le Désert,* ejecutada en la sala de conciertos del Conservatorio el 8 de diciembre de 1844, le ganó la celebridad. Con ella revelaba a los músicos un Oriente que no era el de las convencionales «turquerías» del siglo precedente, sino un Oriente verídico, o por lo menos presentado bajo un aspecto directamente inspirado en el folklore. *Lallah-Roukh,* según el poema de Thomas Moore, que la Ópera Cómica presentó el 12 de mayo de 1872, no es una evocación tan fiel : la tradición europea ocupa un lugar en ella, y grande ; pero, si bien la obra contiene páginas de una real y fresca poesía, como la introducción : «*C'est ici le pays des roses*», la cantinela de Noureddin en el primer acto, «*Ma maîtresse a quitté la tente*», el aria de

Lallah-Roukh, «*O nuit d'amour*», no destacan tan vivamente sobre la producción ordinaria de la época. Aunque Mme. Miolhan-Carvalho haya obtenido con *La Perle du Brésil,* en 1857, uno de los más grandes triunfos de su carrera, la obra de David no tenía méritos para salvarse del olvido ; y *Herculanum* (Ópera, 1859), que pasó por una obra maestra, aparece en la lectura como harto superficial. Con la pretensión de pintar el conflicto entre el paganismo y el cristianismo naciente, la música se contenta con la anécdota, y la erupción del Vesubio, que le sirve de conclusión, no basta para darle fuerza. En las *Indes galantes,* Rameau ha sido más brillante en la entrada de los incas.

Para completar el esbozo del arte lírico en tiempos del romanticismo, hay que citar por lo menos a Niedermeyer (1802-1861), que antes de fundar la escuela de música religiosa adscrita a su nombre ensayó el teatro con *Il reo per amore* (1821), *La casa nel bosco, Stradella* (Ópera, 1837), *Marie Stuart* (1844), *La Fronde* (1853), sin alcanzar éxito alguno. Casimir Gide (1804-1868) vio su *Roi de Sicile* implacablemente silbado en la Ópera Cómica en 1830 ; pero la culpa era del libro de Frédéric Soulié ; dio más tarde *Les Trois Catherine, Les Jumeaux de La Réole, L'Angélus, Belphégor* ; colaboró con Halévy en *La Tentation,* ballet representado en la Ópera el 12 de junio de 1832, violentamente discutido, no por la música, que fue juzgada excelente, sino por la «inmoralidad» del asunto. Otro ballet, *Ozaï ou les Sauvages* (Ópera, 1847), sirvió para el comienzo de la célebre Priora, y la partitura mereció ser apreciada muy favorablemente.

Castibelza, le Fou de Tolède, representado en la Ópera Cómica en 1847, impuso el nombre de Aimé Maillart gracias al éxito de la «plegaria» y de la romanza del hombre de la carabina ; después vinieron *Le Moulin des Tilleuls, La Croix de Marie,* que pasaron sin pena ni gloria, y finalmente, en 1856, en el Teatro Lírico, *Les Dragons de Villars,* cuyos tres actos servían al público todo cuanto podía satisfacer sus gustos.

François Bazin (1816-1878), discípulo de Halévy como Maillart, ha dado a la escena diez óperas cómicas. *La Farce de Maître Pathelin* en 1856, *Le Voyage en Chine* (1865), conocieron cierto éxito. El nombre de Clapisson (1808-1866) estaría hoy olvidado por completo a pesar de *Gibby la Cornemuse* (1846), *La promise* (1854) y *La Fanchonnette* (1856) si no hubiese sido el fundador del museo instrumental del Conservatorio y si el Instituto, en 1854, no lo hubiese elegido prefiriéndolo a Berlioz.

Se habla hoy mucho del «divorcio» que separa al público de los músicos. El ejemplo de Berlioz prueba que esa repugnancia ante la originalidad y la audacia no data de ayer, puesto que el éxito, en tiempos del romanticismo, ha sido de aquellos que luego han caído rápidamente en el olvido más absoluto.

Capítulo XI

RICHARD WAGNER

Hombre de teatro ante todo, Richard Wagner ocupa un lugar considerable en la historia del arte lírico, no sólo a causa del valor y originalidad de sus obras destinadas a la escena, sino también por la influencia de sus escritos teóricos — y la aplicación que de ellos hizo en sus dramas — sobre la música. No entraremos en detalles acerca de su biografía ; basta con recordar que, desde su primera infancia, educado por el segundo marido de su madre, el actor Geyer, Wagner vivió en el mundo del teatro, y sus dos hermanas, Rosalía y Clara, fueron cantantes. Dos hechos valen la pena de ser referidos : las visitas de Weber y de Sassaroli, tenor italiano de aspecto colosal, cuya voz casi femenina contrastaba con su talla gigantesca. Los dos visitaron la casa invitados por Clara, que a los dieciséis años acababa de hacer su primera salida a la escena con la *Cenerentola*. Ricardo experimentó tanta simpatía y admiración por el autor del *Freischütz* — cuya música le encantaba — como antipatía por Sassaroli. Escuchaba lo que se decía a su alrededor ; oía decir que para alcanzar éxito era preciso inclinarse hacia la música italiana. Pero Wagner no se sentía conformista ; poseía un alma revolucionaria que no iba a tardar en mostrarse : «Me acuerdo que, en lo que me concierne, había tomado partido por la ópera alemana. Weber me encantaba hasta el éxtasis», escribe en sus *Recuerdos*. Las impresiones de la infancia no se borran : durante toda su vida Wagner luchará intentando lo que Gluck no había logrado : hacer del drama musical un arte «integral», sintético ; y de esta síntesis, un arte alemán.

La historia de su vida está ligada con la de sus obras. Su carrera como director de orquesta no es más que una preparación muchas veces dolorosa para su carrera de compositor. Además es poeta. Armado de una personalidad fortísima y de un sólido orgullo que no es más, al fin y al cabo, que la conciencia de su propio valer. En medio del contacto íntimo y cotidiano con las obras de los otros sabrá preservar su originalidad, y si naturalmente experimenta influencias sabrá guardar tan sólo la substancia propia para alimentar su genio. Su instinto de artista le hace eliminar fácilmente el resto.

Estas influencias se manifiestan claramente en sus primeros ensayos, todos ellos de música pura ; en sus composiciones se encuentran reflejos de Weber, Beethoven, Marschner y Mozart. En 1832, estando en Praga, escribe el libreto de una ópera, un drama sombrío, *Die Hochzeit* (*Las Bodas*), y aconsejado por Rosalía lo destruye ; al año siguiente, en Wurtzburgo, escribe el poema de *Las Hadas* (*Die Feen*), copiando *La Donna Serpente* de Gozzi. La obra no es netamente original ; con todo, su carácter se aleja mucho del gusto italiano entonces en boga, lo bastante para que sea rechazada por el teatro de Leipzig. En ella se notan ya algunos pasajes que proyectan brillantes rayos de luz sobre el futuro.

Inspirándose muy libremente en *Measure for measure*, Wagner emprendió luego la composición de *Liebesverbot* (*Prohibición de amar*), mas abandona pronto el trabajo, que reanudará después de dos años de olvido, cuando ya se había casado en noviembre de 1836 con Minna Planer, dama joven de la compañía que él dirige. La música de *Liebesverbot* es totalmente distinta de la música de las *Feen*. Aquella obra se hallaba completamente impregnada de romanticismo ; ésta es una obra ligera comparable a las obras francesas e italianas en moda ; pero no por esto es menos personal. Se representa en Magdeburgo el 29 de marzo de 1836, sin ningún éxito. El fracaso hace reflexionar a Wagner : comprende que no está hecho para comedietas de esta suerte, «música de Adam», como él dice. Ya que necesita grandes temas, escoge el asunto que ha tratado Bulwer Lytton en una novela publicada en 1835 ; conserva además el título : *Rienzi, der letzte der Tribunen* (*Rienzi, el último tribuno*). Nicolás Lorenzo, llamado abreviadamente Rienzi, hijo de un hostelero, enfrascado en sus lecturas, intenta devolver a Roma su antigua grandeza reinstalando en ella la república y libertándola de la tiranía de los nobles durante el pontificado de Clemente VI en Aviñón. Obtiene de momento el favor del pueblo, mas luego se van tramando intrigas. Rienzi las reprime ; el tribuno se convierte pronto en blanco del odio de aquellos a quienes estorba. El clero le retira su apoyo ; el pueblo se subleva y Rienzi muere en un incendio provocado por los revoltosos. Wagner ha tratado con entusiasmo el papel de Rienzi : ha puesto en él el ardor de sus propias convicciones revolucionarias. Influencias del estilo italiano se delatan en la obra ; pero ya se nota en ella el retorno de ciertos temas característicos. La obertura alcanza gran desarrollo y la instrumentación es brillante. A pesar del respeto al corte habitual de la ópera en las conocidas arias, dúos y conjuntos ; a pesar del ballet-pantomima, cortejos y finales meyerbeerianos, *Rienzi* contiene

Decorado de Chaperon para el III acto de «Egmont», de Beethoven.
(Reposición en París, 1884)

Decorado de Cambon para «Oberon», de Weber.
(Reposición en París, 1857)

Figurines para «Robert-le-Diable», ópera de Meyerbeer (1831).

Decorado de Chaperon para el I acto de «Los Hugonotes»,
ópera de Meyerbeer. (Reposición, 1896).

ya en germen lo que Wagner no tardará en aportar a la escena lírica. Wagner pudo acabar el *Rienzi* en París después que intrigas de teatro le obligaron a dejar Riga en 1839. La ópera no pudo estrenarse hasta el 20 de octubre de 1842, en Dresde, y aunque los espectadores no sospechasen exactamente su alcance, le otorgaron triunfal acogida y lo mismo sucedió en los principales teatros de Alemania.

El triunfo había sido pagado caro con los largos meses de prueba pasados en París, los días de miseria y hambre cuando se había visto precisado a aceptar, para subsistir, tareas agotadoras : ceder incluso por quinientos francos el libreto de *El Buque fantasma,* la idea del cual se le había ocurrido durante la tempestad experimentada en el curso de su travesía de Riga a Londres. Pero sólo había vendido sus derechos para Francia, y así pudo, al abandonar París en abril de 1842, llevarse la partitura de *Der Fliegende Holländer* (*El holandés errante, o El buque fantasma*). Rechazado primero en Munich y Leipzig, el éxito de *Rienzi* lo hizo aceptar entusiásticamente en Dresde, donde se estrenó el 2 de enero de 1843 con no menor fortuna, lo que valió poco después a Wagner la plaza de *Kapellmeister* de la corte de Sajonia, vacante a la muerte de Rastrelli. Debía permanecer en el cargo siete años.

El buque fantasma decepcionó a cierto número de auditores que esperaban una obra como *Rienzi* y se encontraron con una cosa muy distinta. Wagner, que había leído en Heinrich Heine la leyenda del Holandés Errante condenado a vagar eternamente sobre los mares con una tripulación de espectros hasta que una mujer rescate su salvación sacrificándose, encontró en la leyenda una idea que le era cara y que volverá a glosar en *Tannhäuser,* una idea romántica : la redención por el amor. El recuerdo de la tempestad experimentada en el mar del Norte no abandonaba su espíritu. En *El Buque fantasma* Wagner aplicará por vez primera sus teorías del *leit-motiv* y la «melodía continua». Todavía no es más que un ensayo, apenas un «sistema», como lo será pronto. El *tema conductor* (*leit-motiv*) reaparece cada vez que el personaje vuelve a la escena, cada vez que se le alude, cada vez que la idea de la cual el tema es imagen sonora se evoca, conscientemente o no.

Las Hadas, La prohibición de amar, Rienzi, se someten a la formas tradicionales de la vieja ópera, a la división en «números». De ahora en adelante Wagner no acepta más la obligación de dar ocasión a los cantantes para que por turno se lleguen a las candilejas a recibir los aplausos del público, con lo que el compositor se ve obligado a romper la acción dramática. La melodía será «continua» como en la vida lo es el diálogo de seres que mueve la pasión ; ésta se interrumpirá sólo en los instantes en los cuales, naturalmente, no hay sitio para las palabras, y entonces la sinfonía traducirá los pensamientos de los actores del drama. La música puede — y debe — expresar la emoción de una escena en que se actúa, de un conflicto de sentimientos que el mejor de los textos no traduce tan bien como ella.

Wagner contó en su *Comunicación a sus amigos,* en 1851, de qué forma había compuesto *El buque fantasma* aplicando una teoría que no tenía que concebir claramente sino un poco más tarde : «Me acuerdo que, *antes de pasar a la realización* propiamente dicha de *El buque fantasma,* compuse el texto y la melodía de la balada de Senta en el segundo acto. Inconscientemente deposité en el fragmento los gérmenes temáticos de la partitura entera. Era la imagen concentrada de todo el drama, tanto que, una vez terminada la obra, tuve ganas de llamarla «balada dramática». Cuando pasé a su composición, la imagen temática que había concebido se extendió por sí misma como una especie de red sobre la obra entera. *Sin que yo lo hubiese, a decir verdad, querido,* me bastaba con desarrollar en un sentido conforme con su naturaleza los diversos temas contenidos en la balada para que se presentasen a mi imaginación, bajo la forma de construcciones temáticas bien características, los conceptos musicales de las principales situaciones dramáticas de la obra. Hubiera tenido que proceder con arbitrario prejuicio de compositor de ópera, si en el transcurso de las diversas escenas del drama me hubiese empeñado en hallar, para expresar estados de alma idénticos, motivos cada vez nuevos y diferentes. Puesto que no tenía el proyecto de confeccionar una colección de fragmentos de ópera, sino simplemente crear una imagen tan clara como fuese posible de mi argumento, no experimenté la menor veleidad de proceder de esta forma».

La afirmación es categórica.

El libreto simplifica la acción exterior ; todo el drama es, al contrario, interior, psicológico, y consiste en el don de sí mismo que ha consentido Senta. Desde que el Holandés maldito entre bajo el techo paterno, la joven renunciará a su prometido. Pero en el tercer acto, cuando se despida de éste, el Holandés, engañado por las apariencias y escuchando las protestas de amor del rechazado Erik, se creerá víctima de una traición y se hará a la mar. Senta, desesperada, viendo a la nave que apareja en medio del temporal, se precipitará a las olas. Inmediatamente, su sacrificio aplacará la cólera divina y el buque fantasma será engullido por las aguas. De este modo el Holandés y Senta estarán unidos para siempre en el seno de la muerte libertadora.

Los dos temas esenciales de *Der Fliegende Holländer* aparecen desde la obertura, donde se mezclan con una descripción fuertemente colorida de la tempestad. Igualmente, forman la balada del segundo acto. El primero es como una invocación violenta, y parece traducir la aspiración del Holandés maldito hacia su redención ; el segundo, dulce, caracteriza a

Senta o la Redención. Un tercer tema, episódico, encontramos en la obertura : servirá para la danza de los marineros en el tercer acto. La preocupación por las tonalidades, armonías y timbres adecuados para provocar la emoción en el auditor, que le ponga de acuerdo con los sentimientos de los personajes, es ya muy intensa, muy wagneriana. *El buque fantasma* posee netamente el color armónico e instrumental propio de Wagner.

Con *Tannhäuser,* Wagner afirmará su maestría ; pero como la obra es más compleja parecerá a veces acercarse más a la forma meyerbeeriana de la ópera, y tanto más cuanto que el desarrollo de la leyenda dentro de un cuadro histórico lleva necesariamente consigo episodios (cacería, procesión de peregrinos, desfile de señores en el castillo del landgrave) muy parecidos a los que se encuentran en Meyerbeer y Halévy. Pero de todos modos el sistema wagneriano se precisa y amplifica. Aumenta el número de temas conductores ; el procedimiento alusivo de sus retornos se perfecciona. Paralelamente, la orquesta adquiere más riqueza aún (es preciso por otra parte tener presente que las páginas más brillantes, el Venusberg, escritas para la representación de París en 1861, llevan el sello de la plenitud que caracteriza a las obras de su madurez, y tienen la belleza de las mejores escenas del *Tristán,* mientras que algunas otras denotan italianismos que desaparecerán totalmente en *Lohengrin).*

El tema de *Tannhäuser* es todavía la redención por el amor : Enrique de Tannhäuser ha desertado de la corte del landgrave Hermann y se ha convertido en amante de Venus (ya que los dioses del Olimpo no han muerto). Tannhäuser, en medio de las delicias del Venusberg, guarda el recuerdo de la pura Elisabeth, hija del landgrave ; y son ella y su fe, por las que ofrece su vida en rescate del pecador, la causa de la salvación de éste.

La obertura está construida sobre el modelo del *Freischütz,* y presenta un resumen del drama al mismo tiempo que una exposición de los temas principales : marcha de los peregrinos, motivo del Venusberg, estremecido, voluptuoso, que asciende y se enlaza con el de la bacanal y se resuelve en un «himno a Venus» de forma bastante italiana, y finalmente reexposición de la marcha de los peregrinos. Son dignos de señalarse en esta partitura, de una riqueza ya maravillosa, las sensuales apariciones de Leda y de Europa, a las que acompaña un coro de sirenas que es uno de los más grandes hallazgos de Wagner ; en el segundo acto, en medio del tumulto causado por la canción escandalosa de Tannhäuser, la súplica de Elisabeth, otra página de una inspiración sublime ; en fin, en el último acto, el «racconto» de Tannhäuser y la plegaria de Elisabeth, en la que el clarinete bajo responde a la voz de la soprano, y que merece la celebridad mucho más que la «romanza de la estrella» de Wolfram.

La primera representación de *Tannhäuser* se efectuó el 19 de octubre de 1845 y no constituyó ni un éxito ni un fracaso : la obra alcanzó siete representaciones. Pero no tardaría en conocer el triunfo. Durante el verano anterior al estreno de *Tannhäuser,* Wagner, en Marienbad, concibió el argumento de *Lohengrin* y el de *Los Maestros Cantores.* Después de dudar entre los dos, se decidió por *El Caballero del Cisne* y compuso su partitura en 1847. El preludio fue escrito una vez hubo acabado la obra.

En esta ocasión el «sistema» había tomado cuerpo y Wagner lo aplicará con un rigor disimulado por la facilidad. *Lohengrin* no pudo ser estrenado hasta el 23 de agosto de 1850, en Weimar, gracias a la abnegación de Liszt ; Wagner no asistió a su triunfo ; esta vez el éxito fue clamoroso. Comprometido en el curso de la revuelta de Dresde en 1849, Wagner tuvo que refugiarse al lado de Liszt, que estaba entonces dirigiendo los ensayos de *Tannhäuser* ; mas, no sintiéndose seguro en ningún sitio de Alemania, se fue a París y luego — no sin peripecias sentimentales — llegó a Suiza, y en Lucerna se enteró de la acogida que había merecido su obra. Se estableció en Zurich ; pero, en busca de reposo, pasaba algunos días en la ribera del lago de los Cuatro Cantones, donde su destino, quince años más tarde, debía conducirle de nuevo para terminar allí la *Tetralogía del Anillo.* Con *Lohengrin* Wagner afirmó su posición y demostró la solidez de su sistema. Si el libreto no nos ofrece nada de revolucionario, la partitura, en cambio, rompe definitivamente el antiguo molde de la ópera. No más oberturas, un simple prólogo. La obertura de Weber, la de las primeras obras de Wagner, ofrecen una suerte de resumen de la obra ; el preludio, mucho menos desarrollado, no tiene más objeto que crear la atmósfera. Exceptuando la obertura de *Los Maestros Cantores,* Wagner no escribirá ya otras. La forma tradicional se ve excluida del sistema wagneriano. En *Lohengrin,* el preludio se construye sobre el desarrollo de un solo motivo, el Graal, la copa santa que contiene el vino de la Cena y que conservan los caballeros de Montsalvat. Asimismo, el colosal preludio de *El Anillo* no será sino la expansión del acorde de mi bemol mayor, tema del Rin. Simplicidad que no es ninguna simplificación : precisa toda la habilidad de un Wagner para resolver el problema. En *Tannhäuser* sólo existía una media docena de temas conductores. En *Lohengrin* hay el doble. Finalmente, el libreto, que en apariencia no hace más que contar una leyenda, expresa símbolos ; y los dramas ulteriores de Wagner ofrecerán todo un sentido que se podría llamar esotérico y que se yuxtapone al explícito del escenario. Las diversas apariciones de los temas ayudan al auditor a penetrar esa significación profunda de la obra.

Nos abstendremos de exponer detalladamente el argumento de obras tan conocidas, contentándonos con algunos ejemplos. Con toda intención Wagner escoge el tema del Graal para construir el preludio de *Lohengrin,* compuesto al final, una vez terminada la partitura. Lohengrin, el valeroso caballero, hijo de Parsifal, es uno de los que velan por el vaso sagrado que se guarda en Montsalvat. Son los defensores de los justos amenazados por la traición o la felonía, y Lohengrin ha venido a socorrer a Elsa de Brabante, cobardemente acusada de un crimen por Federico de Telramundo y su esposa Ortruda. La salvará, pero no debe revelar quién es ni de dónde viene. Y si las sombrías maquinaciones de Ortruda y Federico obligan a Elsa y la inducen a interrogar a su salvador, convertido en su esposo, no será hasta el último momento, la postrera escena de la obra, cuando se revelará el «misterio del nombre», el misterio del Graal, fuente del sobrenatural poder del Caballero del Cisne. En aquel momento, cuando ante el Tribunal del Rey, ante el emperador de Alemania Enrique el Pajarero, Lohengrin explica quién es y de dónde viene, el compositor hace aparecer juntos en la sinfonía, punto culminante del drama, los temas esenciales que han ido surgiendo en el curso de los tres actos.

En Zurich, en 1851, Wagner acabó el poema de *El Anillo del Nibelungo* que había empezado por la última de sus cuatro partes, *La Muerte de Sigfrido (El Crepúsculo de los Dioses)*, en los últimos días de su estancia en Dresde. La partitura de la Tetralogía, después de haber sido abandonada y reanudarse por una serie de razones y aventuras, no debía ser terminada hasta el 1874. Pero, entre tanto, Wagner había escrito *Tristán* y *Los Maestros Cantores*.

Es conocido el drama íntimo que dio como fruto *Tristán e Iseo,* y por qué los personajes del poema tienen sobre la escena el mismo papel que representaron dentro de la vida el autor y sus vecinos y bienhechores de Zurich : Tristán es Wagner en persona ; el rey Marke, Otto Wesendonck ; Iseo, Matilde Wesendonck. La obra debe su profundidad humana a la transposición e idealización de un doloroso episodio sentimental ; el mérito de Wagner es haber elevado al mito una historia de las más triviales ; es haber revestido de una música tan personal y nueva, tan emocionante, una acción a la cual manos menos hábiles, y que no hubiesen sido las de un poeta, no habrían sabido dar esa resonancia cuyo eco desvela en todas las almas algún recuerdo desgarrador o alguna esperanza dolorida ; es haber escrito una gran obra sin analogía con el pasado y que sin duda permanecerá inimitable para siempre, ya que, después de haberla oído, no se ve qué podría escribirse que no la repitiera o disminuyese.

Esta partitura, hija de su carne y de su sangre, empieza por un preludio casi de las dimensiones de una obertura pero cuyo carácter permanece esencialmente temático. Construcción de una rigurosa lógica y construcción simbólica. El primero de los siete motivos que se exponen es el de la «declaración» (o el «amor»), y se enlaza inmediatamente con el «deseo», después con la «mirada». Siguen luego, después de aquellos temas característicos de sentimientos generales, los que tendrán por objeto evocar circunstancias particulares del drama : «El filtro amoroso» que Brangania escanciará a Tristán en vez del «filtro de la muerte» que le destinaba Iseo ; el «cofre mágico», del que la camarera de la princesa de Irlanda ha sacado aquellos brebajes, y por fin la «resolución de morir en el amor» (*Todesentschlusses*), resolución compartida por los dos héroes del drama. He aquí un resumen «puramente humano» — y ya es sabido que ambas palabras encierran la estética de Wagner —, el drama entero expuesto esencialmente en el preludio. Al mismo tiempo esta página sinfónica crea la atmósfera misteriosa dentro de la cual se desarrollarán los tres actos : los temas, extremadamente simples y breves, aunque se distinguen fácilmente unos de otros, tanto por su forma rítmica como por su estructura melódica y armónica, poseen un rasgo común : su cromatismo, que aparece realzado por el conjunto de timbres a los cuales Wagner los confía. Este carácter cromático continuará siendo el de la partitura entera : ha provocado la definición — abusiva — de *Tristán* : una disonancia en tres actos. Humorada, si se quiere ; pero lo cierto es que esa incertitud tonal crea exactamente lo que Wagner deseaba provocar en el ánimo del auditor : una especie de angustia, de turbación misteriosa, donde el espíritu y los sentidos se extravían, como los dos protagonistas del drama, en persecución de lo absoluto.

Lavignac cuenta veintinueve temas conductores en *Tristán* ; Carl Waack, en el prefacio de la partitura para canto y piano de la casa Breitkopf y Härtel, enumera treinta y dos (muchos de los cuales se subdividen a su vez en fragmentos que tienen un sentido determinado y reaparecen aisladamente en el curso de la obra, a veces con alteraciones de ritmo) ; se podrían hallar más aún. Una riqueza tal se convertiría fácilmente en una flaqueza ; la partitura se convertiría en un mosaico, un añadido gratuito de células melódicas o armónicas yuxtapuestas si el enlace de la una con la otra no estuviese hecho sino de mano de obrero ; ese trabajo, por muy bien ejecutado que fuese, no tendría otro resultado que el de imponer al auditor la búsqueda de la solución justa de un verdadero acertijo sonoro, si fuese indispensable poner un nombre sobre cada motivo conductor en el momento de oirlo, en el momento de leerlo en la partitura. Pero si antaño los wagnerianos de rigurosa observancia se aprendieron de memoria los treinta motivos de *Tristán* y aquellos ochenta y cinco temas conductores de la *Tetralogía,* siempre han sido más numerosos, y más hoy en día, los amantes de la música capaces de gustar aquellas obras sin haberse tomado la molestia de sobrecargar su memoria. En realidad — y esto es lo que le da valor y le hace durar a pesar de los cambios de gusto y los caprichos de la moda —, Wagner utiliza para la construcción de sus dramas un procedimiento que le da resultado, pero que no es más que un instrumento cómodo para su genio, e ineficaz en otras manos. Sus epígonos se han encargado de demostrar el peligro que existe en apropiarse métodos y fórmulas tomados como talismanes gracias a los cuales podía rehacerse lo que Wagner había logrado. Menos dichosos que el aprendiz de brujo goethiano, se han ahogado muy pronto bajo el diluvio sonoro que no sabían dominar.

No es, en todo caso, necesario en absoluto saber que el largo dúo de amor que constituye la escena II del segundo acto del *Tristán* nos hace oir el *Glückseligkeitsmotiv* — la beatitud — después de la «impaciencia» y el «ardor» ; luego el *Liebesthema* (canto de amor), la «Invocación a la noche», llamada de otro modo «Noche libertadora», o «Sueño de amor» (*Liebestraum-Harmonien*), y estas mismas variaciones de nomenclatura son prueba de la laxitud del sentido estrictamente musical de los temas ; claramente nos muestran la inutilidad de traducir con palabras, y de poner etiquetas, como si se tratase de flores disecadas, a todas estas armonías vivientes. Los temas son expresivos, y bastan del todo para que la «melodía continua» que los encadena entre sí traduzca los sentimientos de los personajes y las situaciones del drama ; y nadie, en el tercer acto, se engañará sobre lo que dice con tanta claridad como si articulase palabras, el punzante «solo» de corno inglés, ni acerca de lo que significa la progresión anhelante del último canto de Iseo.

Wagner terminó el poema de *Los Maestros Cantores* en París, el año 1862, y la partitura se terminó dos años más tarde. La primera ejecución tuvo lugar en Munich, en junio de 1868. A pesar de sus dimensiones, a pesar de la amplitud de los medios musicales, la obra conserva su carácter de comedia musical, llena de vida y de alegría, pero por donde pasan sombras de melancolía : la historia de Hans Sachs es algo, es mucho, la historia del mismo Wagner, y también él es Walther von Stolzing. *Tristán* era la herida del amor que la música alivia sin calmarla por completo : *Los Maestros* representan la sensibilidad del artista, del renovador chocando con la rutina y triunfando de la coalición de los impotentes. Wagner se venga con una sátira y crea el personaje de Beckmesser, el envidioso y venenoso escribano que intenta cobardemente cerrar el paso al atrevido poeta Walther ; y en el personaje de Sachs pone a la vez una serenidad que jamás Wagner tuvo en su vida, y su entusiasmo y confianza en el «arte alemán», que no debe morir, porque está allí él, Wagner, para renovarlo y hacerle florecer de nuevo. Tal es el sentido profundo de *Los Maestros*.

En esta obra, la obertura, muy desarrollada, es a la vez una exposición de cinco *leit-motiv* esenciales y un resumen de la ópera : un amplio 4/4 con sus acordes perfectos solemnes en do mayor, y su ritmo pesante, es el tema de *Los Maestros Cantores,* cuyos principios inconmovibles están fijados en la Tabulatura, como la ley sobre las doce tablas de bronce de los decenviros ; un breve episodio — catorce compases — hace pasar el estremecimiento del «amor naciente» a través de la orquesta, después de un trino, y la flauta expone este motivo ; trompetas, trombones y timbales atacan después el tema de «la Bandera» de la corporación, muy parecido al motivo de los «Maestros», con el que irá casi siempre asociado ; después, violines y oboes parecen hacer una pregunta a la que responden los violines con la «declaración de amor» que recorrerá toda la obra y servirá para el canto de maestría de Walther en el último acto. Finalmente, para concluir ese motivo, aparece el «ardor impaciente» del joven gentilhombre que se resignará a plantar cara a las severidades y la malevolencia de los envidiosos maestros a fin de obtener la recompensa prometida al laureado : la mano de Eva, hija del orfebre y maestro cantor Pogner, burgués de Nuremberg.

El personaje de Beckmesser se caracteriza por un motivo saltarín, brusco y anguloso, lleno de disonancias, que lo pintan muy exactamente ; Sachs, al contrario, por una frase amplia y afectuosa. Ninguna otra partitura de Wagner está más artísticamente trabajada. El comienzo del segundo acto, cuando después del toque de queda Sachs instala su banco de zapatero delante del portal y se deja invadir por un ensueño melancólico, es de una poesía intensa, con la que no tardan en formar contraste la serenata burlesca de Beckmesser y el alegre tumulto que la sigue, aturdidor alboroto extraordinariamente hábil. El preludio del tercero, en el que el violoncelo prolonga la meditación de Sachs ; la escena final sobre el prado que bordea la Pegnitz, donde se juntan las corporaciones ; el concurso y el triunfo de Walther, después del ridículo fracaso de Beckmesser ; la emoción que se desprende de esa conclusión poderosa y familiar ; todo proporciona a *Los Maestros Cantores* una especial calidad como no existe en ninguna otra obra del repertorio lírico.

Con *El Anillo del Nibelungo* Wagner pretendía enriquecer el arte alemán aportando una obra que realizase el objeto mismo de su «reforma» : operar la síntesis, en el drama, de la poesía y la música ; hacer del teatro un arte total uniendo en una sola todas las artes del ritmo. La música es el complemento de la poesía : si en ciertos momentos domina el lirismo, la palabra se esfuma ante la sinfonía sin que las voces tengan que apagarse necesariamente : son, en aquella ocasión, como instrumentos mezclados con los de la orquesta. De aquí la necesidad para el «poeta-músico» (que es lo que Wagner quiere ser) de escoger argumentos que no se dirijan únicamente al entendimiento, sino también a la emoción ; asuntos en los que todo es símbolo, y los personajes mismos, símbolos vivientes. Inspirándose libremente en el viejo poema heroico de los *Nibelungen,* lo interpreta cargándolo de un sentido filosófico venido en línea recta del pesimismo de Schopenhauer. A través del prólogo y las tres jornadas de *El Anillo del Nibelungo,* expresa el filósofo su resignación desesperada ; el hombre intentará corregir los efectos de las faltas de los dioses, y se dará cuenta, como ellos, de que la aspiración al no ser es el solo remedio para las miserias de la vida.

Para drama tan desmesurado, urge un preludio colosal : ya hemos explicado cómo el desarrollo del tema del Rin sirve de pórtico al prólogo. *El Oro del Rin* no comprende más que un solo acto, dividido en tres escenas. Cada una de las tres jornadas siguientes : *La Walkiria, Sigfrido* y *El crepúsculo de los dioses,* tendrá tres actos, más un prólogo añadido a la última. Obra desmesurada, imposible de resumir en pocas líneas, y demasiado conocida, por otra parte, para que sea necesario entrar en detalles. Basta con destacar lo esencial. Antes que todo, los defectos, puesto que por grande que sea el respeto infundido por tal obra, por viva que sea la admiración que nos inspira, es imposible no sentir sus longitudes, la obscuridad de algunos pasajes nacidos principalmente del hecho de verse precisado, como pasa muchas veces, a dar explicaciones que juzgó necesarias y no contribuyen sino a embrollar más aún situaciones ya arbitrarias y confusas. Un autor debe hacerse olvidar ; Wagner permanece siempre presente, o por lo menos demasiado a menudo. Las bellezas de la partitura casi siempre son lo bastante magníficas para compensar esos defectos. Wagner se revela un coloso, ciertamente, y en nada inferior a la tarea titánica emprendida. La primera escena de *El Oro del Rin,* el final del prólogo, el primer acto de *La Walkiria,* la escena de Brunhilda y Sigmundo en el segundo, la escena final del tercer acto, *Sigfrido* casi entero, el primer cuadro de *El crepúsculo de los dioses,* una buena parte del segundo acto, y todo el tercero, figuran entre las páginas magistrales que nos ha dejado. Alcanza en ellas las más altas cúspides del arte. Pero este arte exige intérpretes con medios físicos casi sobrehumanos, y eso es todavía un punto débil : le condena a no hallar sino excepcionalmente las condiciones bajo las cuales puede ser juzgado como es debido. Reunir sobre las tablas cantantes que posean las voces amplias y el aspecto físico que haga tolerables a sus personajes atléticos plantea problemas insolubles. El esfuerzo que se exige de la orquesta y su director es tan pesado, y tal vez más, que el del escenario. Para esa obra fuera de las normas de la escena precisa un teatro construido exprofeso para él. Bayreuth se hizo con este fin. Fuera de Bayreuth, y a veces incluso allí, *El Anillo del Nibelungo* corre peligro de verse traicionado. ¿No hay acaso una contradicción entre el deseo de Wagner : dotar el arte alemán de obras que debían regenerarle, y el hecho de que esas obras requieran medios materiales inusitados, que las convierten en obras de excepción ? Es cierto que su valor espiritual es considerable ; pero mucho menos eficaz que si la forma exterior, el aparato escénico, hubiesen sido más simples, los libros menos complicados, los textos menos brumosos. La mitología wagneriana nebulosa, el lujo de las máquinas con las cuales se rodea, todo lo que hay de medios de teatro que sobrecargan a la obra, pedía una reacción y hacía deseable el retorno a un arte más despojado, más reducido a sus proporciones humanas, y que no debiese su grandeza más que a su poder de dirigirse directamente al espíritu, emocionando al corazón.

Parsifal, aunque exige un gran despliegue de medios escénicos, se acerca mucho más que el *Ring* a las condiciones normales del teatro lírico. El símbolo es claro, más que en ninguna otra obra de Wagner. Se trata aún de la redención por el amor ; pero el amor aquí se purifica y ensancha ; es el amor en el sentido cristiano de la palabra, la caridad. El instrumento de la redención de Amfortas, elegido para obrar el milagro, es Parsifal, *der reine Tor,* «el casto loco». Y, porque el Simple conserva un corazón puro, un alma que se hace «consciente por la piedad», consigue devolver a los caballeros del Graal la lanza sagrada robada por el artificio de Klingsor ; puede triunfar de los lazos tendidos a sus sentidos por las Muchachas-Flores de los jardines encantados. Hay una especie de gradación por la cual se explica, de acto en acto, esa ascensión de un alma hacia la plenitud : el primer grado eleva el alma por la revelación del sufrimiento, que hace nacer en ella la piedad ; el segundo le da conciencia de que la piedad debe ser activa ; el tercero, en fin, acaba el acto redentor porque ya ella tiene plena noción del deber que debe cumplirse hasta el fin. Así como en *El Anillo* se oponían los Nibelungos subterráneos a los dioses del Walhalla luminoso, Klingsor y Kundry, el encantador y la impura, se oponen a Parsifal. Pero aquél será la víctima de sus maleficios, y ésta se salvará porque, tomando conciencia del mal que ha hecho, arde en deseos de expiarlo. A treinta años de distancia, Wagner encuentra en ella otro Tannhäuser.

El preludio resume el drama creando la atmósfera mística en la cual evolucionará, con la simple exposición de cuatro temas esenciales : la Cena, el Graal, la Fe y la Lanza. La lentitud del movimiento, su reexposición en tono menor que acentúa el carácter doloroso, los largos intervalos que van espaciando los pasajes, todo concurre para convertir ese motivo de la Cena en símbolo purificador, susceptible de poner el auditor en estado de gracia, en el linde del templo donde va a penetrar. Después se extiende la promesa de redención que formula el tema del Graal ; viene en seguida, sin abandonar el tono de *la bemol,* el motivo de la Fe, limpio y fuerte, altamente proclamado por los instrumentos de metal ; por fin, las cuatro notas incisivas, penetrantes, de la Lanza que antiguamente hirió el flanco de Jesús en la Cruz.

En dos ocasiones, segundo cuadro del primer acto y final del tercero, el oficio del Graal se celebra. Un coro invisible de niños, la primera vez, anuncia la venida del Simple puro que pondrá fin a los sufrimientos de Amfortas; en la última, después que Parsifal con la santa Lanza ha tocado la herida de Amfortas y la paloma celestial desciende del cielo, un coro eleva al Creador el Aleluya de los caballeros extáticos. Pero las palabras del coro quedan enigmáticas: *Erlösung dem Erlöser,* «¡Redención al Redentor!»

De esta forma, desde las *Hadas* a *Parsifal,* Wagner ha llevado a cabo su destino. Su energía sobrehumana, su voluntad de dar cumplimiento a la tarea emprendida: reforma del arte lírico, triunfo de todos los obstáculos. Poco importa que haya conseguido o no su objeto: lo esencial es que ha dejado unas obras duraderas. Nietzsche mismo, que atacó con violencia al coloso y se esforzó en demostrar el peligro hacia el cual el wagnerismo arrastraba a la música, reconoce la grandeza del ídolo que quería derribar. «A pesar de todo, hay que empezar siendo wagneriano», ha dicho. Precisamente, porque había «empezado» siendo wagneriano y hasta fanático, Debussy ha podido romper el encanto y exorcisar a su propio arte, desencantándose a sí mismo. La historia está hecha de esas reacciones, y Wagner fue lo suficientemente clarividente para recomendar a los venideros que huyesen de imitarle.

CAPÍTULO XII

LAS ESCUELAS NACIONALES
EN EL SIGLO XIX Y COMIENZOS DEL XX

I

Al historiador de la música la segunda mitad del siglo XIX se le presenta bajo un aspecto confuso: Wagner va creciendo; primero discutido, combatido; mas su influencia acaba por extenderse tan de prisa y alcanza hasta tan lejos que en el momento de su muerte, 13 de febrero de 1883, se ejerce de una manera universal. El gusto por el *bel canto* persiste, con todo, tanto en Francia como en Italia; pero muchos compositores comprenden que la melodía no lo es todo en el arte lírico. Y como se asiste después del 1870 a un verdadero renacimiento de la música pura — música de cámara y sinfónica — el teatro experimenta sus beneficiosos efectos.

La cosa no sucede, con todo, sin disgusto de los retardatarios. Para ciertos críticos, tratar de «sinfonista» a un compositor de óperas vale como echarle en cara su ignorancia de lo que es el teatro: «Me acuerdo, dice Saint-Saëns, de las lanzas que tuve que romper por *Galathée,* principalmente con los músicos de la orquesta; y, como sea que buscase conocer las causas de aquella hostilidad, acabé por descubrir una cosa terrible: ¡el autor, en varios pasajes de su partitura, había dividido los altos!». Era natural que aquellos para quienes la música de Gounod, en *Faust,* «planeaba en regiones inaccesibles a la inteligencia de los profanos» [1], aquellos que reprochaban «su gusto por los últimos cuartetos de Beethoven, fuente turbia de donde han brotado los malos músicos de la Alemania morena, los Liszt, los Wagner, los Schumann» [2], reprochasen igualmente

[1]. En un artículo del «Guide musical» del 28 de febrero de 1861.
[2]. Scudo, en la «Revue des Deux Mondes», 15 de marzo de 1862.

a Víctor Massé las «complicaciones inútiles» de su instrumentación. Y es que Víctor Massé (1822-1884), olvidado hoy en día, fue, sin embargo, uno de los que trabajaron para transformar el arte lírico, dejando de considerar como negligibles los acompañamientos. *Les Noces de Jeannette* (1853) son casi tan pasadas de moda actualmente como *Galathée* o *La Reine Topaze*. Estas obras han encantado a los corazones sensibles por largo tiempo, y la Ópera Cómica las ha conservado en su repertorio hasta hace poco. Su gracia bondadosa, algo trivial, nos revela el gusto de la burguesía de la mitad del siglo pasado. Los defectos de Víctor Massé no impiden que haya demostrado un cuidado de escribir con menos superficialidad que sus contemporáneos.

Charles Gounod (1818-1893) pertenece a otra categoría. El arte lírico francés debe agradecerle que le haya librado de las influencias extranjeras, y en particular de Meyerbeer. Espíritu claro, dotado de una sensibilidad extrema; músico sabio, inventor de melodías llenas de encanto, el autor de ese *Faust* que en menos de un siglo ha sido interpretado más de dos mil quinientas veces en la Ópera con la sala atestada, se juzgó no obstante como un compositor a quien «faltaba el sentido del teatro». Cuando se leen las críticas consagradas a sus obras recién estrenadas, nos parece soñar. La mayor parte de los críticos echan en cara a este músico tan francés de escribir una música «alemana». Ciertamente, si bien es verdad que Gounod admiraba a Bach — y esto se ve en el severo preludio del *Faust* —, el carácter más destacado de su genio tan diverso consiste en ser personal hasta el punto de que basta una frase o un tema para reconocerlo inmediatamente y sin error posible.

Ha escrito catorce óperas; pero es lástima que su música religiosa y la sinfónica estén hoy demasiado postergadas; contienen páginas que sin duda las hubieran preservado de un tal abandono si las obras líricas no las hubiesen eclipsado. Incluso se pueden retener muchas cosas de las primeras piezas de Gounod: hay en *Sapho* (1851) muy hermosos coros, y la cantilena que canta la heroína en el segundo acto, acompañada por un coro de mujeres, anuncia ya las más felices invenciones de Gounod. Pero *Sapho* sólo obtuvo un mediano éxito, y en el año siguiente, la música de escena para la tragedia de Ponsard, *Ulysse,* representada en el Teatro Francés, no pudo impedir el fracaso de esta obra. Con todo, la partitura se salva por la simplicidad de los medios con los cuales Gounod, sin recurrir a los modos griegos, sugiere (ésta es la palabra) la antigüedad. Vale por esa misma cualidad de los coros, por sus invenciones armónicas y el cuidado con que está instrumentada. *La Nonne sanglante,* sobre un libreto de Scribe y Casimir Delavigne, sólo alcanzó, en 1854, once representaciones en la Ópera, y fue preciso que el compositor aguardase al 15 de enero de 1858 para obtener en la Ópera Cómica su primer éxito con *Le médecin malgré lui,* y aún un éxito moderado ; la obra hacía decir a Saint-Saëns que había sido preciso «recoger la pluma de Mozart» para escribirla. Juicio exacto : en la farsa, Gounod conserva una distinción que no impide el humor y que le realza. La imitación de Lully en ciertas escenas es lograda admirablemente ; pero el sexteto de la consulta constituye una obra maestra. Las últimas reposiciones de *Le médecin* han demostrado la vitalidad de su obra.

Sin embargo, su composición había sido improvisada, porque la partitura del *Faust,* casi terminada, tuvo que aguardar a que otro *Faust,* representado sobre la escena dramática, cesase en su competencia, temida por Carvalho. En 19 de marzo de 1859, *Faust* empezó su carrera en el Teatro Lírico de la Plaza del Châtelet (hoy Teatro Sarah Bernhardt). El público no le dedicó una acogida entusiasta, y, como se ha visto, la crítica se mostró reacia. Sin embargo, el éxito se dibujó muy pronto y fue constantemente en auge. En 1869, *Faust* entraba en el repertorio de la Ópera con los recitativos en substitución del diálogo hablado.

Sería ocioso extenderse sobre una obra tan conocida. La habilidad de los libretistas Jules Barbier y Michel Carré, y más aún la de Gounod, consistió en no sacar del texto de Goethe sino las escenas «musicales», escenas a menudo episódicas, pero cuya elección no desfigura ni mucho menos traiciona el original, como dice Riemann. La unión de lo fantástico y lo real encontraba en Gounod el músico más preparado a traducirla. En la obertura, digna de J. S. Bach, Gounod daba la medida de su valor ; esa página sinfónica es una de las más bellas y sabias, pero también dolorosamente humanas, que jamás haya escrito un músico para el teatro. Lástima que se halle condenada a no ser ejecutada sino entre el ruido que hacen los retrasados, casta execrable.

La partitura de *Faust* continúa siendo un modelo de elegancia : su valor deriva de la perfección de escritura, la calidad de la melodía ; la novedad y audacia de la armonía, los hallazgos de orquestación. Al cabo de un siglo no presenta ningún signo de envejecimiento porque todo es mesura y verdad, porque cada detalle es tratado sobriamente y la música nos hace olvidar alguna debilidad del libreto. Gounod es vigoroso cuando hace falta y gracioso donde hay que serlo. El acto del jardín es una obra magistral de emoción dramática. El color de cada episodio es variado, y en cambio la unidad de la obra es completa : todo se aguanta en pie, todo se enlaza sin longitudes ni incoherencias. Hoy juzgamos a la obra mal porque nos es demasiado familiar ; ninguna otra se ha visto tan desfigurada, envilecida : *Faust* es víctima de su extraordinaria popularidad ; y, no obstante, cada vez que se escucha se experimenta el mismo sentimiento de admiración por la originalidad de una partitura que sorprendió a sus primeros auditorios, mal preparados por el repertorio de la época para saborear su novedad. Gounod les hablaba en un lenguaje que le era propio, y ese lenguaje es el que ha salvado el arte lírico francés.

Si el éxito de *Faust* no hubiese sido tan completo, se habría sido menos injusto con *Philémon et Baucis* (Ópera, 18 de febrero de 1860) y *La Reine de Saba* (Ópera, 28 de febrero de 1862). Con *Mireille* (Teatro Lírico, 19 de marzo de 1864). Gounod encontró un tema más concorde con su temperamento. Fue a buscar al lado de Mistral la inspiración de su música respirando el aire de Provenza. Las cartas que escribió durante su estancia nos lo muestran impregnándose, si se puede decir, de aquella naturaleza luminosa y perfumada. «Si no me engaño, no he tenido nunca todavía una posesión tan tranquila de lo que escribo. La instrumentación misma me parece presentarse con precisión y claridad. Procuro escuchar «todo» lo que es preciso, y no escribir sino lo que escucho ; y, desde esta paz me parece que tengo mejor y más seguro el oído [1]».

La partitura de *Mireille* debe sus cualidades a esa comunión del autor con la naturaleza. Ha sido muy discutida desde su creación. Se ha dicho que carecía de vigor y relieve. Entre los reproches de que fue objeto, sólo uno parece justificado : no haber conservado en su exquisita naturalidad la cantinela *O Magali, ma tant amado,* y haberla convertido en dúo. Es verdad que el coro de muchachas al principio del primer acto carece un poco de color ; pero en cambio ¡ cuántas páginas son dignas del autor del *Faust!* Mas *Mireille* debía conocer en el teatro un singular destino : después de cuarenta y una representaciones en el Teatro Lírico, donde ya, para complacer a Mme. Carvalho, Gounod había aceptado añadir un vals cantado al primer acto y luego modificar el desenlace para que Mireille pudiese casarse con Vincent — cosa que quitaba todo sentido a la obra y distraía su poesía —, la pieza fue repuesta en la Ópera Cómica en 1889. Allí fue peor ; amputada de dos actos indispensables, no sólo a la acción dramática, sino también al equilibrio de la partitura, *Mireille* hizo sin embargo una venturosa carrera. Fue precisa la paciente sagacidad de Reynaldo Hahn y de Henry Büsser para que la obra, reconstituida a su primera forma, pudiese ser representada en 1938 tal como hubiera tenido que representarse siempre, con el acto del Ródano y el de la Crau, que son precisamente de los más acertados de la obra. Desgraciadamente, en varios teatros, Mireya resucitaba y un cortejo de bodas campesinas substituye el final tan sobriamente dramático, querido por Mistral, y tan bien comprendido por su músico.

Escrito, como *Mireille,* en Provenza, *Roméo et Juliette* fue estrenada en el Teatro Lírico el 27 de abril de 1867. Se ha dicho que Gounod era el «músico del amor» ; y tal vez en *Roméo et Juliette* lo es más que en

---

[1].   Camille Bellaigue, *Gounod* (Alcan, colección *Maîtres de la Musique,* p. 103).

*De izquierda a derecha: Carlotta Grisi, María Taglioni,
Lucile Grahn y Fanny Cerrito.*

Ricardo Wagner.
(Fotografía)

Teatro de Dresde, en el que se estrenaron «Rienzi» y «El buque fantasma»,
de Wagner.
(Grabado alemán)

Faust : la partitura encierra cuatro dúos. Si los primeros son cual cabría esperar, el último parece resumir todo el arte de Gounod ; se eleva hasta el patetismo más desgarrador, pero también más sobrio, más humano. Empresa sorprendente, esa progresión sin precedentes en todo el teatro lírico, que asciende desde la declaración en forma de madrigal del primer acto a las confidencias del segundo, luego a la escena apasionada del tercero, para alcanzar el dúo supremo en la escena de la tumba. Como no había traicionado a Goethe, Gounod no traiciona a Shakespeare. Y si la balada de Mercutio no se puede comparar con el scherzo de la Reina Mab, en la sinfonía dramática de Berlioz, por lo menos es lograda, como lo es la escena del duelo, que la sigue.

Ni *La Colombe,* estrenada en Baden-Baden en 1860 y luego en la Ópera Cómica en 1866, ni *Cinq-Mars* (Ópera Cómica, 1877), *Le Tribut de Zamora* (Ópera, 1 de abril de 1881) y *Polyeucte* (Ópera, 7 de octubre de 1878) obtuvieron el menor éxito. Esta última obra, desigual, contiene sin embargo muchas bellezas : la invocación a Vesta, el coro nocturno de mujeres, la lectura del Evangelio hecha a Paulina por Polyeucte en la prisión. Ellas no han bastado para mantener a *Polyeucte* dentro del repertorio ; cuando se escuchan, esto parece lamentable. Se cuenta que Saint-Saëns, cuando oyó la barcarola de Sextus, dijo al autor : «Si rodeáis el paganismo de tales seducciones, ¿qué papel hará el cristianismo a su lado?», a lo que replicó Gounod : «¡Sin embargo no puedo quitarle sus armas!». Este equilibrio asegura la supervivencia de sus obras capitales : ofrecen más que el reflejo de la sensibilidad de su época, todo lo que hay de seductor en el arte francés. Alguien ha podido engañarse, tomar esa seducción por un inmoderado deseo de gustar ; pero no es así de ningún modo, tanto en Gounod como en Mozart. El autor se nos muestra como es, y para juzgarlo como es debido hay que tener en cuenta la época en la cual daba al teatro *Faust* y *Roméo,* comparar esas dos obras con las de los músicos de su tiempo — con las de Ambroise Thomas, por ejemplo. Se cuenta esta frase de Gounod : «Cuando llegue al Paraíso — si llego — saludaré primero a Dios ; luego preguntaré : ¿dónde está Mozart?». Si en paraíso, como en los Campos Elíseos de la antigüedad, los muertos acogen a los muertos, se puede estar seguro de que Mozart abrirá los brazos a Charles Gounod.

Georges Bizet no vivió más que treinta y siete años, del 25 de octubre de 1838 al 3 de junio de 1875 ; no ha producido más que cuatro o cinco obras de teatro ; y, con todo, es uno de los compositores que en mayor escala ha contribuido a la gloria y renombre de la música francesa : *Carmen* se reparte con *Faust* el privilegio de haber conquistado el mundo entero y de continuar siendo una de las obras más representadas en todas partes. Músico nato, maravilloso pianista, premio de Roma a los

diecinueve años, autor a esa edad de una *sinfonía en do* que se creyó
perdida por el espacio de setenta años y que, hallada por milagro, sirve
de partitura a uno de los ballets mejores del repertorio de la Ópera,
Bizet, antes de ser coronado por el Instituto, había obtenido *ex-æquo* con
Charles Lecocq el primer premio en el concurso de operetas instituido por
Offenbach. La obra tenía por título *Le Docteur Miracle*. Se ha dado
últimamente en un ejercicio para alumnos del Conservatorio de París y
se ha podido comprobar que el joven músico revelaba en ella sus dotes
teatrales. Uno de sus envíos desde Roma es asimismo una ópera bufa,
Don Procopio, cuyo manuscrito durante mucho tiempo extraviado fue
descubierto en 1906 entre los papeles que Auber había depositado en
casa de un banquero. La obra se puso en escena en Montecarlo con un
éxito no solamente debido a la curiosidad. Bizet poseía un sentido del
humor muy acusado: algunos *couplets* de *Le Docteur Miracle* hacen pensar en el Chabrier de *L'Étoile,* que le es veinte años posterior.

Les Pêcheurs de Perles (Teatro Lírico, 1863) fue compuesto por Bizet
sobre un libreto muy convencional de Carré y Cormon. La partitura es
desigual, brillante, y se resiente de la mediocridad del libro. Los dos
dúos, del tenor y el barítono (Nadir y Zurga), y de la soprano y el
tenor, la cavatina de Leïla, son célebres, y la instrumentación notable.
La Jolie Fille de Perth (1867, en el mismo teatro) y *Djamileh* (1872, en la
Ópera Cómica) han desaparecido, sin que sea gran lástima, del repertorio.
Pero en este mismo año de 1872, la música de escena escrita para *L'Ar-
lésienne* de Alphonse Daudet, aunque pasase inadvertida en medio del
fracaso del drama, debía asegurarle más tarde el éxito, prolongado en
multitud de representaciones. La seguridad del comentario musical, su
justeza, la emoción profunda que expande, lo convierten en una verdadera
obra maestra, y, a pesar del riesgo de dispersión provinente de su frag-
mentación en veintisiete números, la partitura es, al contrario, muy
coherente, sin flaqueza ni trivialidad.

El 3 de marzo de 1875, *Carmen* se estrenó en la Ópera Cómica y
señaló una de las revoluciones más profundas que se han producido en
la historia del teatro. *Carmen* imponía el realismo en el santuario de lo
convencional. En vano Meilhac y Halévy, libretistas prudentes, se apli-
caron en comunicar cierta ñoñez a la narración de Mérimée; en vano,
sacrificando las formas al uso, introdujeron, como contrapartida de la
gitana, que «cuenta sus amantes por docenas», la inoportuna y sosa
Micaela y el fanfarrón torero de ópera cómica, para que en el segundo
acto hubiese un aria de bravura; Bizet, con el sortilegio de su música,
supo devolver a Carmen su verdadero aspecto de moza apasionada, hacer
de ella la criatura de sangre y voluptuosidad sin otra ley que su capricho, excepto el placer de humillar el orgullo del macho y rebajarle hasta

el deshonor y el crimen. Comentario de un libreto palidísimo, la música de *Carmen* arde con todos los fuegos del sol de España. Armonías inesperadas, atrevidas, prestan un colorido cálido a una melodía cuyas inflexiones turban los sentidos como el lascivo contoneo y las miradas provocativas de la gitanilla. Una obra así tenía que chocar por fuerza contra un público habituado a espectáculos menos espiritosos. El éxito no pasó de mediano al principio, aunque se hizo cada vez más fuerte ; pero Bizet, desalentado por el tono absurdo de casi toda la crítica, murió incierto del porvenir de la obra. El éxito, sin embargo, llegó a tomar tanto arraigo, que pasó fronteras y océanos y *Carmen* se situó al lado de *Faust* en el repertorio internacional, en primera fila entre las obras francesas. Y cuando Nietzsche quiso marcar el crepúsculo del astro de Bayreuth, la aparición en el horizonte de esa «luz mediterránea» proyectada por *Carmen* le pareció dar la señal [1].

Un reflejo menos esplendoroso de esa luz se encuentra en Reyer, sin duda porque Ernest Reyer (1823-1909), músico casi autodidacta, no es un genio comparable con Bizet, aunque sin embargo posea en alto grado el raro don de la invención melódica. Estuvo de moda, no hace mucho, rebajarle en demasía, porque en 1872 escribió *Sigurd* sin conocer, naturalmente, la tetralogía wagneriana, y tuvo la desgracia de esperar hasta 1884 a que su drama lírico se estrenase en el teatro de la Monnaie, y hasta 1886 para verlo entrar en la Ópera. Pero ya existían en *Maître Wolfram*, desde 1854, en *La Statue* (1861), en *Érostrate* (Baden-Baden 1862, París 1871), diversas pruebas de la originalidad de su talento (o de su genio, si hacemos caso de lo que dijo de él uno de sus cofrades, más acertado de lo que creía : «Reyer no tiene talento, sólo tiene genio»). Es seguro que pocos músicos poseen tanto como Reyer el sentimiento de la naturaleza, el don poético de hallar en la melodía la resonancia profunda de una situación dramática. Flaubert lo había escogido para *Salammbô*. Supo traducir con rara felicidad la atmósfera perturbadora, el hechizo lunar, y su partitura contiene páginas como la invocación a Tanit en el segundo cuadro, y la escena entre Shahabarim y Salammbô, que son de un gran músico de teatro.

Si bien Camille Saint-Saëns (1835-1921) posee otros títulos de gloria ; si la Sinfonía con órgano y los Conciertos de piano son los más preclaros, *Samson et Dalila* no es menos una de las obras maestras del arte lírico. Le debemos quince óperas, un ballet (*Javotte,* 1896) y numerosas músicas de escena. *Samson et Dalila,* que primero tenía que ser un oratorio, fue concebido y hasta esbozado a partir del 1859, presentado en esta forma el año 1872 en Bruselas, estrenado como ópera en Weimar en 1877 gra-

---

[1]. Cf. el interesante estudio de Henry Malherbe, *Carmen* (París, Albin Michel, 1951).

cias a Liszt, y tuvo que aguardar al 3 de marzo de 1890 para ser representado en Francia, en Rouen, y el 23 de noviembre de 1892 en la Ópera de París. Saint-Saëns había hecho sus primeros pasos en la escena con *La Princesse Jaune* (Ópera Cómica, 1872) y *Le Timbre d'Argent* (Teatro Lírico, 1877) ; la obertura de la primera de estas obras, con sus frescos colores de un Oriente convencional y una romanza del segundo, la salva del olvido. *Samson et Dalila* conserva de su primera forma una inmovilidad que conviene al oratorio más que al drama ; pero la calidad de la música, del principio al fin, continúa sin decaer. Sin duda se adorna gratuitamente a Dalila de una virtud patriótica que el Libro de los Jueces no reconoce en absoluto a la cortesana que traicionó a Sansón por mero afán de lucro, y constituye un error del mismo calibre hacer de ella una sacerdotisa de Dagón ; pero el valor de la partitura no resulta perjudicado por ello, y las más bellas páginas, el coro de ancianos, la entrada de Dalila, el coro que la acompaña, el tercer cuadro entero cuando Sansón da vueltas a la muela maldiciendo su falta, la bacanal y la última escena, alcanzan una grandeza que Saint-Saëns no volverá a conseguir en sus demás óperas. *Étienne Marcel* (cuatro actos sobre un libreto de Luis Gallet) se representó en Lyon el 8 de febrero de 1879. Saint-Saëns, hasta no hacía mucho tiempo, wagneriano convencido, regresaba con esta obra al género histórico. La partitura es un compromiso, no siempre afortunado, entre el sistema de Wagner y la forma de Meyerbeer, más vecino de ésta que de aquél. La evolución se acentúa con *Henry VIII,* libreto de Détroyat y Armand Silvestre, que se estrenó en la Ópera el 5 de marzo de 1883. Argumento patético en el que, sin falsear demasiado la Historia, el conflicto sentimental que hubo de tener por consecuencia la separación de Inglaterra y la Iglesia Romana se halla tratado hábilmente. Lo notable de esta obra consiste en la progresión de los sentimientos marcada por la música : la pasión de Enrique por Ana Bolena, la desesperación de Catalina de Aragón, la inquietud de Ana al pensar que la reina posee una carta de Gómez de Feria conteniendo juramentos de amor ; finalmente, la escena final en la que Catalina, moribunda, quema la carta comprometedora que el rey, en presencia de Ana, quiere arrancarle. Ese patetismo bastante sobrio se ve estropeado a veces por alguna complacencia efectista en las arias del rey.

El 16 de marzo de 1887, la Òpera Cómica daba en estreno *Proserpine,* de la que Louis Gallet hace una cortesana italiana del siglo XVI que los celos conducen al crimen, pero a la cual el dios del teatro hace víctima de la emboscada que ella misma ha tendido a la prometida de su amante. El tercer acto, en el que, dentro de una tempestad, Proserpina invoca a la diosa de los infiernos, es de una violencia que se opone a la dulzura angelical del cuadro precedente, en el que, después de un bello solo de trompa,

Sabatino, el héroe del drama, llega al convento para buscar a su prometida. Pero la obra es desigual. Pocas semanas después de su estreno, el incendio de la Ópera Cómica cortó su carrera. *Ascanio* (Ópera, 21 de marzo de 1890), sobre un libreto de Louis Gallet, agravando los defectos de la ópera histórica, entrelaza los episodios y resulta de una frialdad perfectamente académica. Sólo ha sobrevivido el ballet. *Phryné,* en cambio, fue un acierto absoluto (Ópera Cómica, 24 de mayo de 1893) ; el libreto, original de Augé de Lassus, es en cambio de una vulgaridad perfecta. Saint-Saëns en esa obra se abandona a su vena, a ese espíritu burlón que constituye la gracia del *Carnaval des Animaux* y que parece, a despecho de la perfección a veces laboriosa de la forma, expansionarse libremente en la opereta. Messager orquestó el primer acto y Saint-Saëns se complació en reconocer su gran ingenio. También es encantadora la partitura de *Javotte* (Lyon, 1896), donde el compositor recuerda a Delibes. Con *Déjanire,* primero estrenada en las arenas de Béziers en 1898, luego repuesta, con algunas correcciones que la transforman en ópera, en Montecarlo, el año 1900, Saint-Saëns inauguraba la serie de piezas que se estrenaron en el principado : *Hélène* (1903), *L'Ancêtre* (1905). Pero fue en la Ópera de París donde se estrenaron *Les Barbares* el 23 de octubre de 1901. Todas esas obras no añaden nada a la gloria de Saint-Saëns ; para ella le bastan *Samson et Dalila* y *Henry VIII.* Músico consumado, más sabio que ningún otro, ha sido una especie de Proteo, capaz de escribir con igual perfección formal no importa qué género de música. Por esta razón se ha dicho que carecía de personalidad, como se le ha tildado de seco y duro. La respuesta a tales reproches se encuentra en su obra, en algunas escenas de *Samson* y en el papel de Catalina en *Henry VIII.*

Édouard Lalo (1823-1892) escribió muy poco para el teatro ; pero su aportación es de primer orden. En 1868 tomó parte en un concurso abierto por el Teatro Lírico ; la partitura de *Fiesque* fue rechazada por el jurado por razones obscuras. Los músicos, sin embargo, alababan su valor, y Perrin, director de la Ópera, la retuvo ; mas resignó sus funciones antes de haber podido montar la obra. La guerra, la Commune, el incendio del teatro de la rue Le Pelletier, retardaron indefinidamente los ensayos. En el teatro de la Monnaie, Lalo tampoco tuvo suerte ; a pesar de las cálidas intervenciones de Gounoud, la obra no se vio representada. Lalo publicó «a sus costas» y en reducido tiraje la partitura. Sin desanimarse, empezó *Le Roi d'Ys* ; pero la desgracia le siguió persiguiendo. La obertura, dada a conocer en los conciertos Pasdeloup el 14 de noviembre de 1876, no fue comprendida por el público ; algunos fragmentos de la obra son mejor acogidos en los conciertos, donde el autor de la Sinfonía Española se considera como uno de los maestros de la música contemporánea. Vizentini, en el Teatro Lírico, admitió *Le Roi d'Ys,* pero quebró la empresa. Vaucorbeil le dio acogida en la Ópera, que dirigía interinamente ; mas una vez nombrado director cambió de propósitos ; he aquí que muda de parecer, encuentra el libreto imposible y pide al desventurado compositor... un ballet. El escenario que se le impuso, de Blaze de Bury, es absurdo ; tanto, que éste, no pudiendo terminarlo, lo pasa a Nuitter. Al músico se le concede un plazo ridículo de cuatro meses. Fatigado, enfermo, Lalo encuentra una ayuda fraternal ; el autor del *Faust* orquesta las últimas escenas, y *Namouna* se pone en ensayo. Aquí surge una nueva dificultad : en el primer acto, Mlle. Sangalli debe encender un cigarrillo, y mientras danza tiene que aspirar unas bocanadas. A propósito de este detalle se alzan disputas entre Petipa, el coreógrafo, y el bailarín Mérante, que quiere explotar este efecto en una obra próxima. Surge al fin un acuerdo. Entonces comienza una campaña de calumnias : se extiende el rumor de que la música de Lalo es insuficiente, «indanzable». Se producen rencillas entre las bailarinas ; los abonados toman partido en ellas, de forma que el 6 de mayo de 1882 *Namouna* se ve ignominiosamente silbado a pesar de la protesta de muchos músicos, entre los cuales figura el joven Claude Debussy. La partitura es una bella y brillante obra, la cual, despojada de su excesivamente complicado libreto, y devuelta a la danza pura, es hoy uno de los ballets más aplaudidos en la Ópera de París bajo el título de *Suite en blanc*. Ambroise Thomas, anhelante de ver representado su *Françoise de Rimini,* parece no haber sido ajeno a las intrigas que habían hundido a *Namouna.*

Lalo salió de la prueba agotado. La caída resonante de la obra no favorecía, por cierto, la entrada del *Roi d'Ys* en el repertorio. A pesar de la insistencia de Gounod, quien en su propia casa cantó las escenas principales delante de Carvalho, éste rechazó la obra para la Ópera Cómica. Gracias a una intervención de Roger Marx, la Dirección de Bellas Artes impuso *Le Roi d'Ys* a Paravey, que acababa de suceder a Carvalho, y la ópera de Lalo fue estrenada el 7 de mayo de 1888. Pese a una nueva cábala, el triunfo fue clamoroso, y, en la velada del estreno, Louis de Fourcaud pudo decir : «Nadie, exceptuando a Wagner, ha usado tan dramáticamente la orquesta. Ningún compositor alemán actual podría escribir una obra de semejante profundidad y brillantez. La obra es francesa y no podía ser más que de un francés...» Esas líneas, escritas en medio del entusiasmo, conservan su sentido ; ninguna nueva obra, después de *Carmen,* había tenido tan alta importancia. Edouard Lalo, en *Le Roi d'Ys,* ilustraba magníficamente la leyenda de la ciudad abismada y al propio tiempo pintaba con los más justos colores el alma misma de Bretaña, caracterizada por los ritmos y la línea melódica de una música que, por otra parte, no debe nada al folklore, pero que no por eso nos parece menos un producto del terruño.

Tan poco afortunado como Lalo, Emmanuel Chabrier (1841-1894), wagneriano apasionado, ha compuesto obras que, lo mismo que las de Bizet y Lalo, no deben al maestro alemán sino su arquitectura temática. Naturaleza excepcional, Chabrier, jovial y espontáneo, sobresale tanto en la música ligera como en la sinfónica ; y es difícil clasificar sus obras en un género o en otro, ya que es al sinfonista a quien *Le Roi malgré lui,* a pesar de su estrecha relación con el estilo de la opereta, debe todo su valor. La gran lástima para Chabrier es que haya encontrado libretistas tan insignificantes. Pero su espíritu chispeante supo, con todo, hacer de *L'Étoile* (Bouffes-Parisiens, 28 de noviembre de 1877) y de *Une éducation manquée* obras maestras anunciadoras de *Le Roi malgré lui.* No existe en el mundo música más original, más esencialmente «musical» que la de Chabrier. Un día escribió : «Yo me preocupo en primer término de hacer lo que me gusta, procurando, ante todo, afirmar mi personalidad ; en segundo término, no ser un zoquete... ''Todos hacen la misma música'', eso puede ser firmado por Fulano o por Zutano ; nada importa, todo sale del mismo taller. Es música a la que se le puede poner todo y no se le pone nada. Además, siguiendo este orden de ideas se puede con facilidad ser del pasado en diez años [1]...» Chabrier ha sabido perfectamente hacer música donde «haya algo», y ese algo es tan de Chabrier que se reconoce inmediatamente de qué «taller» sale, tanto si se trata de los *couplets* y del trío de las cosquillas de *L'Étoile* :

> «*Ah! c'est égal,*
> *C'est mal*
> *Pour un ''princess'' de sang royal.*
> *Oui, c'est bien mal en somme,*
> *De chatouiller un p'tit jeune homme!*»

del dúo de *Une éducation manquée,* o de las páginas bufas de *Le Roi malgré lui,* como de la *Fiesta polaca* de la misma obra. *Le Roi malgré lui,* estrenada el 18 de mayo de 1887 e interrumpida al cabo de tres representaciones a causa del incendio de la Ópera Cómica, es su obra más completa, más lograda, porque es aquella donde las situaciones y lo burlesco proporcionan mejores pretextos para la manifestación de su genio. Desgraciadamente el libro no es nada bueno, y sin duda por esta razón le cuesta tanto mantenerse en el repertorio.

Peor aún es el poema que Mendès sacó de una leyenda contada por Augustin Thierry ; *Gwendoline,* como Judith, marchará para matar al jefe danés Harald, invasor de la tierra de los sajones. Pero, enamorado del

---

[1]. Cita de GEORGES SERVIÈRES en su libro sobre *Emmanuel Chabrier* (París, Alcan, 1912, p. 43).

guerrero, le ofrece el puñal con que debía matarle, y muere con él. *Gwendoline,* estrenada en Bruselas en 1886, dos días antes de la quiebra del teatro, repuesta en la Ópera en 1893, no ha podido quedar de repertorio a pesar de la calidad de su música, que no ha podido hacer menos absurdos algunos pasajes del diálogo. En las salas de concierto se ha conservado la obertura en *do menor,* que está construida sobre los motivos de la ópera, el coro del primer acto: *Nous sommes les grands loups voraces,* el dibujo que caracteriza al danés, las frases del dúo de amor del segundo acto, los temas de Harald, de la Piedad y del Walhalla, éste último proclamado por el metal en el tono de *do mayor.*

El primer acto de *Briséis* era el único que a la muerte de Chabrier estaba terminado. El libreto de Mendès trataba el conflicto entre el paganismo y el cristianismo en los primeros siglos de nuestra era. El compositor parece haberse complacido acumulando en este acto toda suerte de dificultades de ejecución, y tal vez habría aclarado esta maraña demasiado espesa. Pero bajo su complicación de escritura su música es magnífica y merece los juicios de Paul Dukas: «Sus partituras son un verdadero repertorio de efectos nuevos que le pertenecen del todo, y constituyen, por decir la verdad, su fisonomía artística más que su concepción del drama contado, adaptación al gusto francés del sistema wagneriano.

Tres ballets y dos óperas cómicas aseguran la supervivencia de Léo Delibes (1836-1891). Pero sus obras ligeras, *Le serpent à plumes, Deux vieilles gardes, L'Écossais de Chatou, L'Omelette à la Follembuche,* no merecen el olvido. Con *Le Roi l'a dit* (1873), levantaba, tanto por el cuidado de la orquestación como por la elegancia de las melodías, la fórmula de la ópera cómica; *Jean de Nivelle* (1880) nos muestra el mismo afán. En fin, *Lakmé* (1883), sobre un libreto de Gondinet y Philippe Gille, conserva un penetrante encanto realzado por un orientalismo discreto. Delibes renovó la música del ballet. Dio *La Source,* escrita en colaboración con el ruso Minkus, en 1866; después, solo, *Coppélia* en 1870, y *Sylvia* en 1876, obras de un tono que demostraba que una partitura de ballet puede y debe ser una música excelente.

Ernest Guiraud (1837-1892), hijo de un ganador del gran premio de Roma, obtuvo a su vez la misma recompensa, y sus óperas cómicas como *Sylvie* (1864) y *Le Kobold* (1868) alcanzaron algún éxito. *Frédégonde,* que dejó inacabada, fue orquestada por Saint-Saëns y representada en la Ópera en 1895. Sobrevive a causa de su ballet *Gretna-Green* (Ópera, 1873) y aún más por las conversaciones con Debussy, de las que Maurice Emmanuel ha registrado lo esencial en su volumen sobre *Pelléas et Mélisande.* Espíritu abierto, profesor excelente, ejerció una influencia feliz sobre los alumnos de su clase de composición.

Émile Paladilhe (1844-1926) ganó el Premio de Roma a los dieciséis años. *Le Passant* (Ópera Cómica, 1872, sobre un texto de Fr. Coppée), y sobre todo *Patrie* (libreto de Victorien Sardou y L. Gallet, Ópera, 20 de diciembre de 1886) le valieron un considerable éxito. La obra está bien construida, y el adiós patético de Rysoor al «pobre mártir obscuro» no carece de habilidad ; pero a Paladilhe le falta ser original.

El encanto de Massenet (1842-1912) durará por largo tiempo, ya que hay por de pronto en su obra una sensualidad que le es peculiar ; además otra cosa, y más rara todavía : una concisión que la preserva de perder el tiempo en el detalle inútil, cualidad esencial en el teatro. Asimismo, un oficio sólido, un arte en el equilibrio y la proporción de las voces con la orquesta, una flexibilidad extrema, tanta chispa como sensibilidad ; su arte cuadra perfectamente con una época que se ha juzgado feliz y frívola, pero que fue, con todo, inquieta. Él mismo, devorado por el deseo de agradar, fue de todos modos un gran músico del que se aprende una útil lección de claridad.

Sus éxitos en los conciertos le hubieran podido llevar hacia la sinfonía ; sus melodías, su oratorio *Marie-Madeleine* (intitulado «Drama sacro», y que es su último envío de Roma) le muestran ya dotado del sentido del teatro. En él se instaló definitivamente después del éxito de *Les Erynnies*, que, en 1873, vengó el fracaso de *Don César de Bazán* el año anterior en la Ópera Cómica. La revancha fue más completa aún con *Le Roi de Lahore* (Ópera, 27 de abril de 1877), que alcanzó treinta representaciones y le valió ser nombrado miembro del Instituto a los treinta y seis años.

El 19 de diciembre de 1881 se estrenó en el teatro de la Monnaie *Hérodiade* ; París la escuchó primero en la traducción italiana hecha por Zanardini del libreto de Paul Millet y Henri Grémont (Teatro Italiano, 1884). La Ópera no le dio acogida hasta el 24 de diciembre de 1921. La idea de hacer nacer en el Precursor un sentimiento hacia Salomé calificándola con benevolencia es estrambótica. Massenet, con todo, la aceptó, y la partitura acentúa el equívoco de una tergiversación del texto evangélico, que convierte a Salomé en una mística sensual : lejos de pedir la cabeza de Juan, intenta salvarle. Algunos pasajes bastante viriles no impiden que la música sea casi constantemente envolvente y lasciva ; circula en ella una languidez mórbida que hizo el éxito inmediato de la obra, representada sesenta veces ante una sala atestada, en Bruselas, adonde los trenes de recreo llevaban a los auditores.

Manon, cuyo libreto se debe a H. Meilhac y Ph. Gille, se estrenó en la Ópera Cómica el 19 de enero de 1884. Como había sucedido con la *Carmen* de Merimée, la novela del abate Prévost tuvo que sufrir una transformación radical para ser llevada a la escena lírica. Supresión de Tiberge ; ¿por qué conservar ese razonador, cuando Manón ya no es más que una coqueta amable que sabe aprovechar las ocasiones que se ofrecen, pero desprovista de maldad? Des Grieux no desciende al más bajo grado del deshonor; Lescaut ya no es el hermano, sino el primo de la moza demasiado complaciente; tampoco es el rufián que sabemos. Manón morirá por el camino, antes de ser embarcada para la deportación. De esta forma Des Grieux no tendrá el disgusto de tener que matar al hijo del gobernador. No es, pues, necesario Tiberge para moralizar e intentar corregirle. Pero si todo cuanto existe de fuerte, áspero y violentamente doloroso en el libro ha desaparecido del libreto, si Manón resulta casi conmovedora y Des Grieux un perfecto barbilindo, la música se encarga de inundar de sensualidad un escenario excesivamente manso. La partitura crea una atmósfera de *boudoir* donde flotan perfumes de galantería y un embriagador aliento de pecado. Crea, impone hasta la obsesión, una imagen exacta y profunda de los dos amantes ligados el uno al otro por una atracción física creciente. Lo que los libretistas habían quitado del texto de la novela por conveniencia o pusilanimidad, el músico lo restituye con una habilidad que disimula toda violencia. Pero no deja ésta de reinar en la pasión; circula de la primera a la última escena. La obra está escrita por un autor que parece predestinado para ella: seductor, su arte posee todas las gracias, todos los embrujos de la feminidad. Se ha censurado a *Manon* su falta de simplicidad, unidad, altura. Pero en realidad ¡hubiera sido traicionar dos veces a Manón el haberla hecho del todo simple, lisa, y dar «elevación» a esa cortesana! Massenet es de su tiempo, y ése es el del naturalismo de Zola y de Maupassant. Respetando el corte por números de las antiguas óperas y el tradicional «hablado» de la Ópera Cómica, Massenet supo conciliar con la verosimilitud esas obligaciones ilógicas. La orquesta sólo calla en determinados momentos; pero se hace más tenue bajo el «hablado», por ejemplo, en el momento en que Des Grieux dice a Manón: «No soy dueño de mí mismo, os veo, estoy seguro, por primera vez; pero mi corazón, sin embargo, os reconoce...», la orquesta suena muy suavemente el motivo de Manón (*la, sol, la, sol, fa*)...: procedimiento que será más tarde empleado corrientemente cuando se quiera intentar la renovación del género lírico por medio de un regreso a las formas antiguas del «misterio».

En 1885, *Le Cid,* en la Ópera: es peligroso colaborar con Corneille, y las cualidades de Massenet no lo calificaban para traducir el heroísmo. Con todo, algunas bellas escenas y el ballet han quedado. *Esclarmonde,* con la presencia de Sybil Sanderson en las tablas de la Ópera Cómica el 15 de mayo de 1889, constituyó una de las atracciones de la Exposición: ciento diez representaciones dan la medida del éxito. La caballería, en esa obra, no es más que un pretexto para la voluptuosidad, y la partitura tiene de curioso su empleo del *leit-motiv* hasta la saciedad, que tiñe a la música de un erotismo exasperado (la orquesta sugiere los detalles de una escena de amor que pasa tras una cortina). Pero *Esclarmonde* queda, técnicamente, como el más perfecto logro de Massenet.

Le Mage (Ópera, 16 de marzo de 1891) no gustó. La obra, no obstante, no deja de tener algunas hermosas páginas, pero no llegó a interesar. *Werther* (16 de febrero de 1892) ofreció a Massenet una ocasión de revancha, primero en Viena, y el 16 de enero de 1893 en la Ópera Cómica de París. La obra de Goethe es seguida con más fidelidad por Blau, Milliet y Hartmann que lo había sido la novela del abate Prévost, y el sentimentalismo del músico halla una especie de equivalencia con el romanticismo goethiano. Es una transposición ; pero respeta los valores, y la obra no carece ni de unidad ni hasta de profundidad. La música es más sobria ; su *leit-motivismo,* más adecuado a los caracteres y situaciones. Todos esos méritos hacen de *Werther* la mejor obra de Massenet ; y, no obstante, a pesar del *clair de lune* y la escena de los adioses, falta en *Werther* una sinceridad que existe en *Manón.*

Aunque en menor grado, lo que constituía la debilidad de *Hérodiade* se encuentra también en *Thaïs* : Paphnuce se convierte en Athanaël dentro del libreto de Louis Gallet. El cambio de nombre del anacoreta mide exactamente la distancia de la novela de Anatole France a la ópera de Massenet, estrenada el 16 de marzo de 1894. Hay, no obstante, una emoción en la música, y el compositor no tiene la culpa de que la famosa «meditación» dulcemente cantada por un violín a solo, se haya escuchado demasiadas veces : pero ha triunfado — estaba en su elemento — en el pintar con acierto a la cortesana, su gusto por el lujo y la lujuria ; y más bien ha esquivado que tratado el verdadero asunto del drama, la tentación de Paphnuce, el conflicto que lo desgarra y que la explosión del final no acierta a traducir.

Un poético libreto de Georges Boyer ofreció a Massenet la ocasión de escribir un *Portrait de Manon,* con el que, el 8 de mayo de 1894, la sala entera de la Ópera Cómica, no sin un delicado placer, volvió a encontrar un Des Grieux evocando recuerdos que eran patrimonio ya de todos. En aquel mismo año, el 20 de junio, en el Covent Garden, aparecía *La Navarraise* ; Massenet se acercaba a Mascagni a través de un libreto verista que Henri Cain había sacado de una narración de Jules Claretie. Más matizada, más delicada, resulta la obra compuesta con libreto adaptado de *Sapho* de Daudet por H. Cain y Arthur Bernède (Ópera Cómica, 27 de noviembre de 1897), un largo dúo de amor en cuatro actos, lleno de un amor tempestuoso, entre el de una mujer en la última madurez y con un pasado muy lleno, y un hombre demasiado joven y que siente el peso de su cadena. Hay en Massenet un realista, y sincero ; como se reconoce al seductor en *Cendrillon,* estrenada en la Ópera el 24 de mayo de 1899. Hay en esos cuatro actos una invención deliciosa, y es la llegada de la Cenicienta al baile, en el instante en que se callan todos los instrumentos — como lo dijo Perrault —, «ya que todos estaban atentos contemplando las grandes bellezas de la desconocida». La página es de un poeta, de un músico que sabe el valor del silencio, cosa rara.

Las dos obras siguientes figuran entre las mejores. *Grisélidis,* de Armand Silvestre y Eugène Morand, había alcanzado el más vivo éxito en el Teatro Francés. El «cuento lírico», ataviado con la música de Massenet, no le cedió en el aplauso al estrenarse en la Ópera Cómica el 20 de noviembre de 1901. La chispa que puso en el papel del diablo y en el de su esposa, la sana alegría de sus disputas, vecinísima de la opereta, la ternura de Griselda, forman sabrosos contrastes, y hay que preguntarse por qué esa obra ha desaparecido de los carteles.

El mismo éxito, pero en el polo opuesto de su talento, con *Le Jongleur de Notre-Dame* (libreto de Maurice Léna, Montecarlo, 18 de febrero de 1902). *Le Jongleur,* desde mayo de 1904, prosigue una carrera fructífera. Paradoja : no contiene papeles femeninos. *Chérubin* (Ópera Cómica, 23 de mayo de 1905), escrito *ex abundantia,* es, como dice René Brancour, «un verdadero caleidoscopio» de romanzas, coquetería, galantería e ingenio, cuyos vidrios, aportados por Fr. de Croisset y H. Cain, el músico pintó de vivos colores. Tenía entonces sesenta y tres años, y las partituras iban sucediéndose con increíble rapidez. A pesar de su facilidad sorprendente, Massenet en ellas da muestras de agotamiento. *Chérubin* no pudo durar, y *Thérèse* (Montecarlo, 7 de febrero de 1907) no tuvo mejor fortuna ; pero *Ariane,* en el intervalo (Ópera, 31 de octubre de 1906, libreto de C. Mendès), se aguantó pese a la mediocridad de su libreto. El de *Bacchus,* del propio Mendès (Ópera, 5 de mayo de 1909), es peor, y, a despecho de un combate entre monos y hombres — la escena transcurre en las Indias —, la obra cayó al foso. Con *Don Quichotte* (Montecarlo, 19 de febrero de 1910), Massenet encuentra un asunto más apropiado y la obra contiene escenas melancólicas de un real interés, además de episodios de franca alegría. Una reposición reciente ha mostrado la persistencia de sus cualidades.

Roma, la última de sus obras representada en vida del autor (Montecarlo, 17 de febrero de 1912), no conoció más que un éxito cortés, que no pudo consolarle del fracaso de *Bacchus.* «No aceptó, escribe Alfred Bruneau, esta aventura suprema sin protestas vehementes, sin dolorosas quejas. ¿No hay aquí una ironía demasiado cruel de la suerte? Después de éxitos como nunca otro músico los haya alcanzado tan clamorosos y duraderos, ¡una caída brutal, inesperada, hiriente, infligida al compositor más mimado, más popular, más admirado de su época, y que le envenena sus años postreros! No conozco ejemplo semejante de la ciega ferocidad de las masas.» Y en el artículo necrológico publicado por «Le Matin» el día siguiente al de su muerte, el 14 de agosto de 1912, Claude Debussy constataba : «No es, sin duda, el momento de lamentar su prodigiosa fecundidad, que a veces parece haberle privado de la facultad de escoger. Y por otra parte, ¿tenemos derecho a exigir de un hombre que sea justamente al contrario de lo que ha sido?»

Estos sentimientos, al cabo de cuarenta años, todavía se experimentan ante la obra de Massenet. Pero *Manon, Werther* y *Le Jongleur* bastan para hacer vivir su nombre, y al arte lírico francés se le quitaría mucho si esas obras no hubiesen sido escritas.

Benjamín Godard (1849-1895), no obstante el éxito de *Jocelyn* (1888) y en particular de la *berceuse* del segundo acto, a la que Capoul hizo demasiado famosa, no obstante *La Vivandière* (representada en la Ópera Cómica en 1895, algunos meses después de la muerte del compositor), no obstante los *couplets «Viens avec nous, petit!»*, que valieron a Marie Delna un triunfo, hoy está muy olvidado, sin que se pueda decir que es injusto el olvido.

II

A Giuseppe Verdi (10 de octubre de 1813, 27 de enero de 1901) le tocó recoger la herencia de Rossini y convertirse en jefe de la escuela italiana. Hombre de teatro por encima de todo, Verdi ha ejercido una influencia tan profunda como duradera sobre el arte lírico, y hay pocos ejemplos de artistas cuya gloria haya sufrido menos esa especie de eclipse que de ordinario sigue a la muerte de los artistas creadores. Sin duda Verdi debe esa prodigiosa supervivencia a dos cualidades de las menos comunes : la sinceridad y la facultad que tuvo de renovarse, conservándose siempre el mismo ; cualidades que le permitieron escribir *Falstaff* a los ochenta años, mostrando en esa obra una juventud extraordinaria.

Verdi empezó su carrera en 1839, en la Scala de Milán, con *Oberto* ; no es ninguna obra maestra, pero es esencialmente «verdiana». En medio de los peores tormentos — miseria, enfermedad, lutos (tres tumbas abiertas en dos meses : su hijo, su mujer y su hija) — termina *Un giorno di regno,* que se derrumba a la primera representación. Desanimado, convencido de que ya no podrá escribir más, dos años más tarde, en la misma Scala, donde habían silbado *Un giorno di regno, Nabucco* triunfa (9 de marzo de 1842). Éxito prolongado de *I Lombardi alla prima Crociata* (Scala, 17 de febrero de 1843) ; después, con diversa fortuna, las obras se suceden regularmente, aunque sin prisas : *Ernani* en la Fenice el 9 de marzo de 1844, *I due Foscari* en Roma el 3 de noviembre del mismo año ; *Giovanna d'Arco* en la Scala el 15 de febrero de 1845 ; *Alzira*, Nápoles,

el 12 de agosto de 1845 ; *Attila* en la Fenice el 17 de marzo de 1846 ;
Macbeth en Florencia el 14 de marzo de 1847 ; *I Masnadieri* en Londres
el 22 de julio de 1847 ; *Il Corsaro* en Trieste el 25 de octubre de 1848 ;
La Battaglia di Legnano en Roma el 27 de enero de 1849 ; *Luisa Miller*
en Nápoles el 8 de diciembre del mismo año ; *Stiffelio* en Trieste el 16
de noviembre de 1850 ; *Rigoletto* en Venecia el 11 de marzo de 1851 ;
Il Trovatore en Roma el 19 de enero de 1853 ; *La Traviata* en Venecia
el 6 de marzo del mismo año. Con las tres últimas obras, el nombre de
Verdi, ya muy célebre, ganaba una popularidad que se extendía a Europa entera : en París, en pocos años, sus obras se cantaron más de mil
veces «en italiano».

En la Ópera de París fueron estrenadas el 13 de junio de 1855 *Las
Vísperas sicilianas* ; *Simone Boccanegra* se representó por primera vez en
Venecia el 12 de marzo de 1857 ; *Un ballo in maschera* en Roma el 17 de
febrero de 1859 ; *La forza del destino* en San Petersburgo el 10 de noviembre de 1862 ; *Don Carlos* en la Ópera de París el 11 de marzo de
1867 ; *Aida* en El Cairo (la obra había sido encargada a Verdi para las
fiestas inaugurales del canal de Suez) el 24 de diciembre de 1871 ; *Otello*
en la Scala el 5 de febrero de 1887, y *Falstaff* en el mismo teatro el 9
de febrero de 1893.

Se acostumbra dividir en tres períodos la producción de Verdi y, como
en Beethoven, se habla de sus tres *maneras* ; la primera, terminada con
Luisa Miller, la segunda con *La forza del destino* o *Don Carlos* ; pero,
a la verdad, nada marca una frontera en una evolución que fue continua,
y a lo largo de esa progresión el estilo de Verdi continúa tan personal que
basta con oir una frase de cualquiera de sus obras, incluso las del comienzo de su carrera, para reconocerle. Lo que cambia, y sobre todo a
partir de *Don Carlos,* es el procedimiento de escritura, que se va perfeccionando. El estilo de Verdi difiere netamente del de sus predecesores, y
si hay aún algo de Bellini en *Oberto,* se tiene ya la impresión de que el
músico está resuelto a subordinar la melodía a la expresión de los sentimientos. Se abstiene ya de los adornos superfluos, tan caros a la precedente generación ; quiere que la música sea servidora de la verdad,
pero una servidora llena de nobleza. Y, cosa esencial, la verdad suprema
para él, italiano, consiste en no renegar de sus orígenes : reflejar en su
música el alma misma del pueblo de donde ha salido el artista, de la
nación renaciente, por la que lucha, dispuesto a dar su vida por ella. Y
el patriota encuentra acentos inspirados para cantar a Italia en *La Battaglia di Legnano,* en que se ha hecho célebre un coro proclamando la santidad de la unión de todos los italianos :

> *Viva Italia! Un sacro patto*
> *Tutti stringe i figli suoi...*

En muchas ocasiones, Verdi puso en guardia a los músicos contra el peligro de dejarse seducir por formas y procedimientos que estarían en desacuerdo con el carácter, el espíritu de la raza a la cual pertenecen: «Hemos hecho lo posible — escribe en 1879 el conde Arrivabene — para ranunciar a nuestra nacionalidad musical; un paso más, y todos estamos germanizados.» En 1892, Hans de Bülow, que antaño había formulado ciertas reservas hostiles sobre las óperas de Verdi, le dirigió una hermosa carta en la que se excusaba y le expresaba su admiración por *Otello*. Al darle las gracias, Verdi añadió: «Vuestra carta me causa un gran placer, no por vanidad profesional, sino porque veo que los artistas verdaderamente superiores juzgan sin ideas preconcebidas de escuela, nacionalidad y época. Si los artistas del Norte y del Sur sostienen tendencias diversas, conviene que sean diversas. *Todos deberían mantener los caracteres propios de su nación*, como Wagner ha dicho muy bien. ¡Felices vosotros, que sois aún los hijos de Bach!... Y nosotros, hijos de Palestrina, un día hemos tenido una escuela grande y nuestra. Ahora se ha bastardeado y amenaza ruina. ¡Oh, si pudiésemos volver a comenzar!».

Y se aplicó en este sentido. Y es ésta la significación de la frase famosa que ha pronunciado y que tantas veces se ha interpretado falsamente: «*Torniamo all'antico, sarà un progresso!*». En la misma carta donde se lee esta frase, había dicho también: «La música del porvenir no me da miedo». ¿Cuál era su pensamiento?; el mismo, exactamente, que formula en su respuesta a Bülow. Tanto como son vanos los intentos de rechazar los enriquecimientos que se pueden hallar cuando un artista, venga de donde viniere, perfecciona la técnica, es igualmente peligroso imitar los estilos de los maestros que personalmente se han esforzado en traducir lo que hay de más hondo, de más misterioso, en el alma de una nación, la suya. «La música del porvenir no me da miedo», añadía Verdi, y, en efecto, demostró que podía, sin por eso traicionar a su ideal, utilizar, si bien dándole una significación puramente italiana, la contribución de Wagner a la técnica del drama lírico. Haciendo esto, ha permanecido fiel al genio musical italiano, y continuando «vuelto hacia los antiguos» maestros de su país ha hecho cumplir a la ópera italiana el progreso que tiene tan magnífica expresión en *Aida*, *Otello* y *Falstaff*. Ha comprendido que, por mucho que la música sea un lenguaje de audiencia universal, arriesgaría perder todo su sentido al convertirse en una lengua cosmopolita, ya que la universalidad de una obra de arte se debe a que el artista se ha elevado a un plano superior que le confiere un alcance humano en el sentido más general de la palabra, sin renunciar por eso a conservar la marca de su propia personalidad, que a su vez es la expresión de lo que hay de más puro y mejor en su raza.

Parece, pues, absolutamente falso hablar de una especie de «conversión» wagneriana de Verdi después de *Don Carlos*. Esa palabra «conversión» es tan impropia como imposible en ese caso, ya que Verdi no se ha «vuelto» hacia un ideal nuevo ; no ha renegado ni abjurado de nada. Utilizando tan sólo una armonía más rica, más variada, usando una declamación más estrictamente modelada sobre el sentido de las palabras, dando más flexibilidad a los comentarios sinfónicos, su música adquiere más movilidad para seguir a la acción sin retardarla ; pero la música sigue tan italiana en *Otello* y *Falstaff* como en *Il Trovatore* o *La Traviata*. Esta música es, antes que todo, sincera : Verdi era incapaz de escribir lo que no sentía, y esto le hace admirable. Su alma habla el lenguaje que va trazando sobre las pautas : se expresa por boca de Desdémona en la *Canción del Sauce* ; se exhala a través de la voz de la soprano en la penetrante imploración a *la Vergine degli angeli* de *La forza del destino*, y esta alma fue tan bella como su canto puro.

Saverio Mercadante (1795-1870) fue discípulo de Zingarelli en el Conservatorio de Nápoles ; comenzó en 1819 en San Carlo con *L'Apoteosi d'Ercole*, acogido con entusiasmo, y dio a la escena sesenta y una obras líricas, lo que no le impidió escribir gran cantidad de música religiosa y sinfónica. En 1820 *Anacreonte in Samo* le hizo famoso y le proporcionó el encargo de *Scipione in Cartagine* para la Argentina de Roma. Desde aquel momento, las óperas de Mercadante se suceden a un ritmo acelerado, y son alternativamente recibidas calurosísimamente o con una gran frialdad ; en 1821 *Elisa e Claudio* triunfa en la Scala y hace comparar a Mercadante con Rossini. De esa producción desigual que obligó a Mercadante a desplazarse a través de Europa, de Venecia a París y de Madrid y Lisboa a Viena, sólo quedan algunas obras todavía representadas en España e Italia. En el Teatro Italiano de París, *I Briganti*, en 1836, no tuvo sino un éxito de cortesía. Las mejores óperas de Mercadante son sin duda *La Rappresaglia*, estrenada en Cádiz en 1829, *Le due illustri rivali*, acogida en la Fenice con entusiasmo en 1838 y cuyo estilo es vigoroso, *Il Giuramento*, que es la más frecuentemente representada, *Leonora* (1844), *Orazi e Curiazi* (1846), *Medea* (1851), *Pelagio* (1857), *Virginia* (1866). Scudo dijo que Mercadante, músico instruido y muy hábil, no poseía el don de la originalidad ; pero últimamente M. Biagio Notarnicola ha consagrado un volumen al autor de los *Orazi* y le pretende superior a Verdi, como más completo. Debemos confesar que en Francia se le conoce demasiado poco para poder formular un juicio razonado sobre el músico [1].

---

[1] Biagio Notarnicola, *Saverio Mercadante* (ed. Diplomática, Roma, 1948-1949). B. Notarnicola ve en Mercadante el padre espiritual de Verdi, y escribe (p. 155): «*Il grande genio di Dante potè chiamare Virgilio suo maestro: il piccolo genio di Verdi ha potuto misconoscere Colui che lo aveva messo al mondo: Mercadante*». La rivalidad de los dos músicos sigue, pues, aún, a pesar de la creciente gloria de Verdi y el declinar de Mercadante. Para algunos napolitanos, éste último es y ha sido el igual de Rossini.

Figurines de F. Heine para el estreno de «Lohengrin», de Wagner, en el teatro de Weimar (1850).

Escena en el estreno de «Tristán e Iseo», en Munich (1865).

*Decoración de Joukovsky para el estreno de «Parsifal», de Wagner.
(Acto III, escena 1), en Bayreuth, 1882.*

*El tenor Ernst Van Dyck (1861-
1923), en «Parsifal».*

(Bayreuth, 1899)

El tenor Paul Franz, en «Parsifal».

(Reposición en París, 1914)

Decorado de Cambon para «Faust», de Gounod. (Acto I, escena 1).
(Reposición en la Opera de París, 1869)

Escena en el estreno de «Mireille», de Gounod (1864).
Acto II, escena 10, las Arenas de Arlés

Decorado de Chaperon para «Aida». Acto I, cuadro 2.°

Figurines de Augusto Mariette para el estreno de «Aida», de Verdi.
(El Cairo, 1871).

Luigi Ricci (1805-1859) y su hermano Federico (1809-1877) también habían sido discípulos de Zingarelli. Aunque muchas veces separados (Luigi se había llevado a Odessa, donde dirigió la orquesta, dos hermanas mellizas, Fanny y Lidia Stoltz, de las que estaba enamorado, y, a su regreso, tan sólo pudo casarse con Lidia, sin olvidar a Fanny), los dos hermanos colaboraron a menudo, y sus obras obtuvieron brillantes éxitos : *La Prigione d'Edimburgo* en 1837 se representó por todo Italia, y en 1850 en el teatro San Benedetto de Venecia ; *Crispino e la Comare* comenzó una carrera que debía llevarla a través de Europa. El libreto, inspirado en una farsa napolitana, ha sido traducido al francés bajo el título de *Le Docteur Crispin,* y la obra de los Ricci, después de haber triunfado en París en el Teatro Italiano el año 1865 en su texto original, reapareció en el Athénée en 1869 y se mantuvo durante muchas sesiones. La obra es de una comicidad irresistible, debido en gran parte a la música endiablada y chispeante.

Amilcare Ponchielli (1834-1886) inició su carrera en 1856 con una ópera sacada de *I promessi sposi* de Manzoni. Representada en Cremona, pasó inadvertida hasta su reposición en 1872 en el Teatro dal Verme de Milán, después de un arreglo que valió a Ponchielli la celebridad, confirmada por su ballet *Le due Gemelle* (Scala, 1873), después por *Gioconda* (Milán, 1876), aún representada con frecuencia en Italia (el *ballet de las Horas,* que forma parte de ella, está de repertorio en la Ópera Cómica). Se le debe, además, *Lina* (Milán, 1876), refundición de *La Savojarda* (Cremona, 1861), que aún se mantiene en los carteles de la península.

Gran amigo de Verdi, y su libretista del *Otello* y *Falstaff,* Arrigo Boito (1842-1918) vio fracasar su *Mefistofele* con ocasión de su estreno en la Scala en marzo de 1868 ; pero en Londres (1875) y en Bolonia el mismo año el éxito fue enorme y la obra se sigue manteniendo. El escenario está sacado de los dos *Faust* de Goethe y, de todas las obras líricas inspiradas en este poema, es la que lo resume más por completo. La partitura no carece de fuerza ni vivacidad. El aria *Dai campi, dai prati,* el dúo de Fausto y Helena, la escena del aquelarre, han alcanzado un renombre merecido por su estilo claro, incluso despojado. El gran reproche que se hace a *Mefistofele* es que el diablo figura en la obra un poco como un titiritero. El prólogo en el cielo nos hace oir unos coros místicos de un efecto curiosísimo. Boito dejó a su muerte un *Nerone,* acabado desde muchos años, que no se interpretó hasta 1924.

Musicalmente, Boito señala una transición, entre Verdi y la escuela verista, salida del movimiento literario que, a su vez, se deriva del naturalismo francés de Zola, y cuyo más ilustre representante es el novelista siciliano Giovanni Verga. Los veristas quisieron instaurar el realismo en la música, y de todos modos existe gran distancia entre Mascagni, Leoncavallo, Puccini, por una parte, y Boito por otra. La primera manifestación de la nueva escuela se produjo el 17 de mayo de 1890 en el teatro Costanzi de Roma, al estrenar Mascagni *Cavalleria rusticana*. El drama se había inspirado en una rápida y brutal narración de Verga. Mascagni (nacido en 1863), antiguo discípulo de Ponchielli en Milán, seguía una carrera de director de orquesta cuando el editor Sonzogno instituyó un concurso de obras en un acto. No tenía libreto ; dos de sus amigos, Targioni-Tozzeti y Menasci, se apresuraron a escribir uno sobre el relato de Verga, y como el plazo era muy corto, se lo mandaban de escena en escena. La falta de tiempo no impidió a Mascagni ganar el premio ; sin duda hasta le fue favorable : puede echarse en cara a la partitura su facilidad, que muchas veces es vulgaridad, pero no puede negarse una violencia que arrastra al auditor. Y jamás, en sus composiciones ulteriores : *L'Amico Fritz* (1891), *Die Rantzau* (1892), *Radcliff* (1894), salvo quizá en *Il Piccolo Marat* (1921), Mascagni ha vuelto a hallar la concisión que le ganó el éxito inmediato y triunfal de su comienzo. El argumento es un drama de celos : Lola, chica coqueta, abandona a su novio, Turridu, y se casa con un carretero, Alfio. Casada, continúa celosa de aquél a quien abandonó y no cesa hasta que vuelve a conquistarlo ; pero Santuzza, a su vez, enamorada de Turridu, quiere vengarse ; explica al marido, Alfio, la traición de Lola ; Alfio provoca a Turridu y le mata en un duelo a cuchilladas. Brutalidad no significa verdad ; hay mucho de convencional en *Cavalleria,* sobre todo en la música, y los acentos dramáticos y poderosos que a veces se encuentran no consiguen mejorarla.

Dos años más tarde, en el Teatro dal Verme, en Milán, se daba la primera representación de *I Pagliacci* (21 de mayo de 1892), de Ruggiero Leoncavallo (1858-1919), igualmente en un acto, y no menos brutal. En vano el músico había intentado hacer representar sus primeras obras, *Chatterton, I Medici* : éstas no fueron puestas en escena hasta después del éxito fulminante de *I Pagliacci*. El argumento es muy simple : es el drama del histrión que encuentra en la vida el papel que representa cada noche sobre el tablado. Engañado, loco de rabia, matará a su esposa, que junto con él representa la comedia, y como el amante asiste al espectáculo cuenta con que se delatará y podrá asimismo matarlo. Lo mejor de la obra es el prólogo, en que el Tonio, el tonto, se presenta delante de la cortina para advertir al público que el drama no es imaginario, sino una historia verídica cuyos personajes han vivido y han muerto, como se verá.

Es importante subrayar que el éxito de esos breves melodramas reducidos a uno o dos actos, enlazados por un intermedio sinfónico (como *I Pagliacci*), no ha dejado de ejercer influencia tras los montes : es la forma que adoptó Richard Strauss.

Después de *I Pagliacci*, Leoncavallo intentó repetir su golpe maestro con *La Bohême* (cuatro actos, 1897), *Zaza* (1900) y algunas operetas.

La suerte de Giacomo Puccini (1858-1924) fue más dichosa. Discípulo también de Ponchielli, el año 1884 obtuvo un éxito bastante considerable con *Le Villi*. Cinco años más tarde, *Edgar*, estrenada en la Scala, como la ópera anterior, obtuvo un éxito mayor todavía. En Turín, el año 1893, *Manon Lescaut* consagró definitivamente su reputación. La obra se divide en dos partes, la una alegre, llena de vida, que es la mejor; la otra, violentamente dramática, termina con la muerte de Manón en América, ya que el libreto se ciñe a la novela. Pero un sentimentalismo fácil estropea los últimos cuadros, y éste es el defecto que se encuentra en las demás obras de Puccini, en *La Bohême* (Turín, 1896), *La Tosca* (Roma, 1900), *Madame Butterfly* (Milán, 1904), *La Fanciulla del West* (New-York, 1910). Su mejor obra es *Gianni Schicchi* (New-York, 1918), desbordante de inspiración e ingenio; *Turandot*, que terminó Franco Alfano (Milán, 1926), dejaba entrever una evolución que la muerte no dejó proseguir. En sus *Musiciens d'aujourd'hui*, Alfred Bruneau ha pronunciado el siguiente y equitativo juicio sobre los veristas: «Para apreciar sin injusticia su música es preciso hacer abstracción de los hábitos artísticos de nuestra raza y escucharlos olvidando nuestro código teatral. Entonces reconoceremos que muchos de ellos no se pueden dejar de lado, que su oficio, a veces tan rudimentario, basta para sus dotes de improvisación, y que diciendo de prisa y sin rebusca de un bello lenguaje lo que tienen que decir se acercan tal vez a la verdad, intentando por lo menos explicarla según el temperamento de cada uno, y por eso mismo yendo derecho al alma de todos los públicos, puesto que la sinceridad es todavía el medio más seguro y el más ingenuo a emplear para ser comprendido por las masas».

Ésta es la verdad; pero es a menudo difícil de discernir en esta música lo que es perfectamente sincero de lo que no es más que una fórmula para buscar el éxito. Verdi se ha guardado de lo que nos parece excesivo en el verismo, que ha sufrido, además de la del maestro italiano, la influencia de Massenet.

Franco Alfano, discípulo de Puccini, dio en Bolonia en 1921 una leyenda de *Sakuntala* que rompía con el verismo de sus obras anteriores como *Resurrección*, de Tolstoi, *L'ombra di don Giovanni* (Scala, 1914), donde su personalidad se destaca con más fuerza. Verista es también la producción de Riccardo Zandonai, en la que se nota la influencia de su maestro Mascagni (*Il grillo del focolare*, 1908; *Conchita*, inspirada en *La Femme et le Pantin*, 1911; *Melenis*, 1912; *Francesca da Rimini*, 1914; *La via della finestra*, 1919; *Giulietta e Romeo*, 1922; *I Cavalieri di Ekebú*, 1925; *Giuliano*, 1928). Italo Montemezzi debe a su formación de ingeniero una solidez que forja el mérito de sus obras : *Giovanni Gallurese* (1905), *L'amore dei tre re* (1913), *Hellera, La Nave* (1918).

La vasta cultura de Ottorino Respighi (1879-1936), sus estancias en Petersburgo al lado de Rimski-Korsakov, en Berlín con Max Bruch, su gusto por la música antigua, le han preservado de los excesos del verismo, y aunque deba su celebridad a sus obras sinfónicas obtuvo en el teatro legítimo éxitos con *Re Enzo* (Bolonia, 1905) *Semirama,* 1910, *Belfegor,* 1923, y *María Egipciaca,* oratorio transportado al teatro. Muestra vivacidad en su obrita para marionetas *La bella addormentata nel bosco,* y un feliz resultado en su adaptación, para los Ballets rusos, de una música de Rossini (*La boutique fantasque*). Ildebrando Pizzetti ha sido el principal artífice de la reacción contra el verismo. La calidad de su inspiración, la pureza de su forma, han impuesto sus obras tanto en el concierto como en el teatro, y el papel que ha jugado en la dirección del Conservatorio de Milán ha completado felizmente su actuación en las revistas musicales. En 1915, daba en Milán *Fedra,* siguiendo a d'Annunzio, quien ya le había confiado *La Pisanelle,* escrita para Mme. Ida Rubinstein y representada en París el 12 de junio de 1913. En ellas puso no tan sólo habilidad, sino una sensibilidad convincente felizmente aliada con el vigor. Él mismo ha escrito el libreto de *Debora e Jaele* (1922). Idénticas cualidades se encuentran en sus músicas de escena para *La Nave* y *Edipo Re.*

Dos años más joven (nacido en 1882), Francesco Malipiero es también uno de los maestros que lucharon en Italia contra el verismo ; sus obras fueron violentamente discutidas tanto en la península como en el extranjero, en París, tanto en el concierto como en el teatro, en el que ha dado *Sogno d'un tramunto d'autunno* (1913), *Canossa* (1914), las *Tre Commedie Goldoniane* (1920-1922), de las cuales las *Baruffe chiozzotte* (*Las disputas de Chioggia*) y *La Bottega del Caffè,* tienen todo el gracejo de la ópera bufa dentro de una forma más audaz ; las *Sette Canzoni* provocaron manifestaciones en la Ópera de París el año 1919, y fueron repuestas algo más tarde por Mme. Beriza, que las hizo aplaudir ; *Filomela e l'Infatuato* (1925), *La Principessa Ulalia* (Boston, 1925), *Merlino, maestro d'organi* (1927), y los ballets *Pantea* (París, 1919), y *La mascherata delle Principesse prigioniere,* completan la lista. Sus dotes de invención melódica y rítmica y de colorista le colocaron a la cabeza del movimiento que se realizó dentro de los años que precedieron y siguieron a la guerra de 1914-1918. Vincenzo Tommasini (1880-1951) ha escrito principalmente música sinfónica ; pero sus óperas *Medea* (1906), *Uguale fortuna* (1913), su ballet sobre temas de Scarlatti *Les femmes de bonne humeur* (compañía Diaghilev, 1917), demuestran que tuvo el sentido del teatro.

Alfredo Casella (1883-1947) fundó la *Corporazione delle nuove musiche* y trabajó con ardor para la renovación musical de Italia. Ha escrito principalmente música pura ; su *Giara,* inspirada en Pirandello, escrita para los Ballets suecos, desborda de alegría y vida. También para Diaghilev escribió Vittorio Rieti *Barabau* (1935) y *Le Bal* (1929) ; se le debe además una ópera de cámara, *Teresa nel bosco,* una *Électre,* inspirada en Giraudoux, y dos ballets más : *Robinson et Vendredi* y *David triomphant.* Luigi Dallapiccola ha obtenido más recientemente un vivo éxito con *El Prisionero.* Discípulo de Alban Berg, cuyas teorías dodecafónicas aplica con discreción, es un músico de poderosa originalidad.

III

El teatro lírico austroalemán parece caer en un letargo después de la muerte de Wagner : el fulgor resplandeciente del maestro sajón obscurece a sus sucesores y únicamente Richard Strauss consigue brillar a su vez.

Hugo Wolf (1860-1903), si bien ha escrito una ópera cómica, *Der Corregidor,* sacada de un cuento de Alarcón del que Falla hizo más tarde un ballet, *El sombrero de tres picos,* debe una gloria merecida a sus *lieder* y no a esta obra lírica, muy colorida, pero cuya música no tiene el movimiento necesario al teatro. Gustav Mahler (1860-1911) ha dado a la escena una obra de juventud, *Die Argonauten,* y la música para una comedia de magia : *Rübezahl* ; mas también ha buscado la celebridad por otras partes. Como Brahms y Bruckner, Max Reger (1873-1916), a pesar de su fecundidad, no ha producido nada para el teatro. Con todo, la posteridad espiritual de Wagner es innumerable, y por el espacio de más de treinta años sus epígonos han imitado al maestro. De esa turba de compositores secundarios emergen algunos que han sabido mostrar una originalidad relativa, y el primero de ellos Engelbert Humperdinck (1854-1921). A pesar de su fidelidad al sistema wagneriano, se apartó de los temas legendarios y simbólicos y escribió una pequeña obra maestra utilizando el folklore infantil de las provincias renanas : *Hänsel und Gretel.* Esta obra contiene escenas exquisitas de una poesía y una perfección que les aseguran la vida. Sus demás obras han sido injustamente eclipsadas por este éxito : *Die Königskinder, Dornröschen, Die Heirat wider Willen, Die Marketenderin* y *Gaudeamus.*

Siegfried Wagner (1869-1930), primero tentado por la arquitectura, no pudo resistir la llamada de la música, y estudió bajo la dirección de Humperdinck. Heredero de un nombre tan prestigioso, comenzó como director de orquesta y después se dedicó a la composición de ópera (*Der*

Bärenhäuter, 1899 ; *Herzog Wildfang*, 1901 ; *Der Kobold*, 1904 ; *Bruder Lustig*, 1905 ; *Das Sternengebot*, 1908 ; *Banadietrich*, 1910 ; *Schwarzwanenreich*, 1916 ; *An allem ist Hütchen schuld*, 1917 ; *Sonnenflammen*, 1918 ; *Der Schmid von Marienberg*), de las cuales escribió los libretos. Firmadas por otro nombre menos ilustre, esas obras sin duda se habrían considerado más favorablemente. Hans Pfitzner (1869-1949) ha escrito dos dramas musicales, *Der arme Heinrich* (1895), *Die Rose vom Liebesgarten* (1901) y una «leyenda dramática», *Palestrina* (1917), cuya longitud y desequilibrio (uno de los actos dura ochenta minutos) indican ideas preconcebidas. No sin habilidad, el compositor consigue engarzar dentro de su propia música la *Misa del Papa Marcelo*. Pfitzner continúa enrolado en el neorromanticismo, pero no deja de hacer gala de un menosprecio hacia la sensibilidad, lo que le acerca a los músicos de la generación siguiente.

Max von Schillings, nacido en 1868, músico de gran cultura, celebrado director de orquesta, comenzó en 1894 estrenando *Ingwelde* ; después, en 1899, dio *Der Pfeifertag*, en 1906 *Moloch*, y en 1915 *Mona Lisa*, su mejor obra. Se le debe también, además de la música de escena para la *Orestíada* y el primer *Faust* de Goethe, unos recitativos para el *Rapto del Serrallo*. El famoso director de orquesta Félix Weingartner ha compuesto también algunas óperas : *Sakuntala* (1884), *Maliwaka* (1886), *Genesius* (1893), *Orestes* (de la trilogía de Esquilo, 1902-1908), *Kaïn und Abel* (1914), *Meister Andrea* (1914), *Dame Kobold* (1915), *Tera koya* (1920), y *Der Apostat*, cuidadísimas de forma y que denotan una filiación wagneriana. La pantomima de Franz Schreker *Der Geburstag der Infantin* (1908), le valió la celebridad en Austria, donde había fundado el «Coro filarmónico de Viena». Le debemos asimismo varias óperas (*Flammen*, *Der ferne Klang*, *Das Spielwerke der Prinzessin*, *Die Geseichneten*, *Der Schatzgräber*, *Irrelohe*) ; en ellas se manifiesta la influencia debussista en el estilo de este músico curioso de sutilezas armónicas llenas de delicadeza.

Con Richard Strauss (1864-1949), el arte alemán se enriquece con obras maestras cuya importancia y esplendor pueden compararse con las de Wagner. La reputación de Richard Strauss como director de orquesta y sinfonista era ya sólida cuando abordó el teatro con *Guntram*, representado en Weimar en 1894. La influencia wagneriana es manifiesta ; la excesiva duración de ciertos monólogos impuestos a los cantantes le valió algunas disputas con los intérpretes cuando la obra se puso en escena en Munich. Y es que el arte de Richard Strauss no tiene casi común con el de sus predecesores. Su impetuosidad y pujanza se manifestarán libremente en las obras que dedica a la escena, como en las que escribe para el concierto. Pero alcanzará lo que nadie antes que él ha conseguido.

En *Feuersnot* (literalmente «necesidad de fuego») (Dresde, 1901), una loca verbena de San Juan, tumultuosa como la de los *Maestros Cantores,* le permite dar rienda suelta a su fantasía con un desencadenamiento orquestal que volveremos a encontrar en *Salomé* con brillo más centelleante. Strauss había presenciado una representación del drama de Oscar Wilde traducido por Lachmann. Un año más tarde, el 5 de diciembre de 1905, los carteles de la Ópera de Dresde anunciaban la nueva obra. Al mismo tiempo que la versión alemana, Strauss iba escribiendo la versión francesa. Su correspondencia con Romain Rolland, que ha sido publicada [1], nos muestra su escrupuloso cuidado en resolver los problemas que le plantea la acentuación del texto francés. Se hace explicar por su amigo los matices más sutiles de la lengua hablada, y dócilmente sigue sus consejos, no sin discutir algunas veces : quiere comprender ; mas cede gustoso cuando ha comprendido.

Su música comenta, con un realismo que a menudo se ha tildado de brutal, el drama de Wilde ; pero no se puede negar que el compositor pinta con los colores más justos la corrupción asiática, la violencia desenfrenada del deseo en el Tetrarca Herodes, la sensualidad turbia de Salomé. La partitura debe a la franqueza de sus acentos el haberse impuesto y triunfado finalmente de la hipocresía de unos, los celos de otros, y la sorpresa de todos ante una obra tan audaz y nueva. Ya *Feuersnot* sólo tenía un acto : Strauss gusta de esta forma comprimida, que también se encuentra en *Elektra,* estrenada en Dresde el 25 de enero de 1909, drama más brutal aún que Salomé. La tragedia de Sófocles inspira a Hugo von Hoffmannsthal. El poeta, que luego se convirtió en el libretista titular de Strauss, se halla de acuerdo con el músico para dar del drama atroz una imagen cuyo modernismo alcanza el furor antiguo. Pero hay en este acto, que sin ello no sería más que un *crescendo* de violencia, una larga escena de distensión, casi de ternura : las efusiones de Electra, aprestándose a cumplir por su mano el acto de venganza cuando se convence de que el joven extranjero venido para traerle la noticia de la muerte de Orestes no es otro que Orestes mismo. Página admirable, seguida de un final de vigor sorprendente.

El éxito de *Der Rosenkavalier* (*El Caballero de la Rosa*), estrenado en Dresde el 26 de enero de 1911, tenía que sobrepasar el de las dos obras precedentes y extenderse más rápidamente aún. El músico renunciaba al corte en un acto y desarrollaba hasta las dimensiones de un vasto fresco el asunto de una estampa galante. Se le echó en cara esta «falta de medida» ; pero hubo acuerdo acerca de la calidad de una partitura tan rica, excitante, llena de bellezas que borran los defectos de la obra con des-

---

[1]. Cuadernos Romain Rolland, n.° 3, «Correspondencia de Ricardo Strauss y de Romain Rolland». Albin Michel, 1951. Prefacio de Gustave Samazeuilh.

lumbrantes aciertos. Imagen mezclada, en la que la poesía se combina con la truculencia, el sentimiento llega a la picardía, donde figuras chocarreras, como las del barón Ochs von Lerchenau, del burgués recién ennoblecido Faninal, bordean la inocencia curiosa de Sofía, donde la ternura y la melancolía encuentran sitio al lado del libertinaje. Singular abigarramiento de estilos, y sin embargo una obra acabada ; una obra maestra de arte barroco tal cual han querido sus autores, y que ofrece la diversidad que otros dispersan en diez o veinte obras. Bastaría a cualquier músico haber escrito las escenas finales — el trío, sobre todo — del *Rosenkavalier* para ser ilustre para siempre.

Ariadne auf Naxos, que en su forma primitiva fue un interludio destinado a *Le bourgeois gentilhomme,* y que Straus retocó tres veces para darle su aspecto definitivo de obra independiente, acentúa más aún la evolución del músico hacia el estilo barroco con su manierismo y sus extravagancias, donde la delicadeza y la gracia de Mozart se mezclan con la chocarrería desatada de la *commedia dell'arte.* M. Jourdain ofrece a sus invitados el obsequio de una ópera ; pero en la versión definitiva M. Jourdain se convierte en un burgués de Viena : el prólogo nos hace asistir a los preparativos de la fiesta. Una fantasía del dueño hace que la diversión encargada a los bufos italianos se mezcle con la «ópera seria» *Ariadne auf Naxos,* y que Zerbinette intente persuadir a la heroína abandonada por Teseo de que los hombres no valen la pena de una lágrima. A mayor abundamiento, Baco no tarda en aparecer y consolar a la hermosa. Sin llegar al *pastiche* de Lully, Strauss escribe arias de asombrosa perfección cuyo modernismo se acomoda con las formas antiguas, incluso con el «recitativo secco» ; emplea una orquesta reducida que suena con una pureza sin igual.

Die Frau ohne Schatten (*La mujer sin sombra*), en 1919, se comparó con la *Flauta mágica,* sin duda por su argumento lleno de símbolos, en el que dos parejas encuentran la felicidad volviendo a la simplicidad por medio de un prodigio. *Intermezzo* (1925) es una «comedia burguesa» con libreto escrito por el músico. Tiene como punto de partida una anécdota verdadera, una confusión de la que Strauss fue objeto. La ilustra con alusiones paródicas. Trabajada por aquellos tiempos en *Die Egyptische Helena,* libreto de Hoffmannsthal, y que se representó en Dresde. El poeta se inspiraba en Eurípides, que para explicar la guerra de Troya supone que Juno, irritada contra Paris, hizo transportar hasta Egipto a la verdadera Helena para que el príncipe troyano sólo estrechara un fantasma entre sus brazos. Menelao recobra de esta forma una esposa que le ha sido fiel. El libreto es flojo, y la partitura no de las mejores de Strauss. Al contrario, con *Arabella,* debida asimismo a Hoffmannsthal, halla de nuevo la vena de *El Caballero de la Rosa.* Intriga complicada adrede, rivalidad amorosa de dos hermanas, embrollo que tiene un desenlace según la tradición de la opereta, y música ligera, apasionada, gracias a la cual los fantoches cobran vida. (Dresde, 1.º de julio de 1933).

Habiendo muerto Hoffmannsthal, Strauss pidió a Stefan Zweig una adaptación de *La mujer silenciosa* de Ben Jonson (*Die Schweigsame Frau*). Para tratar un argumento muy vecino de *Don Pasquale*, Strauss retorna al estilo italiano, y ya septuagenario muestra una curiosa juventud en su partitura. Josef Gregor escribe para él *Friedenstag* (*Día de Paz*), obra que al estrenarse en Munich el 24 de julio de 1938 es acogida con protestas de los nazis. Nos muestra la obra una población sitiada y plantea el conflicto entre el deber militar y los sentimientos de humanidad. El comandante está decidido a luchar hasta el último hombre; su esposa intenta hacerle ver la inutilidad de tales sufrimientos. Él está a punto de hacer saltar la ciudadela, cuando suenan las campanas de las poblaciones vecinas: es la tarde del 24 de octubre de 1646. Los tratados de Westfalia se han firmado; es el «día de paz» igualmente deseado por los contendientes. La música, más aún que el libreto, traduce la nobleza de las ideas, cuya lucha crea el drama. El dúo, que constituye el punto culminante de la partitura, realiza, en virtud de la música, la unidad de los sentimientos opuestos, y esa unidad traduce el amor que a pesar de todo no cesa de unir a dos seres igualmente nobles y atormentados. Esa hermosa página es superada todavía por el coro final, que después del vuelo de las campanas surge, crece y alcanza la más alta expresión patética dentro de una majestuosa simplicidad.

Al mismo libretista, Strauss debe la tragedia bucólica *Daphné*. El poeta sigue la leyenda antigua de la hija de la Tierra y el río Peneo, amada de Apolo, la cual, enamorada del pastor Leucipo, fue convertida en laurel. Strauss hace transparente la atmósfera helénica de la tragedia.

Die Liebe der Danae (*El Amor de Danae*) es una «comedia mitológica alegre» cuya interpretación fue prohibida por Hitler en el Festival de Salzburgo de 1941. Finalmente, *Capriccio* es una «conversación en música» que tiene por cuadro un castillo de la Isla de Francia en el último cuarto del siglo XVIII. Una joven viuda y dos suspirantes, un músico y un poeta, gluckista el uno y piccinista el otro: querella sentimental y disputa estética se enlazan, y la joven viuda sale del paso cantando una romanza cuya letra es de uno y la música del otro; luego se van a cenar. Naturalmente, Strauss hace uso aquí de citas prestadas por su propia obra, y se nos muestra el conocedor al que se deben las *suites* de *Lully* y *Couperin*, tan hábilmente orquestadas.

A esa producción dramática tan abundante y variada hay que añadir los ballets: *La leyenda de José*, escrito para Diaghilev (1914) y *Schlagobers* (*Natilla*, Viena, 1924).

Se ha dicho a menudo que Richard Strauss era el heredero de Wagner. Lo cierto es que ha demostrado muy pronto poseer una personalidad de las más fuertes de nuestro tiempo. Su escritura temática deriva ciertamente de Wagner ; pero sabe imprimir al *leit-motiv* más flexibilidad, y al propio tiempo amplía su valor simbólico. Ha pensado siempre la música en función de la orquesta, concibiendo sus motivos junto con la armonía y los timbres que les confiere una personalidad. Hay en sus obras tan bien ordenadas una especie de embriaguez dionisíaca ; y a veces algún refinamiento nos trae un eco mozartiano. Así el final del *Caballero* se diluye en armonías de una ligereza vaporosa. En otras ocasiones la violencia épica de sus «tutti» llega a las entrañas del auditor ; otras veces la nostalgia desesperada de una frase de los instrumentos de madera o de las trompas nos hace experimentar, hasta llegar a la angustia, el anhelo de un deseo imposible ; a veces nos evoca la alegría o la truculencia de un cuadro a la manera de Teniers ; o es el coro final de *Friedenstag,* o bien son medios de expresión hasta entonces desconocidos. Fue un mago del arte sonoro, y continúa siendo uno de los músicos que a buen seguro durarán más allá del tiempo y de la moda que motivó sus éxitos.

El arte de Paul Hindemith es diametralmente opuesto. En la música de cámara y en la sinfonía fue el *enfant terrible* allá por 1920 ; después ha sido el jefe de la «vanguardia». Su comedia musical *Neues vom Tag* (*Noticias del día*), y sobre todo su ópera *Mathis der Maler* (*Matías el pintor*), revelan un músico librado de todas las tradiciones, que repudia el sistema tonal y consigue muchas veces darnos una impresión de riqueza en la desnudez.

IV

Hasta el siglo XIX la música rusa fue exclusivamente religiosa y popular. En tiempos de Catalina II, Fomín y Matinski compusieron óperas ; pero Pablo I reprimió esas tentativas de crear un arte lírico nacional, y el teatro volvió a ser un dominio italiano o francés.

Miguel Glinka (1804-1857) fue el padre de este arte nacional que iba a desarrollarse rápidamente. Un viaje a Italia afianzó su deseo de dotar a su patria de óperas que no debiesen nada al extranjero. El poeta Joukovski le dio la idea de *Ivan Soussanine* (*La Vida por el Zar*). La obra llevaba a las tablas la abnegación de un campesino que sacrifica su vida para salvar al joven Romanov. Lo que Glinka había aprendido en Alemania e Italia le sirvió sólo para dar más solidez a su obra, que tiene por cuadro histórico la lucha ruso-polaca del siglo XVIII ; y el compositor, al escoger sus temas, supo marcar tan bien los caracteres de los dos países, utilizó tan felizmente sus melodías populares, que *La vida por el Zar* constituyó una sorpresa para los asistentes habituales de la ópera el 27 de noviembre (9 de diciembre) de 1836 [1]. Algunos no comprendieron la obra y declararon que era «música de cocheros de fiacre» ; pero el comentario no impidió el triunfo de la obra. Animado, Glinka escribió *Ruslan y Ludmilla,* inspirado en un cuento de Puchkin, la cual se representó el 27 de noviembre (9 de diciembre) de 1842. En esa ocasión había empleado temas populares del Cáucaso y la obra obtuvo treinta representaciones dentro de la temporada. Con motivo de un viaje del músico ruso a París en 1844, Berlioz ejecutó música de Glinka en el Circo de Invierno y, en su folletín del «Journal des Débats», le saludó como uno de los más grandes compositores del siglo. Había «creado», en verdad, la música rusa. Se atrevió a usar compases de 5 y 7 tiempos, un ritmo libre sin preocupación alguna por la «cuadratura». Supo unir, por medio de «lazos legítimos de matrimonio», las formas occidentales con las exigencias de la música rusa ; pero haciéndolas más flexibles, e instintivamente se sirvió de los modos antiguos conservados en el folklore. Era amigo de Stassov y Dargomijski, que lo hicieron conocer a Balakhirev. Así se estableció el lazo de unión entre el fundador de la escuela y el grupo de los Cinco.

Alejandro Dargomijski (1813-1869) pertenecía, como Glinka, a una familia noble. Funcionario y atraído por la música, compuso una *Esmeralda* que tuvo que aguardar ocho años antes de verse estrenada, con éxito considerable, en Moscú el 1847. Dicha obra no tiene nada específicamente ruso y denota la influencia de Auber y Meyerbeer. En *Roussalka* (*La Ondina*) (1856), inspirada en Puchkin, su inspiración y estilo se acercan a la manera de Glinka. Es más realista, sin embargo, y más cercano a su patria ; su preocupación por la verdad le lleva a conceder un papel preponderante al recitativo. Esa tendencia se acentúa aún más en *El Convidado de Piedra,* que dejó por acabar y fue más tarde orquestada por Rimski. La obra se representó, con un epílogo de César Cui, en el Teatro María el año 1872.

El *Grupo de los Cinco* se compuso por algunos aficionados cuya vocación no tardó en convertirles en profesionales. El término «cinco» es inexacto, ya que los cinco principales miembros del «poderoso pequeño grupo», como los nombra Stassov, fueron por lo menos seis, con Liadov, que se juntó con ellos en 1870, o siete, si, como es justo, se cuenta entre sus fundadores a Dargomijski.

Mili-Alexandrevitch Balakirev (1837-1910) se dedicaba a las mate-

---

[1]. La doble fecha se refiere a las diferencias entre el calendario gregoriano y el ruso. (*N. del T.*)

máticas y a las ciencias naturales. Era un buen pianista, admirado por Glinka, y su casa se convirtió en el centro musical más frecuentado de Petersburgo. Él fue quien reunió a los Cinco, de edades muy diferentes entre sí, pero que profesaban todos, como Dargomijski, «que el sonido debe expresar directamente la idea» ; de donde César Cui infiere que la ópera tiene que ser esencialment musical ; que la melodía, en el teatro, debe corresponder exactamente al sentido de las palabras, y las formas de la ópera tienen que nacer, exclusiva y libremente, de la situación dramática y las exigencias del texto [1]. A pesar de este «credo», cada uno de los Cinco siguió por la pendiente de su temperamento individual ; nada hubo de común entre ellos, sino la voluntad de escribir una música fundamentalmente rusa. Balakirev no ha compuesto ninguna ópera. Sólo ha dejado, para el teatro, la música de escena de *El Rey Lear* (1858-1861).

César-Antonovitch Cui (1835-1918), mientras proseguía sus estudios científicos, y más tarde siendo profesor de fortificación en la Academia de Ingenieros de Petersburgo, no cesó de preocuparse por la música. Pero César Cui, en sus óperas, se preocupa muy poco del arte nacional. No solamente se sirve de argumentos sacados de la historia y literatura occidentales, sino que, exceptuando *El Prisionero del Cáucaso* (1857), *La Hija del Capitán* (que no se representó) y *El festín durante la peste,* se aproxima más a Auber que a sus amigos rusos.

Alejandro-Porfirievitch Borodin (1834-1887) es, por el contrario, junto con Mussorgsky, el que permanece más fiel a las ideas que habían presidido la fundación del grupo. Su familia procedía de los príncipes Imeritinski, que reinaron en Imerecia, en el Cáucaso. Aunque músico nato, siguió los estudios de medicina y química ; enseñó en la Academia Militar de Medicina, donde conoció a Mussorgsky. A través de éste trabó amistad con Balakirev, y dándose cuenta de que podía ser algo más que un aficionado llenó las lagunas de su instrucción teórica. Gran amante de los viajes, visitó a Liszt, el cual le animó y también le puso en guardia contra el academicismo, aconsejándole seguir los impulsos de su naturaleza. Se le ha echado en cara que su ópera *El Príncipe Igor* (que no pudo terminar y fue completada por Glazunov y Rimski, y estrenada el año 1890 en Petersburgo) no pasaba de ser una colección de melodías sin relación entre sí, puesto que Borodin no sabía «desarrollar». Crítica tal vez justa, en teoría ; aunque seguramente vale más haber escrito las *Danzas Polovtsianas,* el aria de Iaroslavna, el aria de Igor, tal como están, y las tres *Sinfonías,* y las *Estepas del Asia central* a riesgo de pasar por «autodidacta», que haber corrido el peligro de perder aquella poderosa originalidad con la que Borodin ha modelado sus obras

En el mismo reproche incurre Modesto-Petrovitch Mussorgsky (1835-

[1]. R. Hofmann, *Un Siècle d'ópéra russe.: de Glinka à Strawinsky* (edic. Corrêa, 1946), p. 83.

1881), quien lo merece aún menos. Oficial de posición modesta, que servía en el regimiento de la Guardia Preobrajinski, abandonó, siendo aún joven, el ejército, para consagrarse a la música. Pero su situación precaria le obligó a entrar en la Administración. Esto agrió su carácter, y a consecuencia de las luchas fatigantes que tuvo que sostener se dio al alcohol, lo que contribuyó a crear la leyenda de su incapacidad. Otra de las razones se funda en los retoques hechos por Rimski al *Boris Godunov*. No hay duda que éstos favorecieron la comprensión del público (si puede decirse que es más fácil comprender un texto adulterado que el original, ya que en el primer caso se oye otra cosa). Pero no hay duda que la versión original habría sido menos fácilmente aceptada en 1896 que en nuestros días. Sabemos que la obra, presentada al comité de lectura de los Teatros imperiales, fue rechazada en 1870 ; que Mussorgsky la corrigió en seguida, y que se representó por primera vez, sin éxito alguno, en el Teatro María el 24 de enero de 1874. La versión de Rimski data de 1896-1908. Comparándola con el original, se comprende que las audacias de Mussorgsky — el cual, por otra parte, se alababa de haber «inventado» medios de expresión nuevos, externos a las leyes que hasta entonces habían regido la música — podían asustar a los auditores, músicos o no, de fines del siglo XIX. En cierto sentido Rimski prestó un servicio a Mussorgsky, y tuvo la modestia de declarar en sus memorias que, si el porvenir permitía dar el *Boris* en su texto original, deseaba que no se tuviesen en cuenta sus correcciones. Hoy éstas, por desgracia, se han convertido en una tradición. Lástima también que se acostumbre invertir el orden de los dos cuadros finales y así terminar la obra con la muerte de Boris y no en el cuadro de la revuelta y la desgarradora lamentación del Inocente. Por fin, acortar y hasta suprimir el papel de Rangoni, como se hace a veces, es un contrasentido que falsea por completo el carácter de la obra.

Mussorgsky se había preparado para el drama lírico mediante la composición de una *Salammbô* desde la publicación de la novela. Abandonó la obra ya tan avanzada, que muchos fragmentos pudieron servirle para el *Boris*. No nos extrañamos : Mussorgsky es demasiado ruso para poder concebir una cartaginesa que no fuese moscovita, y, como dice R. Hofmann, «toda pintura musical es por fuerza subjetiva». Lo importante es que Mussorgsky haya conseguido hacer una obra tal como la quiso y que no se parece a nada de lo hecho anteriormente, a *Boris,* un drama lírico a la vez realista y simbólico en el que el personaje principal, el zar asesino, tiene en la escena por compañero esencial un personaje múltiple y diverso, el pueblo, cuyo papel es más importante aún que el del propio zar. Drama de conciencia, drama de remordimientos, y drama político, lucha de los boyardos contra el poder del autócrata, lucha de la

Iglesia romana, personificada por el jesuita Rangoni, contra el cisma de
Oriente ; lucha de la Polonia católica contra el zarismo ; todo eso se
halla en *Boris Godunov* gracias a Puchkin, cierto, pero no menos gracias
a Mussorgsky.

¿Cuáles han sido los medios que ha empleado para hacer caber tantas
cosas en un texto musical cuyo carácter más acusado es la unidad de
estilo? Se ha servido del *leit-motiv,* pero dándole más flexibilidad. El
leit-motiv se convierte en un «tema variado». De esta forma, comenta
R. Hofmann, el tema de Pimen, simbolizado en su crónica más que en
él mismo por dos compases severos, serenos, religiosos, se transforma en
marcial tan pronto como Pimen habla de la guerra ; se hace anchuroso
como un torrente cuando evoca la corriente de la historia humana ; dulce
como un cántico cuando pinta al zar Iván sentado en su celda monacal
y conversando con sus hermanos en religión. Se podrían multiplicar las
citas, particularmente siguiendo las transformaciones del tema de Dimitri, que se convierte en el de Gregory desde que en él germina la idea
de suplantar al zarevitch asesinado. El mérito inimitable de Mussorgsky
está en la simplicidad de la declamación : hay en eso una especie de milagro, ya que, cantada en ruso, igual que en la versión francesa de Louis
Laloy, la música sigue tan perfectamente la acción, los pensamientos, los
gestos de los personajes, que parece una traducción de las palabras. Eso es
exacto en todas las escenas, tanto si se trata de la trágica alucinación de
Boris, de su muerte, de las palabras llenas de hiel de Chuiski, como del
largo monólogo de Pimen. La precisión de los acentos parece siempre
extraordinaria, y no es de extrañar la admiración de Debussy ante esa
profundidad expresiva. Claro es que hay puntos flacos en la partitura :
el personaje de Marina es convencional, eso es cierto. Pero, si existen
torpezas en *Boris,* pesan poco al lado de las maravillas que son el cuadro
de la coronación, el acto del convento, la escena de las campanas, la
muerte de Boris, el acto de la revolución y la simple y conmovedora lamentación del Inocente llorando sobre la suerte de Rusia, con la cual debería acabarse la obra de Mussorgsky para justificar sin exageración su
título, que le puso el autor, de «drama nacional».

Antes que *Boris,* además de *Salammbô,* abandonada, Mussorgsky escribió el primer acto de una ópera, *El Casamiento* ; no la terminó, y escribió después de *Boris* dos obras : *La Khovantchina* y *La Feria de Sorotchintsi,* que no pudo acabar. La *Khovantchina* contiene páginas que
sobrepasan quizás las mejores escenas de *Boris.* Pero el poema, reformado
varias veces por Mussorgsky, es obscuro. Había encontrado en el argumento algo que seducía sus gustos : una pintura del conflicto que opuso
la vieja Rusia, fiel a sus tradiciones, contra el «occidentalismo» de Pedro
el Grande ; y ha puesto toda su fe en aquellos pasajes que expresan el

fondo mismo del alma rusa, su misticismo. El conflicto sentimental, el amor culpable de Marfa por el joven príncipe Andrés Khovanski, no es sino secundario. Lo que cuenta es el símbolo, el espíritu que representa *La Khovantchina* (la palabra significa : partidario del viejo príncipe Khovantski, defensor de las tradiciones), y éste es el significado que traduce la misteriosa introducción sinfónica, y lo que se encuentra en los coros, en la nostálgica canción de Marfa en el tercer acto. *La Feria de Sorotchintsi* se inspira en un cuento de Gogol, y el espíritu de Ucrania guía esta vez al músico. Intercalando en *La Feria* el fragmento sinfónico *Noche sobre el monte Calvo,* se quería dar la expresión de la «brujería» campesina. Mussorgsky no pudo acabar la obra, que se representa en la versión de Tcherepnín, quien la terminó y orquestó.

Se ha dicho igualmente de Nicolás-Andreevitch Rimski-Korsakov mucho bien — merecido — y mucho mal — a menudo injustamente —. No hay duda que, entre los Cinco, fue aquél quien adquirió una técnica más firme. No ha sido el más artista, y desde este punto de vista no iguala ni a Mussorgsky ni a Borodin. Como antiguo oficial de la Marina que es, denota en sus obras un gusto por el orden, hasta por la disciplina, se podría decir ; lo que no impide en absoluto la brillantez y la fantasía, por otra parte. El compositor que ha firmado *Antar,* el final de *Sheherezada,* *Sadko, Snegurotchka, Kitege* y *El gallo de oro,* es uno de los maestros de la música moderna ; el sinfonista que ha orquestado el *Capricho español* nos ha legado un modelo de ciencia instrumental. Y, si bien el crucero de tres años que tuvo que hacer el joven marino interrumpió enojosamente sus estudios musicales, al menos le sirvió para que a su regreso trajese consigo todo un mundo fantástico que renovaría el arte lírico de su siglo. Poco después abandonó la navegación y fue el único músico profesional del grupo de los Cinco cuando aceptó la cátedra de composición en el Conservatorio de Petersburgo. En 1873, la *Pskovitana* — cuyo argumento es la revuelta de la ciudad de Pskov, sofocada por Iván el Terrible —, provoca el siguiente comentario de Mussorgsky : «¡Así es nuestra buena y vieja Rusia !». En 1880 Rimski da a la escena su segunda ópera, *La noche de mayo,* inspirada en un cuento de Gogol. La obra es muy poética con sus claros de luna, sus cantos de náyades, sus *berceuses* y sus «lamentos». En el mismo año, escribe *Snegurotchka (La doncella de nieve)*, con argumento sacado de una pieza de Ostrovski : un prólogo sinfónico traduce el despertar de la Naturaleza ante los primeros rayos del sol primaveral : la hija del Invierno y del Hada de la primavera es consumida por Yarilo, el dios-Sol, y a lo largo de la partitura se oyen los cantos de los pájaros. Snegurotchka no conoce el amor ; cuando se le revela, se derrite como la nieve. *Sadko,* estrenado en Moscú en 1897, es un cuento que podría pertenecer a *Las mil y una noches,* pero con la acción transportada a Rusia : Sadko, rico mercader, se embarca, para comerciar, hacia lejanos países. Inmovilizado por la calma, el mercader, para aplacar al «Zar de los mares», desciende al palacio submarino y encanta al soberano con su talento musical. Después de muchas peripecias regresa a su patria y allí encuentra a su fiel esposa, Liubava. La música de esta ópera, extremadamente sabia y pintoresca, es de una variedad y un color maravillosos. Fue acogida triunfalmente, y Rimski se dispuso a la composición de *Mozart y Salieri,* y después, de *Vera Scheloga* y *La Novia del Zar,* representadas en 1898 y 1899. *El zar Saltan* (1900) es quizás la obra más lograda de Rimski. La partitura, llena de inspiración, evoca un mundo fantástico en el que se puede ver el zar terrible y bonachón, la malvada Babarika, la conmovedora Militrisa, su hijo Gvidon, y la Princesa-Cisne, que parecen salidos de un álbum de la infancia. Los conciertos han popularizado *El vuelo del moscardón,* que sirve de preludio al tercer acto.

El inmortal Katchei lleva como subtítulo *Pequeño cuento de otoño,* y Katchei es un mago que tiene encantada a la novia de Iván el Terrible ; no será desencantada hasta el día en el cual la hija de Katchei vierta una lágrima de dolor o de amor. Iván consigue seducir a la huraña Katcheievna, y luego la abandona. Llora la muchacha, se rompe el encanto, e Iván puede casarse con su prometida. La obra refleja a la vez la influencia de Wagner y del impresionismo ; es de una habilidad de escritura extrema. En 1904 Rimski-Korsakov acabó *La leyenda de la ciudad invisible de Kitege,* de inspiración religiosa, en la que se oponen la suave figura de la pura Fevronia y del borracho Kutierma, a quien salvará la dulzura angelical de la muchachita, después de que su fe habrá conseguido el prodigio de hacer invisible la ciudad de Kitege a los ojos de los tártaros invasores. La parte principal que ocupa la sinfonía, y la belleza de los coros han sido motivo de que se haya comparado con el *Parsifal* la ópera de Rimski. *El gallo de oro,* terminado en 1908, fue prohibida por la censura : se creyó ver en el rey Dodon, su ejército y sus cortesanos, una imagen ridiculizada y demasiado patente del régimen zarista. La construcción de la obra es en extremo curiosa : hay tres personajes principales en ella : el rey, la reina de Chemakha y el astrólogo. Éste es el centro del prólogo y del epílogo ; el rey Dodon, del primer y tercer actos, y la reina, del segundo. La simetría es completa. También es curioso que los dos motivos de *El gallo* son idénticos, sólo que el segundo es la inversión del primero (*mi, do, re, mi, fa, sol, mi—mi, sol, fa, mi, re, do, mi*), lo que traduce a las mil maravillas en notas de iguales valores el consejo que aquél da al rey Dodon : ¡ Reina y duerme encerrado en las cortinas de tu cama ! y el aviso que presagia la muerte del soberano : ¡ Abre los ojos y ten cuidado !

Figurín del «Don Carlos»,
de Verdi (1867).

Giuseppe Verdi.

Figurín del «Don Carlos».

Teatro San Carlo, en Nápoles.
(Acuarela del siglo pasado)

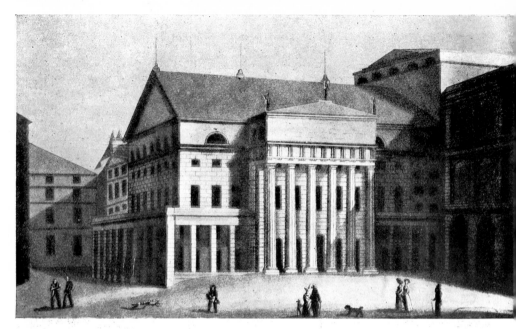

Teatro Carlo Felice, en Génova.
(Grabado del siglo XIX)

Decorado de Cristini para «Un ballo in maschera», de Verdi.
(Nápoles, Teatro San Carlo)

Decorado de A. Roller para «El caballero de la rosa», de Strauss
(Berlín, 1911).

Figurines de R. Piot para «Elektra», de Strauss.
(Reposición en París, 1932)

Teatro de la Opera de Moscú.

(Grabado según un cuadro de Sadovnikoff)

Nicolás-Andreievitch
Rimski-Korsakov.

(Cl. Harlingue)

Michel-Ivanovitch Glinka.

(Grabado ruso)

Rimski-Korsakov obra con extraordinaria felicidad la síntesis de una considerable aportación wagneriana con elementos específicamente rusos. El color de su orquesta es brillantísimo. Naturaleza contemplativa y optimista, en sus obras líricas ha creado un mundo a su semejanza, no muy distante del que creó Mozart.

Completamente distinto es Pedro Ilijtch Tchaikovski (1840-1893) ; su música es un reflejo de su carácter atormentado, melancólico, agravado por una timidez que le hacía profundamente desdichado en medio de los más grandes éxitos. Músico desigual, además, al que en occidente se le considera occidental mientras que en Rusia más ruso que nadie. Diferencia procedente de que Tchaikovski se halla en los antípodas de un Borodin o de un Mussorgsky ; muy lejos, también, de Rimski. Sin duda, porque no se preocupa mucho del «nacionalismo», y los temas populares que emplea pierden bajo su pluma todo su color.

Su primer éxito fue una obertura para *Romeo y Julieta* (1869), de la que se ha hecho un ballet. Escribió diez óperas y destruyó dos, de las que sólo conservó fragmentos : *El Voivoda,* 1868, y *Ondina,* 1869, de los cuales utilizará muchos pasajes en *El lago de los Cisnes,* ballet en cuatro actos (1876). Para la obertura, se inspira, y muy de cerca, en el motivo «el misterio del nombre» de *Lohengrin.* Pero la obra, quitando alguna vulgaridad, está muy bien escrita para ser danzada, y en todas las ocasiones Tchaikovski mostrará en sus ballets el mismo cuidado en proporcionar al coreógrafo la diversidad de ritmos indispensable para variar los pasos. *La bella durmiente del bosque* (1889) y *Casse-Noisette* (1892), poseen esas cualidades y son hoy en día clásicos. En *Opritchnik* (1874), la influencia de Meyerbeer es manifiesta, y César Cui experimenta por ello «un sentimiento de conmiseración profunda». En 1876, *Vakula, el herrero,* sólo obtiene un éxito limitadísimo. Pero *Eugenio Oneguin,* inspirada en Puchkin, es mejor acogida el 23 de enero de 1881 en Moscú, y se impone en el curso de las representaciones siguientes ; la influencia, ahora de Gounod, es beneficiosa para el músico. La obra se considera como una de las mejores del arte lírico ruso. El argumento es de una melancolía profunda : el drama de una vida fracasada, un drama íntimo, el sueño de una joven, roto por el destino ; un duelo trágico, y luego, en el último acto, el triste reconocimiento, por el hombre y la mujer, de que podían haber sido ambos felices y de que es ya tarde. Tales elementos daban a Tchaikovski la ocasión de poder desahogar en la música sus propias angustias. Consigue dar al teatro una obra que, en el dominio lírico, es lo que *La educación sentimental* con respecto a la novela.

Ni *Juana de Arco* (1881), ni *Mazzeppa* (1884), ni *La Encantadora* (1887), ni *Yolanda* (1892) pueden compararse con *Eugenio Oneguin* ni con *La Dama de Pique,* su otra obra maestra, cuyo libreto también se inspira en una narración de Puchkin. La traducción de Merimée es demasiado conocida para que sea necesario recordar el argumento. La partitura está escrita sobre tres temas principales, uno de los cuales, el de la vieja condesa a quien Hermann con amenazas de muerte ha arrancado el secreto de las tres cartas que deben darle una fortuna, llega a crear en el auditorio una obsesión verdadera. El músico se muestra de una habilidad extrema, aunque demasiadas veces perjudicada por la facilidad.

Sería preciso citar, al lado de esos músicos cuyas obras han durado, sin duda porque ofrecen tanto a los rusos como a los occidentales un reflejo más o menos marcado del alma rusa, otros compositores que, aunque contemporáneos de los primeros, escribieron óperas como las de Anton Rubinstein, del que César Cui pudo decir : «No es un compositor ruso, sino un ruso compositor». *Feramors* (1863), *El Demonio* (1875) y *Nero* (1879), se hicieron célebres sobre todo en Alemania. Están muy bien escritas, pero carecen de personalidad.

A Serge Rachmaninov (1873) le debemos *Aleko* (1893), *El caballero tacaño* (1900) y *Francesca da Rimini* (1906). Todas ellas no tienen, dentro de su producción, la importancia de sus obras para piano y orquesta. Finalmente encontraremos más lejos Igor Stravinski y Serge Prokofiev, cuyo papel es tan importante en la evolución de la música contemporánea.

La escuela checa con Smetana, Dvorak y Janacek ha enriquecido el arte lírico con varias obras notables. Friedrich Smetana (1824-1884) es autor de ocho óperas escritas sobre libretos checos. Dos de ellas han adquirido universal renombre ; *La novia vendida* (1865), lo debe a su inspiración popular, al ritmo franco de los motivos que el compositor ha manejado diestramente. Su obertura es célebre y merece su fama. *Libussa* (1881) es un gran cuadro dramático de una sinceridad cálida ; esas cualidades juntas son la causa del éxito que obtuvo su hermoso poema sinfónico *Vlast* (*Mi Patria*).

Si las sinfonías y las *Danzas eslavas de Dvorak* (1841-1904) le han merecido la gloria, sus óperas *El Rey y el carbonero, Wanda* (1876), *Dimitri* (1882), *Rusalka* (1901) *Armida* (1904), demuestran que no estaba menos dotado para el teatro. De esencia más popular aún es el arte de Leos Janacek (1854-1928), cuyas óperas *Jarka, Pocatek romanu* (1894), sobre todo *Jenufa* (1904) y *Liska Bystrouska* (*la pequeña raposa astuta*) (1922), ponen al servicio de un arte a la vez pintoresco y sobrio, extremadamente personal, una técnica atrevida, que de una manera casi sistemática proscribe la resolución de las apoyaturas. A Vitezslav Novak, nacido en 1870, se le deben algunas óperas : *Zvikovski rarasek* (1915), *Karlstein* (1916), *Lucerna* (1923), donde se manifiestan su sentimiento de la Naturaleza y la influencia del impresionismo.

Karol Szymanowski (1883-1937) ha escrito principalmente para las salas de concierto; pero sus dos óperas *Hagieth* (1922) y *El Rey Roger* (1926), y su ballet *Harnasie,* representado en la Ópera de París en 1936, son prueba de que el maestro polaco había sabido descubrir el secreto de la música nacional. Se deben al ilustre pianista Paderewski (1860-1941) dos óperas : *Manru* y *Sakuntala.* Alexandre Tansmann y Henri Opienski, el primero con la *Noche Kurda,* y el segundo con *María,* han trabajado útilmente en pro del renombre de la escuela polaca.

Aunque *Peer Gynt* no sea una ópera, la parte importante que se concede a la música en la obra de Ibsen para la cual Edward Grieg (1843-1907) escribió una importante partitura, ha hecho por la escuela escandinava mucho más que las obras líricas de otros compositores, que no han sido apenas conocidas fuera de los países nórdicos. La escuela belga ha producido con Jan Blockx (1851-1912) algunas obras fuertemente coloridas : *Princesse d'auberge* (1896) y *La Fiancée de la Mer* (1901). Los dos hermanos Jonger han dado, el mayor, Joseph (1873) : una leyenda mímica, *L'Arka,* y una ópera, *Jelyane* ; el segundo, Léon (1884), *L'Ardennaise, El sueño de una noche de Navidad* y *Thomas l'Agnelet.* Víctor Vreuls (1876), además de la música de escena para *El sueño de una noche de verano,* ha compuesto un drama lírico : *Oliverio el Simple* (1922). Albert Dupuis (1877), que como el anterior fue discípulo de d'Indy, ha dado muestras de poseer un temperamento dramático en la docena de obras líricas que llevan su firma (*L'Idylle, Martyle, Fidelaine, Le Château de Bretèche, La Passion,* etc.). A Louis Delune se le debe *Le fruit défendu, Le Diable galant* ; a Marcel Poot (1901), una ópera cómica : *Moretus,* ballets (*Paris et les trois divines*), y curiosas partituras de «juegos radiofónicos».

La Suiza romana se ha visto muy activamente representada en la música dramática de fines del XIX y comienzos del XX por Jaques-Dalcroze (1865-1950), que hizo sus primeros pasos en Ginebra el año 1882 con *La Soubrette,* más tarde dio *Le violon maudit* (1893), *Janie* (1894), *Sancho Pança, Le Bonhomme Jadis* (Ópera Cómica, 1906), *Les Jumeaux de Bergame* (Bruselas, 1908) ; y por Gustave Doret (1866-1943), que fue el animador de las fiestas de los viñadores de Vaud, y al mismo tiempo figuró en los ambientes musicales parisienses. Sus obras *Les Armaillis* (1906) y *La Tisseuse d'Orties* fueron estrenadas en la Ópera Cómica en 1906 y 1926. Ernest Bloch, nacido en Ginebra el año 1880, y desde el 1916 establecido en América, hizo representar en la Ópera Cómica (1910) *Macbeth* ; ha escrito una ópera, *Jezebel.* Encontraremos más lejos a Arthur Honegger en el capítulo consagrado a los contemporáneos. Jean Duperier (1886) es autor de un encantador *Zadig,* que se representó en la Ópera Cómica el año 1939, y de un *Malade imaginaire* estrenado en Ginebra el año 1934.

Tanto por sus trabajos de musicología como por sus enseñanzas en el Conservatorio de Madrid, Felipe Pedrell (1841-1922) ha sido el principal iniciador del renacimiento musical de España en el siglo pasado. Ha dado a la escena *El último Abencerraje* (1874), *Quasimodo, La Celestina, La Matinada, Ramon Llull.* Isaac Albéniz (1860-1909), cuya obra esencial es del dominio pianístico, ha enriquecido, no obstante, el arte lírico con una obra de magia, *The Magic Opal,* estrenada en Londres en 1893, y una ópera cómica, *Pepita Jiménez* (Karlsruhe, 1905). Enrique Granados (1868-1915) principió su carrera de compositor de ópera con *María del Carmen* (1898) y *Folletto* (1903), antes de hallar en sí mismo, en su obra maestra, *Goyescas,* la materia de una ópera. Pero es a Manuel de Falla (1876-1946) a quien se debe el haber realizado plenamente el renacimiento de la escuela española reintegrándola a las fuentes del arte popular y devolviéndole su vigor y frescor. Discípulo de Pedrell, después de algunas zarzuelas, a modo de ensayo, comienza la partitura de *La vida breve,* que obtiene el primer premio en el concurso nacional de 1905, el mismo año en que Falla, excelente pianista, ganaba el primer premio Ortiz y Cussó recompensando al mejor pianista de la península. Llega a París con la intención de permanecer allí unos días y se queda durante siete años. Al llevar su partitura a Pablo Dukas, el maestro comentó entusiasmado : «¿Por qué no se representa en la Ópera Cómica?» Falla quedó sorprendido. Con todo, no se estrenó la obra hasta 1913, en Niza ; pero el retraso no se debió a Paul Dukas ; gracias a éste, Falla se vio acogido por los artistas parisienses : sus compatriotas Albéniz y Ricardo Viñes, a los que no conocía, Debussy, que bien pronto le trató como un hermano, Florent Schmitt, Maurice Ravel y Maurice Delage. En París, Falla escribió *Noches en los jardines de España* y las *Siete Canciones.*

Argumento de *La vida breve :* Salud, gitana del Albaicín, tiene por amante a Paco, un muchacho rico. Los dos se quieren, y él ha jurado que nunca querría a otra mujer. Pero Salud se entera de que Paco debe casarse al día siguiente con una rica heredera. El tío de la gitana quiere matar a Paco. Salud, a la mañana siguiente, se dirige a Granada, y a través de las rejas del patio contempla las bodas. Luego, mezclada con los invitados, entra con su anciano tío y clama su protesta por la traición de la que es víctima. Cuando Paco quiere echarla de la casa, cae muerta a sus pies. La vida es breve para los pobres, y larga y feliz para los ricos. Sobre este libreto verista, Falla ha escrito una partitura de inspiración clara y franca, brutal a veces, y que en alguna ocasión recuerda a Mascagni. Pero el colorido que adorna la música, las danzas que forman la mayor parte del segundo acto, y en el final del primero la descripción de la noche cayendo sobre Granada, tienen un color y una poesía propios de un maestro en el arte sinfónico. Esa primera obra de un autor llevaba la marca del gran músico que más tarde tenía que escribir *El sombrero de tres picos* y *El amor brujo.* El primero de esos ballets (*El sombrero de tres picos*) fue estrenado por la compañía de Diaghilev en Londres, el 22 de junio de 1919, con coreografía de Massine ; el libreto de Martínez Sierra se inspira en una narración de Alarcón que explica las divertidas aventuras de un Corregidor en exceso galante, burlado por una linda molinera. El segundo, *El amor brujo,* pronto fue una de las obras más aplaudidas, tanto en el teatro como en el concierto. La escena es del mismo libretista. Fue estrenado en Madrid en su primera versión por Pastora Imperio en 1915. Falla lo había escrito para diez instrumentos ; lo reorquestó, y esta vez se encargó la Argentina de interpretarlo. El baile se desarrolla entre gitanos, y se nos conduce a una «cueva» granadina donde la tribu lleva una existencia troglodítica. La bella Candelas se enamoró de un gitano que la hacía desgraciada. Éste ha muerto, y, a la llegada de la primavera, Candelas se enamora de Carmelo ; pero cada vez que Carmelo quiere abrazarla, el espectro del otro se interpone entre los dos. Una estratagema de Carmelo rompe el embrujo : la linda Lucía danza delante del espectro y lo atrae lejos de la cueva ; así Candelas puede ser de su amante. *El sombrero de tres picos* nos da una imagen de una Andalucía «rural y zumbona» ; *El amor brujo* nos muestra su aspecto trágico. Jamás un arte tan refinado se aproximó tanto al arte popular. Jamás la música tradujo con más realismo los sentimientos elementales, el miedo, el deseo, la alegría ; jamás han sido tan potentes sus encantamientos.

El retablo de Maese Pedro, «adaptación musical y escénica de un episodio de *El ingenioso hidalgo Don Quijote de la Mancha*», fue escrito entre 1919 y 1923, sacado de los capítulos XXV y XXVI de la segunda parte de la novela, la batalla contra los títeres, en la que el caballero andante hace trizas a una tropa de cartón. Pero los espectadores del combate son igualmente figurados : rodean a un gigantesco Quijote, y un muchacho armado de un puntero comenta para el público los episodios del rescate de Melisendra, cautiva de los moros, por su esposo Don Gaiferos. Por turno intervienen la narración del Trujamán, los consejos de Maese Pedro y las reflexiones del Ingenioso Hidalgo. Escribiendo para marionetas, Falla no ha pensado tanto en la comicidad que se desprende inevitablemente de sus gestos breves como en la especie de rigidez hierática que ennoblece sus pantomimas y hace de esos actores sin alma ni voz, pero también sin vulgaridad, los intérpretes propios de la epopeya popular [1]. La orquesta es reducida, la armonía concisa y austera, la línea melódica casi nunca pasa del tetracordo. Con esa obra de tanta fuerza, Falla, «volviendo a lo antiguo», encontraba un punto de apoyo para lanzarse hacia una novedad que nadie ha sobrepasado.

[1]. Roland Manuel, *Manuel de Falla* («Les Cahiers d'Art», 1930, pp. 48-50).

IV

A mediados del siglo xix aparece la opereta. J. Combarieu hace remontar la fecha de su nacimiento hasta el siglo xviii ; y es cierto que las *Singspiele,* las comedias de arietas como *Doktor und Apotheke* del vienés Ditters von Dittersdorf, que escribió una treintena de ellas, se parecen mucho a las operetas, lo mismo que el centenar de obras ligeras de Wenzel Müller, su amigo. Pero, con tales criterios, se tendría que clasificar entre las operetas toda la producción de la Feria [1], y una cantidad de óperas bufas también. Lo más justo parece ser no buscar unos orígenes demasiado remotos al género. La opereta, tal como la concibieron Offenbach y Hervé, corresponde a los gustos de una época bastante desdeñosa de la «gran» música. La corte de Napoleón no se preocupa mucho de las cosas elevadas. Berlioz no encuentra en ella ningún apoyo oficial ; pero Morny protege a Offenbach. La opereta entusiasma en aquellos momentos en los que la sociedad elegante revela un apetito de fáciles placeres y quiere ante todo «divertirse», sin mirar mucho la calidad de sus placeres. Con todo, se da el caso de que los músicos que la divierten no son malos — ni mucho menos —, como tampoco son malos los libretistas que con éstos colaboran. Se llaman los escritores, Crémieux, Ludovic Halévy, o Henry Meilhac, y no están faltos de cultura ni de gracia ingeniosa. En el fondo de sus bufonadas, siempre a costa de la antigüedad y de los magnates del mundo contemporáneo, hay una sátira endiablada, unas ocurrencias que las salvan de toda vulgaridad y plebeyismo. Los músicos a los que se asocian, un Offenbach, un Hervé, realzan lo burlesco de las canciones y lo chocante de los anacronismos con la singularidad de los ritmos que dislocan la melodía, o con los hallazgos de una orquestación ingeniosa. Al cabo de un siglo, *Orphée aux Enfers* (1858), *La Belle Helène, La vie parisienne, La Périchole* y *La Grande-Duchesse,* todavía nos hacen reir. El público de los Bufos y de las Varietés entre 1850 y 1870 aún estaba lo suficientemente informado acerca de los héroes de Homero para apreciar las bromas sobre Calcas y su trueno, sobre Menelao y todas sus desdichas, o para comprender el humor de un coro sobre las palabras *Oiè képhalè.* Una pequeña fruición sacrílega se mezclaba con el gusto de una música desenfrenada, parodia, muchas veces, de famosas obras líricas. Offenbach no quiso limitarse a ser un compositor divertido. Escribió *Los Cuentos de Hoffmann* después de haber producido noventa operetas ; y quiso, en esa obra melancólica, poner lo mejor de sí mismo. Lo consiguió ;

[1]. Las Ferias de San Bartolomé y San Lorenzo, en París, cuna de la ópera cómica francesa. (*N. del T.*)

mas la muerte, que le sobrevino el 5 de octubre de 1880 a la edad de 61 años, le impidió acabar la orquestación de esa ópera, que Guiraud terminó y que, después de su estreno, el 10 de febrero de 1881, ha seguido en los carteles, sigue en nuestros tiempos.

Florimond Ronger, bajo el seudónimo de Hervé (1825-1892), se nos ha pintado al natural en *Mamz'elle Nitouche,* ya que fue organista de Saint-Eustache después de haber ejercido las mismas funciones en Bicêtre. En 1848 interpretó él mismo, junto con su camarada Joseph Kelm, su primera obra, *Don Quichotte,* en la que daba suelta a su talento chispeante, y en 1853 obtenía de Morny la exclusiva de las Folies-Concertantes para la representación de operetas. Una de ellas tenía por título *Le compositeur toqué,* sobrenombre que se dio luego al autor. Antecedió a Offenbach y fue rival de éste, escribiendo medio centenar de partituras : *L'oeil crevé* (1867), *Le Petit Faust* (1869), *La femme à papa* (1879), *Mamz'elle Nitouche* (1883), de las que redactaba los libretos.

Charles Lecocq (1832-1913) ganó *ex-aequo,* junto con Bizet, el primer premio del concurso instituido por Offenbach sobre el libreto del *Docteur Miracle* (1857). Músico excelente, que debió su formación a Halévy, no consiguió éxitos hasta el año 1868 con *Fleur d'été,* que alcanzó con rapidez las cien representaciones. *Les Cent Vierges* en 1872, *La Fille de Madame Angot* algunos meses más tarde, y que es su obra maestra ; *La Petite Mariée* (1875), *Le Petit Duc* (1878), y *Le Coeur et la Main* (1883), encontraron entusiasta acogida debida a la elegancia de su factura y a las cualidades de un músico cuyo gusto y saber han elevado la opereta al nivel de las mejores óperas cómicas. Edmond Audran (1842-1901) fue alumno de la «École Niedermeyer», donde realizó excelentes estudios. *L'Ours et le Pacha,* estrenado el año 1862 en Marsella, ciudad en la que su padre era director del Conservatorio, decidió su vocación de compositor de operetas luego que se hubo establecido en París. *Le Grand, Mogol* (1877), *La Mascotte* (1880), *Miss Helyett* (1890), alcanzaron un renombre que aún dura en nuestros días. Robert Planquette (1848-1903) debe el haber sobrevivido a su época al hecho de ser el autor de *Les Cloches de Corneville* (1877), *Rip* (1882) y *Surcouf* (1887). Louis Varney era hijo de un director de orquesta que se hizo famoso por haber compuesto la música del *Chant des Girondins* en el drama de Dumas y Maquet, *Le Chevalier de Maison-Rouge* (1847), canto que fue como la Marsellesa de la revolución de 1848. Louis Varney ha escrito unas cuarenta operetas, entre las cuales *Les Mousquetaires au Couvent* (1880), *Fanfan la Tulipe* (1882) *Riquet à la houppe* (1889), y *Le Papa de Francine* (1896).

Con André Messager (1853-1929), músico de gran altura, se enriquece la opereta con algunas obras maestras tales como *François les bas bleus* (1883), *La Fauvette du Temple* (1885) y *Les Bourgeois de Calais*

(1887). *La Basoche* (1890), *Les P'tites Michu* (1897), *Véronique,* por ejemplo, comunican al género ligero una perfección que trae consigo una consecuencia imprevista : llevar hacia la opereta a compositores que diez o veinte años antes hubieran desdeñado escribir música bufa ; Messager, junto con Chabrier, puede decirse que ha ennoblecido el género sin quitarle ni un adarme de alegría. Además en las obras de su madurez, se hace muy sutil distinguir entre las operetas y la ópera cómica. El «hablado» subsiste más acusado en la opereta ; pero *Madame Chrysanthème* (1893) es obra de semicarácter, análoga al delicioso *Fortunio* (1907), y más bien es culpa del libreto si deben considerarse operetas piezas tan importantes como *Monsieur Beaucaire, Passionnément* y *Coups de roulis* (1928).

La elegancia también es el rasgo dominante de Reynaldo Hahn (1874-1947), músico sabio que tocó todos los géneros y en todos mostró la distinción de un hombre cultísimo, sobresaliendo en la opereta, en la cual su espíritu podía expansionar más fácilmente su humor, no exento a veces de un velo de melancolía. *Ciboulette* (1924), *Mozart* (1925), *Brummel* (1931) y *Malvina* (1936), han conocido el éxito, que se renueva continuamente. *L'Ille du Rêve,* en 1898, *La Carmélite* en 1902, fueron acogidas con interés ; después, en la Ópera Cómica, Reynaldo Hahn dio *Nausica* en 1919, y en 1935 *Le Marchand de Venise* en la Ópera. Algunos ballets (*Le Bal de Béatrice d'Este, La Fête chez Thérèse, Le Dieu bleu*) ; una comedia musical, representada en la Ópera Cómica después de su muerte (*Le Oui des Jeunes Filles,* 1949), completan su obra, en la que ha prodigado los dones que ya en la edad en que otros no pasan del balbuceo le habían permitido escribir sus series de melodías (*Chansons grises, Études latines*), y le habían valido la notoriedad. Sólo sus piezas de música de cámara, sus Conciertos para piano, para violín, sus obras sinfónicas y los coros de *Esther* ya le hubieran salvado del olvido.

Claude Terrasse (1867-1923) había estudiado, como Messager, en la «École Niedermayer» y empezado como organista su carrera de compositor de operetas. Músico notabilísimo, igualmente, y espíritu ágil, enriqueció el género ligero con obras encantadoras tales como *Les travaux d'Hercule* (1901), *Le Sire de Vergy* (1903), y *Monsieur de La Palisse* (1904) ; en 1910 estrenó en la Ópera Cómica *Le Mariage de Télémaque,* obra maestra de humorismo paródico en perfecto acuerdo con el ingenioso libro de Jules Lemaître y Maurice Donnay.

Los centenares de representaciones alcanzadas por las comedias musicales y las operetas de Maurice Yvan (*Dédé, Pas sur la bouche, Un bon garçon, Ta bouche, Chanson gitane,* etc.) se deben tanto a su profundo sentido del teatro como a los talentos del compositor, a su gracejo sin cesar renovado. El clamoroso éxito de *Moineau* (1931) hizo que se mirase a Louis Beydts como el heredero de Messager (al que se rendía un delicado homenaje en la opereta en cuestión) ; *Les Canards Mandarins,* en aquel mismo año, luego *S.A.D.M.P.* (1936), *A l'aimable Sabine* (1947), y al mismo tiempo sus melodías y obras de concierto, le han ganado la fama de ser uno de los músicos mejor dotados de su generación.

La opereta, considerada en Francia en sus comienzos como un género secundario, ha ido atrayendo a músicos importantes. De esta forma, ha conquistado un lugar importantísimo dentro de la música contemporánea. Ni Vicent d'Indy, ni Albert Roussel, ni Claude Delvincourt, ni Jacques Ibert, ni Arthur Honegger, ni Marcel Delannoy la han desdeñado, y aún se debería añadir a esta enumeración, que no pretende ser completa, Maurice Ravel, cuya *Heure espagnole* guarda, un parentesco con la opereta ; Roland-Manuel, Manuel Rosenthal, P.-O. Ferroud, Henri Sauguet, Maurice Thiriet, Francis Poulenc, Germaine Tailleferre, Maurice Fouret, G. Hirschmann, etc....

Género francés en sus comienzos, la opereta se difundió muy pronto a través de Europa ; en Viena, Johann Strauss hijo, cuyos valses conocían un éxito no menos vivo que los de su padre, con la idea de sacar partido de esa creciente fama, produjo, en 1871, su primera opereta, *Indigo.* (Arreglada por Reiterer tomó por título *La milésima y primera noche,* en 1906). Después fueron continuando la serie : *El Carnaval en Roma* (1873) y por fin su gran triunfo, *Die Fledermaus* (*El Murciélago*), en 1876, éxito igualado por *Zigeunerbaron* (*El barón gitano*), 1885. Su hermano menor, Joseph, utilizó también las melodías de sus danzas para *Die Schwalben aus dem Wienerwald* (*Las golondrinas del bosque vienés,* 1906). Los valses forjaron igualmente la fama de las operetas del húngaro Franz Lehar (1870-1948), *Wiener Frauen* (*Mujeres Vienesas*), *Die Lustige Witwe* (*La viuda alegre,* 1905), *Der Graf von Luxembourg* (*El Conde de Luxemburgo,* 1909), *Das Land des Lächelns* (*El país de la sonrisa*), etc. En sus operetas, Lehar se abandona a una facilidad excesiva con demasiada frecuencia.

Las operetas americanas, importadas en Europa después de la guerra de 1914-1918, han introducido entre nosotros los gérmenes destructores del género. Aunque la música tiene siempre un sitio en las operetas de Gershwin y de Youmans, obedece ésta continuamente a las exigencias del jazz, a sus ritmos binarios y a sus perpetuos *glisados* ; mas el peligro peor estriba en la fórmula de esas obras de gran espectáculo, que necesitan enormes efectivos de «boys», «girls», bailarines, figurantes, decoraciones suntuosas, empresas puramente comerciales en las que el placer visual, ya bastante discutible, pasa muy por encima del interés de la partitura, donde incluso conviene que ésta satisfaga los gustos menos refinados. Y todo eso amenaza de muerte a la opereta francesa de Chabrier, Messager y Reynaldo Hahn.

CAPÍTULO XIII

FRANCKISMO, REALISMO, NEOCLASICISMO E IMPRESIONISMO

La generación que alcanzaba la madurez al día siguiente de la guerra de 1870, y había creado la «Societé nationale» tomando como divisa «Ars gallica», no deja por eso de experimentar la influencia de Wagner. Pero los músicos franceses que admiraban a Wagner — ¿y cómo no lo habrían venerado? — supieron en su mayor parte asimilar sus teorías sin admirar servilmente su estilo. El «wagnerismo» de Vincent d'Indy, como también el de Chabrier, no son actitudes de epígonos, y el grupo de la «Schola Cantorum» debe tanto a Bach a través de Franck, y a nuestros polifonistas del Renadimiento a través de Bordes, como al autor de *Parsifal*.

Por lo que a César Franck se refiere — la observación es de d'Indy —, lo cierto es que no ha dado para el teatro más que dos «ensayos menos dramáticos que sus oratorios», y si bien el valor musical de *Hulda* (1885, representada en Montecarlo en 1894) y de *Ghisèle* (1889, Montecarlo, 1896) es auténtico, la mediocridad de sus libretos los ha condenado al olvido. El ballet de *Hulda* constituye una hermosa página sinfónica ; pero, como ha observado muy bien Norman Demuth, las dos obras ganarían mucho en la radio, mientras que sólo pueden perder sobre el teatro [1].

Al igual que Wagner, Vincent d'Indy compuso él mismo los poemas de sus obras líricas (exceptuando *Le Rêve de Cinyras*, opereta sobre un libreto de Xavier de Courville, 1927), y cada una de ellas ofrece un símbolo [2] : *Le Chant de la Cloche* (Conciertos Lamoureux, 1886, representado en La Monnaie en 1909), inspirado en Schiller, figura, resumido

[1]. Norman Demuth, *César Franck* (Londres, Dennis Dobson, 1949). En ese estudio, el más completo que jamás se haya hecho sobre Franck, el musicólogo inglés cita un *Stradella* que V. d'Indy no menciona, y *Le Valet de ferme*, que Franck abandonó.
[2]. *Attendez-moi sous l'orme* (Opera Cómica, 1882) no fue, según el propio d'Indy, más que un ensayo sin importancia. Sobre d'Indy, León Vallas (Albin Michel).

en una serie de cuadros, el destino del hombre : alegrías, esperanzas, tristeza y grandeza. *Le Chant de la Cloche,* más que al teatro, pertenece al concierto. *Fervaal,* al contrario, ha sido concebido para la escena, y se estrenó en La Monnaie el 12 de marzo de 1887 y después en la Ópera de París en 1898. El héroe imaginado por d'Indy parece hermano de Parsifal : su pureza es prenda de la salvación de su patria, pero la mística del drama no es cristiana sino de modo accesorio : la acción se desarrolla en las Cévennes en los tiempos de los druidas, y Fervaal es el hijo de las Nubes. Los sarracenos amenazan a la Céltida, y, para preservar la montaña santa de Cravann, Fervaal, instruido por el druida Arfagard, tendrá que resistir a la enamorada Guilhen que lo ha recogido y curado cuando estaba herido. Finalmente sucumbe a la pasión, pero, llamado por Arfagard, huye ; combate contra el ejército de Guilhen, pierde la batalla y busca la muerte. Arfagard lo encuentra ; y Fervaal suplica al druida que lo sacrifique a los dioses. Pero se oyen gritos pidiendo socorro : perdida entre las nieves, Guilhen, desde la montaña, invoca a su amante. Arfagard quiere, en vano, retener a Fervaal. Éste lo mata ; llega hasta la sarracena moribunda, y la lleva en brazos, en los que ella expira. El héroe, entonces, en una visión, cree oir el «Pange lingua», mientras avanza hacia la Cravann nueva, «brillante de claridad» : el Amor ha vencido a la Muerte. Tal es el símbolo encerrado en *Fervaal.* Ante la obra, las críticas se dividieron. Muchos echaron en cara al músico el empleo «excesivo» del *leit-motiv,* y vieron en esa construcción temática un trabajo de marquetería. Pero basta con escuchar la obra sin preocupación para hallar en *Fervaal* una emoción puramente humana que no resulta estropeada por la aplicación de un sistema. La partitura atestigua la diferencia que existe entre la orquesta de Wagner y la de Fervaal. D'Indy evita los empastes, guarda continuamente una claridad, una pincelada ligera ; lo mismo sucede con su escritura vocal. En ninguna página de Wagner hallaríamos nada comparable a las delicadas volutas del canto sin palabras de las Nubes en la escena de la evocación de la diosa Kaïto en el segundo acto. En ninguna parte encontraremos semejante «presencia» de la naturaleza en la música : el simbolismo de la obra está iluminado por ella, y la ciencia del técnico desaparece gracias a la maestría del artista inspirado [1]. Todo el último acto, la progresión que halla su conclusión en el *Pange lingua* alcanza la grandeza de la Cena de *Parsifal. Fervaal* es la imagen misma de d'Indy : se encuentra en aquella obra su ruda energía y su ternura enlazadas. El músico que ha firmado el lamento de Guilhen abandonada, aquella frase cuya suavidad apasionada es sin embargo a la vez de tan firme dibujo, alcanza las cumbres de su arte.

---

[1]. Opinión algo exagerada e influida por la amistad y el galicismo. D'Indy es un compositor de mucho talento y un maestro. Ni menos ni más. *(N. del T.)*

En *L'Étranger* (La Monnaie, 7 de enero de 1903), el problema del sacrificio constituye asimismo el fondo del drama. El Extranjero ha llegado a una costa salvaje, en medio de los pescadores. Vita le confiesa su amor, y él a ella. Con tal de seguirle, ella abandonaría a su prometido, el aduanero André. Pero, desde que ha confesado a Vita su turbación, el Extranjero debe partir: «¡Adiós, Vita!, adiós; parto mañana, porque te amo de todo corazón; ¡y tú lo sabías!». El Extranjero desafía al mar enfurecido para socorrer a una barca en peligro. Vita le acompaña; pero como Fervaal, el Extranjero ha perdido, pronunciando las palabras de amor, aquella pureza que le hacía fuerte. Y la tempestad lo sumerge, al igual que a Vita.

La Légende de saint Christophe es la ilustración de una página de Vorágine: tres actos, cada uno de tres escenas, en los que vemos a Auferus entregándose al servicio del soberano más poderoso; sirve, pues, a la Reina del Placer. Pero convencido pronto de que ella es menos poderosa que el Rey del Oro, pasa al servicio de éste. Como le ve que tiembla ante el Gran Buco, se va a servir a Sathanael, hasta el día en que el Diablo, pasando con él por delante de una iglesia, tiembla escuchando el canto *O Crux, ave, Spes unica*. Entonces Auferus se pone a la busca de esa Cruz y de esa única esperanza, más poderosa que Satán. Y convertido en Cristóbal se instala cerca de un torrente y transporta a los caminantes. El milagro se produce mientras lleva un niño sobre sus espaldas. Bautizado por Cristo, Cristóbal sufre el martirio.

Al representarse en la Ópera de París el 9 de junio de 1920, fue acogida con deferencia, pero no sin grandes reservas, debidas muchas de ellas al carácter del libreto y a sus tendencias antisemitas. La música, resueltamente tonal, se aleja tanto como la de *Fervaal* de las pesadeces wagnerianas, y el interludio sinfónico que precede al segundo acto, *La Queste de Dieu,* es una página magistral. En la *Leyenda* — como lo había hecho en *L'Étranger,* pero de una manera más frecuente y amplia —, d'Indy utiliza con rara habilidad temas litúrgicos.

En *Le Rêve de Cinyras,* sobre un encantador libreto de Xavier de Courville en el que astutamente se confunden la guerra de Troya y la de 1914-1918, d'Indy da muestras de un espíritu paródico y ligero muy inesperado para los que, sin conocerle, le juzgaban de oído. Es una lástima que no se haya repuesto la obra: contribuiría a restituir la verdadera fisonomía del gran músico. Saliendo de la primera representación de *L'Étranger,* Debussy escribió las siguientes líneas, que pueden aplicarse al teatro entero de d'Indy: «Busque, quien quiera hacerlo, insondables símbolos dentro de la obra. Yo me complazco en ver en ella una humanidad que d'Indy ha revestido de símbolo, sólo para hacer más hondo ese eterno divorcio entre la Belleza y la vulgaridad de las masas. Sin detenerme en cuestiones de técnica, quiero rendir homenaje a la serena bondad que impera sobre la obra ; al esfuerzo de voluntad para evitar toda complicación, y por encima de todo a la tranquila audacia de Vincent d'Indy yendo más lejos de sí mismo. Y si hace un momento me quejaba de demasiada música, es que, por aquí y por allá, me parece estorbar la total expansión que adorna de inolvidables bellezas tantas páginas de *L'Étranger...*».

Le Pays, de Guy Ropartz, estrenada en la Ópera Cómica el 16 de agosto de 1913 — y que es extraño que no haya sido repuesta, después de haber obtenido tanto éxito sobre otros escenarios, y en París antes de la guerra de 1914 —, es una de las obras más nobles del arte lírico francés. El libreto, sacado de *L'Islandaise* de Le Goffic, es simple : Tual, pescador bretón, es arrojado por una tempestad sobre las costas de Islandia. Kathe cuida las heridas del joven marinero, del cual se enamora. Él cree quererla bastante para permanecer al lado de la muchacha. Pero la nostalgia le devora ; monta a caballo y huye — a pesar del pequeño que Kathe debe dar a luz. Y se hunde en las arenas movedizas. Todo es sobrio, fuerte y concentrado, en ese drama lírico ; todo, profundamente humano. El arte escueto y, sin embargo, delicado del músico ha traducido maravillosamente el alma bretona, ardiente y mística. Nada que sea inútil, ni una sola nota que no sirva para marcar, en rasgos de una singular precisión, los caracteres y las situaciones, los pensamientos secretos que quisiéramos ahuyentar, pero que vuelven con insistencia. El sufrimiento de Tual y Kathe se ve traducido con una habilidad que no es más que verdad. Y la sabia arquitectura de la obra, tan perfectamente ordenada, la elección de temas extremadamente expresivos, la orquestación que los sitúa en plena luz, todo revela la mano de un maestro.

Idéntica nobleza anima a las dos obras de Albéric Magnard, amigo fraterno de Guy Ropartz : *Bérénice y Guercoeur. Bérénice* fue estrenada el 14 de diciembre de 1911 en la Ópera Cómica. El libreto, debido al músico, sigue la tragedia de Racine, añadiéndole algunas escenas exóticas, La obra, pura y sobria, ha motivado la comparación de Adolfo Boschot, que considera la partitura como una música de cámara, porque la emoción es profunda, pero completamente interior. El elogio es merecido, y, con todo, la obra se representó sólo ocho veces y luego fue abandonada a pesar de la admiración unánime que expresó la crítica.

La «tragedia musical» en tres actos *Guercoeur* no se estrenó hasta abril de 1931, en la Ópera, gracias a Guy Ropartz, que reconstruyó la orquestación del tercer acto, destruido en 1914 con ocasión del incendio de la casa donde el heroico músico se había atrincherado para resistir a los alemanes. Guercoeur — en la ópera —, por haber salvado a su patria, obtiene de las divinidades el privilegio de volver a la tierra después de su muerte. Encuentra a su mujer casada con otro y a su país que ha recaído en la servidumbre. Nada subsiste de cuanto ha hecho, nada de cuanto ha querido, y muere una segunda vez llevándose de su regreso a la vida sólo el deseo de olvidarla para siempre. La inspiración nobilísima de Magnard le ha dictado bellas y grandes páginas sinfónicas ; coros y conjuntos admirables. La serena peroración del epílogo, el cuarteto vocal, es de una soberana belleza.

La Princesse lointaine, que G.-M. Witkowski hizo representar en la Ópera el 22 de marzo de 1934, no modifica sino en algunos detalles la pieza de Rostand. El músico compuso su partitura con el proyecto — netamente expuesto en un artículo del «Ménestrel» y no menos francamente realizado — de «salir del sistema de la sinfonía con declamación añadida», «de conceder a las voces, sin disminuir el interés de la orquesta, el papel expresivo que les pertenece en la expresión dramática, y renunciar a sumergirlas constantemente bajo un oleaje de temas y dibujos». Witkowski, músico de gran cultura, ha sabido dar a su orquesta sonoridades flúidas, nacaradas, argentinas, y tanto su armonización atrevida como la flexibilidad de su línea melódica hacen de *La Princesse lointaine* una obra de un carácter muy nuevo.

Pierre de Bréville sólo ha dejado una obra lírica : *Éros vainqueur,* sobre un libreto de Jean Lorrain, representada en La Monnaie el año 1910, y en la Ópera Cómica el 1932. Había escrito con anterioridad la música de escena de *La Princesse Maleine* y *Les sept princesses* de Maeterlinck. El libreto acusa la fecha en que fue escrito ; la música no ; y así parece hacer aún más visible el envejecimiento del poema y sus gracias prerrafaelistas ; el rey, padre de las princesas, pretende sustraer a Argina, Thrasyle y Floriane a los peligros del amor, y las manda educar en un vergel ceñido de fuertes muros. Eros se ríe de fortificaciones y lansquenetes. Encanta a las tres princesas ; dos le siguen ; la tercera muere herida por la flecha del dios. La música neutraliza el falso perfume del libreto : la instrumentación es fina, transparente ; las voces — cosa que no extraña en un autor de admirables colecciones de melodías — son tratadas de un modo magistral. Páginas como la vaporosa introducción, el coro de lansquenetes, el sueño de las princesas y su despertar, el cuadro del gineceo y la visión de Argyne en su agonía, habrían asegurado el éxito de la obra veinticinco años antes. La reparación dada a P. de Bréville no llegó sino en el momento en que la Ópera Cómica estaba a punto de naufragar : *Éros vainqueur* fue la víctima.

Ernest Chausson, asimismo, no ha compuesto más que un solo drama lírico, *Le Roi Arthus,* y esta obra, estrenada en Bruselas el año 1903, jamás ha pisado un escenario parisiense aunque se haya ejecutado varias veces en los conciertos. Las influencias de Wagner y Franck se disciernen fácilmente, pero la obra traduce dentro de su trama musical el alma de un compositor atormentado por la desesperación de no poder conseguir nunca el alto ideal que se había fijado ; un alma mística y dolorosa. Su drama se inspira en los amores de la esposa del rey Artús, Ginebra, y Lanzarote, sorprendidos por Mordred. Éste hiere a Lanzarote — como Melote a Tristán —, y los amantes se escapan. Artús consulta a Merlín, quien predice la ruina de la Tabla Redonda. Sale Artús en persecución de los fugitivos, y Lanzarote, lleno de remordimientos, se ofrece al combate ; se cumple entonces la profecía de Merlín ; los caballeros de la Tabla Redonda se han matado entre sí. Artús, mientras los espíritus del aire cantan su gloria y lo llaman al más allá, perdona a Lanzarote moribundo. El segundo acto, con la profecía de Merlín, es de una noble y sombría grandeza.

Sobre un poético libreto de Maurice Magre, Déodat de Séverac escribió *Le Coeur du Moulin,* representado en la Ópera Cómica el 8 de diciembre de 1909 : partitura deliciosa, límpida, a pesar de algunos recuerdos wagnerianos ; música de un color y un perfume cálidos como la tierra del Languedoc, de la que ha brotado, música en contacto directo con la naturaleza, franca y derecha como el compositor, que murió sin haber podido ver una reposición deseada por todos. Lo que Séverac hizo por el Lauraguais y la Cerdaña, J. Canteloube lo ha hecho por la Auvernia con la misma sinceridad y felicidad. *Le Mas* se estrenó en la Ópera en abril de 1929. Su argumento es el siguiente : Jan, que reside en la ciudad, ha echado en olvido su Quercy natal. Un día regresa a su tierra ; allí todos le quieren y María sólo tiene ojos (que son bonitos) para mirarle. Sin embargo, quiere marcharse otra vez. Pero la tierra le hace escuchar sus voces poderosas en su cantar de las estaciones, y Jan se queda en el *mas* de sus antepasados. Argumento simplicísimo : la tierra es el personaje principal del *mas* ; es ella la que se deja oir en la sinfonía, en las danzas campesinas, en el murmullo de la fuente, en las páginas donde el músico sabe hacer hablar a la naturaleza con estro poético. En *Vercingétorix* (Ópera, 20 de junio de 1933) resplandece el espíritu de sacrificio, la abnegación, la grandeza del héroe galo ; y también un canto a la Auvernia, en medio de evocaciones célticas. Orquestación brillante en que, por vez primera en la Ópera de París, utilizó las ondas Martenot.

Paul Le Flem, como Guy Ropartz, se inspira en Bretaña, su país natal ; pero el *fabliau* modernizado graciosamente por Gandrey-Réty, le ha proporcionado el asunto de una obra ligera y alegre : *Le Rossignol de Saint-Malo* (Ópera Cómica, 1943) : los gorgeos nocturnos de un ruiseñor ayudan a una esposa infiel para que pueda burlar a su marido. Veinte años antes, Le Flem supo resucitar la *chante-fable* de *Aucassin et Nicolette* y hacer gala en ella de tanto ingenio como gusto y erudición. Alum-

Feodor Chaliapine en «Boris Godunov».

Primer cuadro de «Boris Godunov», de Moussorgski.

Teatro Alejandro (hoy Lenin), en San Petersburgo.

(Grabado en color, copia de Courvoisier)

Figurines de J. Bilibine para «El Zar Saltan», de Rimski-Korsakov.
(Paris, 1929).

La salida del Teatro de la Fenice en Venecia (1868).

Teatro de la Monnaie en Bruselas.

(Cl. Neurdein)

Estreno de «Pelléas et Melisande», en la Opéra-Comique de Paris (1902).

Decorado de Bakst para el estreno del «Martyre de Saint Sébastien», de Debussy (Paris, 1911).

(Cl. Vizzavona)

no, como el anterior, de la Schola, Jean Poueigh ha cantado el país vasco
en *Perkain,* representado en la Ópera el 25 de enero de 1934.

El temperamento dramático de Antoine Mariotte se afirmaba ya en
1908 en *Salomé,* estrenada en Lyon, y que, como es sabido, tenía que
ser objeto de un pleito resonante con el editor de Richard Strauss antes
de darse en la Ópera en 1919. La plegaria de los nazarenos y el final
son las mejores páginas de una partitura que empalidece comparada con
la obra de Strauss. Las dotes de colorista que posee Mariotte resplandecen en *Esther* : el libreto de André Dumas y S.-Ch. Leconte le proporcionó una hebrea indómita, tal como nos la muestra la Biblia. Mas la
violencia de las situaciones, si bien encuentra su traducción en la música,
no excluye una bella simplicidad de líneas, los ritmos francamente enér-
gicos bajo una orquesta en ocasiones demasiado rellena (Ópera, 28 de
abril de 1925). Tentado desde hacía mucho tiempo por la risa de Rabelais,
Mariotte quiso transportar a la escena los gigantes de maese Francisco,
y el telón de la Ópera Cómica se alzó el 15 de febrero de 1935 sobre
Gargantua, obra frondosa, truculenta hasta el extremo de las posibilidades
teatrales, y no sin longitudes. *Gargantua* contiene absolutos aciertos ; el
nacimiento del héroe celebrado por un motete que mezcla humorística-
mente el *Adeste fideles* con la *Marsellesa,* y que va creciendo hasta llegar
a ser enorme, tanto como el hijo de Gargamelle, o también el dúo de
Gargantua y Madeleine. La orquestación, tan sabia como la de *Esther,*
suena con más claridad, al igual que la risa de Rabelais.

Oficial de la marina como Mariotte y Albert Roussel (del que hablaremos más tarde), Jean Cras interpretó el mar y sus embrujos en el
Polyphème de Albert Samain, y lo puso en música (Ópera Cómica, 31 de
diciembre de 1922). Aunque la acción casi es nula, y el recitativo a menudo salmódico, no deja de ser algo monótono debido a la dificultad de escribir
melodías sobre alejandrinos, la orquesta, los coros que llaman a las Ninfas
de las aguas y de los bosques, y la escena final en la que Polifemo exhala
su dolor ante Galatea durmiente y se hace conducir hacia la mar, son de
una poesía exquisita.

Bérangère, de Marcel Labey, obtuvo el primer premio en el concurso
de la Villa de París de 1921 y se estrenó en El Havre en 1925. El preludio del segundo acto — entre otros — es una página sinfónica de notable
calidad. El libreto es debido a Mme. Sohy-Labey, discípula de D'Indy y
autora de un drama lírico, *L'Esclave Couronnée,* representado en Mulhouse el año 1947 con éxito.

Arthur Coquart, discípulo de Franck y amigo de Lalo (le fue confiada
la empresa de terminar *La Jacquerie*), ha dejado algunas obras líricas
demasiado olvidadas y sin embargo nada negligibles : *L'épée du roi*
(Angers, 1884), *Le mari d'un jour* (Ópera Cómica, 1886), *L'oiseau bleu,*

en el mismo teatro (1894). Coquart nos ha dado lo mejor de sí mismo con *Jahel,* estrenada el año 1900 en Lyon, y con *La Troupe Jolicoeur* (Ópera Cómica, 1902). Estrenada después de *Louise,* pero escrita con anterioridad, *La Troupe Jolicoeur,* inspirada en una narración de H. Cain, pone en escena con un realismo lleno de vigor y sinceridad el mundo de los cómicos ambulantes ; la fiesta del 14 de julio, en el primer acto, es de una vida intensa ; en el resto existe una emoción, una piedad hacia los humildes, que traduce con discreción una música escrita con un cuidado absolutamente clásico, pero sin resultar jamás fría. La misma voluntad de corrección se encuentra en *Léone,* de Samuel Rousseau (Ópera Cómica, 1910), obra póstuma y que tiene por argumento una *vendetta.*

Aunque nacido en Bolzano, que entonces se llamaba Botzen, Silvio Lazzari, de origen austríaco, se hizo francés por amor a este país ; montañés del Tirol, debió al mar y al terruño bretón las páginas más inspiradas de su obra. Fue discípulo de Guiraud y de Franck, al lado de los cuales alcanzó una cultura musical muy sólida, y experimentó, como todos los de su generación, la influencia wagneriana sin que los dones de claridad que poseía fuesen alterados. Sus dramas líricos unen dos cualidades raramente juntas : una fluencia melódica en extremo original y una riqueza armónica que jamás resulta pesante.

Silvio Lazzari debutó en 1887 con una pantomima, *Lulu.* En 1898, *Armor* se estrenó en Praga ; después, seducido por el drama de H. Bataille, *La Lépreuse,* se decidió a ponerle música. La partitura, terminada en 1899, fue inmediatamente admitida en la Ópera Cómica. Pero Lazzari se vio precisado a luchar encarnizadamente durante trece años, llevar el conflicto ante la Justicia y hasta en la tribuna de la Cámara, a fin de que Carré cumpliese con sus compromisos. Carré, que al admitir la obra conocía sin duda el libreto, de pronto se dio cuenta de la tristeza de su argumento : Alyette es leprosa ; mas esconde su mal, porque es amada con pasión por Ervoanik. Los padres de éste sospechan la verdad y se oponen al matrimonio. Los enamorados marchan juntos para una peregrinación al Folgoët en espera de un milagro. La vieja Tili, madre de Alyette, insta diabólicamente a su hija para que transmita la enfermedad maldita a Ervoanik. De regreso del Folgoët, éste es leproso declarado y debe abandonar la granja natal y vivir en una casa aislada, cerca de una fuente, sin contacto con los demás hombres. Alyette, arrepentida, se juntará con él. Carré se equivocaba : la primera representación, el 7 de febrero de 1912, resultó un triunfo, y *La Lépreuse* ha quedado en el repertorio. La partitura reproduce maravillosamente la atmósfera de la Bretaña de los calvarios y de las romerías, pero el folklore ocupa poco lugar : Lazzari no debe sino a sí mismo los colores de su paleta, como no debe sino a su sinceridad el poder expresivo de las escenas capitales de la obra.

Cada acto es de una precisión dramática admirable, y en el tercero el músico, valiéndose de los efectos más simples, llega en la emocionante escena de los adioses de Ervoanik, en el momento en que le imponen la cogulla negra, hasta la impresión más intensa.

El argumento de *El Sauteriol,* estrenado en Chicago (1913), y después representado en la Ópera Cómica, es reproducido de una obra de Keyserling ; una chiquilla nombrada por escarnio el *sauteriot* (el saltamontes), vejada por todos y desesperada, ofrece a la Virgen negra su vida para que se salve la mujer que la maltrata y que se está muriendo. Pero, después de haber formulado este voto, el *sauteriot* conoce el amor ; entonces retrocede, intenta desatarse y más tarde se convence de que su galán se burlaba de ella. Entonces bebe de un sorbo la poción destinada a la enferma y que, en tal dosis, será mortal. Y la Virgen negra acepta su vida a cambio de la vida de la enferma. La partitura es de una exactitud de expresión sorprendente. La orquesta es flúida y, con todo, potente. Tal vez *Le Sauteriot* sea la obra maestra, por desgracia, incomprendida, de Lazzari.

La composición de *Meloenis* es anterior a la de *Sauteriol* ; pero la obra no se estrenó hasta el 1927, en Mulhouse, y, a pesar de la entusiasta acogida que obtuvo en Alsacia, no se ha representado nunca en París. Lazzari atestiguaba una vez más su amor a la Bretaña con un drama en el que la mar desempeña el primer papel ; un drama de celos, que enloquecen a Yves, un farero, y le empujan a que pegue fuego al faro donde está de guardia, para que su mujer, Naïc, no pueda juntarse con el rico extranjero que debía raptarla, y para que éste naufrague. También aquí la fuerza de la música está plenamente de acuerdo con el furor de los elementos desencadenados y la violencia de las pasiones que ellos evocan. Pero la partitura no vale tan sólo por el paroxismo de las escenas finales : las danzas campesinas, los coros populares del primer acto, son de una dulzura idílica. Silvio Lazzari, áspero y ardiente, sabe traducir los sentimientos puros y la paz del mar en calma... Los nueve trozos de música de escena para el *Faust* de Henri Bataille poseen una variedad que es debida a un músico de raza : a través de la adaptación francesa, Lazzari sabe llegar al pensamiento de Goethe.

Aunque las obras sinfónicas de Gabriel Pierné, sus piezas de música de cámara, y sus deliciosas melodías, ocupan un puesto principal en su producción, su teatro no es menos notable : en él se refleja la exquisitez del autor.

Pierné abordó el teatro con *La coupe enchantée,* que se estrenó en Royan el año 1895 ; el 1897, dio en Lyon, *Vendée* ; en 1901, *La Fille de Tabarin* revela sus dotes dramáticas, su fuerza ; en 1910, *On ne badine pas avec l'amour* trasladada, dentro de una partitura delicada, la desenvoltura y la melancolía de Musset; finalmente, su ingenio y habilidad encuentran en *Sophie Arnould* (1927), estrenada en la Ópera Cómica, una afirmación todavía más patente. Un argumento arriesgado, todo matiz; una evocación de antiguos amores que se reavivan un instante; todo cuanto en otro autor resultaría trivial o envarado se convierte bajo su pluma en milagro de gracia tierna y ligera.

Es sorprendente que el músico de *Saint François d'Assise* haya sido el de *Fragonard* (1934), con el mismo acierto. El libreto de A. Rivoire y R. Coolus pone en escena una aventura de un pintor galante que se prenda de su joven cuñada y es atraído y llevado entre su mujer, a la que llama «la Cajera», y su amiga, la Guimard — una aventura que acaba bien después de haber estado a punto de acabar mal. En esta comedia musical hay tanta melancolía como ligereza, y todo junto es de una sutileza de pincelada igual que la del pintor que da su nombre a la obra. Lo mismo sucede con *Cydalise et le chèvre-pied,* ballet sobre un escenario de Robert de Flers y A. de Caillavet, estrenado en la Ópera el año 1923, y con *Impressions de music-hall* (Ópera, 1927). En *Cydalise,* las danzas de los faunos y las ninfas en el primer acto y el divertimento oriental en el segundo, son extraordinarias muestras de humor; y las *Impressions* resumen con rara habilidad las excentricidades de un espectáculo de variedades.

Georges Hüe, cuya ópera *Les Pantins* se representó en 1881, llamó la atención con *Le Roi de Paris* en 1901, y en 1910 con *Le Miracle,* representados en la Ópera. *Dans l'ombre de la Cathédrale,* drama inspirado en la novela de Blasco Ibáñez (Ópera Cómica, 1921), opone el ideal religioso y la ideología socialista; pero la obra vale principalmente por el color español que el compositor supo darle. Un ballet, *Siang-Sin* (Ópera, 1924), alcanzó más de cien representaciones; la ironía y alegría de *Riquet à la houppe* (Ópera Cómica, 1928), son debidas más a la partitura sabia y ligera que al libreto. A los hermanos Hillemacher — ambos premios de Roma —, que colaboraron constantemente, se deben *Le Régiment qui passe* (Ópera Cómica, 1894), *Circé* (1907) y *Le Drac,* estrenada en Karlsruhe en 1896. Después de la muerte de Lucien, Paul Hillemacher escribió *Fra Angelico,* representada en la Ópera Cómica en 1925. Esas obras, a pesar de su hábil escritura, están olvidadas. El ballet de Ch.-M. Widor, *La Korrigane,* estrenada en 1880, reaparece de vez en cuando en la Ópera gracias principalmente a la *sabotière,* que es el secreto de su éxito. Pero es a su música para órgano, más que a *Maître Ambros,* a *Les Pêcheurs de Saint-Jean* (Ópera Cómica, 1886 y 1906) y a *Nerto* (Ópera, 1924), a la que Ch.-M. Widor debe su renombre y supervivencia. En el más completo de los olvidos se encuentran las obras que Paul Vidal tuvo la desdicha de hacer representar en una época en la que las óperas, según frase de Louis Laloy, caían las unas después de las otras como castillos de naipes ; ni *Guernica* (1895), ni *La Burgonde* (1898) han podido durar. Xavier Leroux tuvo más suerte — merecida — ; y la debe al calor y sincera vehemencia de sus obras : (*Astarté*, 1901, *La Reine Fiammette,* 1904, donde se percibe la influencia de Massenet ; *Le Chemineau,* 1907, que continúa de repertorio en la Ópera Cómica ; *La plus forte,* 1924 ; *Théodora,* 1907). *Le Carillonneur,* inspirado en Rodenbach, encierra una página muy hábil : el concurso de carillones.

Le juif polonais (Ópera Cómica, 1900) valió a Camille Erlanger un éxito duradero, y que continuaría si la obra fuese repuesta. Escrita con ingeniosidad, se nutre de folklore alsaciano. En 1904, *Le Fils de l'Étoile* fue acogido muy favorablemente en la Ópera : la partitura comprende dos himnos a Apolo, reconstruidos por Théodore Reinach. En *Aphrodite,* inspirada en la novela de Pierre Louys, Erlanger utilizó los modos griegos y supo dar a la partitura una especie de transparencia voluptuosa muy en consonancia con el argumento. *Forfaiture,* fue terminada precipitadamente y experimentó un fracaso en la Ópera Cómica.

Alfred Bachelet, uno de los mejores músicos de su generación, ha conseguido un sitio de primera fila entre los compositores de teatro, con tres obras de una calidad excepcional. *Scemo,* estrenado en la Ópera en 1914 y repuesto en la Ópera Cómica en 1926. El libreto de Ch. Méré lleva a la escena un drama de la superstición : el pastor corso Lazzaro tiene fama de hechicero, y los campesinos lo expulsan del pueblo. El pastor amenaza, se defiende ; su acusador Arrigo vuelve a su casa persuadido de que el *jettatore* lo ha embrujado, y muere del miedo, denunciando a Lazzaro ante los hombres del clan. Éstos se apoderan del pastor para quemarlo vivo, y lo atan a un árbol. Francesca, hija de Arrigo, debe pegar fuego a la pira. Para no ver a la que ama cometiendo un acto tan atroz, Lazzaro se arranca los ojos. Un contrabandista lo alberga en su cueva, donde Francesca quiere juntársele. Pero antes llega el marido de Francesca, Giovann'Anto, que quiere matar al *jettatore*. El marido se apiada, y pide a Lazzaro que lo apuñale y viva con Francesca. Lazzaro se niega a ello, y, cuando Francesca llega, le dice que el amor se ha extinguido en su alma como la mirada en sus ojos. Miente, pero, engañada, Francesca se aleja con Giovann'Anto ; y Lazzaro llora su amor tan generosamente negado pero más vivo que nunca en su pecho. La partitura entera es de una fuerza concentrada, de una precisión de acentos desdeñosa del fácil efecto. Y de la música parece desprenderse el perfume fuerte de Córcega.

Quand la cloche sonnera es un drama no menos vigoroso que se estrenó en la Ópera Cómica en 1923 ; un acto que dura hora y media y parece corto en demasía. Los personajes esenciales son las campanas, que deben dar la señal convenida para que un puente vuele y corte el camino al enemigo ; pero, a la vez, el prometido de Manouchka, cuyo propio padre debe sonar la campana, será aniquilado. El misterio que se cierne, la evocación por la orquesta de la voz de las campanas, son expresados por el músico con una seguridad que deja al auditor lleno de angustia.

La obra capital de Bachelet, *Un Jardin sur l'Oronte,* fue estrenada en la Ópera el 3 de noviembre de 1932. Franc-Nohain sacó su libreto de la novela de Barrès, dejándole su valor de símbolo ; los amores del caballero Guillaume y la sultana Oriante significan el conflicto de dos razas, dos ideales ; y es lo que supo Alfred Bachelet expresar. Y no es solamente utilizando las vocalizaciones orientales para las voces sarracenas y la música medieval para los Cruzados como consigue su fin ; la substancia misma de la obra, su sobria grandeza, forman la nobleza de la misma. Traduce, como poeta de los sonidos que es, la embriaguez de las noches embalsamadas en los jardines voluptuosos del Oronte, y el drama de conciencia que hacen del caballero Guillaume un felón. La obra es de gran músico.

A comienzos de siglo, cuando el movimiento realista representado por Bruneau y Charpentier entraba en lucha con el impresionismo de Debussy (ya es sabida la impropiedad de las denominaciones que se suelen dar a las escuelas ; pero el uso las ha impuesto), muchos compositores obtenían éxitos permaneciendo fieles a formas tradicionales, aunque experimentando la influencia de las ideas nuevas. Henri Rabaud daba *La Fille de Roland* en marzo de 1904 en la Ópera Cómica, cuando ya sus obras sinfónicas le habían ganado la notoriedad. En el drama lírico, escrito según la obra de Henri de Bornier, se encontraba la solidez constructiva del músico de *La procession nocturne*; esas cualidades hicieron que se tratase a Henri Rabaud de académico. Clásico o neoclásico hubiera sido más justo : Rabaud supo comunicar al drama bastante vulgar de Bornier un carácter épico, y ya se hallan en él cualidades que en un género por completo diferente serán causa del éxito de *Mârouf, savetier du Caire,* estrenado en la Ópera Cómica en junio de 1914. Esa obra, que Lucien Népoty escribió inspirándose en *Las Mil y una Noches,* estuvo a pique de ser víctima de la guerra. El éxito de las primeras representaciones había sido, con todo, lo bastante grande para justificar la reposición. Después la obra pasó al repertorio de la Ópera, donde se mantiene — cosa rara — sin perder su atractivo. Su triunfo excepcional no es de ningún modo fruto del azar que puso en manos del músico más hábil uno de los mejores libretos que se puedan hallar. Más bien se debe a la penetración de un compositor que, poseyendo mejor que cualquier otro el sentido del teatro, supo teñir de un delicado orientalismo su humor bien francés y escribir una partitura en cuyas páginas los hallazgos alternan con las delicias. Y para afirmar, como lo había hecho con su segundo *Job,* que era capaz de escribir algo rudo y fuerte, Rabaud estrenaba en 1924 *L'appel de la mer,* cuyo libreto había escrito él mismo inspirándose en Synge. En esta obra no se trata de hermosuras, sino de la simplicidad desnuda que presenta un suceso trágico ; ni se ven palacios orientales, sino la miserable choza de una familia de marineros en la isla de Aran : el océano ha robado ya cinco de los hijos de una vieja madre : el sexto muere ahogado, y la pobre mujer llora ante las destrozadas ropas que le presentan, todo lo que ha quedado de su hijo. De tan ruda y trivial historia, Rabaud supo extraer una poesía dolorosa ; su arte se hace aquí más escueto y gana en fuerza sin perder nada en sensibilidad.

Rolande et le mauvais garçon (Ópera, mayo de 1934), cuyo libreto es de Lucien Népoty, alía la fantasía de *Mârouf* con el amargor de *L'appel de la mer* : una princesa se enamora de un tipo que también es un poeta, y que ha venido con un objeto inconfesable, una especie de Villon jovial cuyo buen humor divierte a una corte malhumorada. El príncipe, celoso, manda encarcelar a los enamorados y busca en el desenfreno un remedio para su desesperación ; pero sólo halla un aumento de tristeza. Entonces perdona ; mas el perdón no es olvido, y los tres héroes de la triste aventura guardan de ella un recuerdo que les atormenta. La partitura ofrece una gran variedad de factura ; la introducción del segundo acto, con su solo de oboe, la canción de Turgis, la farandola del cuarto acto, la canción de bebida que cantan los lansquenetes, la escena del paje en el quinto, son los trozos más logrados de la obra.

En mayo de 1947, en Estrasburgo, *Martine* apareció como un raro empeño : la pieza de J.-J. Bernard se forma de reticencias, y el objeto de este drama íntimo no es tanto lo que hacen y dicen los personajes como lo que piensan y no explican. Pero la música sabe precisarlo todo sin dejar de ser secreta, y lo hace con más delicadeza que cualquier palabra.

En *Le Ménestrel,* Max d'Ollone definía en 1932 su posición después de haber aplicado en sus obras los principios que defendía : rechazaba el sistema wagneriano, pensando que el público se aparta en nuestros días del arte lírico debido a que los compositores, descuidando las voces en provecho de la orquesta, la melodía en aras de la sinfonía, no le ofrecen más que monótonos recitativos que le hacen echar de menos las arias y cavatinas de la vieja ópera. Si las masas gustan de Wagner, es por la razón de que éste es menos sistemático o, mejor dicho, menos wagneriano que sus epígonos ; las páginas que han envejecido más en su obra son aquellas en las cuales ha guardado al pie de la letra sus teorías.

Pero Max d'Ollone no vuelve pura y simplemente a la forma antigua de la ópera ; también ha sabido hacer flexible su teoría : *Le Retour*

(1912), *Les Uns et les Autres* (1922), *L'Arlequin* aún más, en 1924, y sobre todo en 1937, *La Samaritaine* — en la Ópera —, demuestran que tiene la pasta de un verdadero músico de teatro. En esta última obra, el «Pater» que pronuncia Photine y que el coro repite «a cappella», justificaría, si fuese necesario, la empresa de llevar a las tablas un poema que extiende a lo largo de tres cuadros los cuarenta versículos del texto de san Juan. Pero la sinceridad del músico sabe traducir la pureza de las escenas evangélicas tan bien como la luz del país de Siquem. Y todo ello, que era muy difícil de realizar, lo ha cumplido.

Henri Février, que fue discípulo de Massenet y amigo de Messager, dio en 1906 *Le Roi aveugle* en la Ópera Cómica, y en 1909 *Monna Vanna* en la Ópera y La Monnaie con éxito clamoroso. La obra, que ha quedado en el repertorio, se ha representado en todos los grandes escenarios del extranjero. Sin haber sido acogidas tan calurosamente, *Gismonda,* y después *La femme nue* (Ópera Cómica, 1919 y 1932), han hecho una carrera honorable, debida a las cualidades de movimiento y vida que contienen las partituras de Henri Février.

Daphnis et Chloé, pastoral en un acto, representada en la Ópera Cómica el año 1897; un ballet, *La Ronde des Saisons,* en la Ópera el año 1905; *Colomba,* en Toulouse, en 1920; *Les noces corinthiennes,* en 1922, en la Ópera Cómica (repuestas en la Ópera en 1950), *La pie borgne,* en el mismo teatro en 1929, y *Le Carrosse du Saint-Sacrement* en 1949, constituyen la aportación de Henry Büsser al arte lírico. Su escritura elegante, su orquestación clara y variada, que no apaga nunca las voces, las dotes de humor ligero afirmadas en sus dos últimas obras, y la facilidad del músico en los argumentos más diversos, han asegurado el éxito de esas obras.

Raoul Laparra, a quien su herencia atraía hacia España, debe a este país casi todas sus obras. *La Habanera* (Ópera Cómica, 1908) es un drama de remordimientos: Ramón, por celos, ha matado a su hermano Pedro en el día en que éste último iba a casarse con Pilar. Y el fantasma del muerto causará la muerte de Pilar y la locura del asesino. Musicalmente, el remordimiento se traduce por la habanera que bailaba Pilar en el momento del crimen. La obra es franca, directa, y su sinceridad la mantiene en el repertorio. *La Jota* se opone a *La Habanera.* Representada en 1911, sobre un argumento inspirado en las guerras carlistas, no tuvo tanta suerte como su predecesora, aunque el primer acto fuese un acierto absoluto. *Le joueur de viole,* en el mismo teatro, el 1925, fue mejor acogido. Argumento simple, y poético símbolo del arte consolador; la música comenta con hábil claridad la alegoría de las cuatro cuerdas del laúd, y la partitura se halla adornada de danzas antiguas y temas populares, con gran delicadeza. *L'illustre fregona,* sacada de las *Novelas ejemplares* de Cervantes (Ópera, 1931), es una zarzuela endiablada, llena de alegría y vida.

La Cabrera, de Gabriel Dupont, obtuvo en 1905 el premio Sonzogno : drama brutal, cuyo libreto, de Henri Cain, está concebido según la fórmula verista. La obra, estrenada en la Ópera Cómica, alcanzó una veintena de representaciones. Cinco años más tarde, G. Dupont dio *La Glu* en Cannes ; son preferibles *La Farce du Cuvier,* cuya fantasía grotesca se ve realzada con ingeniosas ocurrencias, y sobre todo *Antar,* inspirada en una leyenda oriental de Chekri-Ganem. *Antar* se representó en la Ópera el año 1921, después de la muerte prematura del autor, y luego se repuso en 1946 con un éxito que se debe a la grandeza simple de una partitura colorida, exenta de énfasis y orquestada con mano maestra. La última escena — la muerte de Antar — lleva el sello de una emoción poderosísima en la que se retrata la calidad anímica del autor de *Les heures dolentes.*

En *La rôtisserie de la reine Pédauque,* que Charles Levadé estrenó en la Ópera Cómica el año 1920, y en *La peau de chagrin,* que se representó allí en 1929, hay algo más que una mera habilidad : la muerte de Jérôme Coignard, en la primera de estas obras, constituye un acierto. Omer Letorey, además de una decena de músicas escénicas para el Teatro Francés, ha escrito, inspirándose en Molière, *Le Sicilien ou l'Amour peintre* (Ópera Cómica, 1930), que no está falta de penetración ni de movimiento. Gabriel Grovlez, además de sus dos ballets (*Maïmouna* y *La Princesse au jardin,* Ópera, 1921 y 1941), ha compuesto dos ballets con mucha gracia e ingenio : *Le Marquis de Carabas y Coeur de Rubis.*

Más que sus dos óperas, *Sonia* (Nantes, 1913) y *Naïla* (Ópera, 1927), los ballets de Philippe Gaubert constituyen una aportación importante del compositor al arte lírico. En *Fresques* (1923), ya mostraba su gracia ; luego, a medida que iba creciendo su reputación de sinfonista, convertía su suite orquestal *Inscriptions pour les portes de la Ville* en un ballet : *Alexandre le Grand,* que en 1937 obtuvo un vivo éxito : en dos años pasó de cincuenta representaciones. *Le Chevalier et la Damoiselle,* asimismo sobre una coreografía de Serge Lifar, fue recibido, en 6 de octubre de 1941, con una triunfal acogida. Philippe Gaubert murió de repente al cabo de dos días. La obra queda de repertorio sin que haya flaqueado, tanto por la gracia y vigor de una partitura de ritmos francos y motivos expresivos, que la hacen un modelo del género, como por el atractivo de una coreografía notable. Su música es imagen de lo que fue Philippe Gaubert : generoso, espontáneo y encantador.

Paul Ladmirault, que en el terreno de la sinfonía se ha ganado un sitio admirable, ha sabido, en la música de escena que escribió para el *Tristán et Iseult* de Bédier y Artus, cantar su entrañable Bretaña, y en

La Prêtresse de Koridwen (Ópera, 1926) expresar los colores y perfume de aquella tierra y su salvaje melancolía, con una música de sabio técnico que también es poeta.

En los asuntos violentamente dramáticos, como *Tarass-Boulba* (1919) y *Kerkeb* (Ópera, 1951), o bien lindando con la ópera bufa, como *Le Bon Roi Dagobert* (1927), Marcel Samuel-Rousseau presenta un igual cuidado en la forma, una idéntica habilidad, recompensados por el éxito. Pero tal vez es en los ballets donde ha puesto lo mejor de su arte : *Promenades dans Rome,* en 1936, y después *Entre deux rondes,* en 1940, están llenos de vida y de fuego. Jules Mazellier, en *Graziella* — que la Ópera Cómica representó en 1925 aunque su autor la había escrito quince años antes — dio muestras de un temperamento dramático vehemente y a la vez respetuoso con las convenciones ; con *Les Matines d'Amour* (Ópera, 1927), se mostraba sensible a la influencia de Debussy sin manifestar una originalidad más viva. *Le Cloître,* de Michel-Maurice Lévy (Ópera Cómica, 1926), ofrece la particularidad de no tener ningún personaje femenino. El músico, inspirándose en el austero drama de Verhaeren en el que las rivalidades monásticas forman toda la trama, confesaba sinceramente en la obra su fe wagneriana, y conseguía emocionar. *Dolores* sufrió las consecuencias de haber aguardado veinticinco años hasta su estreno (1952) en la Ópera Cómica.

II

El repertorio de la Feria había introducido ya el realismo en el arte lírico desde el nacimiento de la ópera cómica ; pero un realismo que por prosaico que fuese continuaba convencional. A fines del siglo XIX, cuando la novela francesa pertenecía casi por entero al naturalismo, y Antoine y el Teatro Libre se esforzaban en suscitar entre los autores dramáticos un «movimiento» que hiciese eco en la escena a las concepciones de los novelistas, era lógico que también en el teatro lírico se sufriesen las consecuencias. Hemos dicho ya que *Carmen,* desde el año 1875, había «abierto las puertas» de la Ópera Cómica al arte realista. Pero en los libretistas de *Carmen* existían timideces que Bizet tuvo que resignarse a respetar. Con Alfred Bruneau se acabaron las concesiones. Inició el teatro con *Kérim,* en el Lírico, el año 1887, después de haber obtenido el segundo premio de Roma ; pero sólo se halló a sí mismo después del día en que Frantz Jourdain lo presentó a Zola.

Le Rêve apareció en 1888 ; inmediatamente Bruneau pidió autorización al compositor para un libreto sacado de la obra. Louis Gallet se encargó de escribirlo, y el músico se puso a la tarea. El 16 de junio de

1891, la obra se estrenó en la Ópera Cómica. Entre el público, causaba estupor que un compositor hiciese cantar a «hombres vestidos de americana», olvidando que Fígaro, el conde y Susana, en tiempos de Mozart, llevaban trajes por el estilo de los espectadores. ¿Acaso lo esencial no es hacer buena música? Y Chabrier escribe a Bruneau: «¡Magnífico! ¡Es un comienzo magistral, en absoluto!» Aguardemos la obra que viene, dicen los envidiosos. La segunda obra, *L'Attaque du Moulin,* el 23 de noviembre de 1892, es un triunfo. Se habían temido las reacciones del público y tomado la precaución de trasladar al 1792 el episodio de la guerra de 1870: la realidad no perdía nada con el sacrificio: el horror de la guerra es de siempre, y la música de Bruneau sugiere imágenes de naturaleza y humanidad válidas para todas las épocas.

La colaboración del novelista y el músico resultó fecunda: a *L'Attaque du Moulin* sucedieron en 1897, *Messidor*; en 1901, *L'Ouragan*; en 1905, *L'Enfant-Roi*; después de la muerte de Zola, Bruneau sacó de *Naïs Micoulin,* una obra estrenada en Montecarlo en 1907; en el mismo año, daba al Odeón la música de escena para *La faute de l'abbé Mouret.* Hay que citar aún *Le Roi Candaule* (1920), *Le Jardin de Paradis* (1923), *Angelo* (1928), y finalmente *Virginie,* que en 1930, en la Ópera, contaba la historia de *Déjazet.* El músico de *L'Attaque du Moulin,* de *L'Ouragan* y *Messidor* ha cantado el trabajo humano y la riqueza de la tierra; ha desarrollado símbolos llenos de nobleza y piedad; ha sabido traducir, con pinceladas amplias, los aspectos de la naturaleza, la grandeza y miseria del penar de los hombres.

El día siguiente de la primera representación de *Louise,* el 2 de febrero de 1900, Catulle Mendès publicaba en «Le Journal» un artículo profético: «Parece que en la velada de ayer se ha producido, total, aquella manifestación por largo tiempo esperada: una obra francesa de teatro, en la que se ha manifestado abundantemente una inspiración nueva que, por la calidad del amor, del dolor, de la melancolía, de la alegría, de la desesperación, de la pasión entera, se afirma como salida del corazón mismo de la propia raza, y no hubiera podido brotar en ninguna nación más que Francia.» Y añadía que una obra de esta naturaleza «estaba destinada a vivir compartiendo el rango de *Faust, Carmen* y *Manón.* En 1921, *Louise* alcanzaba las quinientas representaciones en la Ópera Cómica; al cincuentenario de su estreno, se aproximaba a la milésima; y las representaciones dadas en otros teatros de Francia y del extranjero se cuentan por decenas de millares.

Con todo, si bien la obra gustó desde su nacimiento a los músicos de tendencias más diversas, no dejó de levantar vivas protestas: muchos le reprochaban su «inmoralidad»; otros buscaban disputas con el músico sobre su estética, sobre su «realismo grosero», cuyo símbolo les parecía ser el arpegio ascendente del tema de *Louise*. Todo eso nos parece hoy tan lejano como la guerra de los bufos. *Louise* ha triunfado de la mojigatería como de la denigración de los envidiosos ; su victoria se debe a la calidad de la partitura. Por lo que se refiere a la estética de Charpentier, el subtítulo de su obra *Novela musical* la define claramente. Los cuatro actos — el segundo dividido en dos cuadros — son otros tantos «trozos de vida», como decían los novelistas naturalistas ; los personajes son pintados como son y como viven, salvo tal vez Julien, el poeta, mucho menos humano, mucho más inconsistente que el padre, la madre y Louise. Una escena al margen tal vez : la fiesta de la coronación de la Musa en el tercer acto, ¿puede decirse acaso de ella que constituye una mancha? De ningún modo : musicalmente, la decoración es tan exactamente descrita como los personajes evocados. La música, con precisión de pincelada maravillosa, sugiere los diversos episodios, y cambia con ellos. Tres temas esenciales : el famoso arpegio, imagen del deseo, de la impaciencia amorosa ; un segundo, tranquilo, prudente ; un tema grave y noble : el padre, su existencia de trabajador sin envidias ; y después otro aún, sacado del folklore parisiense : el placer, grito de las vendedoras callejeras. Y diez otros motivos secundarios, y esa sorprendente página en el segundo acto : un tema anchuroso, en re mayor, caracteriza a la gran ciudad. París despierta ; y de la orquesta se elevan los gritos que no hace mucho poblaban el silencio de las calles cuando éstas eran silenciosas : la vendedora de *«mouron pour les p'tits oiseaux»*, la vendedora de hortalizas ofreciendo *«la tendresse, la verduresse»*, el empajador de sillas, la flautilla que tañía el cabrero. Camille Bellaigue ha dicho de ese primer cuadro del segundo acto : «Con las más ínfimas voces de la Gran Ciudad, con las más desdeñadas, el músico de *Louise* ha sabido formar el más armonioso y enternecedor concierto. Hasta ahora no se sabía lo que todos esos gritos y anuncios podían expresar de laxitud o pena, de encanto y sufrimiento, de triste sonrisa. Y el taller, como la calle, nos refleja su poesía y su alma, su alma femenina, su alma de languidez, de ensueño, de deseo y de amor.»

Lo que da valor a *Louise* es eso : su humanidad verdadera. Puede ser que, en el momento de escribirla, Charpentier haya creído más bien componer una «novela musical de tesis» ; mas la obra sobrepasa a la anécdota que le sirve de argumento. Los cuadros que se desarrollan bajo los ojos del espectador, el taller de modistas, la escena de la Musa, conservan su valor pintoresco, claro ; pero lo que importa principalmente es lo que hay de profundo y trágico en esos humildes destinos tan vulgares en apariencia. Lo que eleva *Louise* al rango de las grandes obras es la verdad desnuda y simple del elemento patético expresado por la música : bajo el prosaísmo del diálogo, bajo las palabras del lenguaje más familiar, la inflexión de la melodía o un hallazgo armónico determinan en el auditorio una resonancia que emociona y trastorna hasta el fondo del alma : «Habéis dado — escribió Romain Rolland a Charpentier — un bello ejemplo, no sólo a la música, sino también al teatro, enseñándole la tragedia profunda que contiene la vida cotidiana más simple».

Ejemplo difícil de seguir — hasta para el mismo Charpentier —. El 4 de junio de 1913, la Ópera Cómica daba *Julien,* segundo panel del tríptico (*L'Amour au Faubourg* debía ser el tercero). Y *Julien,* a pesar de contener bellas páginas — alguna de las cuales provenía de *La vie du poète,* enviada desde Roma por Charpentier —, no logró convencer. La causa obedece a que el símbolo de la decadencia del héroe se materializa en formas alegóricas que ya no tienen la simplicidad directa de las escenas de *Louise.* Discípulo de Massenet, Gustave Charpentier experimenta así mismo la influencia de Berlioz, hacia el cual le empujaba un evidente parentesco de espíritu, un fondo de romanticismo : le debe su amor por el colorido, y también el arte de sugerir con pocos rasgos concisos de una asombrosa precisión cuanto quiere decir. A Massenet le debe algo más sutil, una perfección en la escritura armónica que hace de Charpentier un músico completo. Los que le denigran olvidan que el autor de *Louise* ha firmado las *Impressions d'Italie.* Representada en el momento en que el verismo invadía el teatro lírico, *Louise,* obra esencialmente francesa, hace honor al teatro nacional francés.

Se adscriben al realismo los dramas líricos de Francis Casadesus : *Le Moissonneur,* 1909 ; *Cachaprès,* 1914 y *La Chanson de Paris,* 1924, ésta última con todo el perfume del folklore de la Bresse, y que triunfó en el Trianón lírico antes de entrar en la Ópera Cómica.

La misma estética guió a Francis Bousquet cuando escribió *Sarati le terrible,* sacada de una novela de Jean Vigneau (Ópera Cómica, 1928). Pero en *Mon Oncle Benjamin,* cuyo libreto había sido inspirado a Georges Ricou por la obra maestra de Claude Tillier (Ópera Cómica, 1942), el realismo se alía con la fantasía para producir una serie de figuras de Épinal fuertemente coloridas y de un humor ligero.

III

No fue sino después de haber empezado el teatro escribiendo música de escena y de enriquecer con admirables coros el *Caligula* de Alejandro Dumas (1888), y con interludios sinfónicos que figuran entre las más altas producciones de la música francesa de orquesta, *Shylock* de Edmond Haraucourt, y *Pelléas et Mélisande* de Maeterlinck, con motivo de las representaciones dadas en Londres en 1898, cuando Gabriel Fauré escribió *Prométhée.* La adaptación del drama de Esquilo por Jean Lorrain, estrenado en las arenas de Béziers el año 1900, se aparta un poco del original, pero conserva lo bastante de su grandeza para haber suministrado al músico la ocasión de construir una obra de una forma nueva. Casi nada de escenas de acción, sino sólo episodios líricos, coros muy desarrollados ; dos suertes de personajes : los dioses, cuyos papeles son cantados ; los héroes, que recitan un texto hablado. Por otra parte la «tragedia lírica» se destinaba a un escenario al aire libre ; la orquesta es tratada, por consiguiente, de una manera apropiada a la ejecución en local abierto : el metal juega un papel esencialísimo ; a los recursos locales — dos «sociedades de armonías» (bandas, o mejor charangas) de la región, y una orquesta de cuerda reclutada sobre el terreno —, se añadió una docena de arpas. Más tarde la obra fue reorquestada ; mas todos los que oyeron el *Prométhée* en Béziers han preferido la instrumentación original. Pero no es tan sólo esto lo que da a la obra una carácter tan particular : Fauré — el «dulce» Fauré — se muestra en ella de una fuerza que no sospechaban cuantos le tenían por un compositor de música de cámara, mal preparado para escribir una partitura de esta amplitud. Alcanza en ella la grandeza por medio de la sobriedad, por la pureza de líneas. Simplicidad de ritmos ; simplicidad de la melodía ; ningún detalle inútil ; pero un refinamiento armónico extraordinario : esa música suena cual ninguna otra ; siempre es adecuada no sólo al argumento, sino al aire libre. Y es otra maravilla el modo como Fauré supo tratar los coros : el primero es bravío, casi salvaje ; pero el Fauré de las melodías reaparece en los tres coros de las Oceánidas, en el tercer acto. El segundo contiene episodios de soberana hermosura : los funerales de Pandora, anunciados por una sonería fúnebre, mientras la orquesta y el coro exhalan una larga lamentación, variada, y según la frase de Charles Koechlin, formada de luto, virginidad, luz y juventud a la vez. Página maravillosa de veras. Los episodios fuertes son, no obstante, quizás los más bellos. Y esa fuerza Fauré la debe al perfecto equilibrio de medios, pero nunca a su violencia.

El 4 de marzo de 1913, en el Teatro de Montecarlo, *Pénélope* revelaba otro aspecto, igualmente helénico, del genio de Fauré. El libreto de René Fauchois simplificaba, sin traicionarla, la leyenda homérica : nada de Palas ni de Telémaco ; sólo las dos figuras centrales — el rey y la reina de Itaca —, y los Pretendientes : el drama del regreso de Ulises era de esa forma más adecuado para inspirar a un músico cuyo arte repugna a las complicaciones vanas. Desde la obertura se plantean los dos temas esenciales : Penélope y su larga espera fiel al recuerdo, su melancolía cada día más dolorosa y grave ; Ulises, caracterizado por un motivo de una extremada simplicidad, pero también de una impresionante nobleza. Al levantarse el telón, tres escenas expositivas muestran la insolencia y avidez de los Pretendientes. Después, la llegada del mendigo ; la vieja Euriclea, que reconoce bajo los andrajos al amo que todos aguardan ; y, al final del primero y comienzos del segundo acto, las escenas en las que el anciano reanima las esperanzas de la reina antes de darse a conocer a Eumeo y a los pastores. En el tercer acto, la estratagema del arco que únicamente puede Ulises tender, y del que va a servirse para asaetear a un blanco viviente... Música extraordinariamente flexible, pero de una pureza absolutamente griega. La belleza de esta construcción sonora está hecha de serena claridad : se apoya sobre la majestad simple, la armonía de proporciones. Parece milagroso que un músico tan moderno, tan atrevido, que no repudia audacia armónica alguna, se encuentre tan a placer con la antigüedad y restituya con tal perfección el encanto arcaico de la epopeya homérica. Usa con sobria delicadeza de los modos antiguos, con naturalidad que debe a su iniciación al canto llano. No hace ninguna concesión a las rutinas del teatro contemporáneo : sin arcaísmos preconcebidos y utilizando los medios de expresión más modernos, se aproxima, gracias a esa completa independencia de espíritu, al espíritu griego en esas dos obras, así como renueva la «pastorela», transportada dentro de un decorado de Watteau, con *Masques et Bergamasques.* Y hay tanta perfección en todo esto, que Charles Koechlin pudo decir de Fauré, que «su intuición creadora da vida exacta a la decoración, a las palabras, a los actos, a las almas». Gracias a eso *Pénélope* ha conquistado el más alto puesto, al lado de *Pelléas et Métisande,* entre las obras maestras del arte lírico.

«Entre Wagner y Mozart — declaraba Debussy a su maestro Guiraud —, la diferencia es casi exterior a la música. Y la novedad consiste en esto : Wagner tiende a irse acercando a la palabra hablada, o mejor dicho lo pretende, mientras trata a las voces muy «vocalmente». Hay una manera de declamar que no es ni el recitativo a la italiana ni el aria lírica : añade las palabras a una sinfonía continua, subordinando a su vez esa sinfonía a las palabras. No lo bastante, sin embargo. Sus obras sólo realizan en parte los principios que ha declarado acerca de esa subordinación necesaria ; le falta audacia para aplicarlos. Tiene demasiada precisión y minucia ; no deja espacio para ningún sobreentendido. Es muy impresionante, pero también muy compacto. Y canta demasiado a menudo. Es preciso cantar sólo de vez en cuando.

— ¿De lo que se deduce — interrumpe Giraud — que sois un wagneriano liberal?

— No siento ninguna tentación de imitar lo que admiro en Wagner. Concibo una forma dramática distinta : la música empieza donde la palabra ya no puede expresar más. La música se ha hecho para lo inexpresable. Quisiera que tuviese el aire de salir de la sombra, y que por unos instantes volviese a entrar en ella ; que casi siempre fuese un personaje discreto.

— ¿Qué poeta — pide Guiraud — os podrá proporcionar un poema?

— Aquel que diciendo las cosas a medias, me permita injertar mi ensueño en el suyo, que conciba personajes cuya historia y lugar no sean de ningún tiempo ni lugar ; que no me imponga despóticamente la «escena que hacer» y me deje libre, aquí y allá, de ser más artista que él y de acabar de concluir su obra. ¡Pero no temáis! No seguiré los errores del teatro lírico, en el que la música predomina insolentemente ; donde la poesía es relegada y pasa a segundo plano ahogada por un atavío musical demasiado pesante : en el teatro lírico se canta demasiado. Se tendría que cantar cuando vale la pena, y reservar los acentos patéticos. Deben existir diferencias dentro de la energía de expresión. Es necesario pintar a veces en claroobscuro y contentarse con lo grisáceo. Nada debe frenar la marcha del drama : todo desarrollo musical no requerido por las palabras es una falta. Sin contar que un desarrollo musical, por poco prolongado que sea, es incapaz de casar con la movilidad de las palabras. Sueño con poemas que no me condenarían a perpetrar actos largos, cargantes ; que me proporcionarían escenas móviles, diversas por el lugar y el carácter ; donde los personajes no discuten, sino que experimentan la vida y la suerte.»

La conversación tuvo lugar en octubre de 1889 ; nos la cuenta Maurice Emmanuel, que fue testigo de ella y la escribió inmediatamente al volver a su casa. Nada define mejor la posición de Debussy como estas palabras : «Pelléas es la aplicación de ellas ; y el buen éxito de la obra, la demostración. Ésta se dio por la tarde del día 27 de abril de 1902 en la Ópera Cómica, donde se efectuó el ensayo general : y ya es sabido cuál fue, al día siguiente de la primera representación, la reacción del público y la crítica ; cómo la nueva obra estuvo a punto de morir estrangulada por la cábala, cómo fue necesario que un pequeño número de fieles, con su perseverancia, impusiese Pelléas et Mélisande a un público mal preparado para comprender su sentido y su valor. No insistiremos sobre las circunstancias del estreno de la obra, ni sobre su análisis. Todo eso es archiconocido y basta con decir que todo lo que Debussy contaba a Guiraud se encuentra aplicado en Pelléas. Arte «impresionista», se dijo entonces. La palabra es impropia y no obstante ha quedado. Observemos solamente con Maurice Emmanuel, que Claude Monnet, como Claude Debussy, han basado su talento sobre una severa disciplina. Uno y otro han aprendido el «oficio» y buscado la precisión. Y cuando empezaron a inundar sus contornos, el uno bajo las irradiaciones luminosas, el otro bajo armonías flotantes, no repudiaron nada de sus anteriores adquisiciones : tan sólo las envuelven en el misterio. Para quien sabe ver y oir la forma en los

Decorado de Bakst para el estreno de «Daphnis et Chloé», de Ravel (Paris, 1912).

Figurines de Bakst para «Daphnis et Chloé».

El bailarín Fokine (1880-1942).

Nijinski y Karsovina en «Giselle».

*Nijinski en «El espectro
de la rosa».*

Maqueta del decorado de Yves Brayer para «Lucifer», de Claude Delvincourt (Paris, 1948).

Escena del «Chevalier errant», de Jacques Ibert (1950).

Interior de la Scala de Milán.
(Toscanini, en el pupitre).

Personajes de «Peter Grimes», de Benjamín Britten.

dos artistas, continúa siendo firme y pura. Ni el uno ni el otro han roto con la tradición de los maestros del «dibujo». Es ésta la observación que hacía Vincent d'Indy en un artículo al día siguiente del estreno, y en él se encuentra casi exactamente lo que Debussy, doce años antes, había dicho a Guiraud : «*Pelléas* no es, evidentemente, ni una ópera, ni un drama lírico en el sentido ordinario de esa denominación, ni una pieza verista, ni un drama wagneriano. Es, a la vez, más y menos. Menos, ya que la música «en sí» no juega la mayor parte del tiempo sino un papel secundario, el de la iluminación en los manuscritos de la Edad Media. Más, porque, al contrario de lo que sucede en la ópera moderna e incluso en el drama lírico, aquí el texto es la parte principal, el texto maravillosamente adaptado en su concepción sonora a las inflexiones del lenguaje, y bañado en ondas musicales diversamente coloridas que realzan el dibujo, revelan el sentido oculto, magnifican la expresión, y todo ello dejando siempre traslucir la palabra a través del movimiento flúido que la envuelve.» Y d'Indy, comparando el arte de Debussy al de Monteverdi, enseñaba cómo a tres siglos de distancia dos obras maestras habían provocado la misma incomprensión...

El 22 de mayo de 1911, *Le martyre de saint Sébastien* se estrenaba en Le Châtelet. La colaboración con Gabriele d'Annunzio, premeditada por Mme. Ida Rubinstein, ofrecía esta vez a Debussy algo completamente distinto de lo que el compositor había encontrado en el drama de Maeterlinck. La forma no era la misma : se trataba en esta ocasión de un melodrama, en el sentido exacto de la palabra, un drama hablado para el cual la partitura, sin embargo, tenía que ser más desarrollada, más importante que una música de escena habitual. Pero tanto el drama, excesivamente espeso, como el tiempo, demasiado corto, de que dispuso el compositor, estuvieron al borde de comprometer el éxito. Con todo, consiguió hacer de *Le Martyre* una obra de una rara pureza, a pesar del refinamiento de las combinaciones orquestales que emplea. Los coros, desde el primer acto (el milagro de la danza sobre los carbones ardientes, hasta el *Alleluia* final), se elevan con la suave majestad de las plegarias. Seguramente Debussy reza — lo dijo en una interviú — como panteísta ; como artista al que emocionan los espectáculos de la naturaleza misteriosa más que los ritos de un culto definido. Pero la música es un lenguaje que expresa pensamientos indefinidos y, no obstante, sensibles al entendimiento. Los que nos ofrece *Le Martyre* poseen la elevación de la plegaria, y son un complemento del texto, que prolongan dándole una resonancia penetrante. La trabazón de la orquesta con la escritura de los coros es magistral y quizás más original que la existente en *Pelléas*.

Además del *Prélude à l'après-midi d'un faune,* que no ganó nada al ser puesto en escena, Diaghilev pidió a Debussy que escribiese para Nijinski *Jeux* (mayo de 1913), y el compositor consiguió poner en música un *sketch* que tiene como pretexto una partida de tenis y un flirt como argumento. Música móvil, que traduce las impresiones de un match que tuviese por árbitro a Eros. *La boîte à joujoux,* compuesta para su hija en 1913, es una pequeña obra maestra de humor ligero ; y *Khamma* — encargo de una bailarina inglesa deseosa de encarnar una hieródula egipcia en tiempos de los Faraones — ; *Khamma,* abandonada por Debussy cuando escribió *Le Martyre,* y orquestada por Charles Koechlin, no se representó hasta el año 1947 en la Ópera Cómica, y pareció no merecer el despego con que su autor la había tratado. Manuel de Falla ha dicho que se debía considerar a Debussy «por la substancia misma de su música, como uno de los más profundos y reales *creadores*». Esas pocas palabras definen el papel de un compositor genial a quien el arte lírico debe dos obras maestras que lo han orientado hacia nuevos destinos.

Cinco años después de *Pelléas,* el 10 de mayo de 1907, la Ópera Cómica anunciaba en sus carteles *Ariane et Barbe-Bleue* ; Maeterlinck ahora proporcionaba a Paul Dukas, como antes a Debussy, la ocasión de escribir una obra maestra. El libreto puede resumirse en cuatro palabras : Barba-Azul no mata a sus mujeres ; las tiene encerradas en un subterráneo. Ariana, la última de las que ha elegido como esposas, conoce su suerte. Acepta convertirse en mujer de Barba-Azul porque quiere libertar a las cautivas ; abrirá la puerta que nunca se ha abierto y les devolverá la libertad. Pero ninguna de ellas querrá seguirla ; y cuando los campesinos insurreccionados se hayan apoderado de Barba-Azul, cuando lo llevan maniatado, en venganza de aquéllas a quienes oprimió, Ariana le libera también a él. El sentido de la obra, que la música declara, Dukas lo ha definido de esta forma : «Se prefiere siempre una esclavitud familiar a esa incertidumbre temible que forma todo el peso de la carga de la libertad. Y, además, lo cierto es que no se puede libertar a nadie. Vale más libertarse a sí mismo. No solamente vale más, sino que es lo único posible...»

Todo es, por lo tanto, símbolo en este drama : la música interviene para desarrollar y prolongar, traduciéndolo, aquello que las palabras no pueden expresar : los pensamientos, los sentimientos más secretos de los personajes. La partitura es de una riqueza deslumbradora ; la obra ha sido largamente madurada, maravillosamente equilibrada. La instrumentación es de un arte refinado ; pero tanta ciencia no comunica ninguna pesadez a la obra. Se ha buscado durante mucho tiempo aproximar Dukas a Debussy ; si *Ariana* se clasifica al lado de *Pelléas,* es únicamente porque, cinco años después de que Debussy había renovado el arte lírico, Dukas, con otros medios que le eran propios, consiguió otra obra maestra. Si bien existen afinidades entre los dos músicos, las diferencias que caracterizan sus estilos son esenciales. Los dos han sido de su tiempo ; han hablado la lengua peculiar de éste como es natural tratándose de contemporáneos.

La suntuosidad de Dukas volvemos a encontrarla en *La Péri*, ballet que fue danzado por Mlle. Trouhanova en Le Châtelet, en abril de 1912, y que más tarde entró en el repertorio de la Ópera. Una sonería, que constituye una obra maestra, precede a un misterioso preludio, y se ve a Iskander en su carrera hacia la flor de la inmortalidad que ha robado a la Peri dormida ; y cómo luego se deja Iskander robar esa flor. Aunque ejecutada muchas veces en el concierto, la partitura de *La Péri* es esencialmente escénica, y su estructura obedece a un plan coreográfico que es determinado por la acción a su vez.

Maurice Emmanuel, humanista de gran valer, ha sido uno de los maestros a los cuales la música moderna debe haber enseñado nuevamente a utilizar los modos antiguos para salir de los caminos trillados donde, desde la época clásica, el mayor-menor de la escuela de *do* transportada a todos los tonos la tenía limitada. Su *Prométhée,* cuyo primer acto se dio en los conciertos Lamoureux el día siguiente al de la guerra de 1914, es una obra muy bella, original y poderosa. Todavía es inédita, y eso nos da idea de la ingratitud de que Maurice Emmanuel ha sido víctima. La Ópera estrenó *Salamine* en junio de 1929. Th. Reinach se inspiró para su libreto en los *Persas* de Esquilo ; Emmanuel, como Fauré en *Prométhée,* hacía alternar la palabra y el canto en su partitura, sin restringir la parte de la música : ella expresa el terror creciente de los persas aguardando noticias del ejército de Jerjes ; ella es quien da a las estrofas habladas del corifeo, y después al sueño de la reina, y finalmente a la relación del mensajero, un profundo valor expresivo. Y el segundo acto organiza una progresión patética del más grande y noble efecto, con la aparición de Darío ; en el tercero, el regreso de Jerjes después del desastre de Salamina, los insultos de la turba, las lamentaciones del vencido y el canto de duelo con el que le acompaña a Atossa, su madre, alcanzan una grandeza épica sin dejar de ser dolorosamente humanos.

La aportación de Maurice Ravel al arte lírico es a la vez considerable e imprevista. Si el ilusionista que en él ve con toda razón Roland-Manuel se volvió hacia el teatro no fue, por cierto, para someterse a las pretendidas reglas del juego, sino para plegar a las exigencias de su propia estética tanto la materia como el argumento a tratar. Todo nos inclina a creer en su fantasía, juzgando las obras que él da a la escena ; pero cuando se las examina se halla en ellas un plan de un extremo rigor, una construcción meticulosa como la de una pieza de relojería donde nada se deja al azar por un milagro, todo ese trabajo parece borrarse, y en la audición, la forma y la idea se hallan en tan perfecto acuerdo, que parece espontóneo todo cuanto exigió un paciente esfuerzo.

Él mismo ha dicho, en su *Esquisse biographique,* que las *Histoires naturelles* lo habían preparado para la composición de *L'heure espagnole,* que viene a ser una conversación en música. Ravel escribió de un golpe los aproximadamente cincuenta minutos de música de la partitura en 1906-1907. Pero tuvo que aguardar hasta el 19 de mayo de 1911 para que fuese ejecutada en la Ópera Cómica. La obra vale por cualidades de las que ni el análisis ni tan sólo un comentario detallado pueden darnos idea. El prólogo crea la atmósfera — la tienda del relojero de Toledo, Torquemada — y es éste, hasta la obsesión, el decorado de una especie de pajarera mecánica. Inmediatamente después de alzarse el telón, cuando los personajes inician el diálogo, ese fondo sonoro volverá a menudo ; pero los versos «ahora largos, ahora cortos» del delicioso Franck-Nohain se apoyarán sobre la música de Ravel tan ligeramente como la prosa de Renard en las *Histoires naturelles.* Obra maestra de un espíritu sutil, pero que es siempre humano a copia de sensibilidad bajo la máscara de la ironía. Toda la obra está pintada de matices cálidos españoles — aunque por medio de alusiones casi indirectas, incluso a veces paródicas —, ritmos de seguidilla y habanera, que se juntan en un final graciosamente convencional y de una irresistible comicidad.

De un estilo completamente distinto es *Daphnis et Chloé,* «sinfonía coreográfica» compuesta en 1906-1910 y representada por los ballets rusos en el Châtelet el 8 de junio de 1912. El título escogido por el músico define su posición, precisada además en su *Esquisse biographique* : «Componer un vasto fresco no tan preocupado por el arcaísmo como por la fidelidad a la Grecia de mis sueños, y que se aproxima de muy buena gana a la que han imaginado los artistas franceses del siglo XVIII. La obra se halla construida sinfónicamente según un plan muy riguroso, por medio de un pequeño número de motivos cuyo desarrollo asegura la homogeneidad de la obra». Y esa obra es una de las cumbres del arte raveliano. Rica en detalles exquisitos, y sin embargo de una perfecta unidad de estilo. Las suites de orquesta que se han sacado de ella han hecho universalmente célebres el «amanecer», el adagio que le sigue y la danza general con la cual se acaba el ballet ; pero, todo entero, se halla formado de páginas tan nuevas, bellas, idílicas, en el primer cuadro ; salvajes, con la danza guerrera del segundo, y siempre admirables. Los coros sin palabras añaden a la polifonía instrumental un matiz de una delicadeza misteriosa.

L'enfant et les sortilèges asoció a Mme. Colette con Maurice Ravel. La obra, estrenada en Montecarlo en marzo de 1926, se representó en la Ópera Cómica el 1.º de febrero del año siguiente. El público al principio no comprendió bien la tierna ironía de los autores ; pero las reposiciones en la Ópera, y después en la calle de Favart, decidieron el éxito.

El argumento del ballet es como sigue : Un niño desahoga su cólera primero con sus «deberes» ; después, su cólera se ceba en las bestias y objetos familiares, que se animan y se vengan. Pero, ante una ardilla que ha herido, el niño se conmueve, y su compasión le salva. Base ligera de una poesía hecha de penetración ; música que se adapta al texto y expresa, con una aparente facilidad, las sensaciones y los sentimientos más imprevistos que pueden surgir en el alma movediza de un niño. Música más escueta que ninguna otra del compositor, y que deja adivinar más fácilmente su emoción, su composición, púdicamente contenida. La importancia de la obra — desde el punto histórico del arte lírico — es grande : por los medios más modernos, se observa exactamente la forma antigua de la ópera-ballet, que se encuentra renovada ; el canto se halla constantemente asociado con la danza, y la coreografía nace de la acción, ligada íntimamente con la danza.

No haremos más que mencionar los demás ballets de Ravel, *Ma Mère l'Oye, Adélaïde ou le langage des fleurs* (que, bajo una forma orquestada, son los *Valses nobles et sentimentales*), *La Valse, Le Boléro, La pavane pour une Infante défunte* : esos títulos pertenecen al repertorio de los conciertos más aún que al teatro.

La forêt bleue, de Louis Aubert, ya hacía veinte años que había sido escrita, cuando la Ópera Cómica la representó, después de que, desde 1911, triunfara en América. La partitura es de gran valor, que debe a su perfecta traducción del texto fantasmagórico que lleva a la escena, alrededor del *Petit Poucet (Pulgarcito)*, una serie de los mejores cuentos de Perrault ligados poéticamente por Jacques Chenevière. Louis Aubert se ha mostrado también delicado poeta, y su música atraviesa el medio siglo transcurrido sin adquirir más arrugas que el rostro de la Bella durmiente en el Bosque en su sueño de cien años. Música de un sinfonista que sabe igualmente escribir con habilidad para las voces, pintar un paisaje, evocar estados de alma pueriles, aunque humanos, mostrar tanta sensibilidad como frescor, emplear los procedimientos más modernos, y con todo no hacer ninguna concesión a la moda del día ; razones todas por las cuales su partitura no tiene que temer en absoluto las injurias del tiempo.

Lo mismo sucede con las obras de Roger Ducasse destinadas al teatro : su *Orphée,* publicado en 1913, no apareció sobre las tablas hasta 1926, gracias a Mme. Ida Rubinstein. Roger Ducasse, con medios originales, intenta romper con las tradiciones de la escena lírica : *Orphée* es un mimodrama, pero concede un importante papel a los coros sin palabras, mezclados íntimamente con la polifonía instrumental. Se ha podido decir que en esa obra tan nueva Ducasse se mostraba «audazmente clásico», por la pureza de su escritura. El amor del país natal le inspiró la partitura de *Cantegril*. Entre el músico y su libretista Raymond Escholier existen muchas afinidades. Cantegril es un personaje representativo, tipo del franco gascón subido de color, y a su alrededor se agita toda la Gascuña, y rebosa de vida. *Cantegril,* representado en la Ópera Cómica el 6 de febrero de 1931, fue puesto por las nubes. Pocas obras existen tan variadas, tan ricas de substancia musical. Todo es de una precisión de tono y de una calidad expresiva incomparable. No hay duda que esa obra maestra tan pura hubiera quedado de repertorio si no exigiese cuidados que, en nuestros días, apartan las obras de los carteles, al ser juzgadas demasiado «onerosas».

El *Œdipe* de Georges Enesco, representado en la Ópera en marzo de 1936, ha permitido al músico, gracias al admirable libreto de Edmond Fleg, dar a su partitura una grandeza y nobleza que no hubiera podido alcanzar sin este apoyo. La obra forma así un todo completo, sin mancha alguna, sin puntos débiles. Enesco ha hecho uso en esta música de los cuartos de tono, principalmente para el personaje de Edipo, lo que acentúa el carácter doloroso del papel y le añade misterio. Empleo discreto, siempre justificado, de un procedimiento que sólo podía ser manejado por manos tan hábiles. Desde los primeros compases hasta la escena final, el interés va creciendo, y cada página alcanza la belleza antigua por medio de la técnica moderna.

Con *Le Festin de l'Araignée,* en el Théâtre des Arts, 1913, Albert Roussel abordó el teatro y alcanzó la notoriedad. La Ópera, en 1923, estrenó *Padmâvatî,* comenzado antes de la guerra. El libreto de Louis Laloy, inspirado en una leyenda de la India, ofrecía al músico un símbolo adecuado para inspirar una obra humana y sensible, al mismo tiempo que el argumento le permitía innovar en la forma de la ópera-ballet. Bien preparado para pintar el Oriente por sus viajes, por las *Évocations* que había traído, Albert Roussel utiliza con felicidad los «ragas», fórmulas modales de la India, para realzar su paleta; pero al propio tiempo ha sabido dar la impresión de misterio, pasión y violencia que requería el drama: Padmâvatî, esposa de Ratan-Sen, rey de Tchitor, víctima del conflicto entre el honor y el amor, acaba sacrificándose para no sobrevivir a su esposo. *Padmâvatî,* con el canto del brahmán, las danzas guerreras, los coros del primer acto, las danzas religiosas y los adioses de la heroína en el segundo, señala una fecha memorable en la historia de la ópera. Con *La Naissance de la Lyre,* para cuyo poema Théodore Reinach se inspiró en *Los Sabuesos* de Sófocles, Roussel reanudaba la forma empleada por Maurice Emmanuel en *Salamine,* y armonizaba la perfección de los nuevos medios expresivos con la simplicidad helénica para ilustrar musicalmente la historia del robo cometido por Hermes, hurtando los bueyes de Apolo y cediendo a este dios, en busca del perdón, la invención de la lira. Las danzas de ninfas y sátiros, el canto de Hermes acompañándose con la lira en la gruta de Cilene, poseen un relieve impresionante. La variedad y flexibilidad de los ritmos, la serena grandeza del final, aseguran a esa obra un valor imperecedero. En fin, en sus ballets *Bacchus et Ariane, Æneas* (donde ampliamente se emplean los coros); en su opereta *Le testament de tante Caroline,* bosquejo en el que la música vale muchísimo más que el libreto, Albert Roussel ha mostrado la diversidad de sus dotes y la originalidad de su temperamento. Es uno de los músicos cuya influencia sobre las promociones jóvenes es a la vez más profunda y extensa.

CapÍtulo XIV

ESTADO PRESENTE Y PERSPECTIVAS DEL PORVENIR
DEL TEATRO LÍRICO

Es difícil formular un juicio sobre el estado presente y perspectivas del porvenir del teatro lírico ; nos hallamos demasiado cerca de las obras contemporáneas para formular augurios sobre su destino. A primera vista, nos asalta la tentación de atribuir como causas únicas de una crisis demasiado palpable la coyuntura económica y los hechos políticos resultantes de las guerras. Pero el arte lírico sufre también por las querellas que dividen el mundo musical. Desde el 1918, son muy vivas : a la reacción antidebussista de los «jóvenes» de entonces, a la influencia de Stravinski, sucedió la influencia de Schönberg y la escuela dodecafónica ; al «retorno» a Bach, a la «desnudez», una vuelta a la expresión. Por otra parte, los géneros, netamente divididos, no han cesado de evolucionar y a veces de confundirse. Por doquier se comprueba un deseo de renovación de formas, más o menos gastadas, y el teatro — exceptuado el ballet — cada vez tienta menos a los compositores. Tendrían que ser héroes para emprender la escritura de cuatro o cinco actos que a duras penas alcanzarán seis o siete representaciones, y en seguida desaparecerán de los carteles, casi siempre sin esperanzas de reposición. La ópera y la ópera cómica se ven abandonadas, y sólo las obras bufas se mantienen relativamente con placer. Las causas de la desafección del público — y, como consecuencia, de los compositores — hacia el drama lírico son numerosas, y si nuestros contemporáneos prefieren el ballet es sin duda porque el elemento visual del espectáculo les atrae mucho más que su calidad musical. Habituada al movimiento, a la ostentación lujosa del film, la juventud no se adapta ya a las lentitudes de la ópera ni a la inaptitud física de los cantantes.

No es el azar lo que ha provocado la afición de las masas hacia las representaciones coreográficas. En el momento en que el repertorio lírico se gastaba y las obras nuevas no conseguían reemplazar a las viejas, Diaghilev vino. Lo que aportaba como novedad, la alianza que preconizaba entre la danza, la música y las artes decorativas, daba a las obras que iba montando un carácter de innovación suntuosa, tanto más seductora cuanto que se rodeaba de hombres de valer. Supo aprovechar las circunstancias y, aún más, hacerlas nacer. Supo no agotar nunca sus éxitos, y renovarlos, creando siempre otra cosa de la que se esperaba de él. Al cabo de treinta años el teatro lírico continúa impregnado de sus ideas, sus realizaciones.

Es por sus partituras coreográficas que la mayor parte de los músicos de la generación de 1910-1940 adquirieron renombre; Stravinski, Prokofiev, Manuel de Falla, Maurice Ravel, Florent Schmitt y tantos otros que con ellos se han revelado en los Ballets Rusos, en el Théâtre des Arts de Jasques Rouchè, en los espectáculos de Mme. Ida Rubinstein, más, generalmente, que en la Ópera o la Ópera Cómica. Con todo, los mencionados, junto con otros que se incorporaron más tarde, intentaron resueltamente implantar en el teatro lírico las audacias que el público de vanguardia aceptaba gustoso en los ballets y los conciertos. Milhaud sazonó con disonancias sin resolver tragedias antiguas o grandes dramas, *Les Choéphores, Médée, Christophe Colomb, Maximilien* o *Bolivar*; o bien los libretos prosaicos de *La brebis égarée* y *Le Pauvre Matelot*, sin olvidar los ballets: *La Création du Monde, Salade* (logro delicioso), emocionando profundamente, con medios sabiamente simples, en *Les Malheurs d'Orphée*, mostrando una inspiración brillante en *Esther de Carpentras*. Georges Auric, en sus músicas de escena, en sus ballets (*Les Fâcheux, Les Matelots, La Fontaine de Jouvence, Le Peintre et son Modèle*), logró un éxito que se tenía que acentuar todavía con *Phèdre*, en la que Jean Cocteau trasponía en acción mímica y danza la tragedia de Racine; Poulenc no era menos afortunado con *Les Biches* y *Les Animaux modèles*. Arthur Honegger manifestaba una tranquila grandeza en *Antigone*, después de haberla probado en sus oratorios, grandeza que no le condenaba a menospreciar el humor: *Le Roi Pausole*, después, en colaboración con Jacques Ibert, *Les Petites Cardinal*, inmediatamente siguiendo al *pastiche* de gran ópera romántica que es *L'Aiglon*, nos dan prueba convincente de ello. Finalmente, *Jeanne au bûcher*, sobre el texto de Claudel, obtenía un éxito que sobrepasaba el que la obra había conocido bajo su forma de oratorio, cuando su estreno por Ida Rubinstein, y aportaba a la Ópera una forma enteramente nueva.

En la Ópera Cómica, Jacques Ibert, con una ópera bufa, *Angélique*, mostraba a su vez una gran novedad. *Andromède et Persée*, en la Ópera, *Le Roi d'Yvetot*, en la sala Favart, asustaron sin duda a los tímidos; pero el éxito de *Diane de Poitiers* en los espectáculos de Ida Rubinstein se renovó cuando la obra llegó a la Ópera y cuando se estrenó *Le chevalier errant,* dos ballets en los que la sinfonía se realzaba con el uso habilísimo de los coros. Lo mismo hizo ya Florent Schmitt en *Oriane et le prince d'Amour* años antes ; es una obra poderosa que lleva la firma del maestro de *La Tragédie de Salomé,* del músico tan diverso al que se debe, en un género bien distinto, las dos obras maestras que se llaman *Le petit Elfe ferme l'oeil* y *Reflets,* ambos en la Ópera Cómica.

También con un ballet, *Le bal vénitien,* Claude Delvincourt abordó el teatro ; después dio *La femme à barbe,* ópera bufa de un humor lleno de sutileza, antes de intentar con *Lucifer* la restauración de una forma olvidada : el Misterio. Destinada primero a Mme. Ida Rubinstein, la obra recompensaba en la Ópera la audacia de su compositor, y se imponía por su potencia concisa, por la calidad de su lengua armónica y la novedad de la forma. Marcel Delannoy, que con *Le Poirier de Misère* escandalizaba al público de la Ópera Cómica en 1924, tentó tres años más tarde, con *Le Fou de la Dame,* la ampliación de la forma del ballet cantado ; después, sin renegar demasiado de sus audacias, encontró su equilibrio con *La pantoufle de vair* en el ballet, con *Ginevra* y *Puck* en la comedia y la obra de magia líricas. Henri Sauguet ha escrito para la escena lírica obras bufas como *La Contrebasse, Le Plumet du Colonel* ; una gran ópera : *La Chartreuse de Parme* ; y debe a sus ballets *La Chatte, La Nuit, Les Forains, Les Mirages,* éxitos duraderos. Emmanuel Bondeville se afirmaba como músico de teatro con *L'École des Maris,* estrenada en la Ópera Cómica, cuya fama no se agota con las reposiciones. Después daba, con *Madame Bovary,* una de las obras más representativas de nuestro tiempo, no porque el autor pretendiese innovar, sino porque daba un ejemplo de que la sinceridad — unida con el talento, por supuesto — continúa siendo el medio más seguro para el artista de mostrar su originalidad.

El género bufo hablaba en Maurice Thiriet (*Le Bourgeois de Falaise, La véridique histoire du docteur*), en Manuel Rosenthal (*La poulé noire*) ; en Pierre-Octave Ferroud (*Chirurgie*), en Francis Poulenc (*Les Mamelles de Tirésias*), músicos que podían, por su temperamento, triunfar en aquel género. Pero el ballet, beneficiado de la fama de los espectáculos de Diaghilev, atrajo a los compositores con más frecuencia. A los nombres mencionados hay que añadir : Henri Tomasi (*La Grisi, Les Santons. La Rosiè du Village*), de Jeanne Leleu (*Un jour d'été, Nautéos*), de Elsa Barraine (*La chanson du Mal-Aimé*), d'André Jolivet (*Guignol et Pandore*), de Maurice Jaubert (*Le Jour*), de Henri Barraud (*L'Astrologue*), de Fred Barlow (*La Grande Jatte*), de G. Hirschmann (*Roselinde*), de Jacque-Dupont (*Le Pont du Nord*), de Pierre Sancan (*Commedia dell'Arte*). Boga tan manifiesta que la Ópera Cómica tuvo que reservar, siguiendo el ejemplo de la Ópera, una función entera para los espectáculos coreográficos, después de haber reorganizado su cuerpo de baile y llamado a coreógrafos como Georges Massine. Pero vino la era de las compresiones presupuestarias...

Hubiera sido sorprendente que el movimiento nacido en Europa central a principios del siglo xx y que ejerció una acción tan importante sobre la música pura, hubiese permanecido sin efectos sobre el arte lírico. Sin embargo Béla Bartók, al revés de Schönberg, no obedece de ningún modo a la preocupación de hacer tabla rasa y renovarlo todo, repudiando las teorías clásicas ; al contrario, buscó las fuentes de la música popular. Así se vio llevado, según la expresión de Serge Moreux, del folklore auténtico al folklore imaginario, y sobre un texto de Béla Balazs escribió Bartók *El castillo del duque Barba-Azul*. La obra obtuvo un gran éxito en Budapest el año 1918. El estilo es simple y la declamación, calcada sobre la acentuación de la lengua, como la de *Pelléas*. El ritmo es soberano en la música de Bartök, y frecuente el uso de la escala pentáfona.

Arnold Schönberg, al principio wagneriano convencido en sus primeras obras, alcanzó pronto la atonalidad : *Pierrot lunaire,* «melodrama para declamación melódica y pequeña orquesta», estrenado en Viena en 1912, señala una fecha. La escuela de Schönberg, y sus discípulos Anton Webern y Alban Berg, ejerce una atracción innegable sobre la generación joven. No conviene discutir aquí las teorías del dodecafonismo y la música serial ; pero hay que mencionar la importancia de una obra como *Wozzeck,* de Alban Berg, escrita en 1920 y estrenada en Berlín en 1925. El libreto pone en escena la insignificante y miserable aventura del soldado Wozzeck, humillado por sus jefes, engañado por su mujer, a la que mata antes de darse la muerte. La música, resuelta y obstinadamente atonal, no carece de aliento ni de cualidades expresivas. Una de las singularidades de la obra consiste en su plan, ya que cada escena está tratada según una de las formas estrictas de la música pura : suite, rapsodia, pasacalle, sonata, etc... ; a pesar de haberse plegado a tan estrictas sujeciones, el compositor salva con tanta facilidad los obstáculos con que ha sembrado su propio camino, que el auditor no prevenido no sospecharía el obstinado trabajo de aplicación gratuita que ha necesitado *Wozzeck.* Ha sabido incluso extraer emoción de un drama bastante vulgar ; y su música nos hace olvidar la pobreza de un libreto verista. La obra es esencialmente teatral : desde que la acción languidece, parece como que el sistema dodecafónico muestre inmediatamente su propia debilidad ; la música se vuelve monótona y provoca el aburrimiento.

En Alemania, donde algunos, como Werner Egk, saben conciliar el neoclasicismo con el modernismo (*Die Zaubergeige, Peer Gynt, Christophe Colomb* y el ballet *Joan de Zarissa*), un joven músico, Wolfgang Fortner (que fue discípulo de Roussel y de Honegger antes de convertirse al dodecafonismo), en un ballet, *Die weisse Rose* (Berlín, 1951), se ha salido con su empeño de escribir una obra coreográfica de tradición clásica sobre una partitura dedecafónica.

En Italia, Luigi Dallapiccola, que se ha hecho el apóstol del dodecafonismo, sabe en *Il Prigioniero,* como Alban Berg en *Wozzeck,* plegar la teoría a las necesidades del teatro y hacer obra dramática de un innegable interés musical. Más tradicional, Gian Carlo Menotti, italiano de origen, emigrado a los Estados Unidos, se muestra un hábil discípulo de Mascagni en *The Telephone, The Medium* y *The Consul,* cuya factura recuerda los mejores aciertos del verismo, aunque demasiado a menudo también su falta de sinceridad.

La escuela inglesa, que después de Purcell no había dado nada al teatro, ha encontrado en Benjamina Britten un compositor maravillosamente dotado para la escena, y que, de un golpe, con *Peter Grimes,* ha dotado a la Gran Bretaña de una ópera verdaderamente nacional. Sus demás obras — *The Rape of Lucretia, Albert Herring* — han reforzado su posición y aumentado su éxito. Se trata de obras fundamentalmente inglesas, y Britten desempeña en su país el papel que un siglo antes representó Verdi en Italia : es un compositor «cara a lo antiguo» : a Purcell. Ha renovado al propio tiempo la forma, principalmente en *The Rape of Lucretia* y *Albert Herring.* Inspirándose en Shakespeare para la primera de estas obras, y transportando, en el condado de Suffolk para la segunda, un cuento de Maupassant (*Le Rosier de Madame Husson*), emplea en ambos casos una orquesta reducida a doce instrumentos, y sabe marcar con seguridad los caracteres de los personajes. En *Lucretia,* dos recitantes — una voz femenina y una masculina — hacen las veces del coro antiguo. Son los testigos que «ven desarrollarse la tragedia con ojos que han llorado las mismas lágrimas de Cristo», explicando así el sentimiento del auditor moderno. Y esos hallazgos preciosos son de un gusto que les aleja tanto de la extravagancia gratuita como de la trivialidad. En sus obras, de un carácter tan distinto entre sí, Britten da muestras de un sentido agudo del teatro. Si bien ha sido menos afortunado en *Billy Bud* (1952), cuyo libreto es mediocre, es en todo caso el iniciador de un movimiento cuyos resultados pueden tener las más felices consecuencias para el arte inglés.

* * *

Esta rápida revista del estado presente en que se encuentra el teatro lírico permite hacer constar que un mismo anhelo de renovación se manifiesta en todas partes. Y en todas ellas esa necesidad obedece a las mismas causas. El desgaste del antiguo repertorio, poco o nada reemplazado por las obras nuevas, no se debe tanto al desafecto del público hacia las obras maestras consagradas como al abuso que se ha hecho, representán-

dolas demasiado a menudo de una manera insuficiente, y eso porque las
obras modernas no procuran al teatro sino exiguos ingresos, con rarí-
simas excepciones. ¿De dónde proviene la falta de curiosidad del público
por la música contemporánea? Se habla de un «divorcio» entre el público
y los compositores, tanto en el concierto como en el teatro. Si fuese cierto
que hay divorcio, es que muchas de las obras contemporáneas aparecen a
oídos del auditorio como productos de experimentos de laboratorio. Eso
es verdad en el concierto, pero en el teatro todavía más, ya que el público de los teatros líricos ha contado siempre con un mayor número de
aficionados cuya cultura musical es menos desarrollada que la de los
familiares de los conciertos. Se sienten más fácilmente repelidos por una
música que juzgan demasiado «sabia» en seguida que muestra una indudable originalidad. La historia del teatro se compone de una lista de
obras que fue preciso «imponer» y «sostener», representándolas con dé-
ficit durante un lapso más o menos largo de tiempo. ¿Cuántas no habrían
sido juzgadas dignas de salvación, de las que ahora han sido retiradas prematuramente de los carteles y jamás han sido repuestas?

En realidad, al público le importan muy poco las teorías. Quiere que
la música sea fuente de emoción. Pide al arte lírico que se dirija a la
sensibilidad por lo menos tanto como a la razón. Indiferente a las peleas
de las escuelas, a los sistemas, a sus aplicaciones, no exige de ningún
modo que el arte se rebaje y renuncie a satisfacer las más altas aspiraciones del espíritu, pero querría que la obra nueva pudiese ser comprendida
de todo «hombre de provecho», no especializado; que fuese accesible al
entendimiento de toda persona culta. Estima que las cumbres de la música pueden ser contempladas — desde abajo, tal vez, pero de todos
modos en su totalidad — por quienquiera que no se halle privado del uso
de sus oídos. La música — piensa — no puede convertirse en un arte her-
mético que exige se llegue hasta él a través de una iniciación de tercer
grado. Y piensa que basta con un poco de recogimiento para entrar en
comunicación con Mozart, Beethoven, Wagner, Berlioz, Fauré y Debussy,
Strauss o Ravel, mientras que no consigue seguir, a través de la obscuridad de la forma, el pensamiento de ciertos músicos modernos.

Se generaliza de prisa: algunas experiencias desgraciadas han tenido
como resultado el apartar de las obras contemporáneas a buen número de
oyentes. Topamos con la cuestión del lenguaje musical, lenguaje armónico
y melódico. Un lenguaje desdeñoso, como quiere Schönberg, de todo «he-
donismo», despreocupado de lo «bello» y lo «feo», asignando a la melodía
sólo un rango negligible, lo mismo que a las partes cantadas en la polifonía instrumental, repugna al auditor. Poco le importa la sutileza de
una «agregación»; está dispuesto a admitir todas las novedades, a condición de que no quieran substituir a un lenguaje lentamente elaborado en

el curso de los siglos que han forjado una civilización, dentro de la cual la música representa el papel de una de las partes constitutivas, una lengua sin ningún nexo con este pasado. No asustan los neologismos, con la condición de que estén bien formados y sean inteligibles. Pero hacer tabla rasa de todo cuanto fue, y que para la mayor parte de los hombres no puede dejar de ser, le parece al oyente un peligro mortal para el arte.

Hasta aquí, lo que se ha calificado de «revolución» en la historia de la música no ha supuesto la ruptura entre los medios de expresión en uso dentro de las épocas precedentes y los que se propusieron para reemplazarlos. Ni Wagner ni Debussy han roto nada. Han enriquecido; han vuelto a trabar lazos más bien relajados que cortados. Se han «vuelto al pasado» para encontrar en él la novedad, o al menos para fundar sobre tradiciones antiguas lo que aportaban de personal y original. La lengua musical se ha constituido de esta forma, por medio de una larga serie de adquisiciones utilizando en realidad materiales existentes, pero todavía no intentados. En nuestros días, lo que algunos innovadores ponen en duda es la solidez de los fundamentos sobre los cuales el arte sonoro se halla edificado después de siglos. Los datos suministrados por la experiencia, y de los que se han sacado leyes tenidas hasta entonces por eternas, no parecerían ya tan ciertos. Es especiosa la analogía que pretendiese asimilar demasiado completamente lo que sucede en el dominio de las ciencias con lo que pasa con la música. Pero ¿no es acaso porque tales trastornos inquietan a los espíritus, por lo que ahora vemos a los artistas presa de esa misma turbación que agita a los filósofos y hombres de ciencia desde que las teorías nacidas de los experimentos de Rutherford han modificado radicalmente nuestra concepción de la materia? No se vive impunemente dentro de una época, un mundo en el cual las corrientes del pensamiento orientan a los espíritus hacia nuevos horizontes. Nuestra época se halla devorada por una sed de investigaciones y descubrimientos tanto más viva cuanto que nuestro mundo se reduce más y creemos que no queda nada por explorar de lo que a nuestros mayores parecía inaccesible. Falta saber cómo se resolverá la pregunta formulada por André Gide: «Si ya no aspira a la consonancia ni a la armonía, ¿hacia dónde se encamina la música? ¿Hacia una suerte de barbarie? El sonido mismo, tan lento, tan exquisitamente aislado del ruido, vuelve a él... Pero ¿qué se puede hacer?». Es sin duda la primera vez que una pregunta semejante se ha planteado y que un espíritu advertido responde a ella con una duda. Parece, no obstante, que ese problema es menos técnico que estético. Los gustos cambian; el espíritu experimenta la variación de las modas según los caprichos de las épocas. No está quizá lejos el momento en que, cansados de lo que pica la curiosidad de personas que temen por encima de todo parecer retrasadas, se volverá a descubrir como una novedad lo que hizo las delicias musicales de generaciones pasadas. Hemos visto tantas «vueltas atrás»...

Igual que las demás manifestaciones de la vida espiritual, el arte lírico no puede permanecer encallado en el respeto supersticioso de tradiciones muchas veces abusivas. Le es forzoso adaptarse a los gustos del momento, a condición de no atentar en sus obras contra el espíritu. El triunfo de la reposición de las *Indes galantes* en 1952 en la Ópera, con la escenificación de M. Maurice Lehmann, prueba que se puede devolver la vida a las obras maestras caídas en el letargo. Bastan solamente prudencia abundante y no menor buen gusto.

Un arte que, de Monteverdi a Debussy y a Ravel, de *Orfeo* a *Pelléas,* ha producido tantas obras cumbres, no tiene por destino morir en la barbarie. Hoy como ayer, existen músicos que saben sobreponerse a las contingencias y dominarlas. Saben aún el camino que conduce a las alturas que alcanzaron los grandes maestros, y sabrán crear el arte de mañana, fundado audazmente sobre el arte del pasado.

FIN

APÉNDICE

PANORAMA DEL ARTE LÍRICO-DRAMÁTICO ESPAÑOL E HISPANOAMERICANO

por Rosendo Llates

I

Como en el resto del mundo cristiano de Occidente, en España comienza el arte lírico bajo la forma de *dramas litúrgicos cantados* primero en las iglesias, luego en los atrios y más tarde en las plazas públicas, para terminar en los teatros propiamente dichos. De las primitivas representaciones y de los misterios quedan numerosos rastros en algunas costumbres populares de los días de Navidad y Reyes; costumbres que responden poco más o menos a ritos en los que se mezclaba un elemento dramático, a cargo de los mismos eclesiásticos y también de los pastores, campesinos y hasta cazadores, protagonistas, estos tres últimos, de muchos ritos que datan de épocas remotísimas, anteriores no sólo al cristianismo, sino incluso al paganismo de la Roma antigua, propagado como religión oficial en los tiempos del Imperio.

De aquellas representaciones nos han llegado en una forma casi perfecta de conservación las dos siguientes : El *Canto de la Sibila* y el *Misterio de Elche.* El *Canto de la Sibila,* extendido por varios países, consiste en un diálogo entre el cantor solista con los fieles durante la celebración de los maitines de Navidad ; el solista (la Sibila) profetiza el fin del mundo y el Juicio Final. Su sermón se pronunció primero en latín y después en vulgar, tanto en España como en Francia. Figura entre sus más antiguas versiones la contenida en el *Homiliario* visigótico de la Catedral de Córdoba, copiado hacia 960, y la del códice de Saint-Martial de Limoges. Se hallan también posteriores versiones, que proceden de Ripoll, Vic, Gerona, Barcelona, Francia e Italia. Los compositores polifónicos del xv y el xvi trataron a cuatro voces el estribillo que en Castilla era *Juicio fuerte* y en tierras de habla catalana : *Al jorn del Judici*. Han tratado competentemente de la materia Monseñor Anglés y Francesc Pujol, a quien debemos una versión de *Al jorn del Judici,* cuyo texto musical halló en un ritual de la diócesis de Urgel, del siglo xvi. En Mallorca todavía se conserva la tradición del *Cant de la Sibilla,* gracias a la «Capella Clàssica», dirigida por el maestro Joan Maria Thomàs. La primera parte de fiesta consiste en el canto de cantilenas medievales que simbolizan el adviento. Luego aparecen en la tribuna — de la catedral de Mallorca — los ministriles de la *Sibilla,* con blandones encendidos. Entre nubes de incienso, aparece el niño *sibiller,* con su flamígera espada en alto. El coro entona la cantiga de Alfonso el Sabio *Entre Adán y Eva,* después de lo cual el niño que representa la *Sibilla,* un monaguillo, canta su profecía, que, evocando el oráculo de Eritrea, anuncia la segunda venida del Redentor y el fin del mundo y Juicio final. El coro canta los interludios de cada estrofa. Al terminar su melodía, el niño levanta en alto su espada, mientras repican las campanas, se ilumina la capilla, suenan las trompeterías del órgano y empieza a descender poco a poco la Estrella de Navidad con la *coca* (torta) y las *neules* (hostias) simbólicas. Al pasar la Estrella enfrente al *sibiller,* uno de los monaguillos sujeta la *coca* mientras aquél la separa de la Estrella con un golpe de espada ; acto con el cual se da a significar el fin del Antiguo Testamento y la venida del Mesías, que más tarde se ha de transubstanciar en el Pan Eucarístico. Después, en comitiva presidida por el *sibiller,* avanza el grupo hasta el presbiterio, entrando por el lado del Evangelio los infantes. El *sibiller* lleva la *coca* y las *neules.* Y, seguido por sus acólitos, se acerca pausadamente al Nacimiento y ofrece ambos símbolos del Nuevo Testamento ; presenta la espada, Antiguo Testamento ; la cera, la Iglesia ; las frutas y otros presentes, que evocan al pueblo. Mientras, los cantores, puestos a los pies del Ángel de Belén, van cantando *nadales.*

El *Misterio de Elche* es un superviviente de los numerosos autos del Tránsito y Asunción de Nuestra Señora, como se ejecutaban en España desde el siglo xii al xv, en opinión de Emilio Cotarelo y Mori [1].

Varios autores, Herrera, Fuentes, Pedrell, Mitjana y el barón de Alcahalí, han publicado estudios y textos del *Misterio* ; en 1639 se redactó la *consueta,* con restos del texto musical y literario arcaicos, y nuevas músicas de Juan Ginés Pérez, maestro de capilla de la catedral de Valencia desde 1585 ; de un tal Ribera, que, en opinión de Mitjana, pudo ser un Antonio de Ribera, cantor de la capilla pontificia desde 1506 hasta 1523 ; y Luis Vich, del que no se conoce más que el nombre. Naturalmente, las obras polifónicas alternan con otras primitivas, cantadas a

---

[1]. José Subirá, *Historia de la Música* (Salvat Editores, S. A. Barcelona-Buenos Aires, 1947, p. 488).

solo, y con *tupidos* melismas orientales. El texto está en catalán o lemosín, como se llamaba la lengua catalana literaria principalmente en el reino de Valencia.

Se conoce también la existencia de un drama litúrgico de los Reyes Magos en el monasterio de Ripoll, en el siglo x. R. Beer lo considera el más antiguo de los que, en lengua latina, se escribieron sobre el mismo asunto en España. En los maitines de Pascua se representaba el drama de *Las tres Marías,* antes del *Te Deum;* un códice de la catedral de Vic nos conserva una versión cuyos personajes, además de los protagonistas, son un ángel y un mercader (*mercator*). En el mismo tropario de Vic se hallaban dramas breves para el día de la Ascensión y el nacimiento de san Juan Bautista. También existen fundados motivos para creer — según asegura J. Subirá — que en el siglo xvi san Francisco de Borja retocó la música, hoy perdida, de un drama litúrgico que durante los días de Jueves y Viernes Santo cantaban y figuraban las religiosas clarisas en su convento de Játiva, por permiso especial de Alejandro VI, que era hijo de aquella villa. Es de presumir que el texto se debía remontar a siglos más antiguos.

II

Dejando aparte si fueron o no representadas las *serranillas* del marqués de Santillana — por el estilo del *Jeu de Robin et Marion* — o si deben ser consideradas como formando parte del teatro lírico las «ensaladas» de Flecha, especie de madrigales escritos mezclando frases de varias lenguas, como disputan Subirá y Pedrell, no hay duda que debe considerarse como una auténtica representación cantada la *Danza de la Muerte,* que durante mucho tiempo gozó de gran popularidad en el alta Edad Media y, sobre todo, se difundió a mediados del siglo xiv hasta fines del mismo, como consecuencia de la peste que, por aquellos tiempos, asolando a casi todas las naciones de Europa, exterminó a una tercera parte de sus pobladores. Una de las víctimas ilustres de aquel azote fue la famosa Laura cantada por el Petrarca, la cual murió el 6 de abril de 1348. El espectáculo de tantas calamidades dio lugar a gran cantidad de obras literarias y manifestaciones en las artes plásticas, de un carácter macabro y truculento. Fenómenos análogos se producen en las artes de nuestros días, después de las dos grandes guerras. En el siglo xiv, la Danza de la Muerte se extiende por todos los países, sin exceptuar a España; se representa y canta en los claustros de las catedrales y en las vías públicas. La Muerte, por boca del actor que representaba al personaje, cita ante ella al Padre Santo, al emperador, al condestable, al físico, al cura, al labrador, a la doncella... cada uno de ellos discute con la Muerte, y a todos la muerte refuta con sarcasmos crueles. Entre las *Danzas de la Muerte* que se conocen en España, se debe citar, por ser, según Wolf y Schack, la primera escrita en lengua vulgar, la *Danza general de la Muerte,* del judío converso don Sem Tob, llamado también don Santos Carrión, que vivió y jugó algún papel en la política del rey de Castilla don Pedro el Cruel. Por aquellos mismos tiempos, en los albores del primer humanismo renacentista, don Pedro González de Mendoza, abuelo del famoso marqués de Santillana, escribió unos *Cantares escénicos,* siguiendo a Plauto y a Terencio, según atestigua su nieto, el poeta de las *Serranillas.*

En aquellos días, también, el arte escénico lírico, de religioso se va convirtiendo en profano, y empieza a emigrar de las iglesias a los palacios de reyes y magnates, que, principalmente por Navidad y la Epifanía, organizan *Representaciones* en sus mansiones. Se conoce un curioso auto del *Juicio final,* del que falta la música, pero que indudablemente, según el texto, debía poseerla. La obra data del siglo XV; y, a fines de este mismo siglo, el poeta músico Juan del Encina compone unas *Églogas* que se representan en la morada de los duques de Alba. La representación, hablada, tenía un epílogo cantado, construido en forma de villancico, es decir, con una «cabeza» (estribillo) y unos «pies» (estrofas); la primera cantada a cuatro voces y los últimos a dos voces, por turno, entre los cuatro cantantes. En el *Cancionero de Palacio,* publicado por Barbieri, se pueden estudiar las *Églogas* de Juan del Encina, ejemplos típicos de las representaciones teatrales cortesanas a fines del XV y comienzos del XVI.

Mas durante este último siglo las manifestaciones del teatro popular español evolucionan con rapidez. La escena ya no se instala en los templos y palacios; empiezan a recorrer el país compañías de actores; las escenas se improvisan en los patios de casas y mesones. El público es esencialmente popular. Los argumentos siguen siendo principalmente del género pastoril y tradición medieval; pero pronto se imponen los argumentos a la italiana. El canto se mezcla con las escenas habladas. Muestras de este arte son los *Villancicos dialogados,* de Escobar y Juan de Sanabria; la mayor parte de las producciones de este período de transición se han perdido irremisiblemente.

Obra cantada exclusivamente, caso notable en el género, es el intermedio titulado *Diálogo para cantar,* del salmantino Lucas Fernández, autor de farsas y églogas, religiosas y profanas. El *Diálogo para cantar* es, pues, la más antigua de las óperas españolas. El texto literario se imprimió en 1514, lo que sitúa a la obra entre las producciones de comienzos del siglo XVI, seguramente algunos años antes de su publicación. Gil Vicente, portugués que escribió abundantemente en castellano por los mismos días que Lucas Fernández, da también gran importancia al elemento musical, incluso con un criterio decorativo y folklorístico, pues los textos literarios mencionan canciones y danzas populares, tanto nacionales como extranjeras. Gil Vicente abunda en el gusto por lo popular, tan característico, como observa Menéndez y Pidal [1], junto con el carácter de improvisación, de las manifestaciones literarias y artísticas españolas. Así, por ejemplo, en el *Auto de fe,* debe cantarse una ensalada que había venido de Francia, y en el *Auto de los cuatro tiempos* declara : «van cantando una cantiga francesa que dice : «*Ay de la noble villa de París...*».

Según Subirá, el instrumento que se empleaba más a menudo para acompañar la parte cantada de las obras era la guitarra. Y cita unos pasajes del *Viaje entretenido* de Agustín de Rojas (1624), refiriéndose a las funciones de aquel tiempo :

> «*Tañían una guitarra,*
> *y ésta nunca salía afuera,*
> *sino adentro, y en los bancos*
> *muy mal templada y sin cuerdas...*».

Antes de empezar la función se cantaban canciones a cuatro voces : era lo que se llamaban «los cuatro de empezar». Su acompañamiento era de guitarras, laúdes y vihuelas. Pero siempre ocultos tras la escena. Con el sucesor de Lope de Rueda, Navarro, «la música, que antes cantaba detrás de la manta, salió al teatro público», realizándose una evolución contraria del todo a la que culminó con el sistema wagneriano de volver a colocar la orquesta «detrás de la manta».

Con el siglo XVI inician su aparición profusa en España las que al principio se llamaron *farsas sacramentales* y más tarde, y propiamente, *autos sacramentales,* género que, con Calderón de la Barca, debía llegar a lo sublime. Primero se representaron en los templos, más tarde en carros, al aire libre, y finalmente, en patios o corrales públicos, los teatros de entonces. Se componían de un solo acto y se entreveraban con entremeses y pantomimas danzadas. Sus personajes ya no son populares, sino alegóricos. La música, religiosa, con salmos e himnos, y profana, con tonadas populares «vueltas a lo divino», es decir, con letras religiosas aplicadas al «son» profano. Un fenómeno muy parecido ocurrió con los corales protestantes en Alemania.

---

[1]. *Historia General de las Literaturas hispánicas,* Introducción general. Edit. Barna).

III

Se dice en la versión española de la *Historia de la Música* del doctor Johannes Wolf, bajo el epígrafe *La ópera en Francia y en España* : «...En dicha época (siglo xv) empiezan a producirse (en España) aquellos diálogos acompañados con música, de vez en cuando, que, a principios del siglo xvii, se designan con los nombres de «zarzuela», «comedia armónica» o «fiesta de música». Otras formas en que también interviene la música son el «sainete» y la «tonada» o «tonadilla». De una ópera española propiamente dicha no se oye hablar ni en la época de Lope de Vega ni en la de Calderón. El influjo de la ópera italiana empieza a manifestarse en España sólo a principios del siglo xviii. Como autores de música de esa centuria podemos citar los nombres de Mateo Romero, Carlos Patiño, Francisco Clavijo, Sebastián Martínez y Verdugo y Juan Hidalgo».

En el apéndice a dicha obra, obra de Monseñor Anglés, se recuerda que en 1629 se estrenó en Madrid la ópera *La selva sin amor,* con letra de Lope de Vega. Siendo la *Dafne* de Schütz, primera ópera alemana, de 1627, y la primera ópera inglesa de 1660, y de 1671 la primera obra francesa de este género, hubiera sido muy interesante para nosotros y la historia del teatro lírico en general conocer la música, por desgracia perdida, de aquella ópera. Por ahora, la manifestación más antigua de ópera española, comparable a las extranjeras, y conocida en su contenido musical, es el primer acto de la obra escrita por Calderón de la Barca y puesta en música por Juan Hidalgo, *Celos aun del aire matan,* del año 1660. Cabe al especialista en la historia musical del teatro español, José Subirá, el honor de haber hecho el descubrimiento, que produjo impresión entre los musicólogos, al publicarse por el Departamento de Música del «Institut d'Estudis Catalans». Los eruditos subrayaron el estilo de Hidalgo, lleno de hispanismos, a través de los recitados y ariosos a la italiana : series de progresiones, aires con estribillos, ritmos de carácter popular.

Además de esta obra, Hidalgo, que era arpista de la corte, produjo la música escénica de diversas comedias calderonianas, como *Ni amor se libra del amor,* que ha transcrito Pedrell ; *La púrpura de la rosa,* ópera estrenada pocos meses antes de aquel año 1660, *zarzuelas,* o sea representaciones en dos actos, con varios números musicales, y destinadas a las diversiones del Palacio de la Zarzuela, que los reyes poseían en los alrededores de Madrid ; *autos sacramentales* y *sainetes,* con abundante música. Otros autores escribieron obras a las que pusieron música algunos compositores, conocidos algunos por su nombre, pero hasta ahora desconocidos todos ellos en su producción ; de ellos se recuerdan José Marín y Sebastián Durón, menos afortunados que Juan Hidalgo.

IV

En el siglo XVIII, España, como el resto de Europa occidental, central y hasta los países nórdicos y Rusia, se ve invadida por la ópera italiana. Incluso los más famosos compositores operísticos españoles del siglo, el barcelonés Domingo Terradellas (1713-1751) y el valenciano Vicente Martín y Soler (1756-1806), actúan, exclusivamente el uno y casi exclusivamente el segundo, en el extranjero, confundidos entre la multitud de compositores, cantantes y virtuosos que Italia exporta por el mundo civilizado. El italiano se convierte en la lengua oficial de la música, fenómeno que durará en el siglo siguiente y, en cierto sentido muy atenuado, aun en nuestros días. Para los románticos, y para todo el siglo XVIII, parecen escritos los versos de A. de Musset :

> «...*Harmonie, harmonie,*
> *Langue que pour l'amour inventa le genie,*
> *Qui nous vint de l'Italie, et qui lui vint des cieux*».

En el efímero reinado de Carlos III de Austria, durante la guerra de Sucesión, Barcelona conoció, en los primeros años del siglo, los primeros espectáculos de ópera italiana en España, contando con la presencia de Caldara y con la representación de un variado repertorio, en el que figuraba el drama pastoral *Dafnis,* de Astorga. Más tarde, desde mediados del siglo, se fue cultivando intermitentemente la ópera en la ciudad, en el teatro propiedad del Hospital de la Santa Cruz, situado en las Ramblas, llamado Teatro Principal o de la Santa Cruz. Dice Cotarelo (*Orígenes y establecimiento de la Ópera en España*) que los espectáculos, en esa ciudad, superaron a los del Palacio madrileño del Buen Retiro por la abundancia de la música, por la variedad de compositores y por ofrecer, además, los famosos bailes de los teatros europeos, mientras Madrid no los conocía aún. En Valencia también se organizaron durante el siglo representaciones operísticas italianas o de españoles italianizados.

En Madrid, la ópera se implanta definitivamente en tiempos de Fernando VI, el hijo de Felipe V. Farinelli, el famoso *castrato* favorito de los reyes, trae a España los libretos de Metastasio, a los cuales ponen música compositores que han acudido a nuestra corte. Se citan los nombres de Francesco Corselli, Francesco Corradini, Giovanni Batista Mele, que escriben en colaboración *La Clemenza di Tito.* Galuppi, Jommelli, Pergolesi, Mazzoni, Conforto y los españoles Manuel Pla y Valentí. Componen para el Palacio Real y los Reales Sitios multitud de óperas y serenatas. Corradini, sobre todo, escribe óperas, zarzuelas e ilustraciones musicales para muchas comedias. Muchas de estas obras eran representadas y cantadas por españoles, como la titulada *El Thequeli,* que, en los carteles, llevaba esa triple denominación : *ópera métrica, drama scénico* y *melodrama harmónica.*

Naturalmente, el sentido nacionalista, que ha existido siempre en el teatro español, de acusado carácter popular, no podía faltar en la escena lírica. Algunos de los protestatarios están, como es natural, influidos por la música de Italia y escogen sus argumentos en el arsenal mitológico a la moda. Así José Nebra, cuya obra en gran parte se ha perdido, autor de zarzuelas muy aplaudidas, como *Cautelas contra cautelas, o el rapto de Ganimedes,* estrenada por las dos compañías madrileñas que existían en la villa y corte, la del teatro del Príncipe y la del teatro de la Cruz, al estrenarse, en 1745, un nuevo edificio sobre el Corral de la Pacheca (actual teatro Español). *Los desagravios de Troya,* compuesta por el maestro de capilla del Pilar de Zaragoza, Joaquín Martínez de la Roca. Por excepción, ya que sólo se acostumbraban a imprimir los libretos, se grabó en Madrid, el año 1712, el texto musical, a la vez que el libreto de esta obra. La mayor parte de estas óperas, entre cuyos autores se nombran Diego Lana, Antonio Palomino, José de San Juan, Francisco Vidal, Mateo de la Roca — entre otros —, permanecen inéditas. Pedrell ha publicado fragmentos de *Acis y Galatea,* con música de Antonio de Literes (1708). Otros fragmentos de autores diversos se hallan esparcidos en la producción de musicólogos y eruditos.

Esos últimos autores, algunos anteriores a Farinelli, pero italianizados ya, del todo o a medias, preparan el renacimiento de la zarzuela costumbrista, realista y popular, y la creación de la tonadilla escénica, como entreacto entre dos jornadas de una comedia, con argumento y cuadros musicales. Se ha sostenido que los dos géneros, tan madrileños, habían sido incompatibles ; que, a la desaparición de la zarzuela ante la ópera italiana, de sus ruinas había surgido la tonadilla. Mas, como observa muy bien Subirá, la zarzuela, a comienzos del siglo XVIII, sufre un descenso que parece un eclipse, a pesar de algunas manifestaciones esporádicas del género, pero por razones de orden interno. La creación de la tonadilla tiene otro origen que es el siguiente : Hacia el año 1749, los «tonos» o «bailes de bajo», piezas sueltas cantadas durante los intermedios de la comedia, sufrieron una transformación, al agregar tras cada copla un estribillo ; reforma debida principalmente a Nebra, Guerrero y el italiano Corradini. En 1757, ocho años después, el catalán don Luis Misón, establecido como oboísta en Madrid, y músico en las orquestas del Palacio Real y de la Ópera Italiana, compuso una breve partitura, cuyo argumento versaba sobre los amores de una mesonera y un arriero, creando así la tonadilla independiente, desglosada del sainete o entremés. Primero se reservaba para las fiestas solemnes, en las que tocaba una orquesta en el teatro. Más adelante, a partir de 1765, se la cultivó diariamente en los teatros de la corte.

La muerte de la reina doña Bárbara de Braganza, en 1758, seguida por la de Fernando VI, su esposo, el año siguiente, determina el destierro, con todos los honores, es cierto, de Farinelli, y un rebrotar de la música popular. Reaparece la zarzuela, de carácter marcadamente costumbrista. La época de este fenómeno coincide con los primeros albores del romanticismo en Europa, y debe considerarse como un hecho paralelo en la historia de esa gran aventura del espíritu que se llama la mentalidad romántica, todavía en vigor a través de los «ismos» de nuestros días.

En 1768, el conde de Aranda concede una autorización para que los dos teatros madrileños representen a beneficio de los actores durante las noches del estío. Con este motivo se escriben numerosas obras para el público veraniego y vulgar, que no gusta de mitología. Antonio Rodríguez de Hita, autor de música religiosa y defensor, en estética, del «vanguardismo» de aquel entonces, escribe *Las segadoras de Vallecas,* sobre un libreto de don Ramón de la Cruz. Esta obra, y otra de los mismos autores, *Las labradoras de Murcia,* gustaron mucho y suscitaron numerosas imitaciones...

La tonadilla puede definirse diciendo que es una ópera cómica en miniatura. Género a propósito para el genio nacional, improvisador y popularizante. Muchas tonadillas del siglo XVIII y comienzos del siguiente son como esbozos, mucho más expresivos y llenos de contenido y gracia que obras terminadas y pulidas, y, por eso mismo, algo frías y menos vivaces. Las tonadillas crearon un estilo, y, cuando sobrevino la inevitable decadencia del género, una manera estereotipada. Había tonadillas a solo, a dos o más personas — hasta doce —. Se llegaron a escribir con coros. En las satíricas, sus principales números son la introducción, las coplas y las seguidillas de remate. Se escribieron innumerables; el caudal existente en la Biblioteca Municipal de Madrid llega a unas dos mil obras; por centenares las incompletas, procedentes del Palacio Real, que se guardan en el Conservatorio.

El carácter popular del género pronto se vio, en parte, bastardeado, porque, como observa muy acertadamente Subirá, los compositores no presintieron que el folklore sería una ciencia, andando los tiempos. Eran músicos sin preocupaciones estéticas, y se dejaron buenamente influir por el *bel canto,* con lo que, sin sospecharlo, echaron a perder las inmensas posibilidades que, de otro modo, se les hubieran ofrecido. Les disculpa el hecho de que, exceptuando Alemania, donde se fraguaba un arte nacional, en todo el resto del continente los músicos renunciaban a sus tendencias nacionales.

En la imposibilidad de dar el nombre de todos los numerosos autores que escribieron tonadillas, nos limitaremos a los principales. En la primera época se distinguieron Luis Misón, Antonio Guerrero, Pedro Aranaz y José Palomino. En la época del apogeo deben mencionarse el catalán Pablo Esteve (famoso por sus tonadillas y por las desdichas que le ocurrieron por haber escrito la famosa *Dos duquesas se disputan los amores de un torero-lero...,* cantada por la «Caramba» y molesta para las duquesas de Alba y de Benavente) ; el navarro Blas de Laserna ; Antonio Rosales ; el barcelonés Jacinto Valledor, que escribió muchas tonadillas para la escena del teatro de su ciudad natal, y luego pasó a Madrid, donde no llegó a imponerse, a pesar del gran éxito que en 1785 alcanzó *La cantada vida y muerte del general Malbrú.* También figuran en el grupo Ventura Genván, José Castel, Juan Marcolini y Fernando Ferandière. Durante la época de la decadencia, son dignos de ser tenidos en cuenta Mariano Bustos, Pablo del Moral, Manuel García (que luego debía recorrer Europa) y Bernardo Álvarez Acero.

También escribieron zarzuelas los maestros de la tonadilla. Se componían de dos actos, apenas diferenciados. Con libretos de don Ramón de la Cruz escribieron partituras Misón, Esteve, Rosales, Galván y Castel, así como otros músicos : Pla, García Pacheco, el ya nombrado Rodríguez de Hita, que puso música a la *Briseida,* en el mismo año que a *Las segadoras,* y, finalmente, hasta un compositor italiano establecido en España, Boccherini. Igualmente, don Ramón de la Cruz tradujo los libretos de varias obras de compositores italianos ; entre ellos, el de la ópera de un José Scarlatti, de la familia de Alessandro y Domenico, titulada *Los portentosos efectos de la Naturaleza;* la música fue adaptada por José Esteve, quien, siguiendo el uso de entonces, añadió algunos números de su propia cosecha.

Los «autos sacramentales» se suprimieron por cédula real de 11 de junio de 1765. La música de casi todos los del XVIII, como sucede en los del siglo anterior, no se ha conservado. Como excepciones, pueden mencionarse los números puestos por Manuel Pla, en 1757, al auto sacramental *La lepra de Constantino.* Don José Subirá, especialista en todo cuanto se refiere al teatro lírico español, entre sus muchas armonizaciones de piezas teatrales dieciochescas, ha publicado unas «seguidillas a lo divino», de la obra en cuestión.

El romanticismo creciente llevó hasta España otros tipos de música lírica : el «melólogo», con su alternación de trozos declamados, e interludios sinfónicos, y la «pantomima», donde los actores representaban la obra sirviéndose únicamente del gesto, ritmado y explicado por el desarrollo de la música orquestal. Don Tomás de Iriarte, que, a más de gran literato, fue un hombre cultísimo y practicó la composición musical con excelente estilo, a la imitación de Rousseau, con su *Pygmalión,* creó el melólogo *Guzmán el Bueno,* para el que escribió letra y música. Esta producción, estrenada en 1791, se hizo famosa y, naturalmente, provocó muchas imitaciones. Pulularon los «soliloquios», «unipersonales» o «monólogos». Primero el tono fue trágico ; pero paulatinamente derivó en lo cómico, satírico y burlesco. Intervinieron cada vez más personajes en la acción ; así del «monólogo» se pasó al «dílogo» y al «trílogo». Los títulos de esas obras, degradación del género, son : *El mercader aburrido, Perico de los Palotes, El famoso Rompegalas, Don Antón el holgazán, etc....* Laserna fue el músico de muchas entre ellas. Asimismo escribió la partitura de pantomimas, con escenario de Comella. La pantomima se conoce por el nombre de *Scena muda.* Los asuntos son mitológicos : *El robo de Elena, Jasón y Medea, El asalto de Galera...*

Algunos músicos españoles se integraron a la vida musical italiana ; algunos de ellos, al igual que los compositores de aquel país, llevaron una vida nómada y fueron conocidos en varias capitales europeas. Destácase por su valer, aunque fue sólo un teorizante, Esteban Arteaga (1747-1799), madrileño, pero residente en Italia, que escribió en italiano. Publicó en Bolonia, el año 1783, *Le Rivoluzioni del Teatro Musicale Italiano dalla sua origine fino al presente* ; dos años más tarde, la obra se reimprimió en Venecia, con adiciones y correcciones del mismo autor. Forkel la tradujo al alemán y la publicó en 1789 ; existe una recensión francesa de principios del XIX ; en cambio, no llamó la atención en España. En este curioso ensayo de crítica y estética, lanzaba Arteaga ideas que luego fueron las de Wagner ; valoración de la ópera, concurrencia de todas las Bellas Artes, etc. Incluso la palabra «revolución» aplicada al arte. También ha dejado, inéditas, unas *Disertaciones sobre el ritmo.* En España, publicó (1789) *La belleza como objeto de las Artes de imitación,* que se imprimió en Madrid, y de la cual existe una reedición fragmentaria de hace unos decenios.

Pero el docto jesuita, uno de los más preclaros representantes de la crítica romántica, se limitó a la parte teórica del arte lírico, sin escribir, que sepamos, ninguna obra para la escena. En cambio, Vicente Martín y Soler y Domingo Terradellas produjeron cantidad de obras que se aplaudieron en diversos países de Europa, sin ser nunca famosos en su patria.

René Dumesnil ha tratado con bastante extensión de Martín y Soler. En cambio, apenas dice nada de Domingo Terradellas, compositor que alcanzó grande y merecida fama en su tiempo, y alrededor de cuya misteriosa muerte se tejió una tenebrosa leyenda. Domingo Terradellas nació en Barcelona en 1713, hijo de unos pobres labradores ; sus aptitudes musicales le valieron una pensión para estudiar en Nápoles, el año 1735. Apenas llegado al entonces centro musical operístico de Europa, estrenó en el Oratorio de Nápoles *Giuseppe riconosciuto* (1736), con letra de Metastasio ; y en los teatros de la ciudad *Astarto* (1739), *Romolo,* en el mismo año, en colaboración con Latilla ; *Artemisia,* probablemente el 1740, se estrenó en Roma. En aquel mismo año, el compositor tuvo un fracaso en Florencia con *Issifile.* Regresó a Roma, donde estrenó *Semiramide* (1742) y *Merope* (1743), ambas en el Teatro *Delle Donne.* La segunda de dichas óperas fue un gran éxito e inició una de las más brillantes carreras musicales de la época. Como consecuencia, el compositor recibió, a la vez, el encargo de una ópera, por parte del teatro de *San Giovanni,* de Venecia ; y la proposición de entrar como maestro de capilla en la iglesia de Santiago y San Ildefonso, nacional de los españoles en Roma. Terradellas aceptó ambas ofertas, aunque, de momento, se dirigió a Venecia, donde, en el Carnaval de 1774, triunfó con *Artasserse,* partitura compuesta sobre un texto de Metastasio. La obra se representó con gran éxito por los principales teatros de Italia, especialmente en Bolonia y Roma.

En cambio, a su regreso a esta última ciudad, no pudo tomar posesión del cargo de maestro de capilla de Santiago y San Ildefonso, a consecuencia de sus disputas con el viejo organista Pedro Trompeta. No se conocen detalles de la pugna, que debió de ser muy áspera, por cuanto en 1745 Terradellas pide a los administradores de la iglesia de Santiago permiso para marcharse al extranjero, y éstos no sólo se lo conceden, sino que le expulsan de la capilla, quedándose Trompeta con la victoria.

Terradellas, por aquellos mismos días, abandona Roma e Italia y parte para Londres. El *King's Theatre* o *Opera House* del Hay-Market, que había llamado a Lampugnani, Veracini y Haendel, para renovar su repertorio, llamaba esta vez a dos jóvenes maestros ; uno de ellos destinado a ser famosísimo, Cristóbal Gluck ; el otro era nuestro Terradellas. Gluck dio a la escena del Hay-Market *La Caduta dei Geganti* y *Artamene.* Terradellas, en 1746, escribió algunos números de *Annibale in Capua,* «pasticcio», al uso de la época, en el que colaboraron Hasse, Lampugnani, Paradies y Terradellas. Posteriormente, y con extraordinario éxito, *Bellerophon* y *Mitridate,* además de algunos encargos de menor importancia. La permanencia de Terradellas en Inglaterra duró unos tres años, al cabo de los cuales emprendió el regreso a Italia, pasando por París, donde conoció a Rameau y Diderot, quien refiere algunas conversaciones que tuvo con el célebre operista. Diderot, fanático de la escuela italiana y anti-ramonista furioso, se complace en recordar algunas frases despectivas de Terradellas, quien, hablando de los públicos de la capital, dijo : «*Le Parigini hanno le orecchie di corna*». Hasta tal punto llegaban las pasiones operísticas en la capital francesa.

Terradellas, ya en Italia, reanuda la cadena de sus triunfos. En Turín, es *Didone*; después *Imeneo in Atene,* en concurrencia con Jommelli, el operista entonces más famoso entre los públicos italianos de la época, que estrena una ópera en *intermezzi, L'Ucellatricce.* La ópera obtiene un brillante éxito y parece ser que ocasiona celos a Jommelli. En 1751, Terradellas, instalado en Roma, alcanza una vez más un clamoroso triunfo con *Sesostri.* Pero en el momento culminante de su gloria amanece apuñalado en la orilla del Tíber. Las heridas son gravísimas, y, después de viaticado y extremaunciado, fallece el compositor el 20 de mayo de 1751 y es enterrado en la iglesia de San Lorenzo *in lucina.* Se supuso que había sido asesinado por unos ladrones, ya que por aquellos días se dieron muchos casos análogos. El crimen quedó en la impunidad.

Debió ser inmediatamente después de su muerte cuando empezó a tomar cuerpo un rumor sensacional, registrado por vez primera en un documento alemán de fines del XVIII : Terradellas había sido asesinado por unos esbirros a sueldo de Jommelli. Se añade en dicho documento que los romanos dedicaron una medalla a la memoria del músico asesinado, en la que se leían unas palabras de acusación contra Jommelli. Ni que decir tiene que no existe rastro alguno de dicha medalla, así como es casi seguro que el malogrado compositor español murió a manos de vulgares delincuentes.

V

Durante el siglo XVIII, y casi todo el XIX, por no decir todo, la música española de teatro es gobernada por las tendencias italianizantes ; sin embargo, un eco remotísimo del movimiento gluckista llegó hasta nosotros ; *Orfeo* se cantó «nel Teatro della molto Illustre Città di Barcellona l'anno 1780, «con música» del Celebre Sig. Cavaglier Cluch (*sic*) all'attual Serviggio delle LL. MM. II. e AA. RR.», como se lee en el libreto que se editó en aquella ocasión y reproduce Subirá, quien también reproduce unos endecasílabos de Iriarte, dedicados a Gluck, en el poema *La Música* :

> «*Y tú, inmortal Compositor de Alceste,*
> *de Ifigenia, de Paris y de Elena,*
> *Cantor germano del cantor de Tracia,*
> *GLUCK, inventor sublime, por quien éste*
> *Será ya el siglo de oro de la escena...*»

Carnicer, a comienzos del XIX, intenta, sin éxito, por otra parte, aclimatar la ópera al estilo popular-erudito alemán de Weber, pero choca con la opinión y los críticos, y se ve precisado a volver al italianismo en boga ;

todos estos hechos muestran como existieron ya entonces deseos de sumarse al poderoso movimiento musical iniciado por el genio germánico ; pero la gran fuerza del italianismo musical, y más tarde los estilos eclécticos y rimbombantes de la ópera parisiense, ahogaron cualquier intento en este sentido.

Hasta los días de la guerra de la Independencia (1808), las escenas de los teatros líricos españoles se nutrieron del repertorio italofrancés, el mismo en todas partes. Destaca la figura de Manuel García (1775-1832), a quien hemos visto como tonadillero y autor de zarzuelas. Manuel García, que luego se hizo famoso por el extranjero, tanto él como sus dos hijas, la Malibrán y la Viardot, antes de abandonar España escribió y cantó diversas operetas : *El reloj de madera* ; *Quien porfía mucho, alcanza* ; *El criado fingido* ; *El Preso* ; *El cautiverio aparente* ; *Los lacónicos o la trampa descubierta,* etc. ; escribió también un monólogo, *El poeta calculista* — en donde figura el «polo» *Yo soy un contrabandista y campo por mis respetos,* que sigue siendo popular desde su estreno, en 1806 —. El españolismo musical de García se limita a los números intercalados ; pero el conjunto de la obra sigue las insípidas corrientes cosmopolitas del tiempo. Al salir de España y emprender sus grandes viajes por Europa y América, el compositor cantante se dedicó al cultivo de la ópera italiana : su obra más importante es *Il califfa di Bagdad* (Nápoles, 1822) y otras estrenadas en París, Londres, Nueva York y Méjico, donde sus triunfos se debieron más a sus talentos como cantante.

Desde entonces hasta el resurgir de la zarzuela, España no produce sino imitadores más o menos diestros y cultos. El primero, en el orden del tiempo, es el catalán Ramón Carnicer (1789-1885) ; las luchas de la guerra de la Independencia y su ideología liberal lo llevaron de Barcelona a Mahón y más tarde a Londres. Desde 1818 dirige las óperas italianas que actúan en la ciudad condal, una vez reintegrado a su patria. Su fama actual es debida a ser el autor de una «sinfonía» para *El Barbero de Sevilla,* que mereció los elogios del propio Rossini. Fernando VII le ordenó que fuese a Madrid, a pesar de estar tildado de «negro» — nombre que entonces se daba a los liberales —, y allí fue profesor de composición en el Conservatorio de Madrid. Su producción operística se compone de las siguientes obras, las tres primeras estrenadas en Barcelona y las restantes en Madrid : *Adela de Lusignano,* intento de aclimatación del estilo prerromántico de Weber, que fracasó y determinó en Carnicer un retorno a la tradición italiana ; *Elena e Constantino* y *Don Giovanni Tenorio, Elena e Malvina, Cristoforo Colombo e Ismailia* (ésta última en 1838). El valenciano José Melchor Gomis (1791-1836) vivió en París, exilado por sus ideas liberales, y desde 1823 estrenó en la capital de Francia varias óperas : *Le Diable à Seville, Le Revenant,* etc. Tomás Genovés, natural

Teatro Principal de Barcelona.
(Segundo tercio del siglo XIX)

El Teatro Colón de Buenos Aires.

Interior del Gran Teatro del Liceo, en Barcelona.

El compositor brasileño
Carlos Gomes

La cantante española
María Barrientos.

de Zaragoza (1806-1861), residió largo tiempo en Italia, donde a partir de 1835 estrenó unas cinco óperas ; antes, en Madrid, había estrenado *El rapto,* con libreto de Mariano José de Larra. Casó Genovés con una cantante, Elisa Villó, y produjo una gran cantidad de zarzuelas, óperas, sinfonías descriptivas y música religiosa. Baltasar Saldoni, barcelonés (1807-1889), escribió operetas, óperas y zarzuelas (*Ipermestra,* 1838 ; *Cleonice,* 1840), sin gran éxito : su fama principal la alcanzó como musicógrafo. También el navarro Hilarión Eslava (1807-1878), uno de los músicos españoles más cultos de su tiempo, estrenó, entre 1841 y 1843, las óperas *Las treguas de Tolemaida, El Solitario* y *Don Pedro el Cruel,* aplaudidas en varios teatros de la Península.

En Barcelona podemos citar los nombres de Antonio Passarell, José Piqué, Carlos Grassi, Eduardo Domínguez y Vicente Cuyás. Éste último, mallorquín, nacido en 1816 y fallecido en 1839, a los veintitrés años, fue el más importante de todos ellos. El 17 de julio de 1838 estrenó con éxito excepcional su melodrama lírico en dos actos *La Fatucchiera,* que inspiró una crítica elogiosísima de Pablo Piferrer. La obra quedó de repertorio ; mas al año siguiente, en 7 de mayo, moría tuberculoso su autor, y se perdían con él esperanzas más que justificadas.

Durante esos años, bullía en algunas mentes la idea de crear una ópera nacional. Y, por una paradoja, fue precisamente un italiano, Basilio Basili, hijo de Francisco Basili, que, andando el tiempo, fue director de la capilla vaticana, el primero en este empeño. Basilio Basili vino en 1827 a Madrid como primer tenor de ópera italiana y pronto se consideró español. Contrajo matrimonio con la famosa actriz Teodora Lamadrid, y, tras su ópera bufa *El coche en venta,* estrenó (1839) la comedia-zarzuela *El Novio y el Concierto,* con números italianos y españoles, para demostrar la superioridad de éstos. Mas no se detuvo aquí el españolismo de Basili. Obcecado por la idea de la ópera española, estrenó en 1841 *El Contrabandista,* calificada como «la primera producción hispánica de esta clase en los tiempos modernos». Poco después, la zarzuela *El ventorrillo de Crespo,* en la que intercalaban un «polo» de Manuel García y la canción *El Charrán,* de Iradier, con lo que se preparaba la reaparición de la zarzuela. Antes había resucitado este nombre con ocasión del estreno de *El Novio y el Concierto.*

El intermedio picaresco de la aventura corre a cuenta de Dionisio Scarlatti y Aldama, de la familia, tal vez nieto, del gran Domenico, que, como es sabido, murió en Madrid y dejó en la villa y corte abundante prole. Dionisio Scarlatti y Aldama estrenó sin ningún éxito, por otra parte, una ópera en Madrid, *La Donna di Ravena* (1842). Cuatro años más tarde, fundó una *Academia Real de Música* donde se representarían obras españolas exclusivamente. Para ello, abría una subscripción, que

18

Isabel II, generosamente, encabezaba con diez mil duros (¡al cambio de aquellos días!). Las obras de Scarlatti fueron silbadas, la empresa tronó, lo que no impidió que Dionisio Scarlatti y Aldama deshonrase nuevamente su apellido haciéndose silbar diez años más tarde, en el Teatro de la Cruz, durante la temporada de 1854-1855, con su ópera *La Conquista de Sevilla*. No se amedrentó por ello el turbio personaje, y, cambiando el título de la obra silbada por el de *Cruces y Medias Lunas,* anunció el nuevo estreno para el 23 de diciembre de 1855, con asistencia de la reina. Mas la truhanería no tuvo éxito, y la repetida obra se vio substituida en los carteles por la comedia de magia famosísima *La pata de cabra*.

El castellano Joaquín Espín y Guillén (1812-1881), que había casado con una hermana de Isabel Colbrán, primera esposa de Rossini, quiso también crear un teatro lírico español. Sus procedimientos fueron honestos, aunque su obstinación en estrenar y dar a conocer su ópera, *Padilla o el asedio de Medina,* de la que se cantó en público, por una sola vez, el primer acto en 1845, acabó ridiculizándole y convirtiéndole en fácil blanco de los poetas satíricos, que sacaban partido, además, de las sílabas agudas, insólitas en castellano, y de las rimas interiores de su nombre y apellidos. Espín, en 1842, fundó el primer periódico musical en España, con el título de «La Iberia musical».

VI

Los intentos para crear una gran ópera nacional dentro del siglo fallaron, entre otras causas, por la falta de una fuerte preparación técnica, precisamente cuando el romanticismo robustecía su mundo sentimental con refinamientos armónicos e instrumentales sapientísimos. España, a fines del siglo anterior, poseyó, por ejemplo, un Padre Soler, enterado de los secretos del arte y capaz de haber engendrado una escuela española de armonistas. Pero el Padre Soler fue un solitario, y, después, la guerra de la Independencia, con sus enormes destrucciones, proyectó su funesta sombra puede decirse hasta 1870, y en algunos aspectos hasta mucho más adelante. Músicos sabios, no los ha tenido España en el siglo pasado. Es preciso llegar hasta el Albéniz de los últimos tiempos y, todavía más, hasta Falla y Turina, para encontrar músicos españoles que posean el dominio perfecto de la complicada técnica que es menester para cultivar los géneros superiores con autoridad y maestría. Pedrell, que quiso emular a Wagner, Berlioz y Verdi, se quedó las más de las veces en medio del camino, y vale más como «agitador espiritual» que como músico propiamente dicho.

Por fortuna, la música no se acaba con los valores meramente técnicos, aunque sean ellos el camino inexcusable para ascender a ciertos géneros particulares. Existen valores de inspiración, gracia y sentimiento que tal vez sean más esenciales, y que permiten la pervivencia del arte, abandonado a los solos recursos de la inspiración y la emoción. La zarzuela, forma tradicional y popular, salva el arte lírico español del XIX. En el período de su primer nacimiento, todavía tímido, se distinguen Basili (ya mencionado), Florencio de la Hoz, Sebastián Iradier, los dos José Sobejano (padre e hijo). Se distingue entre ellos Mariano Soriano Fuertes (1817-1880), que el año 1843 resucita la zarzuela con *Jeroma la Castañera,* que, por cierto, califica de tonadilla, cosa que indica hasta qué punto se había olvidado la noción del género en menos de medio siglo. El año siguiente, en Nochebuena, se estrena en el Teatro de la Cruz la clásica tonadilla *La vuelta del soldado,* que se anuncia, erróneamente, como «tonadilla zarzuela».

Hacia 1846 se ponen en boga las zarzuelas que parodian a la ópera italiana y, por otra parte, las zarzuelas andaluzas, cuya moda, con intermitencias, no ha pasado todavía. Agustín Azcona, Cristóbal Oudrid (1822-1877), el madrileño Rafael Hernando (1822-1888), que había estudiado en el Conservatorio de París, y que produjo sensación con sus zarzuelas en dos actos *Colegiales y soldados* y *El Duende* (ambas estrenadas en 1849); Fernando Gardín; el navarro Joaquín Gaztambide (1822-1870), cuyo primer gran éxito fue *La Mensajera* (1849), con la denominación afrancesada de «ópera cómica», que después emplearían otras zarzuelas, entre ellas algunas de Chapí; Francisco Asenjo Barbieri (1823-1894), que triunfa en 1850 con la zarzuela *Gloria y Peluca*; Soriano Fuertes, que obtiene un gran éxito, primero en Sevilla y luego en Madrid, con la zarzuela andaluza *El tío Canivitas o el Mundo Nuevo de Cádiz*; el siciliano José Incenga (1828-1891), de familia italiana, aunque nació en Madrid y estudió en el Conservatorio parisiense, que logró aplausos con su zarzuela, bautizada de ópera, *El Campamento* (1851). Todos estos autores ilustran la primera mitad de siglo de la zarzuela española en el XIX.

El verdadero apogeo del género corresponde a la segunda mitad del siglo XIX. La zarzuela aumenta el número de sus actos, que de dos pasa a tres. *Jugar con fuego,* de Barbieri (6 de octubre de 1851), inicia el nuevo estilo. El gusto por la zarzuela flota en el ambiente: poco antes del estreno de Barbieri, se había constituido una Sociedad de Artistas para el cultivo del género con mayores horizontes. Los miembros componentes de la nueva institución eran Gaztambide, Barbieri, Oudrid, Hernando, Incenga, el libretista Olona y el cantante Salas. Pronto, como suele suceder en casos semejantes, se añaden nuevos elementos, mientras salen algunos antiguos. Arrieta forma parte de la Sociedad, que construye un local propio: el Teatro de la Zarzuela (16 de octubre de 1856). Los libretistas son los principales literatos del momento, si bien eso trae como consecuencia una cierta invasión de literatura afrancesada. Damos una lista de las obras principales del período en cuestión : *El Valle de Andorra, Catalina, Los Magyares,* de Gaztambide ; *El diablo en el poder, Pan y Toros* y *El Barberillo de Lavapiés,* de Barbieri, *El Postillón de la Rioja* y *Buenas Noches, Señor Don Simón,* de Oudrid, autor, además de la música de las obras de magia *Los Polvos de la Madre Celestina* y *La Pata de Cabra. El Dominó Azul, Marina* y *El Grumete,* de Arrieta ; *La Marsellesa, El Salto del Pasiego* y *Los sobrinos del Capitán Grant,* de Manuel Fernández Caballero (1835-1906) ; *La Tempestad, El Rey que rabió, La Bruja* y *Curro Vargas,* de Ruperto Chapí (1858-1909) ; *El Reloj de Lucerna* y *El Anillo de Hierro,* de Miguel Marqués (1843-1918). La Sociedad se disolvió en 1858, después de una obra fecunda : la de haber creado un género nacional, aunque burgués y en muchos casos italianizante ; en Francia pasaba lo mismo ; así y todo, alguno de sus cultivadores, como el cultísimo Barbieri, tuvo en muchas ocasiones el sentido de la música netamente popular y española.

Desde la aparición, en 1865, de la *Compañía de los Bufos Madrileños,* dirigida por el hoy diríamos dinámico Francisco Arderius, el espíritu de Offenbach, algo degenerado, se abre camino en España. *El joven Telémaco,* con letra de Blasco y música de Rogel, inicia el desfile de lo que se llamará «género chico». Sus cultivadores principales — aparte algunas escapadas de Barbieri, Fernández Caballero y otros zarzuelistas — fueron Federico Chueca (1848-1908), que dio nacimiento a la revista lírica con *De la noche a la mañana* (1883) ; Joaquín Valverde (padre), que colaboró habitualmente con el anterior en la creación de obras cuya popularidad ha llegado hasta nuestros días : *La Gran Vía, La alegría de la Huerta, El chaleco blanco, Agua, azucarillos y aguardiente.* Se considera *La canción de la Lola* como la primera muestra de zarzuela del género chico.

El sainete lírico fue cultivado con predilección por los autores del «género chico», que tal vez produjeron lo mejor de su obra en esos cuadros rápidamente esbozados con humor y gracejo, muy a propósito para sus capacidades de captar lo momentáneo y el movimiento de una acción sumaria. Los más importantes autores de «zarzuela grande» no desdeñaron cultivar un género en apariencia humilde, pero que ofrecía grandes posibilidades. Barbieri ha escrito *El hombre es débil, De Getafe al Paraíso* y *El Señor Luis el Tumbón.* Fernández Caballero, *La Viejecita, El Dúo de la Africana, Gigantes y Cabezudos* y *El Señor Joaquín.* Chapí, de quien es preciso recordar, entre una turbamulta de obras, *La Revoltosa,* y Bretón, autor de *La Verbena de la Paloma* ; las dos obras señalan el momento culminante del género. Pueden citarse los nombres de Manuel Nieto, catalán residente en Madrid (1844-1915), y Ángel Rubio, madrileño (1846-1906). Más importante es la figura del sevillano Jerónimo Jiménez (1854-1923) ; en los conciertos sinfónicos, debidamente reorquestados, todavía figuran fragmentos de *La boda de Luis Alonso, El baile de Luis Alonso* y *La Tempranica*. El propio don Manuel de Falla era un admirador de la música de Jiménez. Quinito Valverde, madrileño (1875-1918), hijo del colaborador de Chueca, dio a la escena obras popularísimas : *La Marcha de Cádiz,* célebre en los fastos del 1898, *El terrible Pérez, El pobre Valbuena, El pollo Tejada,* etc. Valverde (hijo) es uno de los inventores del casticismo, que será peculiar del primer tercio del siglo xx. Autores menores son : Isidoro Hernando (*Torear por lo fino*), Apolinar Brull (*La buena sombra*), Tomás Torregrosa (*La fiesta de San Antón*) y Arturo Saco del Valle (*La Indiana*). Mas a todos debía eclipsar el formidable ingenio de Amadeo Vives (1871-1932), del que se tratará más adelante, pues su obra pertenece de lleno al siglo xx.

Durante el mismo período, se intenta inútilmente crear una ópera nacional ; casi todos los autores no hacen más que copiar los gastados esquemas de la ópera italiana anterior al verismo. La figura más interesante de este movimiento es, sin duda, el maestro Bretón (1850-1923), que, además de sus zarzuelas, escribió varias óperas : *Los Amantes de Teruel, Garín* (estrenado en el Liceo de Barcelona), *La Dolores* (Teatro de la Zarzuela de Madrid), *Raquel* (Real de Madrid) y *Tabaré*. Bretón posee un innegable sentido del teatro lírico, y entre sus italianismos deja circular una fuerte corriente de música nacional. De todas las óperas que escribió, sólo se recuerda hoy en día *La Dolores,* por su argumento verista y el innegable calor de su partitura.

También alcanzó algún renombre José Arrieta (1823-1894), principalmente por *Marina,* estrenada en el Teatro Real y todavía de repertorio en algunos teatros secundarios; del resto de sus obras nadie se acuerda. Chapí también abordó la ópera (*Las naves de Cortés, La hija de Jefté* y *Roger de Flor*). Zubiaurre (*Don Fernando el Emplazado* y *Ladia*). Fernández Grajal ; Emilio Serrano, entusiasta campeón de la ópera nacional (*Mitrídates, Doña Juana la Loca, Irene de Otranto, Gonzalo de Córdoba*). Todos ellos, quien más quien menos, conocieron su momento de celebridad ; pero en nuestros días sólo son nombres para añadir a una lista ; figuras de fondo para un cuadro general.

VII

Dentro del siglo xx, los géneros nacionales del teatro lírico español experimentan la competencia de los más ínfimos géneros internacionales (el fenómeno, como se ha visto, no es privativo de España). Cunde la revista y se introduce la opereta, por lo general con añadiduras chabacanas y soeces, cuando no de una patosa indecencia. Los propios compositores de zarzuela y género chico se contaminan con las fórmulas cosmopolitas más insípidas. Ha empezado la decadencia de un estilo que hubiera podido conducir hacia un verdadero teatro lírico nacional. Pero la verdad es que los compositores españoles se veían tirados de un lado y de otro por la doble corriente de la ópera cada vez más sabia y esotérica después de Wagner y Debussy, por una parte ; y, por la otra, les desencaminaba la creciente vulgaridad de una música industrial, basada en el estudio de los gustos más vulgares del público menos selecto.

Con todo, el género conoció a eximios cultivadores, el más importante de los cuales es Amadeo Vives (1871-1932), catalán, como dice muy bien Subirá, al igual Misón y Esteve en el siglo XVIII ; Carnicer y Saldoni, en el XIX, todos los cuales brillaron en la villa y corte, cultivando géneros castizos. Vives, que ha producido exquisitas obras corales en su lengua materna, alguna de las cuales se halla incorporada al folklore, como el famoso *Emigrant,* sobre la poesía de Verdaguer, era un espíritu inquieto ; escritor agudo y culto, dotado de sensibilidad e imaginación, así como de una familiaridad con los clásicos y los polifonistas en general poco corriente entre los compositores de zarzuela y género chico. Y, por encima de todos estos elementos, un sentido común formidable que le evitó naufragar en el escollo, tan funesto en nuestros días, de querer hacer música sabia. Al igual que Offenbach, Vives tenía una tendencia a lo superficial y sensual, un gracejo y un sentido del teatro infinitamente superior al de muchísimos compositores de musa más distinguida. Como resultado, levantó el tono de la zarzuela casi hasta los bordes de la ópera cómica, y se destacó del tropel de compositores afines. Sus zarzuelas, algunas convertidas en óperas, *Bohemios, Maruxa, Doña Francisquita, La Villana* (para no citar sino las principales), son buen ejemplo de lo que dejamos sentado. Pueden recordarse también Penella (*El gato montés*), José Serrano (1873-1941), con *La reina mora, Moros y Cristianos* y *Alma de Dios* ; Rafael Calleja (1880-1938), famoso autor de *El iluso Cañizares, El país de las hadas* y otras más. Pablo Luna (1880-1942), de inspiración más cosmopolita, imitador de las operetas extranjeras, conocidísimo por *Molinos de Viento.* Vicente Lleó, autor de *La Corte de Faraón,* obra graciosa, pese a su fuerte dosis de chabacanismo. Rafael Millán, que, después de haber triunfado con *El príncipe bohemio, La dogaresa, El pájaro azul* y otras obras de fácil y agradable línea melódica, vio truncada su carrera por enfermedad incurable. Soutullo y Vert, que escribieron obras en colaboración. Francisco Alonso y Jacinto Guerrero, que ya pertenecen a una época en que el género entra en franca decadencia, desbordado por la revista de gran espectáculo. Finalmente hay que señalar a dos compositores cultos, que se han distinguido en el cultivo del género sinfónico y la música de cámara : Federico Moreno Torroba, autor de *Luisa Fernanda,* y Pablo Sorozábal, que ha compuesto, entre otras no menos aplaudidas, la partitura de *Katiuska.* Ambos han vertido en sus producciones teatrales líricas una delicadeza y buen gusto, una contención por desgracia no comunes en nuestro teatro lírico popular.

En los últimos años se han hecho tentativas para resucitar la zarzuela ; se han repuesto y hasta reorquestado varias obras, bien acogidas por nuestro público. Sería deseable que la iniciativa siguiese adelante y no desapareciese un género tradicional, antes bien que siguiera una evolución y agregase nuevos valores a su contenido. Podríamos así tener una ópera cómica nacional.

VIII

Dentro del período que va desde fines del siglo XIX hasta nuestros días, la ópera se ha cultivado en España con cierta intensidad, sobre todo a comienzos del siglo actual. Eminentes compositores, famosos internacionalmente por sus producciones en otras ramas del arte musical, se han aplicado con afán a la escritura de obras para el teatro lírico y han aportado a ellas un estilo más trabajado e intenso que el de los italianizantes e imitadores de Gounoud y hasta de Meyerbeer que se habían conocido hasta la fecha. Pero, salvando *Pepita Giménez,* de Albéniz, y *Goyescas,* de Granados, que contienen algo auténtico y directo y se han conservado, aunque lamentablemente de tarde en tarde, en los carteles de España y el extranjero y en algún concierto sinfónico, lo cierto es que, por lo general, las influencias del wagnerismo, del verismo italiano y más tarde de Strauss y el ballet ruso han pesado gravemente sobre la ópera española, a la que sobrecargan de materia inasimilable y coriácea. Ya hemos visto como Manuel de Falla supo salvar aquellos peligros y construir su música de escena, a la vez muy universal y muy nacional, sin concesiones al público, pero también sin alardes de gratuita e intempestiva ciencia.

Ya hemos dicho que Pedrell, más que un creador musical, había sido un «agitador espiritual» en materia de música. Sus óperas *Los Pirineos, El comte Arnau* y *La Celestina* contienen bellas páginas y demuestran un esfuerzo para aclimatar a una técnica más universal la música española. La influencia del canto popular y los arcaicos españoles, sin embargo, se halla neutralizada por una escritura maciza en extremo y algo torpe, en su afán de no quedarse atrás por lo que se refiere a los progresos del siglo en materia de armonía e instrumentación. En Pedrell hay más buenos deseos que impecables realizaciones, y más erudición que inspiración verdadera ; *pero ello no impide que su personalidad y sus ideas hayan ejercido una influencia decisiva y beneficiosa sobre el arte musical español.* Albéniz, Granados y Falla son, por diversos caminos, hijos espirituales de Felipe Pedrell.

En Barcelona se estrenaron, a fines del XIX, óperas de los compositores Freixas, Manent, Sánchez Gabañach, Balart, Obiols, Nicolau, Goula, Baratta, Giró. De Albéniz se han puesto en escena en el Liceo *Henry Clifford* y *Pepita Giménez.* Granados compuso y estrenó, ya entrado el siglo XX, *Follet, Maria del Carmen* y *Goyescas* ; Vives, además de su versión operística de *Maruxa,* ha producido, como óperas, *Colomba* y *Balada de Carnaval* ; Pahissa, *Gala Placidia, La Morisca, Marianela* y *La Princesa Margarita* ; Cassadó (padre), *El Monje Negro,* que, por cierto, se estrenó en versión italiana, bajo el título de *Il Monaco Nero,* cuando tal circunstancia constituía un anacronismo ; F. de la Viña es autor de *La Espigadera,* obra de ambiente popular castellano escrita con sólido estilo ; Eduardo Toldrá estrenó *El giravolt de maig,* sobre un libreto del poeta José Carner ; la partitura es, siguiendo el argumento, ágil y alegre, con reminiscencias de las comedias líricas de Rimski-Korsakov, muy en boga en Barcelona allá por los años treinta.

Más recientemente, después de 1940, Xavier Montsalvatge ha estrenado algunos ballets y la pequeña ópera *El gato con botas,* realizada con sentido del humor y un *pastichismo* de raigambre stravinskiana. Carlos Suriñach Wrocona intenta darnos una versión expresionista en su breve partitura de *La fierecilla domada.* En 1955 se ha estrenado la ópera de Ángel Barrios *La Lola se va a los Puertos.*

Con un pujante estilo de estirpe wagneriana y straussiana, pero con abundante aportación personal, y en ocasiones, popular, el Padre Antonio Massana, S.J., ha dado a la escena del Liceo dos obras de vastas y ambiciosas proporciones : el oratorio *La Creación* y la ópera *Canigó,* sobre un libreto de José Carner, que se inspiraba en el conocido poema de Verdaguer. Ambas obras, y singularmente la última, consiguieron imponerse al público y a los entendidos, por el enorme grado de sinceridad que contienen, y que no se ve nublada por la densa escritura y la técnica audaz.

No podríamos cerrar esta sección sin mencionar a dos compositores nacidos en las Provincias Vascongadas y formados en la *Schola Cantorum* de París : Jesús Guridi (1886), autor de la ópera *Amaya* y la zarzuela *El Caserío* ; y José María Usandizaga, muerto en plena juventud, en medio del éxito alcanzado por su zarzuela *Las golondrinas,* en la que los elementos franceses, veristas a la italiana y folklore vasco se mezclan con arte singular. Su hermano Ramón, también compositor, ha transformado la zarzuela en ópera, que se ha representado en los principales coliseos.

IX

En el panorama de la música hispanoamericana y lusoamericana coinciden las más variadas influencias : folklores indios, africanos, hispanoportugueses e incluso italianos ; imitación de la ópera italiana decimonónica y verismo italiano de fines del siglo, «gounodismo» francés y wagnerismo alemán, y más recientemente aportación de las escuelas stravinskianas y schoenberguianas, sin olvidar algunos puntos de vista particulares, como el famoso «sonido 13» de Julián Carrillo y el arte completo de un Heitor Villalobos... No hay duda que el mundo musical de la América latina, con sus ya importantes realizaciones contemporáneas, nos permite esperar el nacimiento de nuevos y originales estilos, por la fusión armoniosa de multitud de elementos que viven y se agitan en su seno.

La noticia más antigua que tenemos referente a la ópera en América data de principios del siglo XVIII, exactamente en el año 1711. En este año se estrena dentro de los salones del Palacio Virreinal de Ciudad de Méjico la ópera *Parténope,* cuya partitura se debe a un nativo, Manuel Zumaya. Se cantó en italiano, práctica que durará mucho tiempo, tanto en América como en Europa.

Otro compositor americano del siglo XVIII es el brasileño Antonio José de Silva, llamado en Lisboa el «Doctor judío», que en aquella capital y en el año 1735 estrenó una ópera cómica bajo el título de *Vida do grande Dom Quixote de la Mancha,* en el teatro del Barrio Alto. José de Silva luego se dedicó a poner música a comedias satíricas populares, lo que le valió ser condenado por el Tribunal de la Inquisición y decapitado en 1739.

Las representaciones de ópera eran frecuentes en el Brasil, en Río de Janeiro, por el año 1747, y una de las calles se llamaba *Rua da Opera.* Un viajero inglés, en época algo posterior, Alexander Caldcleugh, en su obra *Travels in South America During the Years 1819-20-21* (Londres, 1825) nos describe el clima operístico de aquella capital :

«La ópera, que es sostenida por una lotería anual, y que reportaba a muchos algún entretenimiento, no era dirigida en la forma que hubiera exigido un auditorio europeo. No se prestaba gran atención a la limpieza y no puede negarse que algunas de las Venus del ballet no eran exactamente de un tinte europeo ; pero en este clima deben hacerse grandes concesiones y no debe criticarse severamente al primer teatro de Sudamérica. Las representaciones eran en portugués y en italiano»[1].

Subrayamos en esta cita que el teatro de Río de Janeiro era el primero

---

[1]. Citado por NICOLÁS SLOMINSKY, *La Música de la América Latina.* («El Ateneo», Buenos Aires.)

de América del Sud, y que se cantaba alternativamente en portugués y en italiano a principios del XIX y, con toda probabilidad, ya en la segunda mitad del XVIII.

También de mediados del XVIII es la moda del tipismo americano en el teatro lírico de la metrópoli. Los autores de tonadillas se sienten atraídos por los ritmos y sabrosos giros melódicos de la musa popular de allende los mares, que a menudo devuelve transformadas rítmica y melódicamente canciones y danzas de origen español, en mezcla con elementos amerindios y africanos. Misón, en 1761, compone la tonadilla *Los negros*. En *La Gitanilla en el Coliseo* (1776), José Castel introduce la melodía sincopada *Todo lo neglo bailan el cumbé.* Hallamos en Blas Laserna un «sonsonete» de Buenos Aires (*El gusto perdido,* sin fecha). Pedrell ha publicado un *Tonsoré* que Pablo Esteve intercaló en *El Pretendiente* (1780). De igual modo se podrían citar multitud de ejemplos.

Existió, desde los primeros tiempos de la colonización y evangelización, un teatro lírico de aire popular, en el que se fundían los elementos europeos con los indígenas y, más tarde, con los negros. Casi todas las representaciones organizadas por los misioneros son de asunto religioso con intención catequística. Por el año 1596, en Sinaloe, Méjico, durante las fiestas de Navidad se representaban el «mitote», «villancicos» y un coloquio en lengua indígena. La representación comprendía números musicales.

Se conserva el texto de un *Desposorio espiritual entre el Pastor Pedro y la Iglesia mexicana,* del que reproducimos el siguiente paso:

> *Robusto.* — Toca tu rabel, pastora,
>   Que me fino de pracer.
> *Bobo.* — Todos bailen en buena hora.
>   Que quien tiene seso agora
>   No debe mucho tener.
> *Justillo.* — No quede ningún pastor
>   Que no baile con primor
> *Bobo.* — Yo daré mil castañetas
>   Y saltos en derredor.

En el Brasil, los jesuitas, desde el siglo XVI, introdujeron representaciones de Navidad, conocidas diversamente como *Ternos, Ranchos* o *Blocos,* las cuales, asimiladas por los negros del interior, dieron lugar a los *Frevos* de nuestros días, con música sincopada y acompañamiento de instrumentos de metal.

Hoy en día se ponen en escena obras teatrales nativas en las que predomina el elemento cristiano; la más popular es la trilogía *Pastoris,*

Cheganças y *Reisados*. Los *Pastoris* representan la adoración de Jesús por los pastores. Las *Cheganças* o *Cheganças de Marujos* («Llegada de Marinos») son dramas históricos que relatan las aventuras de los descubridores del Brasil. Todo espectáculo que se refiere a este período recibe el nombre de *Marujada*. Los *Reisados* conmemoran la peregrinación de los Reyes Magos a Belén. Pero el último acto de los *Reisados, Bumba Meu Boi* («Mi Buen Buey»), tiene origen pagano, pues es la glorificación del buey sagrado [1].

Entre las fiestas tradicionales de los indios de El Salvador, algunas de las cuales se remontan a los primeros siglos, figura la llamada *Historia de Moros y Cristianos,* especie de «misterio» que los nativos copiaron de sus conquistadores. La particularidad de esa representación, en la que los cristianos llevan máscaras rojas y los moros azules, es que una sola melodía sirve para toda la «historia» ; pero va cambiando de ritmo y compás de acuerdo con la acción, y es alternativamente alegre o triste, marcial o apacible, según los casos.

De todas formas, las primeras producciones del teatro lírico en la América latina de ningún modo reflejan la música genuina de los respectivos países, sino que, como en todas partes, se avienen al estilo de la ópera italiana de corte cosmopolita ; por ejemplo, *La sacerdotisa peruana,* del mejicano Manuel Covarrubias ; *La Telesfora* (1846), del alemán nacionalizado chileno doctor Aquinas Reid ; *Atahualpa,* del peruano Carlos E. Pasta, etc. La obra más destacada de este período, y conocida universalmente, es *Il Guarany* del compositor brasileño Carlos Gomes, establecido en Milán desde 1860, estrenada en la Scala en 1870 ; de ella y su autor hablaremos más adelante.

Aniceto Ortega (1823-1875), compositor mejicano de valses y marchas semipopulares, en 1871 estrenó la primera ópera de argumento indígena, utilizando algunos temas populares. La obra fue cantada por Tamberlick. Se trata de un «episodio musical» en un acto titulado *Guatimotzin*. El argumento se desarrolla en los últimos días del imperio azteca. *Guatemoc* (o *Cuauhtemoc*), el último emperador de los aztecas, era el tenor, y Cortés, el bajo. *Ollantay,* del peruano José María Valle-Riestra (1859-1925), y estrenada en Lima el 26 de diciembre de 1900, sigue también las tendencias nacionalistas románticas. Puede decirse de un modo general que, hasta 1910, las influencias italianas fueron casi exclusivas en la escena lírica de Centro y Sudamérica.

Más tarde, los compositores experimentaron las influencias de Pedrell, Glinka, Grieg, Albéniz y Mussorgsky; del «exotismo romántico» de Bizet, Rimski (y más tarde Debussy y Ravel). Hoy en América existen compositores que representan a las más recientes tendencias de la música.

1. NICOLÁS SLOMINSKY, op. cit.

Entre las naciones centro y sudamericanas destacan la Argentina, Brasil y Méjico, por la importancia que en ellas va adquiriendo su teatro lírico nacional. La capital de la primera de estas repúblicas durante el siglo XIX se convirtió progresivamente en un centro musical de la misma importancia que las ciudades de Norteamérica. Varias compañías de ópera italiana visitaron la capital del Plata desde la primera mitad del siglo pasado. La primera ópera de tema — ya que no de música — indígena fue *La Indígena* (1862). Pero no puede decirse que existiese un teatro lírico argentino hasta la fundación del *Teatro Colón* de Buenos Aires, el 25 de mayo de 1908. Hoy en día es uno de los mejores teatros de ópera del mundo, y en él han actuado los principales cantantes y se ha representado un extenso repertorio de óperas clásicas, románticas y modernas, así como numerosas óperas y ballets de compositores argentinos. Su orquesta es tal vez la mejor de Sudamérica y puede sostener comparación con las más importantes del Continente

Entre los compositores argentinos que han escrito música destinada a la escena lírica, merecen destacarse Arturo Berutti (1862-1938), que estudió en el conservatorio de Leipzig y después viajó por Francia e Italia. Sus óperas *Vendetta, Evangelina, Tarass Bulba, Pampa, Yupanki, Khrisse, Horrida Nox* y *Los Héroes* siguen el estilo italiano ; las tres últimas son de tema histórico argentino ; Pablo Berutti (1866-1916), hermano del anterior, ha escrito una ópera, *Cochamba,* que todavía no se ha representado ; Lorenzo Spena (1874) ha escrito seis óperas, con buen estilo, no exento de convencionalismos ; Arturo Luzzati (1875), italiano residente en Argentina, como el anterior, sigue el romanticismo italiano y es autor de dos óperas, *Aphrodita* y *Atala,* y un ballet : *Judith.* Héctor Panizza (1875-), pianista y compositor, discípulo del Conservatorio de Milán, ha estrenado varias obras : *Medioevo Latino* (1901), bajo la batuta de Toscanini, *Aurora* (1908) y *Bizancio* (1939) ; Panizza es un músico académico, con cierta maestría en la composición. Constantino Gaito (1878-1945), que estudió en Nápoles, es un compositor que sigue las directrices de la moderna escuela italiana, con empleo de gran orquesta y efectos colorísticos. Su música se basa en el folklore argentino y la estilización de danzas argentinas ; ha escrito para el Teatro Colón : *Petronio* (1919), *Flor de Nieve, Ollantay* (1926), *La Flor de Irupé* (1929), *Lázaro* (1929) y *La Sangre de las Guitarras* (1932). Antes de la inauguración del coliseo había escrito las óperas *Shaffras* (1907), *I Doria, Edipo rey* y *Antígona.* Pascual de Rogatis (1881), nacido en Italia, pero residente en Argentina desde su infancia, ha estudiado en el Conservatorio de Buenos Aires ; tres óperas suyas han sido estrenadas en el Colón : *Anfione e Zeto* (1915), *Huemac* (1916) y *La Novia del Hereje* (1935) ; de Rogatis se inspira para la primera en un tema clásico ; la segunda se basa en una leyenda mejicana, y la tercera se desarrolla durante la época colonial ; el lenguaje musical del compositor recuerda la música operística italiana moderna, con reminiscencias wagnerianas. Carlos López Buchardo (1881), que ha estudiado en Buenos Aires y en París con Albert Roussel, emplea temas nativos en su ópera *El Sueño del Alma,* estrenada en el Colón el 4 de agosto de 1914 ; Josué T. Wilkes (1883), estudioso de Humanidades y discípulo del Conservatorio de Buenos Aires y la Schola Cantorum de París, ha escrito la música de la comedia lírica *Nuit persane* y *Por el cetro y la corona,* asunto inspirado en Racine ; Floro M. Ugarte (1884) estudió en París y ha dado para la escena del Colón un cuento de hadas en un acto : *Saika* (1920) ; Felipe Boero (1884) es discípulo de Pablo Berutti y del Conservatorio de París ; entre sus óperas, se han representado en el Colón *Tucumán* (1918), *Ariana y Dionisos* (1920), *Raquela* (1923), *Las Bacantes* (1925), *El Matrero* (1929) y *Siripo* (1937). La música de Boero, aun la de inspiración popular, sigue la tónica italianística, muy dominante en la música de una nación como la Argentina, donde la población de sangre y cultura italianas es numerosísima.

Lo mismo se puede decir de la obra de Juan Bautista Massa (1885-1938), compositor que se distinguió en la composición coral. Massa tiene estrenadas la ópera *Zoraida* (Colón, 1909), *L'Evaso* (Rosario, 1922), *Madalena* (Colón, 1932) ; un ballet estrenado en el Colón, *El Cometa* (1932), y tres operetas : *Esmeralda* (1903), *Triunfo del Corazón* (1910) y *La Eterna Historia* (1911) ; Alfredo Schiuma (1885), que italianiza en sus óperas como *Amy Robsar* (1920), *La Sirocchia* (1922), *Tabaré* (1925) y *La Infanta* (1941) ; Raúl Espoile (1888) ha escrito, con temas nativos, aunque con técnica italiana, dos óperas : *Frenos* (1928), especie de Fausto argentino, que se desarrolla en un laboratorio biológico, y *La Ciudad Roja* (1936) ; Gilardo Gilardi (1889), discípulo de Pablo Berutti, estrenó en 1923, en el Colón, su ópera *Ilse,* con escaso éxito, y triunfó en 1934 con *La Leyenda del Urutaú,* historia nativa de los primeros tiempos de la conquista ; la partitura sigue el sistema wagneriano del *leit-motiv* ; Enrique M. Casella (1891), argentino, aunque nació en Montevideo y estudió en Europa el violín y la composición ; sus obras para el teatro lírico son : *Corimayo* (Colón, 1926) y *Chasca* (Tucumán, 1939), en la que introdujo una modificación, consistente en colocar la orquesta, dividida en tres secciones, detrás del escenario ; Athos Palma (1891), que ha estudiado en Francia e Italia, es autor de *Nazdah* (1924), sobre un tema de la antigua India, y el ballet *Accia.* Athos Palma es un compositor influenciado por la moderna escuela italiana y Debussy ; sus armonías son de una gran riqueza y colorido. Alfredo Pinto (1891), compositor de sensibilidad romántica, formado en el Conservatorio de Nápoles, ha escrito una ópera sobre motivos argentinos : *El Gualicho,* estrenada en el Colón el 17 de noviembre de 1940. José María Castro (1892) pertenece a una familia de músicos, con sus hermanos Juan José y Washington. José María Castro cultiva un estilo clasicizante en sus obras sinfónicas ; sin embargo, en su ballet *Georgia* (Colón, 1939) emplea un lenguaje modernista, con abundancia de disonancias agresivas.

Juan José Castro, hermano, como se ha dicho, del anterior, en 1919 obtuvo una beca del Gobierno argentino para estudiar en París, donde pasó cinco años, con Vincent d'Indy, en la «Schola Cantorum». Ha escrito numerosas obras sinfónicas, *lieder,* música de cámara, y ha sido director de la orquesta del Teatro Colón de Buenos Aires. Sus ballets *Mekhano* (1934, estrenado en 1937), glorificación del hombre mecánico, con música descriptiva, offenbachiana, *Martín Fierro* (1947), *La Zapatera prodigiosa* (1948) y *Cuarteto* (1949) le han dado justo renombre, acrecentado recientemente con la concesión del premio Verdi, para ópera, a su partitura de *Proserpina y el extranjero.* Juan Carlos Paz (1897), discípulo de Gaito y compositor evolutivo que de lo neoclásico ha pasado a la escritura atonal y politonal, ha escrito en este último estilo una música para ilustrar algunas escenas de la obra de Ibsen *Juliano el Emperador* ; Jacobo Ficher (1896), ruso naturalizado en la Argentina, es un compositor prolífico de inspiración hebreorrusa ; entre su abundante producción se cuenta el ballet *Los Invitados* (1933) ; el discípulo de Gaito, Arnaldo d'Espósito (1897), ha escrito dos ballets italianizantes, con alguna audacia moderna : *Rapsodia del Tango* (1934) y *Cuento de Abril* (1940), que se han estrenado en el Colón.

Florencio Fosatti (1907) es autor de dos óperas en un acto : *Helena* y *El Indio* ; Emilio Ángel Napolitano, autor de canciones en estilo nativo, ha escrito un ballet, *Apurimac* (1944) ; Robert Morillo (1911), estudió en Buenos Aires y dos años en París ; su estilo scriabiniano de los primeros años evolucionó hacia Stravinski en sus obras posteriores ; ha escrito un ballet : *Harrild* ; asimismo ha compuesto la música para un ballet sobre un tema de la época colonial de la Argentina el autor de *lieder* y canciones folklóricas Carlos Guastavino (1914) ; Héctor Iglesias Villoud (1916) también folklorista, además de sus ballets *Amancay* y *El Malón,* estrenados en el Colón, respectivamente, en 1937 y 1943, ha escrito una ópera en un acto, *La Noche Colonial* ; Alberto Ginastera (1916), compositor sobresaliente entre los jóvenes músicos argentinos, escribió en 1936 un ballet, *Panambí,* estrenado como suite en 1937 y, en su forma de ballet, ejecutado en el Colón el 12 de julio de 1940. Finalmente, Sergio de Castro (1922), uno de los más jóvenes compositores de la Argentina, y educado musicalmente en Montevideo por Guido Santórsola, ha escrito diversas composiciones de estilo romántico, entre ellas el ballet *El Títere.*

Actualmente, el mundo musical argentino comprende una amalgama de todas las tendencias, desde las ultraconservadoras y académicas hasta las más ultramodernas, fenómeno que, en menor o mayor escala, se da en casi todos los países cultos contemporáneos. La influencia italiana es grande en la ópera y el ballet, por las razones más arriba apuntadas. El folklorismo también es muy poderoso. Pero existe una corriente contraria, representada por el «Grupo Renovación». Otro núcleo, el de los «Conciertos de la Nueva Música», encabezado por Juan Carlos Paz, es aún más radical en esta tendencia.

En el Brasil, el elemento folklórico es excepcionalmente brillante, cálido y vital, con la exuberancia de las manifestaciones naturales en los trópicos. En él entran desde los cantos indios y los encantamientos rituales de los esclavos negros, perpetuados entre sus descendientes, hasta las cancioncillas italianizantes de las ciudades costeras. Ese triple origen racial da lugar a las más opulentas hibridaciones llenas de sensualismo y embrujo, combinados con el sentimentalismo pegajoso y un poco teatral de las aportaciones europeas. La escala pentatonal y hasta tetratonal se combina con la síncopa y la polirritmia. Predominan las tonalidades mayores y los ritmos binarios. Ya hemos visto que el teatro popular y las agregaciones pintorescas de instrumentos pululan en la música del pueblo brasileño. Y, modernamente, desde la calle pasan a la sala de conciertos.

También se ha explicado como la afición a la ópera es antigua entre los naturales del país ; se hallaba ya completamente desarrollada a comienzos del siglo xix, cuando Gomes (André Carlos) escribió la famosa partitura de *Il Guarany,* sobre un argumento inspirado en un cuento de José Alencar. La obra se escribió en italiano y fue estrenada en Milán, en 1870. Es la única obra americana (mejor dicho, escrita por un americano, puesto que la música es exclusivamente italiana) que ha gozado de renombre y expansión mundiales.

La primera ópera brasileña en portugués fue *A Noite de Sao Joao* («La Verbena de San Juan»), de Elias Alvares Lobo (1834-1901), también escrita para un cuento de José Alencar, el libretista de *Il Guarany.* Grande ha sido después la producción operística en el Brasil. El musicólogo brasileño Luiz Heitor, en su folleto *Relaçao das Operas de Autores Brasileiros* (Río de Janeiro, 1938), cuenta ciento siete óperas de cincuenta y nueve compositores brasileños [1]. La mayoría de estas obras están escritas para libretos italianos. Cincuenta de ellas han sido estrenadas, pero, excepto las de Gomes, ninguna permaneció en el repertorio. La música de todas ellas, hasta 1910, es italiana ; el nacionalismo preside las de los compositores de la escuela moderna. Dato curioso : a pesar de su inmensa

[1]. Citado por Nicolás Slominski, op. cit.

fama, y aunque el busto de Heitor Villalobos adorna el Teatro Lírico de Río de Janeiro, ninguna de sus óperas se ha representado todavía. Los grandes teatros de ópera, en todo el mundo, suelen tener una bien ganada reputación de conservadurismo a ultranza.

La lista de compositores notables del Brasil debe comenzar indiscutiblemente con Carlos Gomes (1836-1896). Nació en Campinas, y su padre, que se había casado cuatro veces y tenía veinticinco hijos, era músico y le dio la instrucción elemental. A los quince años, Carlos escribía canciones sencillas, y a los dieciocho escribió una misa. En 1856 fue a Río de Janeiro e ingresó en el Conservatorio. Al año siguiente escribió una cantata de tema religioso *A Ultima Hora do Calvario,* y, un año más tarde, el 4 de septiembre de 1861, se representó la primera ópera de Gomes, *A Noite do Castelo.* En 1863, Gomes triunfaba con su segunda ópera *Joanna de Flandres*; ambas eran escritas en estilo italiano, y los temas, tomados de las Cruzadas. En 1864, Gomes recibió una pensión del emperador del Brasil para proseguir sus estudios en Europa, y se dirigió a Milán, capital indiscutible de la ópera italiana y cosmopolita. Allí Lauro Rossi le dio lecciones particulares, fruto de las cuales y de las meditaciones del compositor fue la ópera *Il Guarany,* estrenada en el teatro de la Scala el 18 de marzo de 1870, en medio de grandes aclamaciones. *El Guarany* está escrita para un libreto italiano, inspirado — como se ha dicho — en un cuento brasileño de José Alencar, y su figura central es un indio guaraní; sin embargo, la obra no tiene ningún color local, y es italiana de pies a cabeza.

Gomes visitó el Brasil, donde se representó *Il Guarany* el 2 de diciembre de 1870, y regresó en seguida a Italia, donde aún estrenó algunas óperas : *Fosca* (1873), sobre un tema romántico de piratas venecianos, en la que hace uso del *leitmotiv,* aunque la música no sea en nada wagneriana ; *Salvator Rosa* (1874) ; *Maria Tudor* (1879), sobre el drama de Víctor Hugo. Todas estas obras se estrenaron en la Scala de Milán. El 27 de septiembre de 1889, Gomes estrenó en Río de Janeiro *Lo Schiavo*; la partitura se había escrito para un libreto de tema brasileño ; la romántica unión de un noble con una esclava india. En Milán, nuevamente, se estrenó la última ópera de Carlos Gomes, *Condor,* con argumento que recuerda el de *Aida* de Verdi. Con ocasión del cuarto aniversario del descubrimiento de América, en 1892, escribió todavía un oratorio, *Colombo,* que se presentó en la Ópera de Río de Janeiro. Poco después Gomes enfermó de un cáncer en la lengua producido, según se dijo, por fumar en exceso ; murió en Belem, Brasil, el 16 de septiembre de 1896.

La figura de Gomes fue, y todavía es, muy popular en su patria ; en 1936, el Gobierno brasileño, al organizar honores en conmemoración del centenario de su nacimiento, editó dos series de sellos postales con su efigie y una cita musical de *Il Guarany* ; la «Revista Brasileira de Música», en aquel mismo año, publicó un volumen que contenía noticias sobre la vida y la obra del más famoso de los compositores americanos que han cultivado el teatro lírico.

Joao Gomes de Araujo (1846-1942), otro de los compositores de ópera en el Brasil, casi contemporáneo de Carlos Gomes, ha llegado hasta nuestros días gracias a su longevidad. Murió en San Pablo a la edad de noventa y seis años. Estudió en el Conservatorio de Río de Janeiro y en 1884 se estableció en Italia, donde escribió cuatro óperas, *Edmea, Carmosina, Maria Petrovna* (sobre un argumento ruso) y *Helena. Carmosina* fue estrenada en Milán el 1.º de mayo de 1888 en presencia del emperador del Brasil, Pedro II. Ni que decir tiene que todas ellas están escritas en el estilo de la ópera italiana del diecinueve. Las raras veces que Gomes de Araujo emplea el folklore brasileño es en su producción instrumental o en sus canciones.

Leopoldo Míguez (1850-1902), compositor sinfónico, imita al Wagner de los primeros tiempos en sus dos óperas, estrenadas en Río de Janeiro en 1897 y 1901, respectivamente, *Pelo Amor* y *Os Saldunes* (*Los Camaradas,* asunto sacado de las guerras gálicas de Julio César) ; Henrique Oswald, de origen suizo, después de haber realizado estudios musicales en Florencia y de haber residido unos años en Europa ejerciendo el cargo de representante consular del Brasil, se dedicó de lleno a la composición de obras sinfónicas y música de cámara, cultivando el teatro lírico, en el que ha producido un par de grandes óperas, *La Croce d'Oro* y *Le Fate,* y una ópera cómica, *Il Neo,* que fueron representadas. Alberto Nepomuceno (1864-1920), el «adelantado» de la música nacional brasileña, una vez acabados sus estudios musicales en la Academia de Santa Cecilia de Roma y más adelante en Berlín y París, a su regreso en el Brasil escribió una sinfonía para cuerdas y el drama lírico *Artemis,* todavía dentro de los cánones convencionales ; más tarde escribió, con temas nativos, un drama lírico, *O Caratuja,* cuya partitura, incompleta, se ejecutó en Río de Janeiro el 26 de octubre de 1904. En Buenos Aires ha estrenado, sobre un tema bíblico, la ópera *Abul* (1913) ; Francisco Braga (1868), discípulo de Massenet, ha intentado aclimatar al Brasil el verismo italiano, escribiendo una ópera en un acto, *Jupira,* que, por su música y argumento, es una *Cavalleria rusticana* brasileña. La obra se estrenó en 20 de marzo de 1899. También ha compuesto una ópera en cuatro actos, *Anita Garibaldi* ; la obra de Braga representa la tradición romántica con lenguaje armónico del siglo XIX, no exento de reflejos wagnerianos. Agostino Cantú (1880), nacido en Milán y nacionalizado brasileño, es autor de *Il Poeta,* que ganó un premio en el concurso Sonzogno en 1902. Francisco Casabona (1894), durante su permanencia en Italia, donde estudió composición en el Conservatorio de Nápoles, estrenó en Roma la ópera cómica *Godiamo la vita* (1917) y en Nápoles otra partitura del mismo género: *Principessa dell'Atenier* (1918).

Heitor Villalobos es el más destacado compositor brasileño, y su nombre figura entre las grandes personalidades de la música contemporánea de todas las naciones. Nació en Río de Janeiro el año 1881, aunque no faltan textos que sitúan su nacimiento en 1884, 1886 y hasta 1888. Una singularidad más entre las muchas que adornan el carácter y la figura del músico. Villalobos, hijo de un escritor y músico aficionado, se ha formado de una manera autodidáctica, con el estudio de las fuentes populares y la lectura del famoso *Traité de Composition* de Vincent d'Indy. Más tarde, en 1918, a través de Rubinstein y Darius Milhaud, trabó relación con la música francesa y en especial conoció la música de Debussy, que le impresionó extraordinariamente. En 1923, siendo ya el autor de un sinnúmero de obras, fue a París, donde residió cuatro años, estableciendo contacto con las modernas escuelas de composición. En 1927 volvió al Brasil, y en 1932 el Presidente Getulio Vargas lo nombró supervisor y director de Educación Musical, cargo que proporcionó a Villalobos la ocasión de poner en práctica revolucionarias doctrinas pedagógicas.

La copiosa producción de Heitor Villalobos abarca todos los géneros, desde los más complicados poemas sinfónicos hasta humildes composiciones para guitarra. En su música se mezclan los elementos ameroindios y afroamericanos con los refinamientos del impresionismo, la escritura de los modernos contrapuntistas, y, paradójicamente, las arias italianas de moda en algún tiempo en los núcleos ciudadanos brasileños. «En Villalobos — escribe Francisco C. Lange — convergen a la vez el indio, el mestizo, el hombre del *sertao* y el bullicio carnavalesco de Río...». Las composiciones que le han dado más nombre internacional son *Chôros* y *Bachianas brasileiras,* en las que lo popular y lo erudito se combinan con arte y eficacia. Las aportaciones de Villalobos al teatro lírico de su país se reducen a cinco óperas, *Aglia* (1912), *Izaht* (1914), *Jesús* (1918), *Zoe* y *Malazarte* (1921). Solamente *Izaht* ha sido completada y orquestada. Se trata de una obra concebida en estilo verista, de reminiscencias puccinianas. El argumento gira sobre una gitana, *Izaht,* de la que se enamora un vizconde, ignorando que es su hija ilegítima: el incesto no se consuma, ya que la gitanilla muere defendiendo a su ignorado padre contra una banda de apaches. La obra, en forma de oratorio, se estrenó en Río de Janeiro, el 6 de abril de 1940. El resto de las óperas, como se ha dicho, continúa sin estrenar.

También ha escrito Villalobos dos oratorios, *Vidapura,* en el año 1918, estrenado en Río de Janeiro el 28 de noviembre de 1934, y *San Sebastiao* (1937).

Joao Octaviano (1896), con estilo académico y escritura brillante, ha compuesto *Iracema,* ópera en un acto (Ópera de Río de Janeiro, 1937), *Sonho de Uma Noite de Luar* (Sueño de una Noche de Luna), todavía no estrenada, y el ballet *Ondinas* (Teatro Municipal de Río, 1937) ; Oscar Lorenzo Fernández (1897), llamado por un crítico musical brasileño *brasileirissimo,* por su devoción al folklore nativo, es autor de un ballet sobre motivos incaicos, *Amayá,* estrenado por los Ballets Rusos en Río de Janeiro el 9 de julio de 1939. También se le debe una ópera sobre el tema legendario de *Malazarte* (1941), cantada en italiano por la compañía del Teatro Municipal de Río de Janeiro. Malazarte es el hombre que, como su nombre indica, domina las malas artes, y la acción se desarrolla en el Brasil colonial. El material de la ópera es brasileño, aunque el compositor adopta el *leitmotiv.* El aria central es una *modinha* brasileña de ritmo y melodía nostálgicos.

Assis Republicano (1897), compositor negro, discípulo de Francisco Braga, es autor de cuatro óperas, siguiendo la tradición italiana, pero con lenguaje armónico convencional : *O Bandeirante* (el pionero), estrenada en 1925, *A Natividade de Jesus* (1937), *Amazonas* y *O Ermitao da Gloria,* que permanecen sin estrenar ; Francisco Mignone, una de las figuras más significativas del arte musical brasileño, nacido en San Pablo en 1897 y formado en el conservatorio de su ciudad natal, y en Milán con Ferroni, busca en su música la inspiración del folklore brasileño. En Italia escribió la ópera *Contractador dos Diamantes,* estrenada con el título de *Dansa* en San Pablo, el 10 de septiembre de 1922, y completa en el Teatro Municipal de Río de Janeiro el 20 de septiembre de 1924. Se ha hecho famosa una *Congada* del segundo acto. Otra ópera, *L'Innocente,* se ha estrenado en Río de Janeiro el 5 de septiembre de 1928. El texto de ambas está en italiano. El ballet *Maracatú* de Chico-Rei (1934) completa la lista de obras para la escena debidas a Francisco Mignone, junto con el ballet humorístico *O Espantalho* («Espantapájaros»), compuesto en 1941, con inclusión de una sirena de vapor, sirenas policíacas y un silbato del tren, entre los elementos orquestales.

Camargo Guarnieri (1907), discípulo de Charles Koechlin, es un modernista teñido de folklorista, que trata polifónicamente melodías originales, pero concebidas con espíritu de *brasilidade.* Se le ha llamado «el más fuerte compositor polifónico del Brasil». Para el teatro ha escrito una ópera cómica en un acto, *Pedro Malazarte,* siguiendo la leyenda, y una «cantata trágica», *A Morte do Aviador* ; Luis Cosme (1908) es autor del ballet *Salamanca do Jurao* ; Eleazar de Carvalho (1912), con estilo que recuerda a Puccini y técnica moderna, se ha dedicado preponderantemente al teatro ; se le deben dos óperas : *A Descoberta do Brasil* y *Tiradentes* («El Sacamuelas»), intensamente brasileñas por el asunto y la música. La segunda se estrenó en el día de la Independencia, el 7 de septiembre de 1941, en el Teatro Municipal de Río de Janeiro.

Méjico tiene el honor de ser el país del hemisferio de Occidente donde se publicó el primer libro conteniendo notación musical : un misal impreso en Ciudad de Méjico en 1556. También, como se ha dicho, en Ciudad de Méjico se cantó la primera ópera compuesta por un nativo. En el siglo XIX allí se escribió, según hemos explicado más arriba, la primera obra sobre un tema nativo. La afición a la música siempre ha sido considerable dentro de la nación mejicana, y el pueblo ha creado varias formas folklóricas, de origen tanto nativo como criollo, que se han hecho universalmente famosas. La cantidad de compositores hoy en día es grande en Méjico, y abundan las personalidades con relieve propio y cunden las más avanzadas tendencias ; sin embargo, la producción operística no es muy grande, debido sin duda a que hasta el presente no hay compañías permanentes de ópera. No obstante se puede dar una lista bastante respetable de autores y obras.

Melesio Morales (1838-1908) estudió en Italia ; se le deben ocho óperas, cuatro de las cuales se estrenaron en Ciudad de Méjico : *Romeo y Julieta* (1863), *Ildegonda* (1866), *Gino Corsini* (1877) y *Cleopatra* (1891). *Ildegonda* se dio en representación el año 1868 en Florencia, es decir, dos años antes que *Il Guarany* de Gomes se estrenase en Milán. Rafael Tello (1872) ha visto estrenar en Ciudad de Méjico su obra *Nicolás Bravo* (1910) y *Due Amori* (1916) ; su primera ópera, *Juno,* permanece inédita como su última, *El Oidor* (1942). Julián Carrillo (1875) es un compositor y teorizante ultramodernista : dentro de su larga existencia ha conocido tres maneras : la primera, completamente académica, durante sus estudios en el Conservatorio de Leipzig, donde fue el año 1899 alumno de composición y violín, y en el Conservatorio de Gante ; su segunda fase ha sido mejicana por su inspiración y romántica por su sentimiento ; la tercera, revolucionaria, se caracteriza por el desarrollo de su teoría del *Sonido 13,* según la cual el tono se subdivide en fracciones que llegan a una dieciseisava parte de su ámbito. Es dentro del segundo período que comienza su producción operística con dos obras de asunto mejicano : *Xulitl,* ópera en tres actos, y *México en 1810,* cuatro actos. En su tercer estilo, en el que Carrillo ha escrito unas cuarenta obras en cuartos de tono, octavos de tono y dieciseisavos de tono, sólo figura una escena pastoral, *Tepepán,* para voces en cuartos de tono y arpa en dieciseisavos de tono, que pueda referirse, aunque sea de lejos, a la escena lírica. José Pomar (1880) no ha comenzado a componer formalmente hasta la edad de cuarenta y ocho años. Es autor de dos ballets : *Ocho horas,* representación orquestada de un taller de diario, y *Bestia Parda* (1937), de asunto antinazi. Estanislao Mejía (1882) compuso la partitura de una ópera,

Edith (1918) y un ballet, Schadani (1934). Arnulfo Miramontes (1882), hábil contrapuntista de armonía tradicional europea, es un compositor que, además de numerosas obras de todos géneros, ha compuesto las óperas *Anáhuac,* estrenada en 1918, y *Cihuatl,* que no se ha representado. Jacobo Kostakowski (1893), ruso establecido en Méjico y nacionalizado en 1935, estudió en su país natal; pero, si bien en sus ballets primeros *Clarín y Barricada,* o en *Triángulo,* suites de ballets en cuatro movimientos (1937), se muestra ruso y seguidor de Tchaikovski, en su ballet *La Creación del hombre* (1939) y sus últimas obras emplea temas populares mejicanos. José Vásquez (1895), postimpresionista, ha visto representadas tres óperas: *Citlalli* (1922), *El Mandarín* (1934), *El Rajah* (1934) y una ópera-ballet, *El último Sueño* (1935). Eduardo Hernández Moncada (1899), discípulo de Rafael Tello, compositor más bien académico, tiene escrito el ballet *Procesional.*

Con Carlos Chávez (1899) nos enfrentamos ante uno de los más destacados compositores y directores de orquesta americanos, y el más destacado de Méjico. Comenzó escribiendo piezas de piano en estilo de salón; pero su estilo evolucionó rápidamente. En 1921 compuso Chávez su primera obra mejicana, un ballet, *El Fuego Nuevo,* para gran orquesta con instrumentos de percusión indígena. El estilo recuerda a Debussy y los impresionistas franceses. El ballet no se estrenó hasta el 4 de noviembre de 1928, bajo la dirección de Chávez y con la Orquesta Sinfónica de México. Otro ballet análogo, *Los Cuatro Soles,* que simbolizan los cuatro elementos: tierra, aire, fuego y agua, se estrenó en 1930.

En 1922 Chávez se trasladó a Europa y luego pasó varios años en Nueva York. Su estilo se hizo abstracto y desnudo, como era moda en aquellos días. Sus obras siguen esa línea, que culmina en el ballet *H.P.* («Caballos de fuerza», 1931). El ballet *H.P.* es una apoteosis del maquinismo. El famoso pintor mejicano Pedro Ribera, que se encargó de la parte plástica, escribió entonces: «Es el despliegue de hazañas plásticas y musicales, cuyas sugerencias están de acuerdo con el ritmo de las aspiraciones, intereses y necesidades de nuestra existencia social». Chávez describe *H.P.* como «una sinfonía de los sonidos que nos rodean». La nota del programa del ballet aclara más la acción: «El ballet *H.P.* simboliza el parentesco existente entre el norte y los trópicos. Los trópicos producen materias primas, ananaes, cocoteros, bananas. El norte transforma estos materiales en mercaderías de consumo diario». El ballet consta de cuatro movimientos. El primero, *Danza del Hombre,* simboliza el hombre como creador de las cosas. El segundo, *El Barco,* describe el comercio que florece entre América del Norte y del Sur. Hay una danza de marineros, seguida de un tango, que expresa la seducción del Sur. El tercer movimiento, *El Trópico,* pinta la estancia de un barco en un puerto del Sur. Dos danzas nativas, la *Sandunga* y el *Huapango,* están incluidas en estos movimientos. El último, *Danza de los Hombres y las Máquinas,* retrata una ciudad de Norteamérica, con sus rascacielos. Los obreros se rebelan contra el despotismo de la máquina, y el pánico se apodera de los capitalistas. Finalmente los trabajadores conquistan las máquinas y las dedican a su propio servicio [1].

La obra, por su tono y ambiente, de ambiciones sociales, recuerda el arte de Pedro Ribera. También la mezcla del «geometrismo» para explicar musicalmente la máquina y el sensualismo tropical, para explicar al hombre. *H.P.* se estrenó en Méjico (1931) como suite sinfónica. Como ballet, por la «Philadelphia Grand Opera Company» bajo la direción de Stokowski, el 31 de marzo de 1932. Como es natural, su estreno produjo encontrados comentarios entre la crítica musical norteamericana.

A Silvestre Revueltas (1899-1940) se le debe *El Renacuajo paseador* (1936), ballet para niños, y el ballet *La Coronela* (1940), historia de una niña coronela en el alzamiento contra Porfirio Díaz. La partitura, incompleta a la muerte del compositor, fue terminada y orquestada por Blas Galindo y Candelario Huizar. Revueltas es un compositor modernísimo, dotado de un fino sentido del humor, que en su *Música para charlar* escribe : «La música que hace pensar es intolerable, atroz. Hay gentes a quienes gusta ; en cuanto a mí, adoro la música que hace dormir». Alfonso de Elías ha escrito la música para el ballet *Las Biniguendas de Plata* (1933), con estilo romántico ; Miguel C. Meza (1907) es autor de un ballet bajo el mismo título (1935). Daniel Ayala, de sangre india, como Carrillo, aplica la moderna técnica a los temas indígenas ; su música ha sido descrita como «el alma nueva de las cosas viejas». Le debemos un ballet, *El Hombre Maya,* inspirado por las leyendas de la cosmogonía maya del Yucatán. Miguel Bernal Jiménez (1910), de Morelia, en 1928 fue enviado a Roma para estudiar en el Instituto Pontifical de Música Sagrada. A su regreso en Méjico, fue designado director de la Escuela de Música Sagrada de Morelia. Su obra más importante es una ópera, *Tata Vasco,* que es el nombre que daba el pueblo al primer obispo de Michoacán, conocido por su obra caritativa entre los indios. La obra contiene, entre su material temático, elementos gregorianos e indios primitivos. El acto final tiene la forma de una sinfonía ; la materia sonora es muy mezclada y sugiere nombres tan diversos como Puccini, Palestrina y Tchaikovski, según los críticos. La obra debía ser estrenada en 1940 en el Palacio de Bellas Artes de Ciudad de Méjico, pero a última hora, por razones políticas, el Gobierno prohibió su representación, que tuvo lugar, con posterioridad, en la ciudad provinciana de Patzcuaro. Otro compositor de sangre india es Blas Galindo ; con estilo agresivo y empleo de material folklórico, ha estrenado

---

[1]. Nicolás Slominsky, op. cit.

en Ciudad de Méjico dos de sus ballets, *Entre sombras anda el fuego* y *Danza de las fuerzas eternas,* ambos en 1941.

En Chile, las primeras influencias han sido italianas, de la zarzuela española y, en menor grado que en otros países americanos, la música nativa de los indios araucanos, demasiado alejados de los centros culturales para ejercer influencia durables. Los primeros compositores de Chile que se preocuparon de música teatral se limitaron a imitar el arte ltaliano. Un alemán nacionalizado, Aquinas Ried, como hemos dicho, escribió la primera ópera sobre tema nativo, *Telésfora,* estrenada en Valparaíso el 18 de septiembre de 1846.

Actualmente en Chile existen la Orquesta Nacional de Música de Santiago, el Conservatorio Nacional de Música, el Instituto de Extensión Musical y diversos premios y centros de estudios creados por el Instituto y la Universidad de Chile. Compositores como Humberto Allende, el pianista Claudio Arrau, conocido internacionalmente, Domingo Santa Cruz Wilson, etc., y musicólogos eminentes contribuyen al prestigio del arte musical en aquella república ; pero el cultivo del teatro lírico es más bien restringido, ya que las preferencias de los compositores se extienden a las otras ramas del arte instrumental y vocal.

Sin embargo, se pueden dar los nombres de Próspero Brisquett Prado (1881), autor de poemas sinfónicos con fondo nativo y técnica más bien impresionista ; ha escrito el «drama simbólico» *Sayeda,* estrenado en el Teatro Municipal de Santiago el 19 de agosto de 1935, y el ballet en cinco movimientos *Metrópolis,* en el que evoca en diversos estilos distintos ambientes empleando desde la manera clásica hasta la música imitativa ; Carlos Isamitt (1885), que utiliza en sus obras el folklore araucano, como puede verse en su ballet *El Pozo de Oro,* segundo premio para obra teatral en el concurso nacional de noviembre de 1941 ; Alfonso Letellier Llona (1912), discípulo de Humberto Allende, que tiene inconclusa la partitura de una ópera sagrada, *María Magdalena.*

El primer compositor peruano que se basó en motivos incaicos fue José María Valle Riestra (1859-1925), que hemos citado, autor de la ópera nativa *Ollantay.* En el siglo xx, Teodoro Valcárcel (1900-1942), indio auténtico, que estudió un tiempo en España con Felipe Pedrell, ha sido el compositor peruano más original, aunque su falta de técnica impidió el desarrollo completo de sus talentos. Su música de ballet es muy estimable, y muchas de sus obras sinfónicas son orquestadas por músicos extranjeros residentes en el Perú.

Se pueden mencionar el folklorista Daniel Alomia Robles (1871-1942), que ha dejado inacabada una ópera, *El Cóndor pasa,* de la que se conoce una *Danza Inca,* contenida en el álbum *Collection Espagnole* (Nueva York, 1936) ; Enrique Fava Ninci (1883), italiano, primero establecido en Buenos Aires y después en Lima y. naturalizado peruano. Primer flautista de la Orquesta Sinfónica de Lima, ha escrito, entre otras producciones, un ballet sobre motivos incaicos ; Luis Pacheco de Céspedes (1893) ha tenido una formación musical europea. En su juventud estudió en París con Gabriel Fauré y Reynaldo Hahn. Su carrera musical se ha desarrollado en Francia, pero eso no impide que use de motivos peruanos en su música. Su opereta *La Mariscala* se estrenó en Lima el 16 de mayo de 1942. El estilo de Pacheco de Céspedes utiliza algunos procedimientos modernos, entre ellos la escala de tonos enteros, cara a los impresionistas.

Bolivia conoce desde 1940 un fervor musical notable, que coincide con la formación de la Orquesta Nacional de Conciertos. El teatro lírico cuenta con algunas producciones, entre las que destacamos los ballets, *Kollana* y *Potosí* (pantomima), del compositor de origen hispanoitaliano, educado musicalmente en Buenos Aires, Eduardo Caba (1890). Guatemala es la patria de Jesús Castillo (1877), compositor y erudito folklorista, autor de *Quiché Vinak,* ópera representada en Ciudad de Guatemala en 1924, orquestada por Fabián Rodríguez ; también ha escrito Castillo otra ópera nativa, *Nicté,* y un ballet, *Guatema.* Costa Rica posee un núcleo de cultura lírica en el Teatro Nacional de San José, inaugurado en el año 1879. Los representantes del arte lírico en la república centroamericana son César Nieto (1892), nacido en Barcelona y trasladado a Costa Rica a los siete años de edad, autor del ballet *La Piedra del Toxil,* sobre motivos pentatónicos incaicos y armonización del siglo pasado, y Julio Mata (1899), que estudió música en su patria y en los Estados Unidos, de quien es la opereta *Rosas de Norgaria* y una ópera ligera, *Toyupán,* basada en el folklore nativo. Nicaragua conoce un teatro lírico nativo, representado por el espectáculo nativo *Güegüence,* que se celebra el día de San Jerónimo, 13 de septiembre. Su letra representa una mezcla del español con el dialecto indígena nahautl. El compositor nacional Luis A. Delgadillo (1887), que ha estudiado en Milán y ha permanecido después cinco años en Europa, es autor del ballet *La Cabeza del Rawí* (1942), tratado en estilo orientalista ; la obra ha sido premiada por el Ministerio de Instrucción Pública de Nicaragua. Además Delgadillo ha escrito *Ballet Infantil,* donde evoca a los conocidos ratón Mickey y gato Félix, dos óperas, *Final de Norma y Mavaltayán,* y cuatro operetas, sin contar sus producciones en diversos géneros de la música instrumental y vocal. Ya hemos explicado los curiosos «misterios» de moros y cristianos todavía existentes en el folklore de El Salvador ; el teatro lírico en aquella república se halla representado en tiempos atrás por Wenceslao García, autor de una ópera titulada *Adela,* en la que aparecen motivos nativos ; actualmente María de Baratta (1894), compositora y especialista en folklore, que lleva sangre india y española en sus venas y ha estudiado en Italia y Norteamérica

(Bolonia y San Francisco), es la autora de la partitura de un ballet, *Nahualismo*, basado en los motivos del ritual indio de *Nahual*, poderoso espíritu encarnado en una serpiente o un tigre. El ballet, en orquestación de Ricardo Hüttenrauch, se estrenó en San Salvador el 19 de abril de 1936.

Desde el siglo XVIII, la música cubana empieza a difundirse por Europa y Norteamérica. A partir de entonces, la invasión no ha cesado, antes al contrario, siempre tiende a extenderse más, deformada, según los entendidos, por sus versiones europeas y americanas del Norte. En el siglo pasado, sin embargo, la música operística italiana dominaba en los salones de La Habana. La primera compañía de ópera italiana que visitó a Cuba llegó en el año 1839. El primer compositor cubano que cultivó motivos nativos fue Ignacio Cervan, conocido como «el Glinka de la música cubana».

Actualmente, la música en la Gran Antilla sigue o bien las tendencias afrocubanas de Amadeo Roldán y Alejandro García Caturla, malogrados antes de los treinta años de edad y fundadores de la escuela moderna folklórica, o bien el neoclasicismo preconizado por José Ardévol, barcelonés establecido en La Habana en 1934 y que reúne un núcleo a su alrededor y ha fundado el «Grupo de Renovación Musical». Los compositores cubanos actuales no se muestran inclinados a la música de escena, para la que el carácter de la música nacional parece, por otra parte, extraordinariamente a propósito.

Sólo dos nombres pueden mencionarse: Eduardo Sánchez de Fuentes (1874-1944), compositor nacido y siempre residente en La Habana. Sánchez de Fuentes es autor de seis óperas: *Yumurí* (1898), *El Náufrago* (1901), *La Dolorosa* (1910), *Doreya* (1918), *El Caminante* (1921) y *Kabelia* (1942). Tiene, además, un oratorio, *Navidad* (1924), y el ballet *Dioné* (1940). Todas esas obras han sido estrenadas en La Habana, al igual que varias operetas y piezas menores. Sánchez de Fuentes ha sido el primero en utilizar la música nativa, y por esta razón su contribución a la operística cubana es importante. El otro compositor es Amadeo Roldán (1900-1939), mulato, nacido en París, que estudió en Madrid el violín, y la composición en La Habana con Pedro Sanjuán. La obra de Amadeo Roldán se halla profundamente impregnada de folklore negrocubano. Para el teatro ha escrito el ballet *La Rebambaramba*, instrumentado para seis grupos de percusión separados; los instrumentos son indígenas. La obra, en forma de suite, se estrenó en 1928. *El Milagro de Anaquillé* se estrenó en La Habana en 1929.

El más antiguo testimonio que se tiene de la música y la danza en el Nuevo Continente corresponde a la Isla de Santo Domingo. En 1520, según explica Gonzalo Fernández de Oviedo, la reina Aracaona bailó ante los ojos de los conquistadores un *Areito,* danza-canción acompañada de grandes tambores. La acompañaban trescientas damiselas... Bartolomé de las Casas, el conocido «apóstol de los indios», explica como los indígenas son muy aficionados al baile y para marcar el ritmo emplean matracas llenas de guijarros. Fray Bartolomé, en 1510, celebró una misa cantada en la ciudad de La Vega.

Con el tiempo, desaparece la población india con su folklore; en cambio, se impone el folklore español y el africano, traído del continente negro con los esclavos que en grandes cantidades fueron transportados a la isla dominicana en los siglos XVII, XVIII y XIX.

La música dominicana muy pronto utilizó temas nativos: la operística cuenta en el siglo pasado con Pablo Claudio Soler, autor de dos óperas y más de setecientas obras de vario carácter. Augusto Vega (1885) ha escrito una ópera, *Indígena,* basada en motivos populares, además de composiciones orquestales y varias canciones.

Colombia conoce una música popular de triples raíces: españolas, africanas e indias. Se sabe que el jesuita José Dadey (1574-1660) estableció un sistema de enseñanza de música religiosa, y la enseñanza musical ha continuado desde aquella fecha. La primera ópera escrita por un nativo es *Esther,* de José María Ponce de León (1846-1882); la obra se estrenó en Bogotá el 2 de julio de 1874. Actualmente existen en Colombia compositores y centros docentes que desarrollan una gran actividad. Guillermo Uribe-Holguín es el compositor más destacado de Colombia. Ecuador nos da el nombre de Pedro Traversari (1874), que ha escrito varios «melodramas indígenas» con estilo académico y temática nativa: *Cumanda,* o *la Virgen de las Selvas; La Profecía de Huiracocha y Kizkiz, o el último Exponente del Espíritu Incaico.* Venezuela puede contarse entre las repúblicas de Sudamérica que han conocido más pronto la ópera del siglo XIX, aun de carácter dieciochesco: en 1810 una compañía de óperas francesa dio varias representaciones en Caracas. También se ha encontrado una colección de trescientas partituras instrumentales y corales de música religiosa del siglo XVIII, lo que prueba la existencia de una escuela de composición floreciente entre los nativos. Entre los músicos del siglo pasado que se dedicaron al teatro lírico, es preciso mencionar a/ José Ángel Montero (1839-1881), maestro de coro de la catedral de Caracas y autor de la primera ópera nativa, *Virginia,* estrenada en 1873; y, entre los nacidos en el actual, a María Luisa Escobar (1903), autora del ballet sinfónico *Orquídeas azules,* que glosa el folklore venezolano. Un renombrado compositor de óperas y operetas, Reynaldo Hahn, nacido en Venezuela, pasó a Europa y París, con su familia, cuando sólo contaba tres años.

Uruguay, folklorísticamente, es un caso aparte en el continente de Sudamérica, puesto que los elementos indio y negro faltan por completo:

es una tierra de hombres blancos. La evolución de la cultura musical en el Uruguay está gobernada por el influjo de la Argentina. Las influencias italianas llegaron temprano : el 14 de mayo de 1830 se representó en Montevideo *L'Inganno Felice,* de Rossini. Desde entonces no ha cesado la vida musical en aquella ciudad. En 1890 se fundó el Conservatorio Verdi, nombre harto elocuente ; Carlos Pedrell, sobrino de Felipe Pedrell, y Alfonso Broqua, son los fundadores de la moderna escuela uruguaya. Citaremos, entre los músicos que han dedicado parte de su esfuerzo a la música lírica y escénica, Alfonso Broqua (1876), que ya hemos mencionado, autor de *Tabaré* y *La Cruz del Sud* (1918). Broqua compuso la música de dos ballets : *Thelén et Nagouë* (1934) e *Isabelle.* Su técnica es sólida, como discípulo que es de la «Schola Cantorum», y Vincent d'Indy. Carlos Pedrell (1878-1941) estudió en Madrid con su tío, y con Vincent d'Indy, en París. Vivió casi siempre en París, y allí ha muerto : en el Colón de Buenos Aires, Pedrell estrenó en 1918 su ópera única, *Ardid de Amor.* Pedrell ha cultivado la técnica impresionista, y, de tarde en tarde, emplea algún tema sudamericano. También, sin ser folklorista, sabe ser popular en ocasiones Eduardo Fabini (1883), que perfeccionó sus estudios musicales en Bruselas ; se le debe un ballet, *Mburucuyá,* nombre indígena de la pasionaria o pasiflora, tejido con melodías nativas. Ramón Rodríguez Socas (1890) a los dieciocho años compuso una ópera, *Alda* ; entonces estudiaba en el Conservatorio «La Lira», del que hoy es director ; luego estudió en Italia, y compuso varias óperas, de las que se recuerdan : *Yeba, Amor Marinaro, Morte di Amore, Antony Griette, Murineda, Sor Tofano* y numerosas operetas. Algunas de las óperas han sido estrenadas en Milán.

Como se puede ver a través de lo enumerado, la música del teatro lírico a través de la América Latina experimenta influencias populares y eruditas y se halla ante los mismos problemas ; las grandes diferencias, en ella, coexisten con grandes semejanzas.

INDICE ALFABÉTICO

Los nombres de persona (autores, compositores) van impresos en LETRAS VERSALITAS y los títulos de las obras en *cursiva*.

20

INDICE DE ILUSTRACIONES

INDICE DE MATERIAS

CAPÍTULO XIII

CAPÍTULO XIV